Halvemaan

Vertaald door Lilian Schreuder

Diana Abu-Jaber

Halvemaan

2003 Uitgeverij Bert Bakker Amsterdam

Voor Scotty

Oorspronkelijke titel *Crescent*
© 2003 Diana Abu-Jaber
© 2003 Nederlandse vertaling Uitgeverij Bert Bakker en Lilian Schreuder
Omslagontwerp Mariska Cock
Foto omslag Elinor Carucci/Photonica
Foto auteur Basil Childers
www.pbo.nl
ISBN 90 351 2539 8

Uitgeverij Bert Bakker is onderdeel van Uitgeverij Prometheus

I

I

De hemel is wit.

De hemel zou niet wit moeten zijn omdat het na middernacht is en de maan nog niet is verschenen en niets zo zwart en zo oud is als de nacht in Bagdad. Die is donker en geurig als de hangende tuinen van de verdwenen stad Babylon, zo donker en stil als de nacht in het hoogste vertrek van de spiralende toren van Babel. Maar hij is wit omdat wit de kleur is van een exploderende raket. De raketten die van de overkant van de rivier komen, over de velden, van de andere kant van een onzichtbare grens, uit een ander oud land dat Iran heet. De raketten zijn soms zo dichtbij dat hij het waarschuwende gezoef kan horen voordat ze exploderen. Die welke exploderen in de lucht verspreiden grote ronde kleurige bloemen, vuurraderen. Maar de raketten die exploderen op de grond vagen alles weg: ze geven vuurstralen af die als elektrische slangen over de grond schieten; ze verlichten de ezels bij de drinkbakken en maken hun schaduwen honderd meter lang. Ze verlichten ieder grassprietje, iedere hagedis en iedere dadel; ze schokken de lome palmbomen en zetten de bergen in de verte – de plek die zijn oom het Land van Na noemt – in brand. Ze maken dat het gezicht van zijn zus gloeit als gele bloesem, ze maken dat het water fosforescerend lijkt terwijl het uit de kraan loopt. Hun lawaai knettert langs de toppen van de hoogste westerse gebouwen en weerklinkt tegen de minaretten en koepels. Ze fluiten door de boomgaarden en laten hectaren vol olijfbomen exploderen. Ze verlichten de Eufraat, laten de muren van oude kerken instorten, van oude synagogen, van mysterieuze, afbrokkelende monumenten ouder dan de boeken, monumenten voor goden zo oud dat niemand nog hun naam weet, muren uit de oudheid die onder de schokgolven uiteenvallen als stof.

Ze verjagen alle slaap. Al jaren.

Een jongen ligt in zijn bed in een buitenwijk van de stad, nog steeds wakker. Hij probeert zichzelf te kalmeren door een gedicht op te zeggen:

Weet dat de wereld een spiegel is van top tot teen,
In ieder atoom zijn honderd verblindende zonnen,
Als je een enkele druppel water doorklieft,
ontspringen daar honderd zuivere oceanen uit.

Ver weg, aan de andere kant van de stad, diep in de stadsnacht, achter het Eastern Hotel waar alle buitenlanders logeren, is een zwembad zo rond als de maan, waar een vrouw met een blanke huid op hem wacht in het fosforescerende water. De nacht boven het zwembad wordt niet verstoord door bommen, weet hij, want niets kan binnendringen in het land van de blonde vrouwen, met hun gelakte nagels, glanzende haar en stralende huid. Ze staat heupdiep en bewegingloos in het ondiepe gedeelte van het zwembad te wachten tot hij naar haar toe zal komen. Haar haar heeft de kleur van vuur en haar ogen zijn de kleur van de hemel en het zwembad is de ronde maan boven Bagdad. Hij ligt dromend en wakker in zijn slaapkamer aan de andere kant van de stad. Hij is jong maar hij heeft al jaren niet meer echt geslapen. Ze kan hem naar een nieuwe omgeving sturen, weg van de nieuwe president, zo ver weg als de andere kant van de wereld, naar een plaats waar hij niet langer hoeft te kijken naar zijn broer en zus die niet slapen, waar hij niet meer hoeft te letten op zijn hartslag, zijn ademhaling, het trillen van zijn oogleden. Waar hij niet de smaak van ijzer in zijn mond zal hebben, zijn oren niet zullen galmen, zijn handen en voeten niet zullen tintelen, zijn maag niet in opstand zal komen door het bulderende lawaai dat in hem is binnengedrongen en waarvan hij diep in zijn hart vreest dat het nooit meer weg zal gaan.

Haar oom is in zijn kamer met denkbeeldige boeken. Alles ruikt naar boeken: een lucht van vergeten herinneringen. Dit is de bibliotheek van denkbeeldige boeken, zegt haar oom, omdat hij er niet één van leest. Toch heeft hij ze overal vandaan gehaald: van kelders en zolders van vrienden, van rommelmarkten en studeerkamers van weduwen, uit heel Culver City, West-Hollywood, Pasadena, Laurel Canyon, boeken die hij heeft verzameld vanwege hun gewicht en hun leren omslag. De bladzijden zelf doen er niet toe.

'Als je je netjes gedraagt,' zegt hij tegen zijn negenendertigjarige nicht Sirine, 'dan zal ik je deze keer het hele verhaal vertellen.'

'U zegt altijd dat ik te jong ben om het hele verhaal te horen,' zegt Sirine. Ze snijdt een klein stukje schil van een citroen voor de koffie van haar oom. Ze zijn al op in de blauwachtig witte ochtendschemering, allebei gewend om vroeg op te staan en altijd nog slaperig.

Haar oom kijkt naar haar over de rand van zijn bril, het smalle ovale montuur omlaag glijdend langs zijn neus; hij probeert hem weer op zijn plaats te duwen. 'Zeg ik dat? Ik vraag me af waarom. Zo, en hoe oud ben je nu, al een halve eeuw?'

'Ik ben negenendertig. En een half.'

Hij maakt een afwijzend knippend gebaar met zijn vingers. 'Te jong. Ik zal de spannende delen voor je bewaren totdat je een halve eeuw bent.'

'O jee, ik kan haast niet wachten.'

'Ja, zo zijn de jongelui tegenwoordig. Niemand wil nog wachten.' Hij neemt een ceremonieel slokje van zijn koffie en knikt. 'Het is het moraalloze verhaal van Abdelrahman Salahadin, mijn favoriete neef, die een ongeneeslijke verslaving had om zichzelf te verkopen en zijn verdrinking in scène te zetten.'

'Dat klinkt lang,' zegt Sirine. 'Heb ik dat al niet eens eerder gehoord?'

'Het is een goed, kort verhaal, "Miss Hurry-up Amerika". Het is het verhaal over hoe je moet beminnen,' zegt hij.

Sirine legt haar handen tegen haar onkambare haar, sluit haar ogen. 'Ik kom weer te laat op mijn werk.'

'Daar heb je het weer – de hele wereld komt te laat op het werk, en alle kranen lekken ook – nog eens – wat kunnen we daaraan doen? Zo begint het.' Hij gaat zitten in zijn verhalenvertellerhouding – elleboog op een knie en hand tegen een ernstig voorhoofd. 'Abdelrahman Salahadin was een fijngevoelig man. Hij vergat nooit om zich te wassen voor zijn gebed. Soms knielde hij op het strand en maakte het zand tot zijn gebedskleed. Hij had maar één ondeugd.'

Sirine knijpt haar ogen dicht. 'Wacht eens even – u zei dat dit het verhaal is over hoe je verliefd moet worden? Komt er in dit deel van het verhaal eigenlijk wel een vrouw voor?'

Haar oom kantelt zijn hoofd naar achteren, wenkbrauwen opgetrokken, tong die klakt, wat betekent: nee; of: wacht; of: dommerik; of: je begrijpt het niet. 'Neem van mij aan,' zegt hij, 'dat liefde en gebed nauw met elkaar verwant zijn.' Dan zegt hij plagerig: 'Ik hoorde dat die knappe professor vandaag weer bij je is geweest om je *tabouli* te eten. Alwéér.'

Opnieuw heeft haar oom het over Hanif Al Eyad, de nieuwe docent bij de opleiding Talen en Culturen van het Nabije Oosten op de universiteit. Hanif is inmiddels vier keer in het restaurant geweest sinds hij een paar weken geleden in de stad is komen wonen, en haar oom blijft hem maar aan Sirine voorstellen, waarbij hij telkens opnieuw hun namen zegt: 'Sirine, Hanif, Hanif, Sirine.'

Sirine leunt over de snijplank die ze op haar knieën in evenwicht houdt en houdt de citroen stil. 'Ik weet echt niet waar u op zinspeelt.'

Haar oom gebaart met allebei zijn armen. 'Hij is geweldig, een en al spieren, en zúlke schouders – zo breed als een Cadillac – en een gezicht als ik weet niet wat.'

'Nou, als u dat al niet weet, dan weet ik het helemaal niet,' zegt Sirine terwijl ze de citroen snijdt.

Haar oom leunt achterover in zijn grote blauwe stoel. 'Nee echt, geloof me maar, ik zeg je dat hij eruitziet als een held. Als Odysseus.'

'En dat moet indrukwekkend klinken?'

Hij leunt naar voren en pakt de halve citroen waar nog geen schil vanaf is, ruikt eraan en bijt dan in een kant. 'Ik begrijp niet hoe u dat kunt,' zegt Sirine.

'Als ik een meisje was, dan zou ik helemaal weg zijn van Odysseus.'

'Hoe ziet Odysseus er trouwens uit? Een standbeeld zonder ogen?'

'Nee,' zegt hij verontwaardigd. 'Hij heeft wél ogen.'

'Nog steeds niet geïnteresseerd.'

Hij fronst, duwt zijn bril omhoog, die opnieuw afglijdt. 'Zoals je weet, ben ik vierentachtig als jij tweeënvijftig bent...'

'Maar toevallig ben ik pas negenendertig.'

'Over niet al te lange tijd zal ik hier niet meer zijn. Op deze planeet.'

Ze zucht en kijkt naar hem op.

'Ik zou je zo graag willen zien met iemand die aardig en charmant is en al dat soort dingen. Dat is alles.'

De grill op het werk is zo breed dat Sirine op haar tenen moet staan om helemaal naar achteren te kunnen reiken. Er hangen glanzende pannen aan een rek boven haar hoofd en er is een magnetische rij glimmende messen. Haar armen zitten vol rode brandplekjes, en als ze zich buigt om het grilloppervlak schoon te schrapen, voelt ze hoe de lucht ervan in haar haar en kleren kruipt. Zelfs na een vrije dag kan ze er nog steeds een zweem van opvangen als ze haar hoofd omdraait. Er is een rood waas onder de grill, geuren die opstijgen van het fornuis, en overal het gezoem van de ventilators.

Nadia's Café is net als andere restaurants – druk tijdens etenstijd en rustig ertussenin – maar op de een of andere manier is er meestal ook een voortgaande conversatie, Arabisch gekabbel dat rondom Sirine beweegt, haar hoofd vult met zoetvloeiende stemmen. Er zijn altijd dezelfde groepen studenten van de grote universiteit verderop in de straat, altijd zo eenzaam, de droefheid als donkere holtes in hun keel, als donkere spikkeltjes; vanwege hun vrouw en kinderen ver weg, of de Amerikaanse vrouwen die ze nog niet hebben ontmoet. De Arabische families houden hun dochters meestal veilig thuis. De weinige vrouwen die er wél in slagen om naar Amerika te komen zijn goede studentes – ze studeren in de bibliotheek en koken voor zichzelf, en alleen de mannen brengen hun tijd door met discussiëren en eenzaam zijn, thee drinken en proberen om met Um-Nadia, Mireille of Sirine te praten. Vooral Sirine. Ze zijn dol op haar gerechten – de geuren die hen herinneren aan hun vaderland – maar ze zijn er net zo dol op om naar Sirine te kijken, met haar huid zo bleek dat die de blauwachtige glans heeft van magere melk, haar wilde blonde haardos en haar zeegroene ogen. Ze heeft het ergst denkbare haar voor een chef-kok, krullend en wild en over haar schouders vallend, haar dat zich verzet tegen een paardenstaart, sjaal of vlecht. Ze is zo aardig en praat zo vriendelijk en haar eten is zo goed dat de studenten er niets aan kunnen doen – ze zitten aan de tafeltjes, allemaal in haar richting gedraaid.

Um-Nadia, de eigenares van het eethuis en alomtegenwoordige bazin, houdt altijd haar heup schuin tegen de stoelen van de studenten terwijl ze hen gezelschap houdt – ze draagt een gebloemde roze jurk met een diepe v-hals – een en al zacht decolleté, bungelende gouden kettingen en hooggehakte te kleine open schoenen – terwijl haar dochter Mireille en Victor Hernandez, de jonge Mexicaanse hulpkelner die hopeloos verliefd is op Mireille, de Centraal-Amerikaanse conciërge Cristobal, en Sirine de chef-kok zich rond haar bewegen.

'Een paradijs,' zegt Um-Nadia graag. 'Dit leven op aarde is een paradijs, als we dat maar eens beseften.' Sirine heeft haar dit al zo vaak horen zeggen dat ze weet hoe ze het in het Arabisch moet zeggen.

Victor Hernandez, die er een beetje uitziet als een kleine Mexicaanse Charlton Heston, glimlacht en trekt zijn wenkbrauwen op naar Mireille. Mireille kijkt een andere kant op en fronst naar de koelkast.

Negen jaar geleden, in 1990, was het café in handen van een Egyptische kok en zijn vrouw en heette het Falafel Faroah. Ze hadden een vaste klantenkring bij de arme studenten van de universiteit, die hun normale voedingspatroon van burrito's, loempia's en hamburgers afwisselden met de vrijdagse Falafel Speciaal. Maar de Amerikanen begonnen in 1991 Irak te beschieten, toen de Iraakse president Saddam Hoessein Koeweit binnenviel. En plotseling – te midden van al die studenten in spijkerbroek of short en T-shirt, en een handjevol uitwisselingsstudenten uit het Midden-Oosten in strakke broeken die al snel hadden ontdekt dat het eten in Falafel Faroah absoluut niet leek op het eten thuis – waren er iedere dag twee volwassen mannen in kostuum die aan de bar dingen zaten te noteren op een blocnote. Het enige wat ze deden was kijken naar de studenten uit het Midden-Oosten en aantekeningen maken. Een koude, ondoordringbare muur omgaf deze twee mannen en scheidde hen van alle anderen. Met de dag werd die groter terwijl ze daar zo met elkaar zaten koffie te drinken en snel te praten. Mensen begonnen te fluisteren: de CIA. Langzaam leken de studenten minder te worden aangelokt door de grote specials of het kleurige spandoek met aanbiedingen dat boven de pui was opgehangen. De zaak begon minder goed te lopen, en uiteindelijk kwam er bijna niemand meer. Op een dag, nadat ze een maand aan de bar hadden gezeten, namen de twee mannen de kok apart en vroegen hem of hij op de hoogte was van terroristische plannen die werden ontwikkeld in de Arabisch-Amerikaanse gemeenschap. De ogen van de arme man werden groot en rond, zijn handen werden nat van het zweet en bakvet, hij kneep in zijn spatel totdat het pijn deed in zijn handpalm; hij zag de dubbele weerspiegeling van zijn eigen bange gezicht in de donkere zonnebril van een van de onbekende mannen. Hij had nog nooit van zoiets gehoord. Hij en zijn vrouw keken 's avonds graag naar *Columbo*; dat was het enige wat hij wist van intriges of misdaad. Hij dacht dat hij in Amerika woonde. Die avond belde hij zijn Libanese vriendin Um-Nadia – die vroeger een restaurantje had in het centrum van Beiroet – en vroeg of ze zijn restaurant wilde kopen, voor weinig geld, en ze zei: ja, waarom niet?

De volgende maand vond Um-Nadia Sirine. Ze schraapten geel vet van jaren van de muren en heropenden met een menukaart met 'echt authentiek Arabisch eten'. De twee mannen met zonnebril verschenen prompt weer aan de bar, maar Um-Nadia, die zei dat ze het wel erger had meegemaakt in Beiroet, joeg ze uit haar eetgelegenheid door met haar theedoek naar hen te slaan.

Um-Nadia zegt dat de eenzaamheid van de Arabier iets vreselijks is; hij wordt erdoor verteerd. Dit gevoel is al als een kleine schaduw onder het hart aanwezig als hij zijn hoofd op de schoot van zijn moeder legt. Het dreigt hem totaal te verzwelgen als hij zijn eigen land verlaat, ook al trouwt hij, reist hij en praat hij vierentwintig uur per dag met zijn vrienden. Sirine denkt dat Arabieren alles zo voelen – buiten proporties, gevoelens die boven hen uit stijgen. En soms als ze wakker ligt, klaarwakker in het holst van de nacht, de nacht fris en sappig als palmhart of een kleine kipkebab, voelt Sirine hoe dergelijke gevoelens door haar eigen bloed jagen. Maar ook zij werd geboren met een eeuwig gevoel van geduld, een vermogen om diep en zuiver te leven in haar eigen lichaam, om te stoppen met denken, te werken en simpel te bestaan binnen de simpelste handelingen, zoals het fijnsnijden van een ui of het roeren in een pan.

Sirine heeft het verhaal van de twee vreemde mannen diverse malen gehoord toen ze nog maar pas werkte voor Um-Nadia. Ze heeft professioneel leren koken toen ze als kok en later als souschef in de keuken van Franse, Italiaanse en 'Californische' restaurants werkte. Maar toen ze bij Nadia's Café ging werken, bladerde ze weer eens door de oude recepten van haar ouders en begon ze ermee om de favoriete – maar bijna vergeten – gerechten uit haar kindertijd te koken. Ze had het gevoel alsof ze terugkeerde naar de kleine keuken van haar ouders en naar haar vroegste herinneringen.

En de klanten keerden snel terug naar het restaurant, alleen waren het deze keer bijna allemaal uitwisselingsstudenten en immigranten uit het Midden-Oosten. Sirine rolde vroeg in de morgen deeg uit in haar open keuken achter de bar en keek onopvallend hoe de studenten hun koffie dronken, de krant bestudeerden en met elkaar discussieerden. Alles aan deze jonge mannen leek eindeloos kwetsbaar en zacht: hun dikke, krullende wimpers, zachte ronde neuzen en volle lippen, smalle gezichten en borsten.

Soms speurde ze de ruimte af met het woord 'terrorist' in gedachten. Maar als haar blik dan over hun gezichten gleed, kwamen alleen woorden als 'eenzaam' en 'jong' in haar op.

Af en toe bleef een student rondhangen bij de bar om met Sirine te praten. Hij vertelde haar dan hoe moeilijk het was om een immigrant te zijn – ook al was dit iets wat hij zijn hele leven al had gewild – soms was het juist datgene wat hij zijn hele leven al had gewild. Amerikanen, vertelde hij haar, hebben niet de tijd of de ruimte in hun leven voor het soort vriendschap – gewoon de hele dag koffie drinken en praten – waar de Arabische studenten zo naar snakken. Voor velen van hen was het eethuis een vleugje thuis.

In Nadia's Café staat een tv schuin in de hoek boven de kassa, permanent afgestemd op een door en door Arabisch station, met nieuws uit Caïro, amusement en telewinkelen uit Koeweit, eindeloze Egyptische films, bedoeïenensoaps in het Arabisch, en Amerikaanse soaps met Arabische ondertiteling. Er is een groep vaste klanten waarvan iedereen zijn eigen favoriete programma's en gerechten heeft. Ze gaan ook altijd aan dezelfde tafeltjes zitten alsof die voor hen zijn bestemd. Zo heb je Jenoob, Gharb en Schmaal, die een ingenieursstudie volgen; Shark, een wiskundestudent uit Koeweit; Lon Hayden, die de leerstoel van de opleiding Talen en Culturen van het Nabije Oosten bekleedt; Morris die eigenaar is van de kiosk; Raphael-uit-New-Jersey; Jay, Ron en Troy uit het Kappa-en-nog-wat-studentenhuis; Odah, de Turkse slager en zijn vele zonen. Er zijn twee Amerikaanse politieagenten – de een blank, de ander zwart – die iedere dag naar het eethuis komen, waar ze *fava*, een puree van tuinbonen en linzen, gebakken met rijst en uien bestellen en worden meegesleept door de bedoeïenensoap waarin het draait om oude bloedvetes en de eer van de stam. Er zijn studenten die punctueel komen, en jarenlang iedere dag aan de bar verschijnen met hun krant, tot de dag waarop ze afstuderen en dan verdwijnen, om nooit meer te worden gezien. En dan zijn er nog de studenten die nooit hun bul halen.

Ook al staat Nadia's Café midden in een Iraanse wijk, toch zijn er maar weinig Iraanse klanten. Na de lange, bittere oorlog tussen Irak en Iran weigerden een paar van Um-Nadia's Iraanse buren om het restaurant binnen te gaan vanwege Sirine, de Iraaks-Amerikaanse chef-kok. Maar toch verscheen Khoorosh, de Perzische eigenaar van de Victory Markt verderop in de straat, op Sirines eerste werkdag met de mededeling dat hij bereid was om de Irakezen te vergeven namens de Iraniërs. Hij stond daar met open mond toen hij de witblonde Sirine zag, en gooide er toen uit: 'Kijk nou toch eens wat Irak heeft weten voort te brengen!' Hij vroeg of ze wist hoe ze de Perzische specialiteit *khoresht fessenjan*, zijn favoriete stoofpot met walnoten en granaatappelsiroop, moest klaarmaken. Toen ze hem beloofde dat te zullen leren, kwam hij later die dag terug en gaf haar een granaatappelboompje in een pot cadeau.

Sirine draagt haar haar bijeengebonden, maar toch hangt het in vochtige lokken overal om haar heen, bij een mondhoek, in haar ogen. Ze werkt en luistert naar de bel die rinkelt boven de deur, de deur die wordt dichtgeslagen, gesprekken die uitmonden in discussies, en weer rustig worden. Er is altijd zo veel lawaai; er zijn vogels die in de boom voor het keukenraam zitten te discussiëren. Het leven is één grote discussie! zegt Um-Nadia soms. Als Sirine lacht en vraagt waar ze over twisten, dan zegt Um-Nadia, wat denk je? Over de wereld.

Sirine kijkt op, langs de kap van de grill, kijkt hoe klanten aan de tafeltjes gaan zitten. Nog meer studenten, mager als jongens, gezichten smal van uitputting, eenzaamheid en praten. Ze is uien aan het bakken en werkt aan twee gerechten tegelijk, waarvoor ze aubergine klein snijdt en in de *leben* roert – een delicate zachte yoghurtsaus waarin constant geroerd moet worden, omdat die anders gaat schiften – en ze kijkt naar het groepje aan de achterste tafel. Vier ervan, waaronder Hanif Al Eyad, zijn net binnengekomen. Rechthoeken van licht vallen over hen heen vanaf de ruiten in de deur als die open- en dichtgaat. Stemmen die opgaan in geroezemoes en dan weer helder klinken, ingewikkelde gebaren, zwaaiende handen en armen. Het klinkt hetzelfde als de discussies die de studenten altijd hebben – over Amerika, het Midden-Oosten, en wie er wie onrecht aandoet – de ene keer in het Arabisch, dan weer in het Engels, en meestal een beetje van beide.

Ze heeft gemerkt dat Hanif vaak een heel gevolg van studenten heeft, jonge mannen – en ook wel een paar vrouwen – die hem aarzelend volgen, zijn mening over dingen vragen. Haar voornaamste indrukken van Hanif zijn die van zijn haar, glad en glanzend als zwart glas, en een lichte tropische slaperigheid in zijn ogen. En dan is er nog die mooie, vloeiende stem met een licht accent, donker als chocola. Zijn accent heeft nuances van Engeland en Oost-Europa, als een complexe saus.

Sirine heeft zich net van de leben op de aubergine gericht, als Hanif in het Engels losbarst: 'Natuurlijk hou ik van Irak, Irak is mijn vaderland – en natuurlijk is er geen sprake van dat ik terug kan', om daarna weer verder te gaan in het Arabisch.

Ze kijkt naar hem, het wit van zijn tanden, de zijdeachtige glans van zijn huid, bruin als cacaobonen. Hij is goedgebouwd, lang en stevig. Hij lacht en de anderen lachen met hem mee. Um-Nadia heeft naast hem post gevat. Ze staat daar met een heup tegen de tafel, en ze houdt haar hand zo dat het lijkt alsof ze haar knokkels door zijn haar wil halen. Ze zucht, kantelt één voet op de glanzende, versleten hoge hak, en klopt dan op de volumineuze bovenkant van haar eigen haar. Ze kijkt, nog steeds glimlachend, om naar Sirine achter de bar en zegt: 'Gegrild lamsvlees, rijst met pijnboompitten, taboulisalade, abrikozensaus.' Dan geeft ze een handkus.

Hanif kijkt even naar Sirine. Ze kijkt omlaag, snel, gaat met het grote hakmes door de bos peterselie die tussen haar vingers zit geklemd, kijkt naar de weelde van groene bladeren, uien, *bulgur*. Plotseling herinnert ze zich de leben, en ze haast zich naar de grote pot met yoghurtsaus, die op het punt staat te gaan schiften.

2

Sirines oom leunt naar voren over hun keukentafel, en kijkt toe hoe Sirine nog wat tabouli op zijn bord schuift. 'Ik zit helemaal vol, *habeebti*,' zegt hij. 'Echt, ik kan geen hap meer eten.'

'U hebt helemaal nog geen groente gegeten.' Ze staat op en zet de borden in de spoelbak. Als ze zich echter omdraait, bijt hij in een groot *mamool*-koekje met walnootvulling. Ze legt haar handen op haar heupen.

'Nou,' zegt hij snel, terwijl hij kruimels wegveegt, alsof hij daarmee het bewijs laat verdwijnen. 'Wordt het niet eens tijd voor het volgende hoofdstuk van het moraalloze verhaal over Abdelrahman Salahadin?'

Abdelrahman Salahadin draagt zichzelf als een handvol water.

Abdelrahman Salahadin – wat een lange naam. Het duurt een eeuwigheid voordat je die hebt uitgesproken.

Ongewoon, toegegeven, maar eerbiedwaardig. Een naam vol mededogen en schoonheid – 'De dienaar van de Genadige' – Abdelrahman – en de naam van een groot strijder en bevrijder – Salah al-Din.

Abdelrahman Salahadin was de favoriete zoon van zijn moeder.

Overdag heeft zijn huid de kleur van kaneel en honing. 's Nachts is hij bijna onzichtbaar. Hij beweegt zich ogenschijnlijk zonder zich te bewegen, zoals het oog zich beweegt over woorden op een bladzijde.

Er ligt een kleine houten roeiboot, schommelend en verborgen in het riet. De Saudische slavenhandelaar wacht ernaast, ogen neergeslagen, bescheiden als een huwelijkskandidaat, gekomen om Abdelrahman te kopen en stilletjes te laten verdwijnen, over de Rode Zee, naar zijn woestijnkasteel.

De slavenhandelaar helpt Abdelrahman Salahadin in de boot. Nadat ze zijn gaan zitten, begint hij te roeien en praat hij met Abdelrahman, waarbij hij probeert om hem te imponeren met zijn onderzoek naar de taal van zeemeerminnen. Tussen de slagen door overhandigt hij Abdelrahman Salahadin zijn betaling: een kleine zak goud, een gouden enkelband en gouden oorringen.

Abdelrahman neigt zijn oor naar de horizon alsof hij naar iets luistert. Uiteindelijk, nadat ze al een flink eind op zee zijn, omringd door donkere, mysterieuze golven, met in de verte een gewelf van rommelende wolken, lijkt hij een onzichtbaar teken te ontvangen en gaat hij staan. De slavenhandelaar kijkt naar hem met een smekende blik; misschien voelt hij al wat er op het punt staat te gebeuren. Abdelrahman heft zijn armen en springt. Hij valt vloeiend in het water als honing uit een pot, compact en helder, meteen verdwenen.

De slavenhandelaar staat er met open mond naar te kijken. De boot schommelt een beetje en hij gaat weer zitten. Hij kan niet zwemmen. Hij richt zich tot God, tot de onzichtbare entiteiten van hemel en aarde, omdat hij weet dat alles staat geschreven. Hij wringt zijn handen, vervloekt zijn pech, de oceaan, het ellendige instituut van de slavernij en schudt zijn hoofd. Dan begint hij te lachen.

De lessen zijn een week geleden begonnen. De bomen rondom de universiteit laten hun late zomerbloemen vallen; ze ruiken zoet als water en bedekken het trottoir met hoopjes paarse bloemblaadjes. Ook al is dit Los Angeles, toch loopt of fietst Sirine bijna overal naartoe waar ze moet zijn, wat nooit ver weg is.

Het is drie kilometer van het huis van haar oom naar Nadia's restaurant. En het is twee kilometer tussen het kantoor van haar oom op de campus en het restaurant, een weg die vanaf Westwood Avenue recht door het dorp vol studenten loopt, over Great-Wilshire (waar het rode stoplicht al begint te knipperen als je nog maar halverwege het zebrapad bent), langs de helverlichte opzichtige bioscoop, naar het zogenaamde Teherangeles, met de schoonheidssalons, boekwinkels en kruidenierswinkels en de namen van alles in het Farsi erop, met zijn Arabische letters en andere betekenis, en geen van de Amerikanen kan helemaal begrijpen dat Arabieren en

Iraniërs 'totaal verschillend' zijn, zoals Um-Nadia het stelt. En als iemand aan Um-Nadia vraagt waarom ze ooit besloot om een Iraaks-Libanees eethuis (zijn de Libanezen nu Arabieren of Feniciërs of Druzen of wat precies? Haar oom haalt alleen zijn schouders op en zegt: 'God mag het weten', en Um-Nadia geeft hem een klap op zijn schouder en zegt grootmoedig: 'Dat zijn ze niet – het zijn Libanezen!') midden op de heuvel te beginnen, precies in het hart van Teherangeles, dan haalt ze haar schouders op en zegt: 'God mag het weten. Waar zou ik het anders moeten doen?'

Op de ochtenden dat haar oom er niet op staat om haar naar haar werk te brengen, wordt Sirine vroeg wakker en trotseert ze de auto's om te gaan fietsen van West LA naar Westwood. Ze is gewend aan het snelle ritme en de fysieke eisen van de keuken, en ze houdt ervan om actief te zijn. Daarbij heeft ze onderweg oog voor alles wat bloeit, de planten met de gecanneleerde randen als veervormige drinkglazen, of de gestreepte roze bloesem die voor een winkelpui zweven, of de twee grote identieke palmen in de Vogeltuin achter Nadia's restaurant. Hun lange elegante stammen wrijven tegen elkaar als er een wind opsteekt.

Sirine heeft nooit een andere plaats gekend. Ze heeft sneeuwstormen gezien op de tv, beschrijvingen over bittere kou gelezen. De gebouwen die zij kent hebben meestal een open deur, ritselende zonneschermen en latwerken. Ze kent de geur van jasmijn in de lucht, het zilveren gezoef van sprinklers, tuinmannen die snoeiafval opruimen en bladblazers die door het stof en de lome hitte bewegen.

Het is nog maar begin september en de middag is drukkend en stil, terwijl zij en haar oom naar de campus wandelen. Maar als ze bij de deur van het gebouw zijn gekomen, blaast een warm windje vanuit de bergen omlaag; rommel op straat wordt opgetild en verandert in kleine stofduivels, een plastic zak flappert in de lucht als vleugels. Ze is met haar oom meegegaan naar de lezing, omdat hij zei dat ze te veel werkt en omdat, naar zijn mening, een beetje cultuur voor iedereen goed was. Maar zodra ze het lokaal hebben gevonden waar de lezing zal worden gehouden, zwaait hij naar haar en verdwijnt hij in de hal, naar zijn vrienden van de afdeling Turkse talen en culturen.

Zuchtend laat ze zich zakken op een van de metalen klapstoelen. Na een paar minuten komt er een man met een zijden das en een glanzend katoenen jasje het podium op. Hij ziet eruit als een gladde versie van de academische collega's van haar oom – elegant, atletisch en modieus. Zijn kleren lijken Europees. Zijn donkere haar valt over zijn voorhoofd. Hij duwt het terug, maar het valt weer naar voren, en Sirine voelt een beetje vertedering voor de man. Zijn blad papier trilt licht in zijn hand als hij begint aan een introductie van de dichter, waarbij hij vergeet zichzelf voor te stellen. 'Aziz Abdo is een geweldige schrijver,' zegt hij, zijn stem gespannen en gedempt. Hij tilt zijn hoofd op zodat Sirine een fijne, parelachtige glans op zijn voorhoofd kan zien. Hij duwt zijn haar weer terug, lijkt de plaats op het papier waar hij is gebleven even kwijt te zijn, en leest dan: 'Abdo transformeert het Arabisch. Hij begrijpt de meest diepe, verborgen aard ervan, de mogelijkheden. Hij dwingt de taal, zoals je een aanplant in het voorjaar kunt dwingen tot een optimale, levenskrachtige ontkieming en weelderigheid. Hij buigt zich over deze diepzinnige, krachtige taal, en stimuleert zaailingen om naar het licht te groeien. Om de historicus Jaroslav Stetkevych over de Arabisch taal te citeren: "Als een Venus werd ze geboren in een volmaakte staat van schoonheid, en ze heeft die schoonheid behouden, ondanks alle gevaren van de geschiedenis... ze heeft soberheid, heilige extase en weelderigheid, bloei en verval gekend. Ze was uitbundig in glorierijke tijden en volhardde in tijden van tegenspoed in een toestand van bijnawinterslaap. Maar toen ze weer ontwaakte, was de taal hetzelfde gebleven." Dezelfde beschrijving zou kunnen gelden voor de auteur van deze avond. Abdo heeft rijke taalzinnelijkheid bewerkt en verbeeld. Hij is een erotische dichter, een geleerde dichter, een heilige dichter van lichaam en geest, iemand die begrijpt hoe hij ons, onbewust, door middel van taal, naar onze zuiverste dromen kan voeren.'

Hij breekt af en staart naar de bladzijde in zijn handen. Hij kijkt op alsof hij zich ineens zijn gehoor herinnert, lichtelijk ademloos. En Sirine realiseert zich dat ook zij een beetje ademloos is, in de ban van zijn meeslepende spreekstijl. Ze heeft nooit eerder iemand zo welsprekend en verlangend horen vertellen over het Arabisch. Plotseling mist ze haar vader. En de spreker kijkt naar haar en haar mond opent zich een beetje; ze heeft zitten luisteren naar Hanif, de vriend van haar oom.

Hij knippert echter alleen een beetje met zijn ogen, alsof hij lichtelijk bijziend is, en kijkt dan weer op zijn blad, en ze laat haar adem los. Dan steekt Hanif zijn hand uit en zegt: 'Een warm welkom voor Aziz Abdo alstublieft.'

Ze buigt haar hoofd en probeert naar de poëzie te luisteren. Er is een geluid als een geruis ergens in het geluid van haar ademhaling, alsof er iemand tegen haar fluistert. Ze probeert nonchalant te doen, inspecteert haar nagels, ruikt een vleugje boter dat is blijven hangen na het bereiden van de lunch, een wierooklucht van olie en gras. Maar haar gedachten zijn afwisselend bij de poëzie en bij Hanif. Sirine leest nooit poëzie en heeft geen idee waarom de vreemde introductie van Hanif haar zo heeft ontroerd. Ze haalt het topazen gebedssnoer van haar oom uit haar zak en kalmeert zichzelf door te denken aan gesmoorde duif; een wildsaus met een beetje kaneel en vloeibare rook.

De dichter, een bezoekende schrijver die Aziz heet, leunt tegen het spreekgestoelte; hij schiet heen en weer tussen het Arabisch en Engels als iemand die over een bochtig pad loopt. Sirine spreekt maar een paar woorden Arabisch, maar de klank ervan kalmeert haar. Ze zweeft in haar stoel, schuift de kralen tussen haar vingers door, geeft zich over aan de poëzie, de ademhaling van het publiek, kijkt hoe de vloerbedekking glimt en schittert alsof die is bestrooid met mica. Af en toe werpt ze een blik door de ruimte, om te zien of ze Hanif ergens kan ontdekken.

Ze probeert rechtop te zitten telkens als de dichter in haar richting kijkt. Zijn stem tikt als een garde in een koperen kom. Zijn gedichten roepen het beeld op van een oude man die de straten schoonveegt in Bagdad, Jeruzalem en Damascus. Sirine ziet bomen vol met vogelkooien, met kleurige flitsen van zangvogels. Ze ziet stevig zand, palmbomen die buigen in de lucht. Het klinkt als plaatsen die ze graag eens zou willen bezoeken. Ze vraagt zich af of dit goede poëzie is.

Iemand komt op de stoel naast haar zitten. Zijn schouder strijkt langs de hare en een diepe warmte schiet van haar schouder naar de bovenkant van haar hoofd en naar haar voetzolen. En de rest van de lezing blijft ze heel stil zitten, terwijl ze haar gebedssnoer vastklemt.

De dichter wipt op en neer op zijn tenen, zijn gezicht rood, met een lichte glans van zweet. Hij legt zijn ene hand op zijn hart, houdt de andere oratorisch omhoog en eindigt met een regel die volgens hem afkomstig is van een beroemde dichter die hij zijn spirituele mentor noemt: 'Laat de schoonheid waarvan we houden zijn wat we doen. Er zijn honderd manieren om te knielen en de grond te kussen.'

Daarna staat iedereen op. Sirine gluurt vanuit haar ooghoek en constateert dat het inderdaad Hanif is die naast haar is komen zitten. Ze staat nerveus op en loopt de stoelenrij langs, waarbij ze probeert nonchalant te kijken. Het lokaal komt uit op een kleine veranda waar een lange tafel is neergezet vol wijnflessen en kazen. Er staat een kleine verzameling vrouwen met zwart haar dat om hun schouders golft als onweerswolken, mannen met blonde baarden, een oudere vrouw die een zijden cape draagt. Hanif rekt zich uit en loopt achter Sirine aan naar de tafel, waar ze probeert hem te observeren zonder dat dat opvalt. Zijn zwarte haar heeft hier en daar grijze glinsteringen en er is iets zuivers en koninklijks aan de vorm van zijn voorhoofd; het heeft iets van het distinctieve, mooi gevormde soort voorhoofd waar al generaties lang aan wordt gewerkt binnen koningshuizen. Hij trekt zijn wenkbrauwen op – een vraag – en schenkt dan twee glazen in. De lucht is vochtig, en de kleine plastic glazen beslaan als er koude witte wijn in wordt ingeschonken. Hanif kijkt even naar haar. Zijn ogen hebben een vaag Aziatische vorm, de irissen met vlekjes, een beetje rood. Wat haar opvalt is de lichtelijk gewonde uitdrukking in zijn ogen. Ze denkt aan de helden uit de verhalen van haar oom met hun dramatische zwarte ogen.

'Mag ik je iets te drinken aanbieden?' Hij overhandigt haar een glas. Geschrokken knikt ze en houdt het dan even tegen haar wang. Een paar studenten hangen om Hanif heen, maar hij kijkt niet naar hen. 'Ik zag dat je een gebedssnoer had...' Hij steekt een hand uit alsof hij haar imiteert. 'De manier waarop je dat vasthield was verrukkelijk – erg Amerikaans.'

'O.' Ze voelt zich gegeneerd en op de een of andere manier van haar stuk gebracht. 'Dat heb ik van mijn oom gekregen,' zegt ze alsof ze zich moet verdedigen.

'Wat een geweldige oom heb jij dan,' zegt hij.

Dan valt er een stilte die iets te lang duurt waarbij ze allebei fronsend naar hun wijn kijken. Hanif kijkt op alsof hij zich iets herinnert en zegt dan: 'Heb je genoten van de lezing?'

'Ik vond je inleiding heel mooi,' zegt ze, maar dat klinkt wat al te persoonlijk, dus voegt ze eraan toe: 'Ik vond het echt heel wijs, maar ik weet niet eens waarom.' Ze merkt op dat de punten van zijn oren rood worden en raakt in paniek. 'Ik bedoel – o, ik weet niet wat ik zeg, het komt er altijd verkeerd uit – ik voel me bij dit soort gelegenheden altijd als iemand die maar doet alsof ze slim is,' gooit ze eruit. 'O, ik bedoel als een soort spion; niet dat ik denk dat slimme mensen doen alsof...'

'Ja, ja, dat vind ik ook!' zegt hij.

'Maar hoe kun jij dat zo voelen? Ik bedoel, jij werkt hier nota bene, ik bedoel... jij hoort écht bij de slimmeriken.'

Hij kijkt neutraal. Ze strijkt over haar elleboog en nipt van haar wijn zonder die te proeven. Ze staren allebei naar de grond. Geen van beiden zegt iets.

'Nou eh. Ik denk... dat ik je maar eens moet laten gaan?' zegt hij.

'Of... nou ja...' zegt ze. 'Hmm.' Ze bijt op haar lip, draait haar wijn rond.

'Hallo, professor.' Een vrouwenstem zweeft over Sirines schouder. Sirine draait zich om en ziet een jonge vrouw staan; haar hoofd is bedekt met een zwarte doek, waardoor alleen haar gezicht te zien is.

Hanif kijkt verschrikt, fronst dan; hij lijkt te proberen zich de naam van de vrouw te herinneren. 'Hallo,' zegt hij. 'Hoe gaat het met je – eh – Rana?'

'Dat was nog eens een college gisteren.' De vrouw negeert Sirine; in plaats daarvan komt ze dichterbij staan en werkt langzaam een schouder tot vlak voor haar. 'De verbanden die u legde tussen de verschillende klassieke periodes waren erg nuttig. U legt dingen uit op een manier waardoor ik ze eindelijk kan begrijpen – in tegenstelling tot een stuk of wat van deze mensen hier.'

'O, nou...' Hij kijkt over haar schouder naar Sirine. 'Er is me net verteld dat ik een van de slimmeriken ben,' zegt hij met een glimlach.

De vrouw draait zich om, volgt Hanifs blik en lijkt eindelijk Sirine op te merken. Ze knikt naar haar en wendt zich dan weer tot Hanif. 'Nou, dat wilde ik u even laten weten,' zegt ze. 'Ik kan haast niet wachten tot het volgende college.' Ze zwaait naar hem zodat haar nagels – karmozijnrood gelakt – glinsteren onder de randen van haar lange zwarte mouwen, en loopt dan weg.

Sirine haalt diep adem. Het briesje wordt wat sterker en bougainvilleknoppen als paarse lantaarntjes dansen over de grond. Ze probeert iets te bedenken wat ze kan zeggen om het gesprek te hervatten..

'Ah, daar ben je, mooi, mooi.' Haar oom kuiert langs hen heen, ziet de kaas en crackers en breekt een trosje druiven af. 'Ik heb echt overal gekeken.'

Sirine slaat haar armen over elkaar. 'Had u het hier al geprobeerd?' vraagt ze.

'Ah... aha! Leuk. O, heb je mijn vriend Hanif Al Eyad, onze nieuwe aanwinst op Talen en Culturen van het Nabije Oosten al ontmoet? Dit is mijn aanbiddelijke nicht Sirine. Sirine, Hanif. Kijk eens naar hem – kijk eens naar dat gezicht. Wat een gezicht. Net Odysseus, nietwaar? Kijk eens naar die uitdrukking. Hij is een Iraakse classicus, net als je ouwe oom.'

Hanif schudt zijn hoofd en laat een brede lach zien, tanden wit tegen zijn goudbruine huid. Hij kijkt omlaag en dan weer omhoog, waarbij ze voor het eerst een bleek litteken opmerkt dat van de buitenkant van een oog naar zijn jukbeen loopt. 'Noem me alsjeblieft gewoon Han,' zegt hij tegen Sirine.

'We hebben elkaar al eens ontmoet,' zegt Sirine tegen haar oom. 'U hebt ons al eerder aan elkaar voorgesteld.'

Han's ogen kijken even snel naar haar, alsof hij wil controleren of ze hem plaagt. Zijn hand glijdt over zijn nek. Dan schiet zijn hoofd omhoog. 'Mijn god,' mompelt hij. 'Jij bent Sirine. Uit het restaurant. We hebben elkaar al ontmoet.'

Sirine lacht. 'Je herkende me niet,' zegt ze. 'Al die tijd dat we met elkaar hebben staan praten!'

Zijn ogen zijn wijd en rond. 'Ik ben – jij, je bent... je ziet er zo anders uit buiten het restaurant...'

Sirine draait met een vinger aan een paar losse spiralen van haar die over een schouder zijn gevallen. Ze heeft haar haar niet in een staart, draagt geen kokskleding. Ze glimlacht naar hem. 'Ik herkende jou eerst ook niet.'

'O nee?' Hij kijkt naar haar, en slaat dan quasi-gegeneerd een hand voor zijn ogen.

'Jullie tweeën voeren een vrolijke strijd,' zegt haar oom.

Sirine werpt een dreigende blik op haar oom.

'Maar goed,' zegt haar oom, terwijl hij om zich heen kijkt. 'O, wat leuk, kijk, daar heb je onze nieuwe briljante student Nathan.' Hij gebaart naar hem. Een jonge man met een montuurloze ovale bril en een vierkante, zwarte camera die om zijn nek hangt, glipt door de menigte en komt bij hen staan.

'Ik stond net op het punt om mijn nicht te vertellen hoe geweldig onze Hanif is,' zegt Sirines oom.

Nathan zet zijn bril af, wrijft de ovale glazen schoon met de zoom van zijn overhemd, en zet hem dan voorzichtig terug. Zijn smalle gezicht staat melancholiek. Hij pakt een bord op en keert terug naar Sirine. 'Het is me een eer je te ontmoeten. Jij maakt de beroemde linzen-met-uienschotel.' Hij is tenger en pezig, maar van dichterbij gezien ontdekt Sirine dat hij ouder is dan hij lijkt. Zijn glimlach is een beetje uit balans, alsof die ongelijk verdeeld is, zijn haar kort geschoren tot zwarte stoppels. Hij wijst met zijn duim naar Han op een zwierige, nonchalante manier. 'Hij heeft op Cambridge gestudeerd, heeft een postdoctoraal op Yale gedaan. Hij is een linguïst. Hij is overal geweest. Hij heeft de beste universiteiten voor het uitkiezen en hoefde hier helemaal niet heen te gaan.'

'Wat is er mis met hier?' vraagt haar oom.

'Hij heeft ook nog eens uitgebreid gepubliceerd over het Amerikaanse transcendentalisme en hij heeft Whitman, Poe, Dickinson en nu Hemingway in het Arabisch vertaald!'

'Als je je zoiets tenminste kunt voorstellen,' zegt haar oom.

'Nathan...' Han lacht. Hij schudt zijn hoofd. 'Nathan hier is een wonder – hij weet overal wel iets van.'

Nathan haalt zijn schouders op. 'Nee. Misschien een beetje van muziek en fotografie. Dat is alles. Ik weet eigenlijk niks.'

'Je moet zijn tentoonstelling hiernaast echt even gaan bekijken,' zegt Han. 'Hij is zo getalenteerd; het is een beetje beangstigend om hem als student te hebben.'

'Dat zal best,' zegt haar oom.

'Ik ben... enthousiast,' geeft Nathan toe met een gegeneerde glimlach, en steekt dan zijn hand uit naar Sirine. 'Nathan Green.'

Ze neemt die behoedzaam aan. 'Hallo.'

Aziz de dichter werkt zich een weg naar hen toe. Hij stopt om tegen iedereen wat te zeggen, en omhelst zowel vrouwen als mannen. Sirine vang een zweem kruidige aftershave op als hij dichterbij komt.

Uiteindelijk duikt hij bij hen op; hij slaat zijn armen om Sirines oom en dan om Han. Nathan doet een stap naar achteren, maar dan wordt ook hij omarmd. 'Geweldig,' zegt Aziz vurig. 'Geweldig, geweldig.'

Hij wendt zich tot Sirine. Sirine vindt dat hij eruitziet als een dichter. Zijn huid heeft de kleur van koffie met melk en zijn diepliggende ogen zijn satijnachtig. Zijn hemelsblauwe lange hemd plakt tegen zijn borst door lange banen zweet. Hij draagt zijn haar naar achteren zodat het pas een stukje vanaf zijn voorhoofd omhoogkomt. 'Ahh,' zegt hij in een lange uitademing. 'Ja, ja, geweldig!'

'Aziz, dit is mijn onbereikbare nicht Sirine,' zegt haar oom tegen hem.

'O, prachtig. Fantastisch. Ik ben dol op nichten. En dit is duidelijk een bijzondere nicht!' Zijn hand vouwt zich om de hare en dan legt hij zijn andere daarbovenop. Hij lijkt haar op haar plaats te houden. '*Enchanté*,' zegt hij. 'Zonder gekheid.'

Ze glimlacht en knikt, maar haar blik gaat kort over zijn rechterschouder in de richting van Han die hen gadeslaat.

'Hoe vond je de lezing?' vraagt Aziz. 'Eerlijk zeggen.'

Han voegt zich bij hen en legt een hand op Aziz' rug. 'Deze kerel, niet te geloven,' zegt hij. 'Ik heb over de hele wereld getrokken, heb van alles gelezen. Ik dacht dat ik poëzie had opgegeven. En uitgerekend in Los Angeles tref ik dan de Walt Whitman van Syrië in het kantoor naast het mijne.'

'Een zeer belangrijk dichter,' zegt Sirines oom knikkend.

Aziz houdt nog steeds haar hand vast. Een beetje van de wijs gebracht zegt Sirine: 'O, ben je beroemd?'

'Ze is gewend aan Hollywood-dichters,' zegt haar oom tegen Aziz.

Nathan buigt zich vertrouwelijk naar Sirine toe. 'Er is net een boek van hem uit, *Half Moon*, maar hij heeft een zekere reputatie onder Arabische intellectuelen,' mompelt Nathan. 'Niet zoals Mahmoud Darwish natuurlijk, zelfs niet als Abdelkebir Khatibi.'

'Natuurlijk,' zegt haar oom, terwijl hij nog wat druiven lostrekt.

Aziz lijkt de discussie over zichzelf wel leuk te vinden. Ze kan niet zeggen of hij Nathan nu heeft verstaan of niet. 'Ja, mijn boekje en ik komen nog eens ergens,' zegt hij. 'We werden nogal abrupt uit Damascus weggevoerd en een poosje gaven we les ergens op Cape Cod – niemand heeft me ooit verteld hoe dat stadje heette. Toen woonden we ergens in de een of andere plaats die Mobile heette, in Alabama, waar ik lesgaf op een particuliere meisjesschool met veel intelligente meisjes die van poëzie hielden. Toen belde deze grote universiteit hier mij om te vragen of ik wilde komen. En nu ben ik dan hier.'

'Ik denk dat als je met iemand in Syrië zou praten, zelfs met een gewoon iemand als een schoenmaker of een slager, dat die van hem gehoord heeft,' voegt Nathan eraan toe.

'Een schoenmaker misschien, maar een slager? Zo beroemd ben ik nu ook weer niet.'

Nathan kijkt even naar Aziz' hand op die van Sirine en zegt: 'Je mag haar nu wel loslaten.'

'Misschien wel... misschien niet,' zegt Aziz met een brede lach.

Sirine weerstaat de neiging om zich los te trekken. 'Hmm,' zegt ze.

'Nee, echt,' zegt Han tegen Aziz, ook met een glimlach. Hij legt zijn hand op Aziz' schouder. 'Waarom probeer je het niet?'

Aziz geeft haar hand nog een laatste druk en laat haar dan los. 'Sesam open u,' zegt hij, 'de betovering is verbroken.'

Ze voelt koud zweet op de rug van haar hand.

Han tikt Aziz licht op zijn schouder. 'Zo is het beter.'

Als Sirine en haar oom weggaan, merkt Sirine een kleinere ruimte aan de zijkant op. Hij is leeg, op wat matte zwartwitfoto's op de muren na. Eerst lijken ze allemaal wazig te zijn, maar als ze dichterbij komt, realiseert Sirine zich dat dit portretten zijn van mensen in diverse toestanden van verdriet of agitatie: onscherpe hoofden die zich afkeren, handen die afwerend omhoog fladderen; sommigen lijken voluit te schreeuwen of te lachen. De beelden zijn verontrustend maar tegelijkertijd aangenaam, vol lome schaduwen, alsof de foto's dwars door vlakken heen zijn genomen. Er hangen kaartjes onder de portretten, waarop de titel en een bescheiden prijs staat vermeld: EMILY, OMAR en IAN. Sirine is gefascineerd door de gezichten.

'Zo. Dat is boeiend om naar te kijken,' zegt haar oom.

'Wat is dit allemaal?' Ze stopt voor een foto waarop het lijkt alsof een man aan het verdrinken is, gevangen onder de cameralens, zijn mond vlekkerig en open, zijn ogen strepen.

'Nathan? Nate? Die Amerikaanse jongen? Dat is een soort fotograaf. Hij heeft een beurs gewonnen en de kunstacademie had hem uitgenodigd voor een eigen tentoonstelling. Maar toen hij hoorde dat Aziz deze lezing zou geven, wilde hij tegelijkertijd hier zijn foto's tentoonstellen. Ik denk dat hij iets duidelijk wilde maken. Ik weet alleen niet wat.' Hij wijst op een bord bij de deur waarop staat: FOTO-GRAFIE VERSUS KUNST: ECHTE BEELDEN DOOR NATHAN GREEN.

'Zijn die van hem?' Tijdens de receptie heeft ze gemerkt dat Nathan wat foto's heeft gemaakt van mensen gebogen over hun bord, waarbij zijn vingers rond de lens van zijn camera cirkelden. Bij elke foto trok hij zijn schouders een beetje op, alsof hij zich verontschuldigde.

Haar oom staat even stil voor het portret van de verdrinkende man en glimlacht, alsof hij een vriend herkent. Hij knikt en wendt zich af. 'Ja, het is een ongewone jongen,' zegt hij.

De foto's zitten Sirine dwars; ze doen haar denken aan de keren waarvan ze wist dat ze droomde, maar niet wakker kon worden. Ze kijkt naar een bijzonder donkere foto: iets wat eruitziet als een bron van licht, een persoon in het midden, hoofd naar achteren gebogen, recht in de camera starend. Het beeld glijdt bij haar naar binnen, koud, als ingeslikte tranen.

Als Sirine en haar oom het gebouw verlaten, is de maan al te voorschijn gekomen en ze ziet het gezicht van haar oom in de harde schijnwerpers die de voorkant van het gebouw verlichten. Ze merkt het netwerk van lijnen op dat zijn huid bedekt, de rimpels die zich vanuit zijn ooghoeken verspreiden en die van zijn wangen kruisen. Ze ziet hoe zijn kin zachter is geworden en overgaat in zijn hals, en hoe zijn schedel te zien is door zijn haar.

Hij kijkt naar haar en glimlacht en zij zegt, bijna kortaf: 'Oom, alstublieft, let op de treden!'

En hij zegt: 'Ah, ja, die vreselijke, afschrikwekkende treden.'

3

Ik wil nu graag even voor alle duidelijkheid onder de aandacht brengen dat volleerde ooms en verhalenvertellers meestal worden beloond met schalen *knaffea*-gebak. Voor alle duidelijkheid.

Dan kunnen we verdergaan met ons verhaal.

Dus Abdelrahman Salahadin, de listige neef, crawlt zijwaarts onder de wilde, grillig bewegende golven door. Hij heeft zo veel tijd doorgebracht onder de zee dat hij die als een laken om zich heen drapeert. De goudstukken stoten en schuiven, maar blijven vastgebonden in het buideltje, dat zit weggestopt in de zak met de gouden knoop, vastgebonden om Abdelrahman Salahadins gladde gespierde lichaam.

De vissen draaien hun koppen om en theoretiseren dat ze een fantoom hebben gezien, een djinn met roze handpalmen, een geest uit een van de verdronken steden. De golven werpen hun gefilterde licht over zijn gezicht en ledematen, en hij is knap als een ouderwetse Egyptische filmster. Kwallen ontwaken uit hun droomleven, krabben stoppen hun poëzie weg, garnalen trillen als castagnetten. Hij danst eerder dan hij zwemt, armen gespreid, benen snel bewegend, hoofd achterover, ogen wijdopen. Wat een bijzonder wezen is hij toch.

Telkens als hij dit doet, zegt hij tegen zichzelf dat dit de laatste keer is. Dit is geen carrière voor een jonge man. Het is een slechte gewoonte. Zijn moeder, mijn tante Camille, de bevrijde Nubische slavin, wil dat hij tandarts wordt. Dat idee bevalt hem wel, de scherpe en puntige instrumenten – hamertjes, tangetjes en schaartjes, de verdovende olie, en vooral de gladde emaillen oppervlakken van tanden, die wachten in het donker.

Hij denkt aan tanden terwijl hij over rotsen en andere harde objecten op de zeebodem glijdt. Hij denkt aan zichzelf als een kleine tong in de grote mond van de zee.

En wie zal er naar zijn begrafenis komen als hij deze keer verdrinkt, overpeinst hij. Zeker niet zijn moeder, die hem dat al duizend en één keer heeft gezegd, en ook niet zijn vader die meestal zo dronken is dat hij vergeet dat hij twee huizen, vier vrouwen en twintig zonen heeft, van wie er één geld verdient door zichzelf te verkopen en dan doet alsof hij verdrinkt tijdens een ontsnappingspoging.

Alleen zijn broers zullen naar de begrafenis komen. Die houden het meest van hem.

Sirine kan niet slapen. Ze ligt wakker in haar glanzende sleebed met de koele witte lakens. Vreemde dingen houden haar wakker: de ritmische poëzie van Aziz, de onscherpe gezichten van Nathans foto's, de donkere chocolade van Han's stem. Ze laat zichzelf gaan voorbij het stadium van de slaap en zelfs voorbij het stadium van de herinnering, en betreedt nu het stadium van de zelfanalyse. Als ze wakker ligt lijkt haar lichaam soms net zo fijn te resoneren als een stemvork. Ze kan dan de subtielste dingen horen en ruiken, de geur en muziek van gedachten zelf. Een warrelend briesje laat de kanten gordijnen opwaaien en vogelkreten klinken in de struiken. Ze luistert naar de avondgeluiden. Als ze op een koudere plek zou wonen, denkt ze, dan zou het geluid buiten haar ramen regen kunnen zijn, maar hier is het alleen het tegen elkaar bewegen van palmbladeren in het windje.

Ze is op de een of andere manier negenendertigenhalf jaar geworden; haar ouders zijn dood en ze is nooit getrouwd. De herinneringen aan al haar ex-vriendjes zijn erg vaag; het is alsof een magische bladzijde uit haar leven is weggehaald en hun gelaatstrekken zijn verdwenen. Geen van hen is erin geslaagd om haar belangstelling te wekken voor het huwelijk, voor het krijgen van kinderen, of zelfs maar om ergens anders te gaan wonen, wat naar haar idee op de een of andere manier toch wel de bedoeling van het hebben van een vriend was. Ze herinnert zich nog dat een van hen zich verdiepte in historische uitvindingen. Een andere vriend was een bedreven bridgespeler. Ze waren altijd dol op haar kookkunst – zelfs diegenen die nog nooit een falafel hadden gegeten of hummus met een stuk pitabrood hadden opgeschept.

Sirine maakte soms in dezelfde periode afspraakjes met meerdere mannen, en sinds kort waren er op de een of andere manier drie mannen die haar belden en bij haar langskwamen: de blauwogige monteur van haar oom, een inwonend co-assistent uit het universiteitsziekenhuis en de jachtige chef-kok uit het Duitse restaurant aan de Sepulveda Boulevard die blikjes vol luxe roomboterkoekjes voor haar meebrengt. Maar sinds de lessen aan de universiteit weer zijn begonnen, heeft ze het te druk met koken om hen terug te bellen. Ze heeft altijd meer mannen in haar leven gehad dan ze nodig heeft. Um-Nadia zegt dat aantrekkingskracht haar bijzondere talent is – een soort magnetisme dat dieper in haar genen zit dan schoonheid of charme. Ze heeft het nooit met iemand uitgemaakt, het contact verwaterde gewoon, terwijl er intussen weer nieuwe mannen in haar leven kwamen. Nog nooit, nog geen dag sinds de tweede klas van de middelbare school, heeft ze zonder de een of andere vriend of bewonderaar gezeten, en ze heeft zich nooit echt volledig aan een van hen gegeven. Ze weet dat – ze denkt niet dat dit een doelbewuste keuze van haar was; het gebeurde gewoon nooit. Ze vraagt zich soms af of het een soort foutje of gebrek in haar karakter is – het onvermogen om zich helemaal te verliezen in een ander. Sirine heeft bijna haar hele leven in haar ooms vredige huis vol boeken gewoond; ze heeft nooit goed kunnen begrijpen hoe mensen rustige ruimtes, stille tuinen en binnenplaatsen, meditatieve wandelingen en het heerlijke ritme van werk konden opgeven voor de afschuwelijke verwarring van een verliefdheid.

Um-Nadia is aan het helpen bij het schoonmaken van de gerookte tarwekorrels voor een speciaal gerecht op het menu, en ze zingt een lied in het Arabisch over een man die op de een of andere manier zijn geliefde is kwijtgeraakt en aan een herder vraagt of die haar soms ergens heeft gezien.

'Ik bleef vannacht op om te proberen me dingen te herinneren over mijn oude vriendjes,' zegt Sirine tegen Um-Nadia's dochter Mireille.

'Nou, een van je vriendjes heette Doug. Als je daar iets aan hebt,' zegt Mireille, terwijl ze kijkt hoe haar moeder en Sirine de tarwekorrels sorteren. 'Het was echt een schatje, weet je nog? Hij droeg van die gestreepte overals.' Mireille weigert voedsel schoon te maken, en eet er maar af en toe van, en dan nog met tegenzin. Meestal staat ze tegen het kozijn van de keukendeur geleund sigarettenrook naar buiten te blazen. Nu ademt ze een rookwolk uit en buigt haar hoofd naar achteren; het morgenlicht glanst in haar gebleekte haar. Um-Nadia onderbreekt haar lied. 'Ja, ja, ja,' zegt ze. 'Het leven is slapeloosheid. En wie kan er nog dingen zoals vriendjes bijhouden?' 'Je bedoelt, het leven is vergeetachtigheid,' zegt Mireille. Um-Nadia denkt hier even over na. 'Ook dat. Maar ik bedoelde allereerst slapeloosheid. Als je 's nachts wakker ligt en aan idiote dingen denkt zoals: waar heb ik mijn man gelaten, wat is er met mijn blauwe broek gebeurd, waarom doet mijn hand pijn, enzovoort, enzovoort.' Ze schuift een beetje dichter naar Sirine toe, en kijkt toe hoe ze gehakte ui in een pan schuift. 'Weet je dat hij hier op dit moment is?' vraagt ze, haar stem laag. 'Hij zit hier vlakbij.'

'Wie, mam?' Mireille probeert langs haar moeders schouder te kijken. 'Wie is die "hij"?'

Sirine weet wel wie. Ze kan zijn schaduw zien door de houten louvredeur, de glimmende klink als een zilveren tand.

'Hij is wel een móslim hoor.' Um-Nadia's stem klinkt half waarschuwend, half lachend. 'Donker als een Egyptenaar.'

'Mam!' roept Mireille uit. 'Doe normaal.'

Um-Nadia grinnikt alsof het een van haar oude grappen is. 'En hier staat onze mooie Sirine, nog witter dan dit hier.' Ze neemt een hap uit een hele geschilde ui alsof het een appel is. 'Eindelijk een man die ze niet zal vergeten.'

Buiten staat een nieuwe groep Arabische studenten die dit jaar in Nadia's Café komt eten – nieuwe en vaste gasten. Sommigen van hen zitten al op de stoep nog voordat het echt opengaat, nog vóór hun ochtendcolleges. Ze bestellen de kleinste, goedkoopste gerechten: bonendipsaus met knoflook; brood met olijven en dikke yoghurt. Soms nemen ze hun eigen eten mee. Of ze gaan aan de tafeltjes buiten zitten en trommelen met hun vingers, bespelen de eensnarige rebab, de viool, de fluit; Arabische muziek die door de muren van het café naar binnen zweeft, zodat niemand die binnen zit te werken zichzelf nog kan horen denken.

Um-Nadia wacht totdat de lucht ruikt naar chocola, vol en rokerig door de geur van koffie die wordt gezet. Dan duwt ze de grendel van de voordeur. Ze houdt de deur wijdopen en laat de oudere, terugkerende studenten, de immigranten en de arbeiders naar binnen komen, een voor een, ochtend-verlegen, nog half slapend, hoopvol door dromen, door een wandeling in de nog zoete lucht, niet zo eenzaam zo vroeg op de dag. Niets wat niet verholpen zou kunnen worden met een kopje koffie en een bord met brood en olijven. Ze laat de jongere studenten buiten wachten, totdat de anderen hun eerste kop koffie hebben gehad.

Han en Nathan komen samen binnen. Han buigt voor Um-Nadia en kust haar hand. Um-Nadia's glimlach verdiept zich tot kuiltjes in haar wangen. Sirine kijkt naar de manier waarop ze een stoel voor hem naar achteren schuift alsof hij iemand van koninklijken bloede is. En dan denkt Sirine dat hij er inderdaad anders uitziet dan de rest van de gasten. Zijn haar valt in een zwarte boog over zijn voorhoofd. Sirine staat in de voorkeuken en haalt het ochtendgebak uit de oven, geurig door bruine specerijen, en bestrooid met noten, suiker en kaas. 'Ah, je hebt vandaag knaffea gemaakt,' zegt Um-Nadia als ze langs Sirine fladdert. 'Ik vraag me af op wie we verliefd zijn.' Dan haar donkere, geheimzinnige lach.

Mireille laat zich op de kruk naast Sirine zakken, haar benen over elkaar geslagen in haar strakke spijkerbroek, en tuurt achter Sirine om naar de tafel van Han. 'Moet je ze zien,' mompelt ze. 'Die worden waarschijnlijk al op hun wenken bediend vanaf de dag dat ze werden geboren.'

Sirine kijkt op naar de mannen. 'Denk je?'

'Het enige wat die kerels echt willen is ons weer in de sluiers krijgen, dat we hun kinderen baren en ik weet niet wat nog meer, geiten verzorgen of zoiets. Kijk maar uit jij, ik waarschuw je.'

Sirine knikt en sprenkelt warme siroop over het gebak.

'Het zijn net beesten – moet je ze zien! Ik zweer het je, mannen zijn allemaal half beest en half iets anders.'

Victor Hernandez komt binnen en laat twee grote canvas zakken met rijst van zijn rug op de bar glijden, en kijkt dan onheilspellend naar Mireille. 'Praat je slecht over ons?' zegt hij.

Mireille haalt haar schouders op en steekt haar scharlakenrode lippen naar voren, wat Arabisch is voor nee, of misschien, of ik weet het niet en het kan me ook niet schelen. Ze gebruikt een van haar lange nagels om haar haar achter een oor te krullen.

'Weet je, we zijn niet allemaal hetzelfde,' zegt hij, waarmee hij de discussie hervat die ze iedere dag opnieuw voeren.

'O, is dat zo, macho?'

'Ja.'

'Hm.'

Sirine slaat op haar bel en wacht totdat Mireille komt om een bestelling op te halen; als ze dat niet doet, komt Sirine achter de bar vandaan om Han zelf zijn bord met knaffea te brengen. Mireille en Victor houden op met praten en Um-Nadia en de klanten kijken op om deze doorbreking van vaste gewoontes te aanschouwen. Zelfs de twee politieagenten doen dat terwijl ze bij de tv zitten, waar ze gebakken linzen met uien eten en kijken naar verslagen in het Arabisch over terroristen uit Saudi-Arabië.

'Knaffea, meneer?' zegt ze, en als Han naar haar kijkt, geeft haar dat een gevoel als pijn in haar nek en schouders. Ze heeft de neiging om te gaan zitten en hem te voeren.

'O, knaffea,' zegt Nathan verlangend.

'Was jij hiervoor uitgenodigd?' vraagt Han lachend.

'Natuurlijk is hij uitgenodigd,' zegt Sirine. 'Iedereen is altijd uitgenodigd.' Nathans lichte ogen draaien zich naar haar, helder en dankbaar, hoewel hij zich niet in de richting van het voedsel beweegt. Han's lach zweeft over Sirines huid. Ze staart naar de suikerstrooier. Mireille duwt haar aan de kant. 'Ik ben de serveerster,' zegt ze tegen Nathan. 'De chef-kok mag niet worden lastiggevallen. Als u iets wil, dan kunt u dat aan míj vragen.'

Han wendt zich tot Sirine, alsof hij haar iets probeert te vragen in die ruimte vol mensen. Haar gezicht wordt vochtig en bloedheet, terwijl ze Nathan op de achtergrond zacht en smachtend kan horen zeggen: 'Ik ben altijd al gek geweest op knaffea', alsof hij het nu niet meer mag hebben.

'Weet je wat het is met knaffea,' zegt Um-Nadia, 'ze zeggen dat die zo heerlijk is dat zelfs de wilde dieren ervoor terugkeren.'

'Welke wilde dieren?' vraagt Mireille.

'O ja,' zegt Han. 'Al die verhalen over die dieren – de *jemel* en de *asfoori* en de *ghazal* – o, hoe heet die ook alweer in het Engels?'

'De Arabische oryx,' zegt Nathan prompt.

'O ja? De Arabische oryx?' Hij kijkt naar Nathan. 'Nou, de ghazal zwerft altijd rond, op zoek naar zijn verloren geliefde, en ze zeggen dat hij ervandoor moet gaan voordat hij de weg terug naar huis vindt.'

'Hm. Wat betekent dat nou weer?' Mireille tikt met haar nagels tegen de bar.

'Nee, denk er maar eens over na,' zegt Um-Nadia, en ze trekt een van haar boogvormige wenkbrauwen op. 'Het betekent iets.'

'En bovendien begrijp ik niet wat knaffea hiermee te maken heeft.'

'Waarom moet je altijd zo tegen de liefde zijn?' vraagt Victor aan Mireille.

'Ik ben niet tegen de liefde! Wat heeft dit nu weer met liefde te maken.'

'Maak je een grap? Dit heeft alles met liefde te maken,' zegt Um-Nadia. 'Vraag het maar aan Sirine – die heeft de knaffea gemaakt.'

Ze draaien zich om om naar haar te kijken. Han glimlacht.

'Bah,' zegt Mireille, 'alsof Sirine iets van de liefde weet.' Dan kijkt ze verschrikt en werpt een blik op Sirine. 'Zo bedoelde ik het niet.'

Sirine loopt achteruit weg, handen gewikkeld in haar schort. Ze schuift door de zwaaideur naar de achterkeuken.

Later komt Mireille binnen en verontschuldigt zich. Ze maakt een pot zoete thee voor Sirine en zegt dat Sirine veel weet van de liefde, veel meer dan Mireille.

Op de eerste vrijdag in september sluiten ze vroeg. Um-Nadia hangt een bordje voor het raam van het restaurant waarop staat: ALLEMAAL NAAR LON TOE.

Lon Haydon – die iedere herfst een feest geeft – was vroeger filmster en speelde een cowboy in een serie onbelangrijke westerns. Toen wilde hij iets anders, haalde een graad in Midden-Oosterse theaterkunst en werd voorzitter van de opleiding Talen en Culturen van het Nabije Oosten. Zijn vrouw is castingdirector voor grote actiefilms en verdient zo veel geld dat ze zich een indrukwekkend huis met een boomgaard vol prehistorische waaierpalmen met zilverachtige schubben kunnen veroorloven. Lon komt eens per week naar het restaurant voor lamsbout, gesmoord in olijfolie met knoflook.

Sirines oom pikt haar op van haar werk en ze rijden door Westwood, het weelderige Beverly Hills in. De lucht is vol zwevende pollen en de geur van fijne, zeldzame regen die uit de oceaan omhoog komt. Het huis van Lon is laag en spreidt zich naar alle kanten uit, omringd door een enorme lap fluweelachtig groen gazon achter een elektrisch hek, voorzien van bewakingscamera's. Sirines oom zwaait naar de camera en schrikt als de stem van een onzichtbare man zegt: 'Komt u binnen.' Het hek zwaait open. 'Amerikanen,' zucht hij. Ze rijden rustig over de kronkelende oprijlaan totdat ze een klein leger van jonge mannen in witte uniformen naderen; één loopt snel op hen toe en zegt: 'Ik zet de auto voor u weg.' Sirines oom wordt nerveus en laat zijn autosleutels in het gras vallen.

Er zijn mensen uit de filmwereld, mensen van de universiteit en mensen uit Nadia's Café. Ze wandelen rond in kleine groepjes, terwijl ze grote glazen vasthouden. Um-Nadia draagt haar wikkelrok en wat ze haar robijnrode schoentjes noemt; haar zwarte haar is hoog boven op haar hoofd vastgezet. Ze staat met een hand op haar middel, haar heup opgetrokken als een vraagteken. Ze zwaait naar Sirine en wenkt naar haar oom, waarbij ze haar trage glimlach toont, ogen half gesloten, met helblauwe lijntjes eromheen. Dan gooit ze haar hoofd naar achteren en zegt: 'Ik moet met mensen gaan praten.' Mireille is er ook, in zilverkleurige strakke kleding en met zilveren hoge hakken. Victor Hernandez staat naast haar met zijn vierkante kaak en afstandelijke blik, terwijl hij hun drankjes en een bord met gevulde eieren vasthoudt.

Het huis en de tuin eromheen zijn zo enorm dat de gasten uit het niets lijken op te duiken, terwijl ze om bochten in het gazon komen aangewandeld; er zitten mompelende, afgezonderde groepjes mensen ontspannen in gebogen rieten fauteuils. Het mooie middelpunt van de tuin is het met spotlights verlichte zwembad dat eruitziet als een serie vijf of zes los met elkaar verbonden meertjes, verfraaid met varenbladeren, kabbelende watervallen en rotspartijen. Haar oom merkt op dat het merendeel van Vreemde Talen en het Nabije Oosten is uitgenodigd – Sirine kijkt onopvallend om zich heen of ze Han soms ziet – maar de zon is verdwenen achter de horizon zodat iedereen nu gedeeltelijk is verborgen en het moeilijk is om gezichten goed te kunnen zien.

Ze zit aan de buitenkant van een groepje filmmensen die hangend in ligstoelen met elkaar praten over voedsel waar ze allergisch voor zijn – tarwe, melk, maïs, noten, koffie, chocola, gist, wijn, uien, eieren – wat uitmondt in een gesprek over de verschillende diëten die ze hebben geprobeerd – bloedgroep, Scarsdale, grapefruit, DNA – wat overgaat in een gesprek over hun favoriete Chinese kruiden, aromatherapie, tincturen en vitaminesupplementen. Het gebabbel brengt Sirine in een soort zoemende, plezierige trance. Ze kijkt hoe Lon en zijn drie tienerzonen een gehavende stereo draaitafel en versterkers met notenhouten fineer het huis uit dragen, terwijl ze een verlengsnoer achter zich aan slepen dat zeker vijfhonderd meter lang lijkt. 'Lon, nee!' roept zijn vrouw uit, terwijl ze haar handen op haar heupen zet.

'Ik kan me nog herinneren dat hij die stereo kocht toen we op de universiteit zaten,' zegt een van de acteurs, een man die samen met Lon in de cowboyfilms speelde. 'Hij vindt het nog steeds leuk om die te voorschijn te halen bij feesten.' Lons aardige, onverstoorbare zonen zetten de stereo op. Die ziet er een beetje triest en armoedig uit op het fluweelachtige gazon, maar dan legt een van de zonen een plaat op de draaitafel, plaatst voorzichtig de arm erboven en Midden-Oosterse violen en fluiten wervelen en waaieren door de lucht. 'O nee,' zegt een van de actrices. 'Hoofdpijnmuziek.'

De medespeler glimlacht. '*Simon Shaheen speelt Mohammed Abdul Wahab* – ik ken Lons favorieten.'

Sirine ziet hoe Um-Nadia haar drankje neerzet, de professor Russische Studies, Zinovy Basilvich, beetpakt, en hem begint rond te draaien bij het zwembad in een wervelende, gecompliceerde dans. De forse professor met zijn rode snor kijkt tegelijkertijd angstig en gelukkig. Ze passeren diverse groepen mensen, en dan kijkt er één persoon op terwijl ze langskomen: het is Han.

Han lijkt Sirine niet te hebben opgemerkt. Hij staat aan de andere kant van een van de zwembadmeertjes, verlicht door roze spotlights, en is gekleed op een manier die doelbewust Amerikaans lijkt te zijn: een wijde geelbruine short, sandalen, een losvallend geel overhemd. Het begint druk te worden en de mensen verdringen zich om hem heen – ze denkt dat hij iets uitstraalt waardoor de mensen dicht bij hem willen staan. Hij glimlacht als mensen in zijn buurt komen en buigt zich licht naar iedereen die tegen hem praat, alsof hij geïntrigeerd is, een beetje verliefd op ieder van hen.

Ze loopt in de richting van een paar palmen die in een kuip bij de dranktafel staan, haar hart bonkend alsof ze wordt achtervolgd. Een paar vijfdejaarsstudenten naderen Han, maar hij blijft om zich heen kijken. Hij loopt langs de rand van het zwembad, terwijl hij de feestgangers afspeurt en studenten hem volgen. Het oppervlak van het zwembad ziet er wasachtig en gezwollen uit, waarbij het water zich buigt en strekt. Het werpt weerspiegelingen over Han's gezicht en de palmbladeren worden vaag voor Sirines ogen. Het lijkt alsof haar keel wordt dichtgeknepen en de grond onder haar voeten golft. 'Blijf bij hem uit de buurt,' mompelt ze tegen zichzelf.

'Absoluut,' zegt Mireille in haar rechteroor. Sirine schrikt op.

'Moet je kijken – hij is zo verliefd op zichzelf dat hij een podium zou moeten hebben!'

Sirine kijkt naar haar, maar Mireille kijkt een andere kant op, waar Aziz halverwege het aflopende gazon languit in een gemakkelijke stoel hangt. Sirine kan de ronde verheffing van zijn buik in een licht zijden overhemd zien, zijn gestrekte benen gekruist bij de enkels, zijn uitdrukking glad en mild, en zijn ogen beschaduwd door dikke rechte wimpers. Hij wordt geflankeerd door jonge studentes, die hem stuk voor stuk aankijken met adorerende gezichten. Hij steekt een hand omhoog in de lucht, draait die dan de ene en dan de andere kant op, alsof hij een kostbare vaas bestudeert, en alle studentes kijken toe alsof ook zij die vaas kunnen zien.

'O, dat is ellende in een tuinstoel,' zegt Mireille wetend.

'Denk je?' vraagt Sirine. 'Hij lijkt nogal... onschuldig.'

Mireille laat het ijs in haar glas rinkelen. 'Ach ja, natuurlijk... dat ben jij weer.'

Nu klinkt het gelach van Um-Nadia op vanaf de rand van het zwembad. Ze staat tussen de Russische professor en een ouderejaarsstudent in de etnomusicologie in, een hand op de borst van beide mannen, alsof ze hen ervan wil weerhouden te gaan vechten om haar. Dan laat ze haar handen vallen en gebaart naar Sirines oom met wervelende zwembewegingen. Hij schudt zijn hoofd en blijft in zijn stoel zitten, maar houdt zijn glas omhoog, om een dronk op haar uit te brengen.

'Heb je het hier ook wel gezien?' vraagt Mireille. 'Laten we hier weggaan, de jungletrommen beginnen zo.'

Sirine is moe en ze is te verlegen om alleen achter te blijven op dit feest. Ze wil Mireille volgen, maar net als ze begint te lopen, komt een magere, lenige jonge man over de heuvel in haar richting gelopen. 'Sirine,' roept hij. 'Sirine, Sirine!' Het is Li Pin Chu, een nieuwe student die Bouwkunde studeert en daarnaast Taiwanees doceert, een van de vele overzeese studenten die aangetrokken worden door Sirines oom. Hij is bovendien helemaal weg van Sirines kookkunst.

'O, geweldig, nou die jongen ook nog,' mompelt Mireille. 'Je staat er alleen voor, lieverd, ik ben weg,' zegt ze, terwijl ze haar blonde haar dat stijf van de haarlak staat, opduwt en wegloopt.

'Sirine! Hier ben ik. Je kent toch de uitdrukking: "Als een donderslag bij heldere hemel",' zegt Li Pin, terwijl hij zijn armen uitsteekt alsof hij haar omhelst.

'Ja,' zegt ze knikkend. 'Dat kon wel eens kloppen.'

'Waar is je badpak?' Hij is naar het feest gekomen in een badstof hemd, een geraniumrode zwembroek en teenslippers. Hij trekt zijn hemd uit. 'Klaar om te zwemmen!' kondigt hij aan. 'En hoe staat het met jou?'

Sirine kijkt omlaag naar haar spijkerbroek en blouse, raakt haar kraag aan. 'Hm,' zegt ze. 'Weet je...'

Dan kijkt hij om zich heen, en merkt eindelijk op dat iedereen netjes gekleed is gekomen en dat er eigenlijk niemand zwemt. 'O jee,' zegt hij. 'Dat gebeurt me nou altijd.'

Een paar van de gasten die dichtbij staan, werpen een vluchtige blik op hem. Sirine bijt op haar lip: op de uitnodiging – handgeschreven en gefotokopieerd, stond alleen ZWEMBADFEEST. Ze zegt tegen Li Pin dat ze zo terug is en loopt naar het parkeerterrein. Daar vindt ze hun auto, grijpt het oude badpak dat ze altijd in de kofferbak heeft liggen, schuift op de achterbank en trekt het aan. Als ze terugkomt bij het zwembad, ziet ze dat er een citroenkleurig hemd op een struik is gegooid en dat Han al in het water is, zijn geelbruine short uitwaaierend rond zijn benen. Hij en Li Pin Chu zijn enthousiast bezig elkaar aanwijzingen te geven over hoe je moet zwemmen. 'Ik geloof dat je met je gezicht omlaag in het water moet liggen,' zegt Han.

Sirine slaat hen even gade vanaf de glooiing boven het zwembad, haar geest tot rust gekomen en haar ademhaling langzaam, en een gevoel van iets wat op dankbaarheid lijkt overspoelt haar. Ze duikt erin vanaf de rand van het zwembad en komt vlak bij Han naar boven. Ze voelt zich in het water niet meer zo verlegen. Het zwelt en buigt zich om hen heen en trekt hen omver. 'Zeenimf,' zegt Han.

Li Pin fabriceert een soort rugslag door zich achterover in het water te laten vallen en zich alleen met zijn armen voort te stuwen. Ze kijken toe hoe hij dat doet over de hele lengte van het bad, telkens opnieuw. Het is een warme avond en er lijkt bijna geen verschil te zijn tussen de temperatuur van de nachtlucht en die van het water. Het lijkt alsof zij drieën zich op een plek bevinden die niets te maken heeft met het feest dat boven hen aan de gang is, op nog geen meter afstand. De lucht is nu helemaal donker geworden; hij zweeft met sterren bevlekt boven de heuvelrijen overal om hen heen. Ze drijven op hun rug, sluiten hun ogen en praten over spelletjes uit hun kindertijd, dan over speelgoed, dan over het voedsel dat ze vroeger aten.

Li Pin Chu vertelt hen dat als hij één gerecht iedere dag zou mogen eten voor de rest van zijn leven, dit in plakjes gesneden varkensvlees met ei in palmsuiker zou zijn. Han zegt dat hij graag kip gestoofd in uienyoghurtsaus zou willen. Sirine denkt dat ze graag opgewarmde spaghetti met gehaktballetjes zou willen – een ontbijt dat haar moeder wel maakte van het eten van de vorige avond. Het water kabbelt over hun oren en vult haar hoofd met een zwak gebulder; er is een sterke chloorlucht. Ze heeft er geen idee van hoe lang ze in het water zijn; haar vingertoppen worden rimpelig, maar ze krijgt het niet koud. Ze voelt zich lekker en slaperig en Han en Li Pin geven haar het gevoel alsof ze ze al heel lang kent. Uiteindelijk drijft Li in hun richting om hen een hand te geven en afscheid te nemen, alsof zij de gastvrouw en gastheer zijn. Hij klimt eruit en Sirine en Han blijven even bewegingloos staan, waarbij ze kijken hoe het water een zachte gloed krijgt, levendig als kwikzilver onder het licht van de halvemaan.

Han zucht, draait zich om en duikt onder water. Zijn rug buigt zich en verdwijnt dan als hij zich geluidloos door het zwembad beweegt.

'Kijk!' zegt Li Pin, terwijl hij op de natuurstenen rand naast het zwembad staat, zijn gezicht oplichtend alsof hij naar iets wonderbaarlijks kijkt. 'Hij weet dus wél hoe hij moet zwemmen!' Han duikt op aan de andere kant en zwaait naar hen. 'Nou, wat zeg je me daarvan,' verbaast Li Pin zich. 'Hij is vervuld van onzichtbaar schrift.'

Sirine zwaait naar Li Pin en duikt dan zelf ook weer onder; ze merkt dan dat het zwembad verlicht wordt door ronde amberkleurige lampen die in de welvende bodem zitten, zodat het zwembadwater enorm en leeg lijkt. Ze denkt aan nachtelijke zwempartijen in de bodemloze zee toen ze nog een meisje was, en de opwindende kou van de Stille Oceaan. Maar dit water is verwarmd, zo warm als een mond. Zij en Han duiken en duiken opnieuw, zwemmen onder het oppervlak alsof ze de vertrekken in een verlicht, stil huis verkennen. Sirines haar wervelt en zweeft boven haar hoofd. Op een gegeven moment, als ze om elkaar heen zwemmen, strijken hun handen en benen tegen elkaar, en ze schieten naar het oppervlak, snakkend naar lucht.

'Dus je kunt wél zwemmen,' zegt Sirine.

Han kijkt tevreden. 'Misschien een beetje.'

'Hoe heb je het geleerd?'

Hij is even stil, tot aan zijn schouders onder water; de deinende zwembadverlichting speelt over zijn gezicht en hals. 'Is niet iedereen min of meer zwemmend geboren? Ik denk dat het misschien iets is wat je je herinnert, of je laat het jezelf vergeten.'

Sirine zinkt terug in het water. 'Je bedoelt net als fietsen?'

'Precies,' zegt hij, en hij steekt dan even zijn hoofd in het water, komt weer terug, lacht en zegt: 'Ik bedoel, als je fietsend bent geboren.'

Ze drijven naar een van de rustige bochten in het zwembad, op nog geen paar meter vanaf de plek waar haar oom zit. Hij is verhalen aan het vertellen aan een kleine groep academici, van wie sommigen er nogal slaperig uitzien. Anderen kijken verward of verveeld terwijl ze om zich heen speuren naar nieuw aangekomen gasten. 'Ik begrijp het niet,' zegt Fred Perlman van de afdeling Geschiedenis. 'Dit is een waar gebeurd verhaal? Of niet soms?'

'Nee, dat is nu juist het mooie ervan!' zegt een donkerogige vrouw in een leren jurk. 'Het is net als acteren in commercials – je moet je helemaal inleven, zorgen dat je het werkelijk bént, en dan wordt alles ook echt.'

Sirines oom knikt en wijst naar de in het leer geklede vrouw. Dan laat hij zich achteroverzakken in zijn gemakkelijke stoel, terwijl hij tast naar zijn kop zwarte koffie. 'Zie je nu? Zij begrijpt het helemaal.' Hij probeert de koffie weer stabiel in het gras neer te zetten. 'Nou, waar waren we gebleven? Ah ja, Abdelrahman Salahadin is aan het overleggen met een zeepaardje...'

Sirine heeft het zo warm dat ze niet uit het water wil gaan, dus gaat ze zitten op een richel in een ondiep deel van het zwembad om haar benen te laten drijven. Han duwt zich op tegenover haar en zijn hoofd kantelt achterover. Ze kan zijn uitdrukking in het donker niet onderscheiden; hij lijkt ongrijpbaar en ver weg met zijn gedachten, maar schijnt zich tegelijkertijd ook heel bewust van haar te zijn. Ze is uitgeput van de warmte en het zwemmen en ze heeft het gevoel alsof ze zo in slaap zou kunnen vallen in het warme water.

Hij komt naast haar zitten. 'Kijk daar eens.' Han wijst naar de hemel. 'Een Arabische halvemaan.'

Ze kijkt naar de papierdunne maan. 'Waarom noem je die zo?'

'Hij doet me denken aan de maan thuis.' Hij kijkt naar haar. 'Het is een goed voorteken.' Hij laat zijn hoofd rusten tegen de rand van het zwembad. Ze luisteren een poosje naar het verhaal van haar oom. 'Abdelrahman Salahadin,' mompelt Han.

'Wat?'

Hij tilt zijn hoofd een stukje op en zijn ogen zijn zwart, glanzend en stil. 'Het verhaal van je oom. Het is zo bekend.'

'Heb je het dan al eerder gehoord?'

Hij beweegt zijn hoofd niet. 'Alleen de strekking ervan.' Hij lijkt zwakjes te glimlachen. 'In Irak vertelt iedereen grappen en legendes. Het is te moeilijk om iets rechtstreeks te zeggen.'

Ze luisteren hoe haar oom de gewoontes van zeemeerminnen beschrijft. Ze strijkt haar haar naar achteren met een natte hand. Haar haar voelt dik en stug aan door de chloor. 'Je bedoelt dat legendes een soort geheime code bevatten?'

'In Amerika zeg je "geheime code", maar in Irak gaat dat nu eenmaal op die manier. Alles is min of meer opgevouwen en gelaagd, gewoon wat gecompliceerder. Hier is alles zichtbaar, gewoon aan de oppervlakte. Iedereen vertelt je precies hoe ze zich op dat moment voelen en wat ze denken. Ze proberen alles onder woorden te brengen.'

'Is dat erg?'

Han wentelt zijn benen door het glanzende water en Sirine voelt kleine trekkingen onderwater langs haar benen. Ze heeft haar voetzolen gebogen, en haar benen dobberen rustig op en neer in het water. 'O nee, niet slecht. Het is alleen anders,' zegt hij. 'Zo heb je hier maar één taal nodig, maar op veel andere plaatsen in de wereld heb je extra dingen nodig. Ik ben eraan gewend geraakt om verschillende dingen meteen te zeggen. Gewoon voor het geval er misschien geheime politie in de buurt is.'

'Dus verhalen over vissen zijn eigenlijk verhalen over...'

'Dat kan van alles zijn. Misschien over oorlog of geboorte. Misschien is het een manier om over een reis te praten, of na te denken over de liefde.'

Haar lach borrelt nerveus op. Ze glijdt even onder het oppervlak en opent haar ogen. Ze kan zijn lichaam zien, zijn heen en weer bewegende benen, de hoek van zijn borst die oprijst naar het oppervlak van het water. Ze heeft het zo warm dat het water in kleine belletjes over haar hele huid sist.

Die nacht na het feest, net voordat ze naar boven gaat om te gaan slapen, houdt haar oom haar tegen in de gang. 'En?' zegt hij. Er zitten grasvlekken op zijn broek en zijn stem klinkt licht en duf door te veel wijn en koffie. 'Wat vind je?'

'Waarvan?' Ze kruist haar armen en leunt tegen de gebogen trap-leuning.

Hij trekt zijn wenkbrauwen op. 'Dat weet je wel. Van hém.'

Sirine glimlacht en kijkt een andere kant op, maar even sluit ze haar ogen. 'O, ik weet het niet. Natuurlijk, hij is heel lief. En hij ziet er niet verkeerd uit.'

'Lief... betekent dat niet vreemd en stom in meisjestaal?'

'Maar hij heeft ook iets gecompliceerds over zich – het maakt me...' Ze draait met haar hand.

'Iets gecompliceerds?' Hij krabt over de stoppels die langs zijn kaak beginnen te verschijnen en kijkt bedachtzaam. 'Nou ja, hij is een balling – die zijn vanbinnen allemaal in de war. Maar ik dacht dat meisjes daarvan hielden.'

'Wat bedoelt u met "balling"? Omdat hij uit Irak is vertrokken?'

'Omdat hij niet terug kan. Omdat alles wat je niet kunt krijgen, twee keer zo aantrekkelijk wordt. Omdat hij iemand nodig heeft die hem kan laten zien hoe hij in dit land moet leven en hoe hij het andere land moet loslaten.'

'Heerlijk. Een project.' Ze maakt een stompbeweging door de lucht in de richting van zijn schouder, maar ze moet er de hele weg naar boven over de trap aan denken. Han lijkt een soort innerlijk licht uit te stralen dat hem intrigerend maakt en het tegelijkertijd een beetje moeilijk voor haar maakt om recht naar te kijken: hij is zo charmant, ontwikkeld en wereldwijs. Maar het is meer dan dat. De meeste Arabische mannen zijn altijd bijzonder correct en beleefd tegen haar, vervuld van fatsoensnormen uit de oude wereld, zo formeel dat het haast lijkt alsof ze niet haar zien maar een contour met als ondertitel: vrouw. Han, heeft ze gemerkt, kijkt naar haar. Ook al kennen ze elkaar nauwelijks, toch heeft ze het duidelijke, eigenaardige gevoel dat als hij kijkt, hij haar ziet.

Als Sirine die nacht naar bed gaat voelt ze nog steeds de opwaartse druk van het zwembadwater onder haar armen en benen. Ze ligt drijvend in bed. Terwijl ze in slaap valt vermengt het gevoel van drijven zich met een droom over Han die diep onder water zwemt. Zij zwemt bij het wateroppervlak en ze kan hem niet vinden, maar ze weet dat hij beneden in de donkere diepte onder haar is, zwemmend in eindeloze cirkels.

4

Oké, het is nu een typerende dag in de kleine havenstad Akaba. Abdelrahman Salahadin is ontkomen aan zijn laatste slavenhandelaar door zijn verdrinking in scène te zetten en vervolgens naar de oever te zwemmen. Hij houdt zich een paar weken schuil, en als hij denkt dat de kust veilig is, gaat hij opnieuw op weg door het met riet omzoomde zandstrand, deze keer weer terug naar de markt. Zijn voeten zijn gespierd, zijn zolen zacht als handen door het lopen over stranden. Niemand hoeft hem te vertellen wie hij is. Hij is Abdelrahman Salahadin, zoon van een vrije Nubische en een Iraakse bedoeïen.

Slavernij is inmiddels al jaren verboden in de meeste Arabische landen. Maar er zijn dorpen in Jordanië die helemaal bestaan uit afstammelingen van ontsnapte Saudische slaven. Abdelrahman weet dat hij vrij zou kunnen zijn, maar hij is niettemin een Arabier. Niemand wil ooit de Arabier zijn – het is te oud en te tragisch en te mysterieus, te wanhopig en te eenzaam voor iemand behalve een echte Arabier om dat heel lang te verdragen. Eigenlijk is het een imagoprobleem. Vraag het aan wie dan ook, aan Perzen, Turken, zelfs Libanezen en Egyptenaren – niemand van hen wil de Arabier zijn. Ze zeggen dingen als, nou kijk, eigenlijk zijn we Indo-Russische-Aziatische-Europese Chaldeeërs. Dus uiteindelijk is de enige die de Arabier is, diezelfde kleine oude Bedoeïen met zijn geiten en zijn schapen en zijn poëzie over zijn geiten en zijn schapen, omdat hij niet weet dat hij de Arabier is, en wat niet weet, wat niet deert.

Hoe dan ook, Abdelrahmans ogen hebben de harde, lakachtige

glans van kevers, en als hij lacht houden de mensen op met hun gesprek. Nu gaat hij op de stoffige open plek van de markt staan en roept dat hij te koop is, waarop iedereen naar hem kijkt.

'Vijftig dinar,' schreeuwt hij, 'voor dit haar, deze ogen, het zweet van mijn schouders, de breedte van mijn borst, vijftig dinar om mij te mogen opeisen!'

Jaren geleden vond Abdelrahman zijn vrouw in bed met een andere man, en hij wist in een flits dat hij het al die tijd bij het juiste eind had gehad: de vele nachten waarin ze had gefluisterd dat hij gek was, in zijn ogen had geglimlacht en hem ervan had overtuigd dat hij gek was; hij had zich toen gerealiseerd dat het net zo gemakkelijk was om gek te zijn als om geestelijk gezond te zijn. Hij verliet hun huis en zwoer dat hij nooit meer bedrogen zou worden.

Abdelrahman Salahadin verkondigt op de markt dat hij te koop is, zoals zijn gewoonte is. De klant die nu op hem toe loopt, is klein van stuk met ogen zacht als leren handschoenen; om zijn hoofd heeft hij een doek gewikkeld, en hij draagt een mantel, wit als de borst van een vogel. Zijn stem klinkt bijzonder beschaafd. 'Hallo, slaaf,' zegt hij. Hij bekijkt hem, loopt drie keer om hem heen, bekijkt zijn ledematen en inspecteert het wit van zijn ogen. Uiteindelijk zegt hij: 'Ja, ja, mooi. Ik wil je wel kopen. Pak je spullen op en laten we gaan.'

'Mijn prijs is vijftig dinar,' zegt Abdelrahman.

'Ik zal je honderd betalen,' zegt de bedekte man.

'Ik zie u morgenochtend op die-en-die verborgen plek tussen het riet aan de rand van de Rode Zee,' zegt Abdelrahman Salahadin.

'Nee,' fluistert de bedekte man, wiens stem door zijn omhulling filtert als de klank van nostalgie en verloren liefde, en van wiens lichaam de geur van eucalyptus, cipres en de Tigris lijkt te komen. 'Je moet nu meekomen met mij. Want misschien ben ik morgenochtend helemaal niet meer in je geïnteresseerd.' Daarop slaat hij een gouden draad om Abdelrahmans pols en bindt hem stevig vast.

Sirine heeft van haar ouders veel geleerd over voedsel. Ook al was haar moeder Amerikaans, toch zei haar vader altijd dat zijn vrouw over voedsel dacht als een Arabische. Sirines moeder perste de gezouten yoghurt door kaasdoek om romige *labneh* te maken, roerde de uien en linzen samen in een zwarte ijzeren pan om *mjeddrah* te maken, en bestrooide lamsbouten met dikke tenen knoflook om geroosterde *kharouf* te maken. Sirines vroegste herinnering was dat ze op een telefoonboek zat op een keukenstoel, met de zurige lucht van ingelegde druivenbladeren om zich heen. Haar moeder spreidde de bladeren plat op de tafel uit als kleine zwevende handen, legde in het midden ervan een volle eetlepel rijst met vlees, waarna Sirine met haar kleine vingers de bladeren strakker en netter oprolde dan wie ook – delicate, knoflookachtige, vlezige pakjes die in je mond openbarstten.

De geur van het voedsel dat werd bereid, trok haar vader altijd naar de keuken. Het was een magische betovering die hem te voorschijn kon laten komen uit de aangrenzende kamer, de kelder, de garage. Waar hij ook was, hij kwam te voorschijn, glimlachend en hongerig. En als het iets was waar hij bijzonder dol op was – gevulde druivenbladeren, mjeddrah of geroosterde lamsbout – dan verscheen hij al in de keuken nog voordat het eten klaar was. Toen ze een klein meisje was, dacht Sirine dat dat de reden was waarom haar moeder kookte – om haar man dicht bij zich te houden, vastzittend aan een fijne gouden draad van geur.

Sirines ouders stierven toen ze negen was. Ze werkten bij een hulpteam van het Amerikaanse Rode Kruis, en kwamen om bij een heftige botsing tussen een paar stammen tijdens een opdracht in Afrika. Op de dag dat ze hoorde dat ze dood waren, ging Sirine naar de keuken en maakte helemaal in haar eentje een heel blad met gevulde druivenbladeren. Daarna aten zij en haar oom die de hele week, zittend aan de keukentafel. Sirine zat op een telefoonboek dat op haar stoel was gelegd, haar benen zwaaiend, te eten terwijl ze de achterdeur in het oog hield.

Jaren later, toen Um-Nadia Sirine in dienst nam, zei Um-Nadia dat ze diverse dromen had gehad waarin zij en Sirines moeder spraken over Sirines carrière en dat Sirines moeder had gezegd: ja, Sirine is een chef-kok, in hart en nieren. 'Dus ik heb je referenties al gecontroleerd,' zei Um-Nadia. Toen keek ze ook naar Sirines koffiedik en zei dat ze de tekenen kon lezen die stonden geschreven in de zwarte koffiesporen langs het melkwitte porselein: scherp mes, snelle handen, wit schort en de droefheid van een chef-kok. 'Een chef-kok weet dat niets blijft,' zei ze tegen Sirine. 'In de mond, en dan verdwenen.'

Sirine gaat soms zo vroeg naar bed dat er nog een grijs waas van licht aan de hemel zichtbaar is, en staat dan nog vóór het ochtendlicht op. Um-Nadia zegt dat goed voedsel duisternis nodig heeft. Het deeg moet het prille begin van de morgen kunnen inademen en de kebab moet de hele nacht wijn en knoflook kunnen opdrinken en – af en toe – is het nodig dat kleine vogels, piepkuikens, duiven en ander heerlijk wild onder de ronde maan worden gevuld, 'als ze hun gezang hebben gestaakt,' zegt Um-Nadia. Sirine droomt over koken en wordt wakker met gedachten aan koken – ook al heeft ze een afkeer van de oude lucht van ranzige boter en olie die in haar haar blijft hangen. Ze wordt nog steeds te vroeg wakker, om lamsvlees handmatig fijn te snijden en te zouten, om de peterselie over het hakblok uit te waaieren.

Babar, de hond van haar oom, loopt door de slapeloze dageraad met haar mee; de lucht is dik en vochtig. Hij zit op haar blote voeten als ze wat marinades klaarmaakt om mee te nemen naar het restaurant en hij kijkt haar na, ogen smeltend met een uitdrukking van onuitsprekelijke liefde als ze vertrekt naar haar werk, alsof het allemaal te veel is, veel te veel, voor een arme, onverzorgde, domme terriër.

Op zaterdagmorgen voelt Sirine zich uitgeput; haar hals en lippen branden alsof ze suiker heeft gegeten. Mireille en Um-Nadia, Victor Hernandez en Cristobal de schoonmaker en de studenten die vroeg komen ontbijten, voelen het ook. Een paar van hen kijken alsof ze regelrecht van het feest van gisteravond komen. De politieagenten ondersteunen hun hoofd met hun handen. Um-Nadia's haar zit nog frivool opgestoken en haar blauwe oogschaduw is tot boven haar wenkbrauwen uitgevlekt. 'Dat was me nog eens een feest,' zegt ze. 'Ik ben dól op Lime Rickeys.'

De deurbel klingelt en Han's student Nathan verschijnt. Um-Nadia draait zich langzaam om, terwijl ze haar slapen vasthoudt, om te zien wie er binnenkomt. 'De Amerikaan is er,' zegt ze.

Nathan komt naar de bar en gaat tegenover de plek zitten waar Sirine aan het werk is. Hij schuift een servet aan de kant en legt zijn camera op de bar. Zijn gezicht ziet er een beetje ruw uit, alsof hij het hard geboend heeft. De kleur van zijn ogen is warm blauwgrijs, en als hij naar haar kijkt, heeft Sirine het gevoel alsof daar iets is wat zo zwaar is als fluwelen gordijnen, iets wat hij met één arm naar achteren houdt.

'Je kunt thee krijgen,' zegt Um-Nadia tegen Nathan, terwijl ze een dampend glas met een lepel erin voor hem neerzet. 'Misschien gaat er straks toch nog iemand koffiezetten.'

'Um-Nadia,' zegt Nathan. Hij fronst even en laat zijn blik glijden over haar haar en gezicht. 'Je ziet er vandaag anders uit.'

Ze tilt haar kin op en klopt voorzichtig op haar knot. 'Ik geloof in anders zijn. Dat maakt je steeds jonger.'

Mireille komt te voorschijn met een bord hummus en brood. 'Het zal niet lang meer duren voordat je leeftijdloos bent,' zegt ze.

Um-Nadia trekt haar wenkbrauwen op. 'Ze denkt dat ik niet weet wat dat betekent. Maar ik weet wat alles betekent!' Ze pakt de hummus van Mireille aan en zet die neer voor Nathan. 'Eet,' zegt ze. 'Je ziet eruit als een Ethiopiër.' Dan gaat ze naast de politieagenten zitten om naar haar bedoeïenensoap te kijken en demonstratief draait ze Nathan de rug toe.

'Ik geloof niet dat dat politiek correct was,' zegt een van de agenten tegen haar. 'Wat niet?' vraagt Um-Nadia. 'Ethiopiërs?'

Nathan draait het bord een kwartslag. Zijn schouderbladen zijn scherp en benig en zien er een beetje uit als vleugels als hij ze optrekt. Sirine brengt hem nog wat vers pitabrood. 'Kijk uit voor de damp als je het afscheurt,' zegt ze.

'Bedankt voor de knaffea – je weet wel – van gisteren,' mompelt hij.

'Volgens mij heb je er niets van gegeten.'

'Ik ben niet zo dol op eten,' zegt hij, zijn ogen neergeslagen.

'Mm.' Ze gaat achter de bar staan, leunt er dan overheen en giet een beetje olijfolie uit een kannetje over de bovenkant van de hummus; de olie is fluweelachtig en groen. 'Probeer het zo eens,' zegt ze.

Maar hij schudt triest zijn hoofd. Hij is zo mager dat alles aan hem spichtig en gekrompen lijkt. 'Is Han vandaag al geweest?'

Ze veegt haar handen af aan haar schort. 'Was hij dat dan van plan?'

Hij glimlacht en trekt een wenkbrauw op. Ze wendt zich snel af en houdt zich bezig met schoonvegen. 'Wat is er?' vraagt hij. 'Wat heb ik verkeerd gezegd?'

'Het komt door de manier waarop je naar me kijkt.'

'Kijkt?'

Sirine staart naar haar doek. 'Ik weet het niet. Alsof je een foto aan het nemen bent.'

Nathan lacht. Hij pakt zijn hete thee op en zet die dan weer neer. 'Ik kan er niets aan doen – als ik een mooi onderwerp zie.'

Ze raakt haar haar aan, bijeengehouden in een slordige vlecht omdat ze aan het werk is. Dan stopt ze haar theedoek weg en begint naar een pan te zoeken. 'Ik sta altijd afschuwelijk op foto's.'

'Helemaal niet. Je zou prachtig te fotograferen zijn.' Hij houdt zijn hoofd schuin en draait een hand in de lucht. 'Je hebt iets waardoor iedereen wel naar je moet kijken. Dat is een zeldzame eigenschap. Mensen kijken naar je en vergeten alles.' Hij kijkt omlaag, zijn gezicht rood.

'Is dat goed?' Ze maakt een van de pannen los van het rek aan het plafond en zet die op het fornuis. Een lichtpatroon dat iets weg heeft van een lappendeken glijdt over de muren, weerspiegeld vanaf de glazen deur, waar klanten door naar binnen en naar buiten gaan. 'Dat klinkt niet per se goed,' zegt ze.

'Wie kan het iets schelen of het goed klinkt? Goed is zoiets als leuk, aangenaam, normaal.' Hij fronst. 'Maar het is niet alleen dat, het is méér dan hoe je eruitziet. Goed is... niet opwindend. Jij bent – dat andere – veelomvattender.'

'Ik ben saai.'

'Dat ben je niet,' zegt hij resoluut.

Ze kijkt naar hem. Ze heeft een vreemd gevoel – als een soort déjà vu of een voorgevoel – dat hij haar iets wil zeggen. Ze kijkt weg van hem en begint de gesneden tomaten met een houten lepel in de pan te schuiven. 'Eerlijk gezegd denk ik wel eens dat niemand me eigenlijk kan zien.'

De deur klingelt opnieuw, wat nog meer kleine sterren door de ruimte laat schieten. Nathan gaat rechtop zitten. 'Ik moest maar weer eens naar de universiteit gaan.' Er komen nog wat studenten naar binnen; Nathan bekijkt hen en zakt dan weer naar voren. Hij giet een stroom suiker uit de strooier in zijn koffie. 'Ik heb me pas laat ingeschreven en Han's colleges waren al vol toen ik op kwam dagen, maar ik heb me erin gekletst. Nu zegt hij dat hij erop rekent dat ik er ben om interessante dingen te zeggen tijdens zijn colleges.' Hij glimlacht en zegt: 'Ik weet niet precies wat hij daarmee bedoelde.'

Sirine duwt nog meer slierten haar weg. 'Ik durf te wedden dat jij een geweldige student bent.'

Nathan kijkt even naar haar. 'Nee. Han is een geweldige docent. Ik heb nooit eerder bij iemand zoals hij gestudeerd. Het soort docent van wie je altijd hoopt dat je die zult vinden, maar die niet echt bestaat. Maar hij wel, want hij is er. Je krijgt het gevoel als je luistert naar zijn colleges, dat hij je uit elkaar haalt, stukje voor stukje. Alle dingen waarvan je dacht dat je die wist, moeten opnieuw worden geleerd. Je ontdekt dat je een manier moet leren om dingen te weten. Je luistert met je hele lijf, niet alleen met je hoofd, en je ziet dan dat hij op dezelfde manier lesgeeft, met zijn hele wezen. Hij doceert islamitische geschiedenis en Arabische literatuur, maar hij doceert ook over het leven en kunst en geloof en liefde... ik bedoel, als je weet hoe je moet luisteren.'

'Waarvan ik zeker weet dat jij dat doet.'

'Natuurlijk heb ik een voordeel – ik ben wat ouder dan de anderen en ik heb een tijdje niet gestudeerd omdat ik werkte – in de echte wereld.'

'O ja?'

Hij leunt naar voren op zijn ellebogen. 'Weet je dat ik hier speciaal naartoe ben verhuisd om bij hem te kunnen studeren, toen ik hoorde dat hij hier zou komen doceren. Ik weet niet waarom hij me hier laat rondhangen bij hem – ik denk dat hij medelijden met me heeft.'

'O nee.' Nadat ze haar lepel heeft schoon getikt tegen de rand van de pan, legt ze die neer en leunt dan met haar onderarmen op de bar. 'Dat lijkt me niet Han's stijl. Waarschijnlijk mag hij je graag.'

Nathan laat zijn hoofd zakken alsof hij haar niet aan durft te kijken. Hij wrijft de muis van zijn hand over zijn ogen, glimlacht alsof hij om zichzelf lacht. 'Moeilijk voor te stellen.'

'Dus jij weet alles over zijn werk? Is hij net zo beroemd als Aziz?'

'Aziz!' Hij wuift de gedachte weg. 'Nee, het is alleen dat... ik volg Han's carrière nu al een tijd. Ik zoek zijn werk op in de wetenschappelijke tijdschriften, zijn artikelen over Arabische literatuur en vertalingen, al dat soort dingen. Ik ben er ook persoonlijk in geïnteresseerd.'

'Hoezo persoonlijk?'

Hij trekt een stukje brood los en houdt dat net boven de hummus zonder er echt in te dippen. 'We hebben gemeenschappelijke vrienden.' Hij kijkt omlaag naar de hummus en haalt zijn schouders op. 'En bovendien – ik bedoel, los van het persoonlijke deel – vind ik hem gewoon briljant.'

Een restaurantrapporteur voor *The Los Angeles Times* beschreef Sirines kookkunst ooit als briljant; ze herinnert zich de gedempte gloed van voldoening die ze voelde, toen ze naar dat ene woord keek. 'Denk je dan dat hij een soort genie is?'

'O, nou – een genie? Dat is een beetje vreemd woord. Misschien een soort genie.' Nathan draait zijn theeglas rond. 'Ik denk dat ik wel bepaalde ideeën over hem heb.'

'Over Han?' Ze is zowel geïntrigeerd als nerveus, niet helemaal zeker of ze die dingen wel wil horen. Ze begint bolletjes knoflook open te breken en trekt de papierachtige velletjes weg die de teentjes omhullen. 'Wat vind je ervan om... me in plaats daarvan eens iets over jezelf te vertellen?'

Hij doet zijn mond open en zegt dan: 'O, nee. Dat doe ik liever niet.' Hij laat een sigaret uit het pakje glijden en speelt er nerveus mee, steekt die onaangestoken in zijn mond – Um-Nadia staat roken alleen tussen drie en halfzeven 's middags toe. 'Ik ben heel gewoon, er valt niks interessants over mezelf te vertellen.'

'Wat bedoel je?' Ze pelt een volgend teentje knoflook. 'Je bent fotograaf en zo. Je bent juist heel interessant.'

'Nee, echt, ik ben niks bijzonders. Een eeuwige student op zoek naar een leven misschien.'

Ze lacht, een zachte uitademing. Ze schudt haar hoofd en maakt de teentjes plat onder de zijkant van haar mes.

'Ik was ooit... beter, laten we het zo zeggen. Lang geleden. Maar nu... soms lijkt het net alsof ik nauwelijks op deze stoel kan blijven zitten, dat ik nauwelijks over de grond kan lopen. Ik ben gemaakt van poeder...' Hij kijkt snel naar haar, alsof hij bang is door wat hij zich net heeft laten ontvallen. 'Verdorie. Doet iedereen dat? Naar je toe komen en ongelooflijk rare dingen zeggen?'

Ze lacht opnieuw en zegt: 'O, nou ja...' Maar het is waar. Ze is gewend aan de aandacht van mannen, hun verlangen om indruk op haar te maken of ervoor te zorgen dat ze blijft luisteren – een rustig, geboeid gehoor achter een bar en een hakblok.

'Maar goed... ik troost me met de gedachte dat ik niet de enige ben,' zegt hij. 'Veel mensen zijn zo.' Hij steekt de sigaret in zijn mond, haalt hem er dan weer uit. 'Als poeder. Gewoon een soort...' Hij wuift met een hand in het rond. 'Er zijn soms mensen waar ik gewoon dwars doorheen kan kijken. Er is zo weinig daar. Daarom is mijn fotografie zoals die is. Ik heb een soort röntgenblik. En dan zijn er mensen zoals Han en jij. Jullie hebben méér. Lagen, verrassingen. En Han, nou ja...' Hij maakt zijn zin niet af.

'Wat?'

'Niks.' Hij lacht.

Ze kijkt zijdelings naar hem, en vraagt zich af wat hij denkt. Ze bijt een beetje op haar bovenlip.

'Nou,' hij laat zijn stem vertrouwelijk dalen en leunt naar voren. 'Goed. Heb je wel eens gehoord van oryxen?' Hij haalt een plastic aansteker te voorschijn en steekt zijn sigaret aan. Zijn handen zijn gevlekt en een beetje trillerig. 'Wit met wat zwart, en lange, rechte spiraalvormige horens. Ze schijnen de inspiratiebron te zijn geweest voor de eenhoorn. Ik weet niet of dat waar is, dat is gewoon iets wat ik heb gehoord. En toen ik Han ontmoette was dat op de een of andere manier het eerste waar ik aan dacht – aan de oryx. Ik weet niet waarom – ik geloof niet eens dat ze voorkomen in Irak. Sommige mensen zeggen dat het gazellen of antilopen zijn, maar in werkelijkheid is het een ander soort, groter en wilder. Geweldig. Ze zijn nu praktisch uitgestorven. Ze zijn anders dan alle andere dieren. Op een gegeven moment wilde ik ze graag fotograferen, maar ik heb nooit de kans gekregen.' Hij kijkt zo scherp naar haar dat ze bijna het gevoel heeft alsof hij iets te voorschijn haalt wat onder haar huid verborgen zit. 'Ik heb er altijd graag een willen zien, gewoon om te weten of ze echt bestaan. Ik heb altijd gedacht dat als ik een foto van een oryx zou kunnen maken, ik een soort bewijs zou hebben.'

Sirine zegt: 'Bewijs van wat?'

Hij grinnikt, blaast rook uit, haalt zijn schouders op en zegt: 'Dat weet ik nog niet precies. Gewoon bewijs!'

Juist op dat moment zwaait de deur naar de achterkeuken open en Um-Nadia komt te voorschijn en slaat de sigaret uit Nathans handen alsof ze een vlieg doodmept. Ze zwaait met een vinger naar hem en zegt: 'Niet roken tot drie uur!'

Als hij zijn boeken oppakt en gepikeerd vertrekt, kijkt Sirine naar het bord met hummus – alle olie lijkt te zijn opgelikt van de bovenkant.

5

Houd natuurlijk wel in gedachten dat dit een soort verborgen lief-
desverhaal is. En wie is er beter in liefdesverhalen dan de bedoeïen?
Herinner je je dat bedoeïenenliefdesgedicht waarin de bedoeïen zo
verliefd is dat hij zegt dat zijn mannetjeskameel verliefd is op haar
vrouwtjeskameel? Een klassieker.

De laatste koper van Abdelrahman Salahadin – de Bedekte Man –
beweegt zich met de betovering van vogelgezang; Abdelrahman slaat
zijn kleine gebaren gade als ze samen door de drukke soek lopen, en
hij raakt verstrikt in zijn eigen gedachten en wordt verward door zijn
emoties. Hij vermoedt dat de man een soort djinn is, die is gekomen
om hem te ontstelen aan het water – wat precies is wat zijn moeder
altijd al verteld heeft wat er met hem zou gebeuren. Hij gelooft dat
deze man een stukje van zijn draadlijn met een lus door een hoek
van zijn ziel heeft gehaald.

De straten van Akaba hebben spiraalvormige windingen als schelpen, en zijn op zomeravonden vol en gecompliceerd als een vrou-
wenhart. Jongens zitten op stoepranden en denken aan de liefde,
vrouwen laten hun handen door hun haar gaan, lokken zwaar van
zeezout, mannen ontvouwen fluwelen gebedskleden, handen op
hun knieën, buigen, komen overeind, deinen in de zeegolven van
het gebed.

De Bedekte Man leidt Abdelrahman Salahadin naar een nieuwe
haven aan het einde van de drukste straat, afgeschermd tegen het
zand, met overal riet, schelpen en glas. De gecompliceerde golven
rollen zich op en weer uit, de branding slaat neer en trekt zich terug,

een eindeloos dispuut. De Bedekte Man leidt Abdelrahman Salahadin naar een boot in de haven, een oude feloek zoals die waarmee de Portugezen altijd zeilden, met een verlengde, zwaanachtige hals en aflopende zijkanten, gebogen als lippen. Hij schommelt heftig te midden van de andere boten, die kraken en bonken tegen zijn zijden. Ze moeten van dek naar dek springen om bij de feloek te kunnen komen; hij helt over als Abdelrahman aan boord stapt, maar als hij zich verplaatst, komt de boot weer keurig recht.

Voor het eerst van zijn leven kijkt Abdelrahman naar de roeiriemen, om zich te gedragen zoals dat van een goede slaaf verwacht wordt. Maar de Bedekte Man zegt: nee, ga alsjeblieft zitten. Hij pakt een riem van het achterdek, en terwijl hij een ruk geeft aan de gouden draad die hen met elkaar verbindt, varen ze weg.

Nadia's Café bevindt zich in een oud, verbouwd huis met drie hoofdruimtes: de smalle eetgelegenheid aan de voorkant met te veel tafeltjes en een rij draaikrukken langs een met chroom afgezette bar; achter de bar bevindt zich een grill met een zilverkleurige kap en een werkplek met een werkblad om te hakken en een raam boven de spoelbak; via een klapdeur kom je dan in de achterkeuken vol planken, kasten, een enorme koelkast en een met linoleum bedekte tafel met wiebelige buispoten en vijf stoelen waarvan het vinyl is gebarsten. De muren voor in het restaurant zijn bedekt met vergeelde krantenberichten met recensies als 'Aladdins verborgen schat!' en 'Het Midden-Oosten in Westwood'. En er is een ingelijste glanzende foto met handtekening van Casey Kasim, die er ooit kwam eten en verklaarde dat ze er de beste mjeddrah in de stad maken.

De achterkeuken is Sirines toevluchtsoord, haar favoriete plek om aan de tafel wortels te snijden en haar gedachten te denken. Ze kan er uit het raam kijken naar de binnenplaats aan de achterkant en het gevoel hebben alsof ze weer kind is, werkend aan haar moeders tafel. De maandag is voor baklava, die ze leerde maken door haar ouders gade te slaan. Haar moeder zei dat een baklavamaker gevoelige, soepele handen moet hebben, dus kreeg zij de taak om de papierdunne vellen deeg te openen en van elkaar los te maken, om ze daarna in stapeltjes op het bakblad te leggen. Haar vader had de taak om elk vel deeg in te smeren met een laagje geklaarde boter. Het was systematisch maar toch plezierig werk: haar moeder die voorzichtig iedere laag losmaakte en ze op het bakblad legde, waar Sirines vader ze insmeerde. Het was belangrijk om snel te werken, zodat de nog niet ingesmeerde lagen niet zouden uitdrogen en uit elkaar gingen vallen. Dit was een van de manieren waarop Sirine leerde dat haar ouders van elkaar hielden – hun harmonische bewegingen als een dans; ze zweefden samen door de ronde bogen van haar moeders armen en haar vaders tedere strijkbewegingen. Sirine was er trots op als ze haar een laag lieten insmeren, en nog trotser als het haar lukte om een van de doorzichtige vellen op te pakken en die naar het bakblad over te brengen – licht als ruwe zijde, fragiel als een sluier.

Op dinsdagmorgen heeft Sirine zich echter verslapen. Ze is te laat op haar werk en zal niet genoeg tijd hebben om de voorbereidingen voor de baklava af te maken voordat ze aan het ontbijt moet beginnen. Ze zou vandaag de zelfgemaakte desserts achterwege kunnen laten en de klanten ijs met vijgen of kokoskoekjes en roombotercake van Shusha, de Iraanse bakkerij van twee panden verderop, kunnen aanbieden. Maar de baklava is belangrijk – het vrolijkt de studenten op. Ze doen hun ogen dicht als ze in de knisperende laagjes bijten, een en al lichtheid en sinaasappelbloesemgeur.

En Sirine is onrustig als ze probeert aan het ontbijt te beginnen zonder dat ze eerst de baklava heeft gemaakt; ze kan dan haar draai niet vinden. Dus uiteindelijk schuift ze de ontbijtingrediënten aan de kant en haalt ze het baklavablad te voorschijn zonder er enig idee van te hebben hoe ze de tijd moet vinden om de baklava af te maken. Ze denkt alleen: suiker, kaneel, gehakte walnoten, geklaarde boter, filodeeg... Ze werkt in het groenige ochtendlicht en is zo geconcentreerd bezig dat ze het getik op de achterdeur niet in de gaten heeft, het niet eens hoort, totdat de deur op een kier wordt geopend en een stem zegt: 'Sirine?'

Er is een waas van stof en meel in het licht vanaf de geopende deur en daar staat iemand, vanachter belicht. 'O!' Sirine richt zich op.

'Mag ik binnenkomen? Ik gokte erop dat je hier vroeg zou zijn,' zegt hij, terwijl hij binnenstapt. Het licht wordt zachter en draait en dan ziet ze dat het Han is. 'Ik dacht alleen dat ik... ik bedoel... ik wilde alleen even hallo komen zeggen.' Hij kijkt naar het werkblad dat vol filodeeg ligt. 'Sorry. Ik kom binnenvallen op een slecht moment, niet?'

Sirine kijkt naar haar vingers: sterk en elegant. Herinnert zich hun lichte aanraking onder water.

'Sorry?'

Ze glimlacht.

Er is nog tijd voor de baklava als ze die samen gaan maken.

Ze zoekt haastig in de grote la naar een ander schort, wijst hem aan waar hij moet gaan staan, hoe hij het vel filodeeg vanaf de zijkant moet oppakken, het voorzichtige, precieze losmaken, de snelle beweging van de gevouwen vellen naar het blad, en tot slot het neerleggen op het bakblad. Hij kijkt aandachtig naar alles, stelt geen vragen, en legt het volgende vel dan perfect neer. Ze smeert het deeg in met de geklaarde boter. En hoewel Sirine nooit goed heeft leren dansen, doordat ze altijd verstijfde en probeerde te leiden terwijl haar partner mompelde, relax, relax – en hoewel er heel weinig mensen zijn die weten hoe ze samen met haar moeten koken en bewegen in de keuken – toch lijkt het er nu op dat zij en Han precies weten hoe ze samen baklava moeten maken. Ze schrikt als ze merkt dat ze zijn aanwezigheid in haar schouders lijkt te voelen, doorlopend via haar armen en polsen tot in haar handen. Haar zintuigen lijken als vingers rond een boeket gebogen, haar huid gevoelig bij aanraking. Ze voelt zich licht in haar hoofd. Ze let op de vloeiende bewegingen in zijn benen, armen en hals, de donkere rand van zijn ogen. Hij brengt de vellen over en zij beweegt het bakkwastje heen en weer, waarbij ze helemaal opgaat in de zwaaiende beweging. Ze neemt de krachtige lijn van zijn nek en schouders in zich op; zijn huid is zijdeachtig bruin. Er is een spoor van slapeloosheid in zijn ogen, een naar binnen gericht, eenzaam voorkomen.

Hij zegt: 'Dit doet me ergens aan denken.'

'Het doet je ergens aan denken. Aan wat?'

Hij knikt. 'Aan de keuken. Ik wilde eigenlijk niet zo graag in de boomgaard van mijn vader werken. Ik hield hiervan. Ik hield van de keuken. De tafel. Het fornuis. Waar de vrouwen altijd verhalen aan het vertellen waren. Mijn moeder en mijn tantes en de buurvrouwen en – mijn zuster...' Hij strijkt een volgend vel glad.

Sirine botert het in en strooit dan een dikke vulling van gemalen walnoten, suiker en specerijen over de lagen. Ze strijkt haar handpalm over de bovenkant om het glad te maken. 'Mijn moeder ook,' mompelt ze. 'Nou ja, meestal waren we maar met zijn tweeën. Ze praatte tegen me terwijl ze aan het werk was. Vertelde me allerlei dingen.'

Han kijkt even naar haar. 'Wat voor dingen?'

Ze glimlacht en haalt een beetje verlegen haar schouders op. 'O, onzinnige dingen, zoals of je nu warme siroop over koude baklava schenkt of koude siroop over warme baklava.'

'Dat is behoorlijk serieus, dat is metafysisch.'

Ze overweegt dit, verrast door de herinneringen die bij haar naar boven beginnen te komen – de manier waarop de kleine lessen van haar moeder aanvoelden als grotere geheimen toen Sirine nog een klein meisje was: hoe instructies in het fijnsnijden van walnoten en hoe je boter moest smelten, tevens bespiegelingen over hoop, over toewijding waren. 'Ja,' zegt ze, een zachte, groeiende herkenning in haar stem. 'Dat denk ik ook.'

'O, absoluut. Mijn moeder vertelde me dat als ik zou weten hoe ik goede baklava moest maken, ik onweerstaanbaar zou zijn voor iedere vrouw,' zegt hij.

'Aha, dus ze heeft je geleerd hoe je baklava moet maken,' merkt Sirine op.

'Nee. Ze weigerde dus om het me te leren.'

Sirine lacht. 'Maar op de een of andere manier heb je het toch geleerd. Bof ik even.'

'Eigenlijk ben ik het pas op dit moment aan het leren.'

Een volgende laag. Boter. Ze kijkt even naar hem, dan weer naar de baklava. 'Mis je het?'

Hij kijkt op. 'Wat? De keuken? Mijn huis?' Hij trekt per ongeluk een hoek van een vel deeg – het begint droog te worden. '"Ik mis mijn moeders koffie / ik mis mijn moeders brood."'

Sirine trekt haar wenkbrauwen op.

'Dat is een gedicht. Niet van mij.' Hij trekt een grimas, terwijl hij probeert het deeg te repareren. 'Nee, ik mis alles, Sirine. Absoluut alles.'

'Vertel me eens iets wat je mist,' zegt Sirine, terwijl ze de boter over het deeg uitstrijkt. 'Ik bedoel, iets specifieks.'

'Mm, iets specifieks.' Hij trekt een volgend vel deeg los. 'Goed dan. Dit bijvoorbeeld. We hadden een put op onze grond. Er stond een rij grote, krakende palmbomen achter. Alle bedoeïenen gebruikten die put. Ik stond wel achter hen terwijl ik twee grote metalen emmers vasthield, en zij haalden dan het water omhoog waarbij ze een ouderwetse slinger gebruikten en het verse water vanuit de put-emmer in mijn emmers goten. En ik dronk dan een kop water zodra het uit de aarde te voorschijn was gekomen – het was zo koud dat mijn oren ervan gingen tuiten en het smaakte naar – ik weet het niet, het was zo goed – het smaakte naar stenen en wind en zuivere... zuivere kóudheid.'

Sirine repareert de brekende laag met nog wat boter. Ze kan bijna de koude zoetheid van dat water proeven – alsof ze het al eerder heeft geproefd en weet hoe goed het is – en ze voelt plotseling een heftig verlangen om op datzelfde moment ervan te kunnen drinken. 'Ik kan het me voorstellen,' zegt ze. 'Ik kan me helemaal voorstellen hoe dat zal smaken.'

Hij legt voorzichtig een volgend deegvel neer, en trekt aan de uiteinden om de rimpels eruit te halen. 'Er was een oude bedoeïen die voor ons op de put paste. Hij was mager met glanzend haar en schitterende ogen – zoals zoveel van de woestijnbedoeïenen – gedeeltelijk havik en gedeeltelijk mens. Hij heette Aboe-Najmeh, hij had een geel hondje dat we Zibdeh noemden, en Aboe-Najmeh zat meestal te slapen naast de bron, met zijn geweer in zijn armen en zijn hond aan zijn voeten.' Han glimlacht. 'Ik heb al jaren niet meer aan hem gedacht. Hij richtte zijn geweer op iedereen van wie hij dacht dat die het water probeerde te stelen. Ook op mijn zuster en mij. Maar hij schoot zelden. Hij zei vaak: "Er is geen mooier goud dan water, Allah zij geprezen."'

Sirine glimlacht. Ze repareert een volgende gebarsten laag door een lik boter met haar bakkwast.

'Op een keer, toen hij door de stad wandelde, vond hij twee kinderfietsen op de vuilnisberg achter een van de grote hotels. Gewoon weggegooid. Misschien van een diplomaat die ze had gekocht voor zijn kinderen toen ze op bezoek waren, en die geen zin had om ze helemaal naar huis te verzenden toen ze teruggingen. Hoe dan ook, Aboe-Najmeh, die in zijn hele leven nog nooit een fiets had gezien of ervan had gehoord, wierp toch een blik op die dingen en begreep precies het principe erachter. Hij gaf de ene fiets aan mij en de andere aan mijn vriend Sami en hij leerde ons fietsen door naast onze fietsen mee te hollen. Zesenzestig jaar oud, zijn zwaard bungelend aan zijn gordel, zijn geweer op zijn rug, zijn hoofddoek achter hem aan wapperend, en een handvat in iedere hand.'

Sirine lacht en haalt een deegvel uit het midden, waarbij ze het kapottrekt. Ze zucht en probeert het weer op zijn plaats te leggen, terwijl ze op haar onderlip bijt. 'Denk je dat je ooit nog terug zult gaan?'

Zijn rug verstijft. 'Ik kan niet terug,' zegt hij. 'Naar Irak? Nee.'

Ze houdt de kom met boter schuin. 'Waarom niet?'

'Niet zoals de situatie nu is natuurlijk. Het is er erg gevaarlijk – het was al vreselijk moeilijk voor me om het land uit te komen.' Hij probeert de laatste gebroken laag deeg tegen elkaar aan te plakken. 'Maar niettemin is het alsof een deel van mij nog steeds niet goed kan begrijpen dat ik nooit meer terug zal keren. Ik moet mezelf eraan blijven herinneren. Het is zo moeilijk om me dat voor te stellen. Dus ik blijf maar tegen mezelf zeggen: nog niet.'

'Wat vreselijk,' zegt ze. Wat Han zegt doet haar denken aan een gevoel dat ze wel eens heeft gehad – over iets tegelijkertijd wél en niet weten. Ze heeft vaak het gevoel dat ze iets mist en begrijpt dan niet helemaal wat het is dat ze mist. Tegelijkertijd weet ze niet goed wat Han bedoelt met de gevaren, of waarom het zo moeilijk was om het land te verlaten – maar ze geneert zich ook om hem dat te vragen en zo haar onwetendheid te onthullen. Ze volgt het nieuws niet en nu schaamt ze zich dat ze zo weinig belangstelling heeft gehad voor het vaderland van haar vader. Verstrooid laat ze de kwast zakken en per ongeluk smeert ze zijn vingers in met boter. Ze krijgt een kleur en veegt snel zijn hand af aan haar schort. 'O, sorry,' zegt ze.

Zijn hand is warm en zijn vingers bewegen onhandig door de hare. 'Jij mag mijn vingers altijd insmeren,' zegt hij, kucht en kijkt dan beschaamd. De keukendeur zwaait open en Um-Nadia stapt naar binnen. Ze staat meteen stil als ze hen ziet, haar ogen wijdopen, haar wimpers als gebogen naalden als gevolg van de laag mascara, haar gezicht openbrekend door een stralende lach.

Nadat Han is vertrokken, gaat Sirine naar de voorkeuken. Ze is net bezig met de voorbereidingen voor de lunchdrukte, als Victor vanuit de achterkeuken de deur openduwt, met zijn stokdweil in zijn hand.

'Hoi chef,' zegt hij, en hij dweilt een paar minuten om zich heen. Dan zegt hij: 'Zo, dus je was samen met Han baklava aan het maken?'

Ze laat haar lepel zakken en kijkt naar hem. 'Nieuwsgierig?'

Hij grinnikt, hoofd omlaag in de richting van het dweilen.

'Tussen haakjes,' zegt hij, terwijl hij om haar heen dweilt, 'ik vind je roos mooi.'

Ze werpt een blik om zich heen en kijkt dan in de achterkeuken, waar ze een stuk papier opmerkt dat gedeeltelijk achter de snijplank is weggestopt. Briefpapier van de universiteit. In een hoek ervan is een grappig tekeningetje gekrabbeld van een vliegende vis in een boog, met daaronder een telefoonnummer en een adres. Ze vouwt het open. 'Sirine. Ik ben een erg slechte kok. Maar ik ben een goede leerling. Zou je morgenavond bij mij willen komen eten? Hartelijke groeten, Hanif.' Naast het briefje ligt een radijs die in de vorm van een bloem is gesneden.

6

Sirine komt laat op de avond naar beneden en treft daar haar oom aan terwijl die een groot bord met overgebleven falafels zit te eten. 'Weet u wel hoeveel vet daarin zit?' vraagt ze. 'Wat zou u zeggen van wat lekkere labneh en komkommer?'

Haar oom kijkt haar nadenkend aan en legt een halve falafel neer. 'Bij welk hoofdstuk waren we gebleven? Drie? Zeven?'

Ze zucht.

'En zijn er nog meer koekjes over?'

Eenmaal weg bij de andere boten hijst de Bedekte Man de zeilen en ze gaan bol staan in de blauwe wind. In een oogwenk, zo lijkt het, zijn ze midden op de Rode Zee. Abdelrahman hoort de aanmaning van de zeepaardjes, de hunkerende reuzenmanta's, de roep van zee-meerminnen, zeemeermannen. De hele zeemeerwereld zingt in koor: 'Abdelrahman Salahadin! Waar ben je?'

Hij roept zijn wilskracht op, sluit zijn ogen en gaat dan staan. Maar hij begint te beven en hij gaat weer zitten. Hij heeft te lang ge-wacht, denkt hij, de zee zal hem wegsleuren. Maar aan de andere kant, wat zal er gebeuren als hij bij deze djinn blijft? Hij gaat op-nieuw staan, maar het beven wordt erger, dus gaat hij weer zitten.

Hij vervolgt dit staan en zitten een poosje terwijl de zee ruwer wordt en de boot kleiner lijkt te worden. Het staat net weer als de Be-dekte Man gaat zitten en voor hen allebei koffie inschenkt. Dan be-gint hij te praten.

'Ik ben van de Beni-Sakhr-stam. Je kunt zien aan de stijl van mijn wikkelingen dat ik tot een woestijnvolk behoor. Wat je misschien niet weet is dat de bedoeïenen ooit watermensen waren, dat op de plaats waar nu duinen zijn, er ooit saffierblauwe golven waren.'

'Dus daarom bent u zo'n goede zeiler!' verbaast Abdelrahman zich, terwijl hij kijkt naar de lange ingewikkelde witte wikkelingen die het hoofd en het gezicht van de man bedekken en de rode sjerp om zijn middel. Dan merkt Abdelrahman op dat hij staat en snel gaat hij weer zitten.

De Bedekte Man zucht opnieuw, alsof hij zich afvraagt of het mogelijk is dat het ene schepsel het andere helemaal kan begrijpen. Hij zegt: 'Nee, helaas herinner ik me niet de zee, net zomin als een van mijn stamgenoten dat doet. Het is een vergeten taal. Maar dit verhaal begint met de zee, niet lang na de dag van mijn zestiende verjaardag, toen ik trouwde met mijn achternicht. Sommigen zeggen dat de zin van het huwelijk de versterking van rijkdom en familie is. Maar voor ons betekende het veel meer. Ik had het gevoel toen wij trouwden dat onze zielen elkaar herkenden – mogelijk uit een vorig leven – en zich aan elkaar vastklemden. Na onze bruiloft waren we onafscheidelijk.'

'Maar toen gebeurde er iets, nietwaar?' zegt Abdelrahman Salahadin. Hij kijkt bezorgd naar de onheilspellende golven en gaat staan.

De Bedekte Man lijkt te glimlachen. 'Ik merk dat je bekend bent met de opbouw van verhalen! Er moet altijd iets gebeuren, nietwaar? Het kan niet simpelweg zijn: en ze leefden nog lang en gelukkig enzovoort... Het zij zo; er gebeurde inderdaad iets: mijn vrouw en ik reisden langs de grote handelsroutes van de woestijn, handelend in borduurwerk, specerijen en dieren in ieder van de steden die we bezochten. We reisden in een karavaan naar de kleine stad Jiddah, verscholen aan de kust van de Arabische Golf. Dat zou het verste punt zijn tot waar wie dan ook van ons ooit was gereisd vanuit de buik van de woestijn; het zou de eerste keer zijn dat wie dan ook van ons de oceaan zou zien, en we probeerden ons een voorstelling te maken hoe hij eruit zou zien. Sommigen zeiden dat de oceaan rolde als duizenden stenen over een lage oever, anderen dat hij vloeide als gesmolten glas.

Het kostte ons drie weken om van de Grote Woestijn naar de oceaan te trekken. Toen we het water naderden, verrezen er uit het zand allerlei soorten vleesetende planten, doornstruiken, scherpe distels en krulvarens. Ik besteedde er weinig aandacht aan – ik wachtte om het water te zien. Ik rook het eerst, een sterke, zuiverende lucht. Toen hoorde ik het, een geruis dat langzaam sterker werd totdat het gebulder was. Ik bedekte mijn oren, keek op en zag wolken glanzend als satijn, keek toen omlaag en mijn ogen vulden zich met de schitterende, schuimende zee. Ik zocht instinctief de hand van mijn geliefde, maar tot mijn schrik was er niemand. Toen zag ik iemand naar beneden rennen.'

'Dat was...?' Abdelrahman is ongeduldig, gevoelig voor de deining van het water overal om hem heen.

De Bedekte Man knikt. 'Natuurlijk, mijn enige geliefde. Degene die, in de loop van vijf jaar, het licht van mijn ogen was geworden, net zo essentieel voor mij als zout en lucht. En mijn Schat, mijn Roos, mijn Diamant der Diamanten rende de uitgestrekte blauwe omarming in.'

Die avond als ze thuiskomt van haar werk, kan Sirine Babar horen kermen en blaffen nog voordat ze de deur heeft geopend. Ze buigt zich naar hem toe en hij springt in haar armen en leunt tegen haar borst, zijn neus begraven in haar haar. De enige avonden waarop Sirine thuis eet – zondag en maandag als het restaurant gesloten is – zit Babar de hele maaltijd lang op haar schoot. Hij dut wat, en wordt alleen half wakker om de stukjes op te knabbelen die ze hem onder tafel geeft, om dan weer weg te zakken in een zoete droom van liefde, eten en vergeten. De rest van de week eet ze op haar werk, en bijna meteen als ze thuiskomt gaat ze dan naar bed, omdat ze de volgende morgen weer vroeg moet beginnen.

Vanavond zou ze vroeg naar bed moeten gaan, volgens de biologische klok van Babar, maar Sirine trekt nieuwe kleren aan, een groene luchtige jurk voor de warme avond. Babar volgt haar naar de voordeur terwijl hij met een omhoog gerichte blik naar haar gezicht staart. Ze kust hem ten afscheid, en voelt het een klein beetje knagen omdat ze hem alleen achterlaat.

Ze controleert het adres dat Han haar heeft gegeven en realiseert zich dat zijn appartement ook in West LA is, praktisch op loopafstand. Ze rijdt haar van spatborden voorziene fiets met drie versnellingen de voordeur uit, trekt haar rok op, stopt die vast om haar benen en rijdt weg.

Ze fietst de rustige straat door in de golf van straatlantaarns. Han woont in een complex dat weinig verschilt van alle andere complexen in de straat; ze hebben namen als Del Mar, Vista, Casa Lupita; rijen balkons, glazen vlakken, geflankeerd door dadelpalmen, bougainville en bananenbomen. De straat ziet er glinsterend uit in het maanlicht, efemeer als een luchtspiegeling. Sirine staat buiten voor zijn appartementengebouw, dat Cyprus Gardens heet, en controleert het nummer dat ze op haar hand heeft geschreven. Ze stelt zich even voor dat, als ze haar ogen zal sluiten, de buurt zal verdwijnen – dat is wat haar oom zegt over LA: sluit je ogen en het zal verdwijnen.

De intercom in de hal van zijn gebouw is kapot, en de voordeur wordt opengehouden met een platte, gespikkelde steen. Het is een wat ouder gebouw dat rondom een binnenplaats is gebouwd, met een vage muskusachtige lucht van verwelkende rozen, jasmijn en stof. Ze stapt de lift in en de deuren sluiten zich ratelend; hij gaat omhoog met een myriade zwakke zuchten en sidderingen. De lift komt kreunend en trillend op de vijfde verdieping tot stilstand. Sirine blijft even voor zijn deur staan en haalt diep adem door haar neus. Nummer 503. Ze tilt haar hand op en klopt per ongeluk te hard.

Han doet meteen de deur open, alsof hij erachter heeft staan wachten. Hij pakt haar hand en de aanraking trekt door haar heen tot helemaal in haar ruggengraat. Ze is zo nerveus, haar zintuigen allemaal op scherp, dat ze niet meer dan één detail tegelijk in zich op kan nemen: de geschilderde rand van het deurkozijn als hij haar naar binnen trekt; stapels en stapels boeken; een blauwe lap stof die uitgespreid op de grond ligt; de lucht die vervuld is van kookgeuren. Om de een of andere reden komt het woord Afrika in haar op. Ze kijkt opnieuw naar Han: hij heeft zich net geschoren, zijn haar glanzend naar achteren geborsteld, haarlokken die over zijn voorhoofd vallen. Hij veegt er nu afwezig naar met een hand. Hij kijkt alsof hij niet echt kan geloven dat ze daar staat. Het appartement ruikt naar tijm en sumak en iets met een volle, bijzondere zoetheid. Hij lijkt anders in deze verstilde sfeer, zijn gezicht zachter, alsof al zijn emoties naar het oppervlak van zijn lichaam zijn gestegen, zodat hij ze allemaal kan voelen door de aanraking van zijn hand. Hij doet een halve stap dichterbij en het gele licht flikkert.

Hij zegt iets, zijn stem zo laag dat ze haar hoofd schuin moet houden om hem te kunnen verstaan. 'Wat ben je... wat zie je er...'

De blauwe doek op de grond is een impuls van kleur: hij flitst achter haar ogen en vult haar hoofd, en even is dit gevoel – een intens, atomensamentrekkend verlangen – hetzelfde als deze zeeblauwe kleur aan haar voeten.

Ze glimlacht.

'...mooi uit,' zegt hij.

Dan vraagt hij nog iets, maar ze kijkt om zich heen, even afgeleid, en moet een stukje achteruit lopen om hem te kunnen verstaan. Hij vraagt of ze iets wil drinken; ze knikt nauwelijks merkbaar. Het grote raam lijkt vol sterren te zijn. Ze kijkt en kijkt. Een geluid vaag als bijen of verre klokken zoemt tussen de zwarte ruimten aan de hemel, dan realiseert ze zich dat het uit de hoeken van de kamer komt; een vrouw die zingt. Han gaat de kamer uit en komt terug met ronde bokalen gevuld met karmozijnrode wijn.

'Wat mooi,' zegt Sirine. 'Wat een prachtige stem heeft ze.'

'Dat is Fayrouz,' zegt Han. 'Ik was van plan om wat Amerikaanse muziek voor je te draaien, maar ik geloof dat ik die niet eens heb. Ik wilde er een echt Amerikaanse avond van maken voor je.'

'Maar ik ben helemaal niet echt Amerikaans,' zegt Sirine.

'Nou, dan hoop ik dat je me wil vertellen wat je dan wel bent,' zegt Han.

Sirine volgt hem naar de keuken waar een damppluim van het fornuis komt gekruld. Ze bewondert de vierkante vorm en greep van zijn handen op de ovendeur. Ze haalt diep adem en heeft nu door wat ze ruikt. 'O! Je hebt een gehaktbrood gemaakt?'

Hij haalt de bakvorm met het vlees uit de oven. 'Net zoals mama dat altijd maakte?'

Broccoliroosjes, aardappelpuree, jus, gesneden zacht witbrood. Het glijdt op Sirines bord, glanzend van boter. Het gehaktbrood geurt naar ui en is stevig onder de verbrande korst, overgoten met zoetzure plasjes tomatenketchup. Op het aanrecht ligt een exemplaar van *The Joy of Cooking* met etensvlekken erop, en een roodgeruit Betty Crocker-kookboek, allebei uit de bibliotheek. Ze is onder de indruk. Niemand wil ooit voor haar koken; de zeldzame etentjes bij vrienden waarvoor ze wordt uitgenodigd, gaan vergezeld van bezorgdheid en verontschuldigingen. Maar Han lijkt alleen maar opgewonden – zijn huid is lichtelijk vochtig en roze van de keukenwarmte – en geïntrigeerd door de andere manier van koken, een verandering van ingrediënten, als de overgang van je eigen taal in een vreemde taal – boter in plaats van olijfolie; aardappels in plaats van rijst; rundvlees in plaats van lamsvlees. Hij laat haar plaatsnemen op een kussen op de blauwe doek en zet dan de gerechten voor haar neer op de doek. Hij gaat tegenover haar zitten, waarbij een knie langs de hare strijkt. Ze raken elkaar aan en ze buigt zich naar voren om de schaal met aardappels te pakken. Hun knieën gaan weer rakelings langs elkaar.

Han proeft van ieder gerecht terwijl hij kijkt naar Sirine, waardoor de maaltijd een punt van discussie lijkt. Ze knikt en prijst hem uitvoerig. 'Mm, de rijke structuur van dit gehaktbrood – het ei en de broodkruimels – en die stukjes ui erin zijn heel lekker, en er zit ook wat chilipoeder en droge mosterd in, niet? Dat is heerlijk. En er zit iets in de saus... iets...'

'Je bedoelt de ketchup?' vraagt Han.

'O ja, ik neem aan dat het dat is.' Ze glimlacht.

'Het is bijzonder.'

Sirine glimlacht vaag, raakt haar hoofd aan, niet zeker wetend wat hij bedoelt. 'Wat?'

'De manier waarop je dingen proeft...' Hij gebaart naar het eten, pakt een stukje gehaktbrood tussen zijn vingers alsof het een olijf is. 'Jij weet wat alles hier is... ik bedoel precies.'

'O nee,' lacht ze. 'Dat is zoiets natuurlijks, iedereen kan dat. Het is alsof je de beginplaatsen proeft – waar het allemaal vandaan komt. Behalve natuurlijk als het ketchup is.'

Hij kijkt even naar haar, pakt dan voorzichtig haar hand en kust haar vingers. 'Dan denk ik dat jij daarvandaan komt.'

Sirine lacht opnieuw, in verlegenheid gebracht door zijn intensiteit. 'Nou, dat weet ik niet, maar ik denk dat voedsel hoort te smaken naar de plaats waar het vandaan komt. Speciaal goed eten. Je kunt min of meer proeven waar het vandaan komt, het spoor terug volgen. Zo proef je in de beste boter nog een beetje de wei en de bloemen, dat soort dingen. De oorsprong wordt onthuld.'

'Dat is zeker de reden waarom je zo Amerikaans op me overkomt,' zegt hij verlegen en hij kijkt omlaag in zijn wijnglas.

Ze begrijpt niet helemaal wat hij daarmee bedoelt, maar dat lijkt eigenlijk ook niet zo belangrijk te zijn. De nachtwolken rimpelen langs de balkondeuren als vissenstaarten. De lucht ruikt naar woestijnzout. Ze drinkt haar wijnglas leeg en hij schenkt nog eens in voor haar. De zachte ontwijking in zijn ogen intrigeert haar. Het is alsof hij niet helemaal in de kamer is: zijn blik lijkt zich subtiel beurtelings te concentreren op haar gezicht en op een verborgen, inwendige plek. Zijn ogen reflecteren zowel de keukenverlichting als de nachtwolken. Sirine leunt dichter naar hem toe, haar huid warm. Ze is gedesoriënteerd door zijn geur en nabijheid. 'Zo,' ze kijkt even om zich heen. 'Zo, je hebt eigenlijk geen meubilair, zie ik. Dat is tamelijk ongewoon.'

Hij kijkt over haar schouder alsof dit een nieuwe ontdekking is, en schudt dan zijn hoofd. 'Het is hier niet erg comfortabel, hè? Dat komt gewoon doordat – het was gewoon nog niet in me opgekomen – ik bedoel, dat ik dingen zoals stoelen en boekenkasten nodig zou hebben. Ik ben al zo vaak van de ene school en baan naar de volgende gegaan, en ik ben al ontelbare keren verhuisd. Ik heb nooit veel zin gehad om meubilair te kopen. Ik denk dat me dat op de een of andere manier het gevoel zou hebben gegeven dat ik dan gebonden zou zijn – aan een bepaalde plaats bedoel ik.'

Ze trekt haar wenkbrauwen op. 'Maar op die manier ga je nooit ergens echt wonen. Je denkt dan altijd weer aan de volgende plaats waar je heen zult gaan. En je zou nooit ergens gewoon wonen.'

'Dat is waar,' zegt hij, een scheve grijns op zijn gezicht alsof ze hem ergens op heeft betrapt.

'En...' Ze raakt de rand van haar wijnglas aan. 'Denk je dat je hier zou kunnen wonen?'

'Ik denk het wel.' Hij kijkt even naar haar. 'Daar probeer ik op het ogenblik achter te komen.'

Haar blik glijdt dan weg en ze kijkt naar zijn hand, de gladde palm veel lichter dan de huid op de rug, naar de kruisarcering van donkere lijnen. Ze zegt opnieuw iets over het eten en dan over de muziek. Ze kijkt naar zijn hand terwijl hij voor hen allebei nog eens wijn inschenkt. De stem van de zangeres vibreert en lijkt dingen die los in de lucht tussen hen zweven, te vertolken in haar melodieuze, complexe lied.

Han knikt en schenkt nog meer wijn voor haar in. 'Dit lied heet "Andaloussiya". Dat was een plaats waar de moslims en joden samenleefden en verbazingwekkende werken op het gebied van de filosofie en architectuur tot stand brachten. Al dat soort dingen dat mensen bereiken als je ze een tijdje achterlaat in de zon.'

'Hebben de moslims en de joden werkelijk samen dingen gemaakt?' zegt Sirine. Ze sluit haar ogen en nipt van de wijn, proeft kersen en eikenhout en – echozacht – rozijnen en teer. 'Denk je dat eens in.'

'O ja, ze waren slim,' zegt Han, zijn stem vertrouwelijk, alsof hij geheimen aan het vertellen is. 'Heb je het Alhambra wel eens gezien – de klimmende spiralen en bogen? Heel knap. Het is een bijzonder bouwwerk – ik heb het diverse malen bezocht.'

'Wat is er met hen gebeurd?'

'Met de Andalusiërs? O, verspreid, verjaagd, veroverd. Ze waren te slim voor hun tijd.'

'Het is fantastisch, al die plaatsen die jij hebt gezien.'

Hij haalt een schouder op, laat die dan weer zakken. 'Ik weet eerlijk gezegd niet of dat nu zoveel fantastischer is dan gewoon ergens te blijven wonen.' Han kijkt naar de kruimels op haar bord en dan naar Sirine. 'Heb je wel genoeg gegeten? Heb je nog honger?' Zijn stem danst langs haar borstbeen als vingertoppen.

Ze lacht. Ze zet haar glas wijn neer en het wiebelt even voordat ze het stil zet. 'Ik heb genoeg gehad, echt hoor. Ik zit helemaal vol.'

Hij snijdt nog een plak van het gehaktbrood in de bakvorm af en pakt het op met zijn vingertoppen. Hij houdt het bij zijn lippen. 'Kom,' zegt hij. '*Min eedi.*' Uit mijn hand. Dat is wat goede vrienden zeggen om de grootst mogelijke zorgzaamheid tot uitdrukking te brengen. Ze opent haar mond en herinnert zich hoe haar vader haar een stukje brood voerde, min eedi, zei hij dan. En Han stopt het voedsel in haar mond.

Ze dragen schalen naar zijn gladde witte gootsteen, zijn kleine keuken. Ze argumenteren kort over wie er zal afwassen, om dat uiteindelijk samen te gaan doen, waarbij eerst hun schouders tegen elkaar botsen, dan hun ellebogen en dan hun heupen.

Na de afwas en nog een glas wijn beantwoordt Han Sirines vragen over de islam – ze is nieuwsgierig, omdat ze niet is opgevoed met formele godsdienst. Hij beschrijft hoe het interieur van een moskee eruitziet, de schone, open gebedsruimte en – na veel overreding – reciteert hij voor Sirine buiten op zijn balkon de *athan*, de oproep tot gebed. Het klinkt voor Sirine alsof hij zingt, maar hij zegt: nee, dit is gebed, wat zuiver is. Hij aarzelt even, alsof hij het zich niet helemaal kan herinneren, en demonstreert dan de houdingen en kniebuigingen voor het gebed – het buigen vanuit het middel naar knieën naar hoofd. Ze vindt de beweging ervan prachtig en probeert hem na te doen, maar haar hoofd tolt een beetje en ze moet gaan zitten op het balkon. 'Het is zo mooi,' zegt ze rustig. 'Het doet me denken aan de manier waarop ik me soms voel als ik werk, wanneer ik bijvoorbeeld in een pan soep roer, of wanneer ik brooddeeg kneed.' Ze stopt en vraagt zich af of wat ze zegt ergens op slaat.

Hij zit met gekruiste benen naast haar op de grond en wrijft over zijn nek. 'Ik heb al een tijdje niet meer gebeden. Ik ben een beetje uit vorm.'

Het koele glijden van het gebedssnoer door haar hand heeft Sirine altijd een goed gevoel gegeven, al heeft ze nooit eerder geprobeerd om echt te bidden. Maar dat wil ze hem niet vertellen. Het is net zoiets als geen muziekinstrument kunnen spelen, of geen vreemde taal kunnen spreken – iets waarvan ze vindt dat ze dat eigenlijk wel zou moeten kunnen. Ze let goed op Han, probeert zijn uitdrukking te onthouden, de manier waarop hij zijn handen op zijn knieën legt.

Plotseling stopt hij en kijkt haar vol ontzetting aan. 'O, mijn god, het toetje,' zegt hij.

'Is er dan een toetje?'

'In de diepvries.'

De maan komt te voorschijn en wordt rood. Ze zitten weer naast elkaar op het kleine balkon en eten bevroren chocoladetaart zo uit de doos, met lepels vol vanilleroomijs uit de kartonnen beker, en drinken samen uit een kopje Lipton-thee, wat volgens Han het beste koloniale theezakje is: 'Een bruin theezakje waarop grote blanke wereldrijken zijn gegrondvest.' Sirine lacht om Han's verhalen over de plaatsen waar hij heeft lesgegeven, over lastige studenten en lastige collega's. Hij vertelt haar over studeren in Engeland, over het huis waarin hij toen woonde en dat – zweert hij – de lengte, vorm en lucht van een grote stenen schoorsteen had, in een buurt vol grote stenen schoorstenen, waar overal de geur van geroosterd lamsvlees en gekruid geitenvlees hing. Hij vertelt over zijn Soedanese kamergenoot in Georgetown die een gebedskleed bezat waarin een kompas zat gebouwd om Mekka te kunnen vinden. 'Na een paar weken in Amerika rolde hij het op en gebruikte het kompas alleen nog voor kamperen,' zegt Han.

Sirine let op zijn ogen, en daarna op zijn mond. Ze ademt sporen van een citrusachtige aftershave in die haar eraan herinnert hoe ze vaak toekeek als haar vader zich schoor. 'En hoe staat het met oude vriendinnen?' vraagt ze.

'Wie?'

'O, ik weet zeker dat je een paar serieuze relaties hebt gehad.'

Hij haalt zijn schouders op, kijkt zo wezenloos alsof hij net zijn zakken binnenstebuiten heeft gekeerd. 'Ik heb in mijn leven eerst gestudeerd als een gek. Daarna heb ik gedoceerd en geschreven als een gek. Eerlijk waar. Ik ben heel goed in gewoon in mezelf gekeerd zijn.'

'O, nou...'

'Er zijn drie vrouwen geweest die je eigenlijk nauwelijks een vriendin kunt noemen, Engelse meisjes – dat waren Miriam en Julietta en nog een – ik schijn me niet eens meer haar naam te kunnen herinneren.' Zijn gezicht is lichtroze. 'Ik kan me hen nog maar nauwelijks herinneren, nu ik erover nadenk.'

Ze realiseert zich dat haar vraag misschien persoonlijker was dan haar bedoeling was. Ze vraagt snel: 'Vertel me eens over Irak. Hoe is Irak?'

Hij wordt rustig. Leunt tegen de muur en staart naar de grote rode maan. De lucht om hen heen is in beweging, zo zacht dat hij bijna zonder temperatuur is. 'Irak is eindeloos. Toen ik een kind was dacht ik dat het de hele wereld omvatte,' zegt hij. 'Je hebt er de Eufraat die de ene kant op stroomt, en de Tigris die de andere kant op gaat. In Bagdad is de Tigris als een reflecterende spiegel onder al die grote bouwwerken. De gouden en turkooizen moskeeën met hun grote pleinen, alle bibliotheken en musea, de prachtige houten deuren en massieve poorten. Maar het is meer dan alleen bouwwerken – de lucht in Irak heeft iets speciaals. Het is een gevoel.'

'Wat voor gevoel?'

Hij klemt zijn lippen op elkaar. 'Ik weet niet hoe ik dat moet zeggen zonder idioot te klinken.'

'Dat geeft niet – ga je gang en klink idioot.'

Hij buigt zijn hoofd weer naar achteren, sluit zijn ogen en haalt diep adem. 'Het is alsof ik soms de geesten van alle mogelijk onzichtbare steden en plaatsen kan zien die daar ooit waren, op dat land – het Chaldeeuwse rijk en de hangende tuinen van Babylon en – ik weet dat ik dit niet goed vertel. De nacht lijkt daar tweeduizend jaar geleden begonnen te zijn; hij is zo licht en droog – een beetje zoals deze nacht denk ik.' Hij kijkt vanaf het balkon naar een onzichtbare plaats; Sirine kijkt in dezelfde richting. 'En dan is er nog het huis van mijn ouders.'

Hij vertelt haar over de witgekalkte steen van hun kleine huis, zijn vaders olijfboomgaarden, de zoutige, grasachtige lucht van de olijven die liggen te roosteren in de zon; hij beschrijft de bijzonderheid van zijn moeders borduurwerk, de fijnheid van de steekjes; hij praat over de Iraakse garde – de soldaten met hun automatische wapens, de strakke uniformen en schuine baretten die hij in de straten van de stad had gezien, hoe hij bang voor hen was geweest toen hij een kind was. Hij vertelt hoe hij probeerde te slapen terwijl hij geweervuur en soldaten op straat kon horen, zich nooit helemaal veilig voelde, altijd ver weg wilde lopen.

Ze leunt naar voren terwijl ze luistert en hij leunt naar voren terwijl hij dit vertelt en opnieuw raken hun knieën elkaar. Ze zou graag zijn hand willen pakken. Maar ze zitten zo dicht bij elkaar dat ze niet weet wat ze moet doen. Ze vraagt zich af of ze te beschikbaar lijkt. Of dat Han hoofdzakelijk wordt aangetrokken door haar zilverblonde haar, de blauwachtige doorschijnendheid van haar huid. De Arabische mannen die ze kent doen soms gek en uitbundig in het openbaar, maar zijn dan ineens stil en somber als ze in het restaurant komen. Ze kussen Um-Nadia's hand alsof ze hun moeder is, en daarna plagen ze Mireille en dreigen om haar uit te huwelijken aan hun broers. Ze zitten Sirine heimelijk gade te slaan, of hun ogen volgen de Amerikaanse meisjes door het raam van het restaurant. Af en toe verschijnt een van hen met een Amerikaanse vriendin, en alle andere studenten slaan hen dan gade. Maar nooit komen ze met een Arabisch meisje. Sirine is gewend aan hun charmante, schuchtere avances – de manier waarop ze kleine cadeautjes voor haar meebrengen – chocola en bloemen – maar nooit proberen ze haar aan te raken.

'Ik zou graag Bagdad willen zien,' zegt ze aarzelend, en terwijl ze dat zegt realiseert ze zich dat dat nog waar is ook, hoewel ze nooit zo van reizen heeft gehouden.

Han's hoofd blijft laag, maar toch kijkt hij haar oplettend aan. 'Ben je eigenlijk wel eens in het Midden-Oosten geweest?'

De toppen van haar vingers tintelen alsof ze koud zijn, en ze krult ze in haar palmen. 'Ik ben nog nauwelijks ergens geweest,' zegt ze. Dan glimlacht ze even en zegt: 'Terwijl jij overal bent geweest.'

Ze blijft te lang, dronken van Han's verhalen en van het lachen. Af en toe lijkt hij haar naar voren te lokken, alsof hij haar armen zou willen pakken en haar tot een kus zou willen verleiden, en af en toe raakt ze een beetje in paniek en trekt zich terug, iets te opgewonden en geschrokken door de manier waarop hij haar prikkelt. Ze is zich bewust van de verduisterde slaapkamer aan de andere kant van de balkondeur, dus kijkt ze een andere kant op, naar de bomen die in een rij langs het trottoir staan, met zilveren takken, de handvormige bladeren zwevend door het maanlicht. De avond ziet er mysterieus en verlokkelijk uit, wenkt haar.

Maar uiteindelijk verdwijnt de kerriekleurige maan en Han schudt de wijnfles heen en weer, in een poging er de laatste druppels wijn uit te krijgen – de kelken zijn verdwenen en ze schijnen nu uit het theekopje te drinken. Het restant wijn ziet er inktachtig uit op de bodem van het kopje. Ze dwingt zichzelf om op haar horloge te kijken. 'O nee. O nee, is het al zo laat? Ik moet naar huis. Ik sta altijd heel vroeg op.' Ze ontvouwt haar benen en trekt zichzelf overeind aan de balkonreling.

'O, maar...' Hij staat op. Hij kijkt verschrikt. 'Het lijkt nog niet zo laat.' Hij kijkt om zich heen naar de door de stad verlichte hemel. 'Het lijkt hier niet eens echt nacht te zijn. Ik kan nauwelijks de sterren zien door al die lichten. In Bagdad waren de maan en sterren zo helder, als ijs.' Zijn ogen zijn zwart en zijn huid glanzend en Afrikaans. Het halvemaanvormige litteken bij zijn oog glimt vaag.

Haar fiets staat nog tegen de muur bij Han's deur. Maar hij is ontzet bij de gedachte dat ze in het donker terug naar huis zal fietsen. 'Deze stad is vol alle mogelijke gestoorde types en allemaal hebben ze wel ergens een auto op de kop weten te tikken,' zegt hij. 'Of is je dat nog niet opgevallen?'

'O nee, niets aan de hand. Dit doe ik altijd. Ik kan bijna met mijn ogen dicht fietsen,' zegt ze, en ze doet het licht aan dat ze op haar stuur heeft geklemd. Het werpt een groenachtige gloed door de sombere gang. 'Eigenlijk denk ik dat het soms gemakkelijker is om zonder licht te rijden.' Ze doet het uit.

'Ik breng je wel naar huis met de auto,' zegt Han terwijl hij zijn sleutels grijpt.

Ze argumenteren erover in de lift, op een speelse manier, terwijl Sirine op zijn borst tikt. Han pakt Sirines hand en laat die niet los en dan gaat de deur piepend open en moet hij haar wel loslaten, zodat ze haar fiets naar buiten kan duwen.

Han's auto staat geparkeerd in de straat voor zijn gebouw. Het is een grote, rechthoekige bak met een ornament op de motorkap in de vorm van een anker. De witte bol van de straatverlichting hangt erboven en straalt er een saffieren gloed over uit. Het interieur van de auto is zo ruim dat ze de fiets praktisch naar binnen kunnen schuiven zonder dat ze die schuin hoeven te houden. Sirine loopt om naar de passagiersstoel en zinkt weg in de pluchen stoel. 'Niet te geloven,' zegt ze, terwijl ze haar handen over de stoffering laat glijden.

'Hij was van Lon, het afdelingshoofd,' zegt Han. 'Zijn vrouw gaf hem aan mij toen ik hier kwam. Maar ik weet niet of ze dat nu eerst aan hem gevraagd heeft of niet.'

Ze rijden weg van het trottoir en de lichten van de straat glijden over de voorruit en door de auto tijdens de rit. Het is maar een straat of tien vanaf Han's appartement naar Sirines huis, en Han kijkt verrast en teleurgesteld als ze aankomen. 'Zijn we er al?' zegt hij. 'Ik realiseerde me niet dat je zo dichtbij woonde.'

'We lijken wel buren,' zegt Sirine.

Hij parkeert recht voor haar huis, waarbij hij de auto in trage bochten stuurt. Het koetswerk steekt zo ver over de wielbasis uit dat Sirine denkt dat ze de voor- en achterkanten op en neer kan voelen zweven. Han zet de auto rammelend stil en leunt dan achterover terwijl hij zijn handen over het stuur laat glijden. De straatlantaarns branden in de nacht met een zachte amberen gloed.

'Ik begrijp niet veel van de geografie van deze stad,' zegt hij. 'Het lijkt net alsof alles om me heen blijft zwemmen. Als ik denk dat ik weet waar iets is, is het weer verdwenen.'

'Zo moeilijk is het niet,' zegt Sirine. 'Kijk, daarginder...' Ze tikt op de voorruit. 'Daar is de oceaan en...'

'Laat zien.' Hij kijkt naar haar, zijn ogen donkerder dan de lucht. 'Als je een kaartje voor me tekent, dan denk ik dat ik het beter begrijp.'

'Heb je papier?' Ze kijkt om zich heen in de lege ruimte van het interieur. 'Ik heb niets bij me om te schrijven.'

Hij houdt zijn handen op, naast elkaar alsof er scharnieren tussen zitten. 'Dat geeft niet. Je kunt mijn handen gebruiken.'

Ze glimlacht, een beetje verward. Hij leunt naar voren en het straatlicht geeft hem geelbruine kattenogen. Een auto die in hun richting komt gereden, vult het interieur met licht, met een nawerking van prikkelende zwarte golven. 'Goed.' Ze pakt zijn handen, laat haar vinger langs een rand glijden. 'Bedoel je dit soms? Dat de oceaan hier aan deze kant ligt en dat deze knokkels de bergen zijn, terwijl hier op de rug van je hand Santa Monica, Beverly Hills, West LA en West Hollywood liggen, en een x de plek aangeeft waar je nu bent.' Ze laat haar vingertoppen over de rug van zijn handen gaan, terwijl haar andere hand in de zachte kussentjes van zijn handpalm drukt. 'Hier zijn we nu... x.'

'Op dit moment? In deze auto?' Hij leunt achterover; zijn ogen zijn zwart marmer, donkere lampen. Ze houdt zijn blik even vast, hoort een hartslag in haar oren als de oceaanbranding. Haar ademhaling wordt sneller, gespannen en oppervlakkig; ze hoopt dat hij haar niet goed kan zien in de auto – haar transparante huid zo gevoelig voor zelfs de lichtste emotie. Hij draait haar handen om, palmen naar boven, en zegt: 'Nu jij.' Hij laat een vinger omlaag glijden langs een kant van haar handpalm en zegt: 'Dit is de vallei van de Tigris. In dit gedeelte is de woestijn en op dit punt zijn er vlaktes. De Eufraat loopt daar langs. Dit hier is Bagdad. En daar is het Tahrirplein.' Hij raakt het midden van haar handpalm aan. 'Aan de voet van de Jumhurriyabrug. Het centrum van alles. Alle hoofdstraten lopen vanaf deze plek. In deze en in die richting zijn brede drukke trottoirs en appartementen die zich boven de winkels verheffen, mannen in kostuums, vrouwen met wandelwagentjes, straatverkopers die kebab, eieren en vruchtendrankjes verkopen. Er staat een man met een karretje waar ik iedere morgen broodjes kocht, bestrooid met tijm en sesamzaad, en die als een soldaat voor me salueerde. En er is een straat...' Hij houdt haar palm gebogen in een hand en laat zijn vinger langs de binnenkant van haar arm lopen naar de binnenste plooi van haar elleboog en dan verder omhoog naar haar schouder. Overal waar hij haar aanraakt voelt het aan alsof het gloeit, alsof hij warme boter over haar huid laat lopen. 'Het gaat maar door, helemaal van Bagdad naar Parijs.' Hij cirkelt om haar schouder heen. 'En hier...' hij raakt de binnenste plooi van haar elleboog aan, 'leeft de Nijlkrokodil met zijn mooie spreekstem. En hier...' zijn vingers keren terug naar haar schouder, dalen af naar haar sleutelbeen, 'is het gevaarlijke zingende bos.'

'Het gevaarlijke zingende bos?' fluistert ze.

Hij fronst en kijkt nadenkend. 'Of is dat in Madagaskar?' Zijn hand glijdt achter haar nek en hij schuift een stukje naar haar toe op de stoel. 'Er is daar een savanne. Kameleons als smaragden en citroenen, saffraan en robijnen. Rode kaneelbomen vol met maki's.'

'Ik heb altijd al Madagaskar willen zien,' mompelt ze, zijn adem is op haar gezicht. Hun voorhoofden raken elkaar aan.

Zijn hand gaat omhoog naar haar gezicht. Ze kan voelen dat hij beeft, en ze realiseert zich dat ook zij beeft. 'Ik neem je ermee naar-toe,' fluistert hij.

Als hij haar kust, wordt de achterkant van haar dijen zacht, haar adem verdwijnt en haar oogleden trillen over haar ogen. Ze wil een hand tegen haar borstbeen drukken. In plaats daarvan glijdt haar hand over zijn schouders en beweegt ze zich zelfs nog dichter naar hem toe.

7

Luister je goed? Het moraalloze verhaal vraagt natuurlijk meer serieuze aandacht en algemene alertheid dan jouw alledaagse door-
sneeverhaal met een moraal, waarbij je op het einde eigenlijk een
soort samenvatting van het geheel krijgt. Een moraalloos verhaal is
diepzinnig, maar kost toch niet meer tijd om het te vertellen dan het
laten trekken van een kop muntthee.

Dus: heen en weer wiebelend op de blauwe boot veegt onze arme
neef Abdelrahman Salahadin het zout van zijn slapen en probeert hij
zich te concentreren op de Bedekte Man die telkens vervaagt en deint
in het transparante zeelicht terwijl hij het verhaal van zijn geliefde
vertelt. De lucht stijgt op vanuit het westen, glijdt over de boot en ver-
kilt zijn huid. Hij kijkt naar de verdwenen horizon, loopt wat op en
neer, gaat dan weer zitten naast de Bedekte Man.

'Laat ik nog even herhalen dat we tijdens onze eerste ontmoeting
het gevoel hadden dat we elkaar herkenden,' zegt de Bedekte Man.
'We hadden het gevoel dat we samen hadden bestaan nog voordat
onze lichamen waren geboren. We waren onafscheidelijk vanaf het
moment van ons huwelijk. Er was niets, zeg ik je, niets wat me had
kunnen voorbereiden op die dag, toen mijn lief de zee ontdekte en
wegrende over het zand.'

Een paar minuten lang is er alleen het geluid van de golven die
hun licht opgeven en de nacht die over de oceaan valt. Abdelrahman
Salahadin en de Bedekte Man zijn overschaduwd en de wind is vol
duisternis. Zijn hand klemt zich vast om de smalle rand van de boot.
Dan denkt hij dat hij misschien bang is voor het water 's nachts. De

spieren in zijn rug verstrakken, en het zweet parelt op zijn slapen.

'Wat gebeurde er toen uw geliefde het water in rende?' vraagt Abdelrahman, zijn hoofd afgewend.

De Bedekte Man zegt: 'Wat er gebeurde was het onvermijdelijke. Zoals je weet zijn alle dingen voorbeschikt door God, en alle dingen zijn voorspeld met de volmaakte symmetrie van zijn oog.

We sloegen ons kamp op aan de bovenkant van het strand. De meest bedoeïenen durfden niet in de buurt van het water te komen. Ze sliepen met hun rug naar de zee toe. Mijn gezellin echter zat met beide voeten in het water. Na dertig dagen handelen in de stad was het tijd om te vertrekken. Maar mijn geliefde weigerde dat, omdat ze de levendige armen van de golven wilde. Ik zei tegen de bedoeïenen dat ze moesten gaan, dat we ze later wel zouden inhalen. Ze probeerden me ervan te overtuigen om met hen mee te gaan. Mijn geliefde, zeiden ze, was opgeëist door de zee. Ze zeiden dat ik niet langer getrouwd was met een menselijk wezen, maar met een ding met zwevende tentakels als een kwal.

Hoe kan iemand nu het voorwerp van zijn liefde achterlaten? Ik zwaaide ten afscheid naar mijn metgezellen en sliep in mijn eentje op het strand, met alleen het zand als mijn kussen. Ik sliep met mijn gezicht naar de zee, zoals een eenzame minnaar slaapt met het gezicht naar de deur waardoor zijn geliefde is weggegaan.'

Mijn geliefde kwam niet langer terug van het spelen in de golven. Dag en nacht werden met elkaar verweven en af en toe zag ik een flits van een schouder tussen de golven. Toen werd ik op een dag wakker uit een droom waarin we elkaar hadden gekust zoals we vroeger deden, en in die droom raakte mijn gezellin mijn gezicht aan en zei toen: "Laat me gaan."

Ik werd wakker en tuurde de horizon van water af, riep een naam, maar het was als schreeuwen naar de leegte tussen de sterren. En ik wist dat ik mijn man voorgoed had verloren.'

Daarop duwde de Bedekte Man zijn omhulling weg en – had je het al geraden? De hij is een zij! Ze staat snel op, waarbij er een siddering door de roodbruine romp gaat. En hoewel het in het holst van de nacht is, verschuift de dierenriem boven hen en de pijl van Sagittarius verlicht haar voorhoofd; haar schoonheid flitst voor Abdelrahman en verblindt hem. 'Het spijt me dat ik mijn identiteit heb verhuld,' zegt ze, 'maar ik wist niet hoe ik het anders moest doen.'

Abdelrahman tast naar de reling, maar de vloerplanken zijn gesmolten onder zijn voeten. Niets in de wereld is meer zoals hij dacht dat het was. 'Ya Allah,' zegt hij zacht. O God.

'Waar is ze?' roept Um-Nadia uit. 'Waar is die koningin van Sheba?' Sirine gaapt. Het was behoorlijk laat toen ze eindelijk uit Han's grote donkere auto stapte en haar huis binnenging, te laat voor haar oom om nog op te staan om haar vragen te stellen. Die nacht had Sirine een serie erotische dromen, een droomlichaam onder haar handen, de ogen van haar onbekende partner gesloten, zijn wimpers zwart glanzend als vijgen, zijn benen geschaard tussen die van haar. Toen de vogels in de bomen tegen elkaar begonnen te kwetteren, werd ze wakker, vervuld van het gevoel dat ze de hele nacht kussend met Han had doorgebracht. Nu schraapt ze vet weg als laagjes huid en luistert ze naar het gezoem van de studentengesprekken overal om haar heen. Ze glimlacht bij zichzelf en praat tegen niemand. Ze gaat naar beneden en rommelt door de grote diepvriezer in de kelder, terwijl ze luistert naar Um-Nadia die het restaurant binnenkomt, boven haar hoofd op en neer loopt en roept: 'Hallo, koningin? Waar zit je?'

Uiteindelijk loopt ze weer naar boven met een bos uien. Mireille zit een boodschappenlijstje te maken, terwijl ze op een sigaret tikt. 'Je hebt kennelijk een goede nacht gehad. Mam noemt je al de koningin van Sheba.'

Um-Nadia en Mireille hebben in de loop der jaren al vele malen meegemaakt hoe Sirine een vriend kreeg en weer vrij was, terwijl zij tweeën standvastig single bleven. Niemand kan zich herinneren wat er gebeurde met Um-Nadia's man, of dat er ooit een man was in het leven van Mireille. Ze zijn al jaren op zichzelf. Maar telkens als Sirine een nieuwe geliefde heeft, lijkt het alsof Um-Nadia naar haar kan kijken en het aan haar kan zien, of het kan lezen in het koffiedik, of het 's morgens bij het wakker worden gewoon al wist.

'Hij is zo opwindend, die man. Als dit de tijd was van Saladin, dan zou Han een beroemde generaal zijn,' zegt Um-Nadia tegen de politieagenten, als ze hen hun gepureerde bonen met brood brengt. 'Hij zou de leiding over jullie hebben. En Sirine zou zijn Cleopatra zijn. Of zijn koningin van Sheba. Die ook de leiding over jullie zou hebben.'

Ze trekken sceptisch hun wenkbrauwen op.

Ze draait zich om en ziet ineens Sirines gezicht achter zich. 'Wat is er?'

'Kan ik je even spreken?' vraagt Sirine. 'Op de binnenplaats.'

Ze lopen door de achterkeuken, langs Mireille en Victor die hun discussie voortzetten over de vraag of mannen beesten zijn of niet, en gaan naar buiten.

'Zo dan,' zegt Um-Nadia. 'Onder vier ogen.'

Sirine trekt een lok haar naar achteren en stopt die onder haar haarband. 'Han en ik kennen elkaar nog nauwelijks. Ik heb geen idee waar dit toe zal leiden. Het is nog te vroeg voor Antonius en Cleopatra.'

Um-Nadia's aandachtige zwarte ogen flikkeren, alsof ze iets aan het lezen is wat op Sirines gezicht staat geschreven. 'Wat is er mis met ware liefde?'

Sirine knippert met haar ogen. 'Nou, als idee, niets.'

Um-Nadia vouwt haar armen onder haar boezem en zucht diep. 'Oké, habeebti, goed dan. Luister naar me, laat me je hierin adviseren. Er is geen mysterie – ik zou iedere man kunnen krijgen die ik zou willen, op het moment dat ik dat zou willen.' Ze knipt met haar vingers. 'Zo! Kijk naar de manier waarop je oom hier altijd rondhangt. Dat is geen toeval. Het is een gegeven dat er bepaalde speciale manieren zijn waarop vrouwen altijd hun mannen hebben gekregen: door te koken, door daden van liefde, door de moeder te behagen, door een mooie baby op de wereld te zetten. Wat een vrouw moet doen – als ze het niet weet door reuk en instinct – is haar man van boven tot onder, van voor naar achter leren kennen. Je moet goed opletten, habeebti. Hij zal zich laten zien. Hij is als een vis, je hebt hem al bij de staart, hij is glibberig, hij wil niet uit je handen springen, maar het zou kunnen dat hij zich niet kan weerhouden. Je moet hem ook bij de kop pakken.'

'Ik word geacht Han bij de kop te pakken?'

'Daar zul je aandacht aan moeten besteden, habeebti,' zegt ze vriendelijk. 'O, habeebti, je weet toch dat je als een dochter voor me bent?'

Bijna iedereen in Nadia's Café, van de studenten tot aan het personeel, weet dat Um-Nadia's belangrijke dochter Nadia (omdat Um-Nadia 'moeder van Nadia' betekent, zodat iedereen weet dat je een moeder bent) niet, zoals zij zegt, ver weg in Dearborn woont, wat voor de Arabieren in Amerika de hemel op aarde is, met zijn Libanese bakkerijen en dagelijkse oproep tot gebed. Ze weten dat Bint Um-Nadia (wat de 'dochter van de moeder van Nadia' betekent) vele jaren geleden is overleden, maar Um-Nadia wil het woord kanker niet uitspreken; soms zegt ze dat Nadia is overleden aan 'de rook'. Maar meestal zegt ze alleen – of dat nu vreemden of oude vrienden zijn – dat Nadia in Dearborn woont.

Op de dag dat Um-Nadia in de keuken van restaurant De Venise in Brentwood binnenstapte om Sirine weg te lokken uit haar oude baan, kon Sirine de wilskracht in Um-Nadia net zo duidelijk en krachtig zien als een fysiek ding. Ze deed haar schort af, liet half klaargemaakte salades met gerookte mozzarella, kappertjes en zongedroogde tomaatjes achter, en ging terug naar het bereiden van het simpele en perfecte voedsel uit haar kindertijd. In ruil daarvoor zingt Um-Nadia voor Sirine, kust ze haar handen en vertelt haar dat ze zuivere schoonheid is.

Op de binnenplaats brengt Um-Nadia haar gezicht dicht naar haar toe, zodat Sirine de koffiekleurige lichtjes in haar irissen kan zien, haar door mascara aan elkaar plakkende wimpers. Ze glimlacht breed en zegt: 'Habeebti, vergeef me, ik heb het nooit eerder bij je gezien – je bent echt bang!'

'Nee, dat ben ik niet,' zegt Sirine, die zich duf voelt. Ze doet een stap naar achteren. 'Bang voor wat?'

Um-Nadia klapt in haar handen, wat een *pok*-geluid maakt, en feloranje en turkooizen vogels fladderen uit de bomen. 'Maar dat is een goed teken – het is een prachtig teken, het allerbeste teken.'

Sirines keel knijpt samen. Ze staart naar de witte tegels die op de binnenplaats liggen, en volgt hun gecompliceerde patroon. 'Ik ben absoluut niet bang,' zegt ze.

Um-Nadia laat teder een hand langs Sirines vlecht gaan. 'Maar dat gevoel zal na verloop van tijd verdwijnen. Je moet een beetje geduld hebben. Zoals ze zeggen in dat oude lied, zelfs de vogels wachten op liefde.

Er zijn momenten,' zegt Um-Nadia, terwijl ze een vinger heft als een uitroepteken, 'waarop alles fout lijkt te gaan. Dat is niet constant zo. Dat is zelfs meestal niet zo. Maar soms wel. En dan moet je er iets aan doen. Alles gaat dan fout. Je droomt over geiten en apen. Mensen beginnen verkeerd naar dingen te kijken. Misschien denk je dat de wereld er vlak en saai uitziet. Misschien zitten er steentjes in de bulgur en laat je de gerookte tarwekorrels verbranden.'

Sirine gaat langzaam zitten op de onderste tree; Um-Nadia komt naast haar zitten.

'Mijn dochter Nadia...' – opnieuw de geheven vinger – 'die raakte verstrikt in een van die knopen. Dat kind was puur goud – weet je wat ik bedoel met puur goud? Ik bedoel dat ieder deeltje van haar een en al leven was. Maar ze kwam in een van die verkeerde momenten terecht. Je wil je kinderen beschermen, nietwaar? Je laat ze uit je lichaam, maar je laat ze nooit helemaal gaan. Nadia begon op een verkeerde manier naar de dingen te kijken, het was alsof ze probeerde het water in een luchtspiegeling te drinken. Ik probeerde haar dat water te brengen. Ik wilde haar vers, helder water in mijn eigen handen brengen als ze me dat had toegestaan, maar denk je dat ze dat deed?'

Sirine raakt Um-Nadia's hand aan. Haar huid is luchtig en licht als een wens.

Um-Nadia schudt haar hoofd alsof ze het niet eens is met een onuitgesproken argument. Haar vingers sluiten zich om die van Sirine. 'Zo warm! Je bloed is oververhit. Ik denk dat je jezelf te druk maakt.' Um-Nadia perst haar lippen op elkaar en knijpt haar ogen tot spleetjes. Ze tikt met een vinger tegen haar lippen en zegt dan: 'Er is liefdeswaanzin en er is gewoon ongecompliceerde liefde. Als jouw ouders nog zouden leven, dan zouden ze je hebben laten zien hoe je van iemand moet houden. Maar je hebt alleen je arme idiote oom, dus moet je het helemaal zelf zien te leren.'

Mireille gooit de klapdeur naar de keuken open. 'De taboulisalade is op!'

Sirine wil overeind komen, maar Um-Nadia gebaart dat ze moet blijven zitten. 'Geeft niets,' zegt ze tegen Mireille. 'Improviseer. Snij een tomaat.'

'Een tomaat!' Mireille smijt verontwaardigd de deur achter zich dicht.

'Waar was ik? Juist ja! Kijk naar Han. Zijn gezicht vervult een vrouw. Ik hoop dat je het niet erg vindt dat ik dat zeg,' voegt ze er ingetogen aan toe. 'En hij heeft het soort plezierige, grote karakter waar mannen vroeger mee werden geboren. Nu moeten ze dat kopen of verzinnen. Maar er zijn andere zorgen.'

'Over Han? Wat bedoel je?'

Um-Nadia zwaait met haar handen, palmen omhoog vóór zich, alsof ze ramen aan het lappen is. 'Ik kijk en dan kijk ik nog eens. Ik zie hier constant Arabische mannen uit verre landen komen. Ze komen allemaal naar mij toe, omdat wij hier in dit land zoiets als een thuishaven voor ze zijn. Dat helpt. En de meesten van hen blijven hier.' Ze trekt haar wenkbrauwen op. 'Maar veel gaan er ook weer weg.'

'Dat is normaal,' zegt Sirine.

Um-Nadia sluit haar ogen en schudt haar hoofd. 'De wereld is vol schaduwen en röntgenstralen, en dingen staan op hun kop terwijl wij denken dat ze rechtop staan. Vooral mannen raken verward. Net als de man van mijn vriendin Munira – heb ik je wel eens over haar verteld? Zij is die vrouw die ontdekte dat haar man nog een geheim gezin had in Libanon. Het klassieke verhaal. Mannen verliezen het contact met hun omgeving. Ze missen hun vader en moeder en zuster. Ze weten niet hoe ze hun thuis in zichzelf moeten meedragen.' Ze kijkt scherp naar Sirine. 'Het is belangrijk om te weten hoe je dat moet doen.'

Sirine slaat haar armen om haar borst, leunt achterover zodat ze de rand van de houten trap in haar rug voelt drukken.

Um-Nadia wijst met haar kin en zegt: 'Laten we koffie voor je inschenken, habeebti. Daarna zal ik in het koffiedik kijken.'

Sirine schudt haar hoofd. 'Nee, daar hou ik niet van. Ik wil het niet weten.'

Mireille gooit de deur naar de keuken weer open. 'De tomaten zijn op! Zal ik dan nu maar bladeren en takjes serveren?'

Um-Nadia trekt haar wenkbrauwen op naar Mireille. 'Gebruik je fantasie.'

Sirine raakt de uitbundig bloeiende struik naast de trap aan, laat haar handen over de bloemblaadjes gaan. 'Ik denk dat het gewoon nog te vroeg is voor dit alles. Ik voel me niet goed. Ik heb het gevoel alsof ik misselijk ga worden of zo.'

'Ja... ja!' Um-Nadia gaat staan op haar wankele muiltjes. 'Dit is hoe je je voelt.' Ze breekt een paar bloemen van de boom en schudt ze in de richting van Sirine, zodat de blaadjes zich wild verspreiden. Dan trekt ze wat jasmijnbloesem van de plant ernaast, plet die in haar hand en houdt die bij Sirines neus. Sirines hoofd vult zich met de vochtige, zoete lucht. 'Jij voelt je zoals dit ruikt. Zo werkt het. Dat is precies hoe snel het gaat. Die ene kus speelt geen rol.' Ze gooit de bloesem in de struiken. 'Meer dan één seconde is er niet voor nodig.' Um-Nadia zet haar handen op haar heupen en knikt wetend. 'Je hebt hiervoor nooit geweten hoe liefde werkelijk voelt.'

Tegen tien uur die avond zijn alle klanten vertrokken. Um-Nadia telt het geld uit de kas en Mireille controleert haar boodschappenlijstje. Cristobal en Victor Hernandez maken de tafeltjes schoon en dweilen de vloer. Op warme avonden lopen ze allemaal heen en weer tussen de tafeltjes buiten, waar ze een praatje maken met een paar klanten die zijn blijven hangen, naar het werk binnen, om daarna weer naar buiten te gaan. Um-Nadia leunt tegen de deurpost en deelt een sigaret met Nathan, terwijl ze de witte nacht en de papierachtige bougainvillebloemen aanschouwt die in een grote massa voor haar deur groeien. 'Filmsterbloemen,' mompelt ze. '*Mejnoona.*'

Het is Sirines favoriete moment, als de nacht donker als bittere chocola wordt en de sterren te voorschijn komen. Net na sluitingstijd komt Han aangelopen en Sirine kan hun stemmen voor het restaurant horen – die van Han zacht en vol, die van Um-Nadia zo opgewonden en flirterig dat ze bijna zingt. Ze brengt Han ceremonieus naar de achterkeuken, om hem bij Sirine af te leveren. Terwijl de anderen voor blijven hangen, staat Sirine met Han bij de achterdeur. Ze is net klaar met de bereiding van een blad *kibbeh* en ze veegt de restanten van het rauwe gekruide lamsvlees van haar vingers. Ze lachen en flirten en fluisteren zo zacht woorden tegen elkaar, dat niemand anders ze kan verstaan.

Sirine zucht en glimlacht en laat verlegen een vinger omlaaggaan langs de voorkant van zijn overhemd. 'Ik moet vanavond nog een tijdje doorgaan,' zegt ze.

'Weet je dat zeker?' Hij houdt zijn hoofd schuin en ze lacht en knikt en knikt dan opnieuw. Hij raakt haar haar aan en loopt een paar stappen achteruit voordat hij in de nacht verdwijnt.

Zij blijft totdat alle anderen al naar huis zijn. Ze doet de lichten niet aan, maar werkt bij het licht van de maan en de straatlantaarns en op gevoel, waarbij ze kleine ingelegde druivenbladeren plat op de snijplank legt, de steeltjes eruit snijdt en de bladeren met hun stervormige nerven om rijst en vlees wikkelt. Het is een kalmerende taak die ze graag bewaart voor de eenzame meditaties van de avond; haar eerste gelegenheid om de vorige avond in Han's appartement te overdenken, die op de een of andere manier al veel belangrijker lijkt dan zomaar een eerste afspraakje. Maar Um-Nadia's overredingen maken haar nerveus en onrustig, en ze merkt opnieuw hoe haar gevoelens op hol dreigen te slaan, dat het verstandiger is om zich wat in te houden, om eerst wat beter proberen te begrijpen wie Han is.

Ze zucht en eet een druivenblad zo uit het pekelnat, haar mond samentrekkend door de zure, rauwe smaak. De nacht is zo stil dat ze zich half verbeeldt dat ze de zachte muziek kan horen die hij draaide: nu is die verweven met het zachte gesuis van de bries als ze haar mespunt in het blad steekt. Ze laat het gevoel over zich heen kruipen totdat het vibreert onder haar huid, genietend van de zoetheid van de herinnering. Tegelijkertijd wordt ze zich bewust van haar angst voor het donker. Ze ergert zich aan het gevoel van haar eigen zwakheid en kinderachtigheid, en ze probeert de angst van zich af te zetten. In plaats daarvan trekt de angst zich om haar samen als een net. Ze staat zichzelf niet toe om op te kijken bij alle kleine kraak- en tikgeluiden die ze in het oude gebouw hoort – geluiden die daar overdag ook zijn, weet ze. De prikkeling trekt omhoog langs haar ruggengraat, en net als ze besluit om de lichten aan te doen, kijkt ze op: 'O, mijn god.' Ze legt haar mes neer en drukt haar handen tegen haar schort, haar hart bonkend.

Nathan staat buiten voor de hordeur.

'Je bent er nog,' zegt hij rustig.

'O, mijn god. Je maakte me aan het schrikken.'

'Sorry, sorry. Het was niet mijn bedoeling om je te besluipen.' Hij draait zijn gezicht een beetje; door het gaas van de hor zien zijn grijze ogen eruit als schaduwen. 'Ik denk dat het een fotografenondeugd is.' Hij tikt met zijn voorhoofd tegen de hor en kijkt op naar haar. 'Ik ben naar huis gegaan, maar ik kon niet slapen.' Sirine staart naar hem. 'Ik hoopte dat er hier misschien nog iemand zou zijn... die me misschien gezelschap zou kunnen houden,' mompelt hij.

'Nou.' Ze wrijft met haar vingers over haar slapen. Dan probeert ze het mes weer terug te brengen naar het blad, maar haar hand glijdt uit en ze snijdt het blad in tweeën. Ze zucht. 'Nou, kom dan maar binnen als je wil.'

Hij duwt de hordeur open. 'Echt hoor, het spijt me. Mensen vertellen me wel vaker dat ik dit doe. Soms moet ik mezelf eraan herinneren dat ik geluid moet maken.' Hij gaat tegenover haar zitten aan de tafel, op een van de stoelen met ongelijke poten, en wiebelt eerst naar voren, dan naar achteren. 'Je bent druivenbladeren aan het vullen.'

Ze kijkt even naar hem. 'Je kent gevulde druivenbladeren?'

'Ik heb een paar jaar rondgezworven in het Midden-Oosten. In Jordanië. En Irak.' Hij schommelt door. 'Ik studeerde Arabisch – gewoon voor de lol – en ik besloot dat ik het gebied wilde fotograferen. Toen ik daar eenmaal mee begon...' Hij haalt zijn schouders op. 'Toen raakte ik er min of meer bezeten van. Ik wilde zoveel mogelijk te weten zien te komen – over de geschiedenis, de mensen, het voedsel, alles...' Hij schraapt zijn keel. 'Heb je last van me? Moet ik gaan?'

Ze schudt haar hoofd, maar concentreert zich op het rollen van het blad, waarbij ze iedere hoek nauwkeurig vouwt. 'Ik dacht dat je niets om eten gaf.'

'Dat is nu. Maar toen had ik het gevoel dat, hoe dichter ik bij fysieke dingen zou komen, hoe dichter ik de ziel zou kunnen naderen.'

Ze glimlacht en kijkt op, niet zeker of hij een grap maakt, maar ziet meteen zijn kwetsbare ernst – wat het zo gemakkelijk maakt voor de anderen om hem te plagen. Ze voelt een flikkering van schuld en zegt: 'Wil je soms wat baklava?'

Hij raakt de punt van het druivenblad aan dat ze aan het bijsnijden is. 'Een avond zoals deze, met een grote maan buiten die me wakker houdt – dat maakt me een beetje droevig.'

Ze trekt haar wenkbrauwen op.

'O, ik ben eraan gewend. Wat zeggen ze ook alweer: "De remedie voor droefheid is droefheid?"' Hij lacht bij zichzelf. 'Ik kijk naar dingen en ik weet – hoe goed het zou zijn om jouw voedsel te proeven, hoe goed het zou zijn om baklava te eten. Te genieten van de geuren en aroma's in een keuken. Maar het is nu eenmaal zo dat het nu niet veel zin meer heeft.'

Ze legt haar mes neer en ondersteunt haar kin met haar handpalm. 'Waarom zei je kortgeleden dat je uit poeder bestaat?'

Hij knikt. 'Dat weet je nog?' Hij sluit zijn ogen. Hij is zo lang stil dat ze denkt dat hij niet zal antwoorden, maar dan zegt hij: 'Ben je ooit... bent je ooit zo verliefd geweest op iemand dat het al het andere in je verdrijft? Dat je gewoon niet meer kunt denken of bewegen of eten of wat dan ook, dat je alleen nog die grote, waanzinnige liefde overal mee naartoe neemt?'

Ze kijkt weer naar haar druivenblad. 'Nou...' zegt ze langzaam. 'Ik geloof niet dat me dat ooit is overkomen. Niet op die manier.'

Hij zegt even niets en als ze weer opkijkt, staart hij haar aan. 'Ik dacht al dat er iets met je was... zoiets. Zelfbeheersing. Je hebt je er nooit door laten meeslepen. Ik begrijp dat. Het is een soort onschuld, denk ik. Ik was vroeger ook zo, maar door naar Irak te gaan werd ik losgerukt van wie ik was. De diepe, wilde vreemdheid van dat land. De manier waarop de lucht rook naar stof en kruiden, de vreemde schuinte van de zonnestralen. Ik kon er niets aan doen. Ik werd verliefd op een meisje daar, ik denk bijna dat ik niet anders kon – ik stond zo wijd open voor alles.' Hij ademt uit. 'Toen ik dat deed... ik had eerlijk nooit eerder zoiets gevoeld. Het was als een zwaarte die op elk deel van mij drukte, het was zoveel in mij, in mijn bloed en botten. Het drukte op mijn hoofd en mijn armen. Ik had altijd gedacht dat liefde je een licht gevoel zou geven, maar dit was precies het tegenovergestelde. Het was het zwaarste wat ik ooit heb gevoeld.'

Ze lacht zonder dat te willen. 'Het klinkt nogal afschuwelijk,' zegt ze.

Hij staart naar haar. 'Er is iets aan jou, echt, dat me zo sterk doet denken aan...' Hij raakt vluchtig de zijkant van haar neus en wang aan. 'Hier. Dit deel. Net als bij haar. En ook rond je ogen, net onder je wenkbrauwen...'

Ze trekt haar hoofd weg.

Hij glimlacht. 'Klink ik raar? Ik heb geen vergelijkingsmateriaal. Toentertijd liet ik me erdoor meeslepen.' Hij helt naar achteren op zijn stoel. 'Ik wist dat het te veel was, maar het kon me niet schelen. Het was iets wat me helemaal leegmaakte. Ik voelde me verpulverd. Alsof ik een nieuwe man was geworden. Ik vond alles aan haar mooi en verder interesseerde me niets meer. Ik hield van haar polsen en haar lach en haar schoenen en haar tanden. Ik was zo gelukkig dat ik zelfs niet meer fotografeerde. Ik wist zeker dat ik me zo de rest van mijn leven zou blijven voelen, absoluut en totaal.' Nathan wrijft zijn handpalmen over de bovenkant van zijn stekelhaar. 'Ik weet niet of je dit kunt begrijpen. Ik ben half wild opgegroeid. Mijn ouders zijn gescheiden toen ik nog een kind was en het enige wat ik wist over gezinnen was wat ik leerde van het kijken naar andere mensen. Ik ging naar het Midden-Oosten zonder enig idee over wie ik was – er zat geen naald op mijn kompas, begrijp je. Maar de mensen in Irak – dit klinkt stom en romantisch – die leken echt te weten wie ze waren. Ze kleedden zich op de manier zoals hun grootouders zich kleedden, ze aten op de manier zoals ze al honderden jaren aten. En ze waren zo op de hoogte van alles – ik bedoel, velen van hen hadden niet eens tv of telefoon, maar toch had iedereen het over politiek, kunst, godsdienst, noem maar op. Ze leefden in een dictatuur, maar hun innerlijke zelf liet zich niet onderdrukken – begrijp je wel?'

Sirine knikt, maar ze heeft het gevoel alsof zijn woorden over haar huid glijden. Ze concentreert zich op ieder druivenblad, werkend en luisterend.

'En toen ik deze vrouw ontmoette – het was eigenlijk gewoon toeval – was het alsof ik het ware noorden ontmoette. Toen ik haar voor het eerst zag op de markt was het alsof ik het meest waarachtige op de wereld ontmoette. Ik zou alles voor haar hebben gedaan. Ik weet nog dat ze net zulk lang wild haar had als jij. Ze bond het samen in haar hoofddoek maar elke dag, aan het einde van de dag, was het weer over haar schouders omlaag gevallen. Ze zei vaak: "Ik wil een goede moslim zijn, maar mijn haar geeft me de kans niet." Dan lachte ze alsof het allemaal nogal grappig was. Ze had een prachtige, prachtige lach. Die ging omhoog en omlaag als muziek.' Hij doet zijn bril af en staart naar het plafond. 'Het spijt me. Ik weet dat ik te veel praat. Het is lang geleden sinds ik hierover voor het laatst heb gesproken.'

'En je kon niet slapen.' Sirine glimlacht naar hem. 'Het klinkt alsof het iets geweldigs was.'

Nathan buigt zijn hoofd en zet zijn bril weer op. 'O. Nou ja. Er zijn altijd complicaties, nietwaar? Een Arabisch meisje, een moslim, een Irakese. En een Amerikaan, een afvallige episcopaalse jongen.'

Ze begint een volgend druivenblad te bewerken. 'Dat hoeft niets te zeggen.'

'Misschien niet. Ik weet het niet. Maar voor ons werd het daardoor erg moeilijk – om een relatie te hebben.'

'Verschillende soorten mensen hebben zo vaak een relatie.'

'Ja, maar zij is doodgegaan.'

'O.' Sirine kijkt weer naar hem op. En nu kan ze het zien – het donkere kristal, de scherven zwart glas in hem – ze had dat meteen vanaf het begin in hem moeten zien. 'Wat erg voor je,' fluistert ze. Ze kan haar eigen ademhaling horen. Ze wil vragen hóe. Maar nu heeft ze het gevoel dat ze al te veel heeft gezegd. Ze legt het mes opnieuw neer.

'Toen ben ik veranderd in poeder.' Hij laat zijn vingers door de lucht dwarrelen. 'Poef.'

Ze staart naar haar mes en wenst dat ze beter kon omgaan met zulke dingen. Wenst dat ze wist hoe ze iets tegen hem zou kunnen zeggen wat wijs of troostend zou zijn, iets wat niet angstig of krampachtig zou klinken. Maar dan herinnert ze zich de tijd na de dood van haar ouders, toen mensen naar haar toe kwamen en probeerden haar verlies aan haar uit te leggen; ze zeiden dingen die haar over haar droefheid heen zouden moeten helpen, maar dat had helemaal geen effect. En ze wist toen, zelfs toen ze pas negen jaar was, dat er helemaal niets te zeggen viel wat wijs of troostend was. Er waren alleen bepaalde soorten stiltes die konden helpen, en sommige waren betere dan andere.

Maar Nathan lijkt niets te verwachten. Hij gaat staan, rekt zich uit en kijkt alsof hij net alles heeft gezegd wat hij wilde zeggen. Hij loopt naar de deur, zijn hand plat tegen de hordeur, duwt die dan open en loopt de twee treden af. Hij pauzeert en keert terug, nu met beide handpalmen zwevend over de hor. Hij kijkt haar even aan. 'Wil je wat druivenbladeren voor me bewaren?' vraagt hij.

Sirine staart naar de deur; het is moeilijk om hem goed te zien, zijn schaduw heen en weer flitsend. 'Nathan? Wacht even. Ga niet weg...'

Hij geeft geen antwoord.

'Nathan?' Ze legt het mes neer en loopt naar de deur. Maar als ze die opendoet is hij al verdwenen.

8

De zeilboot schommelt en zwaait in het diepe zeewater. Abdelrahman grijpt naar zijn hart en de Bedekte Man die nu een Bedekte Vrouw is, steekt een hand omhoog. Naakt tot aan de ellebogen zijn haar armen transparant; haar middel werpt geen schaduwen. 'Je reputatie, Abdelrahman Salahadin, is je voorgegaan,' zegt ze. 'Sinds de dag van zijn verdwijning heb ik zwemmers en zeelieden ingehuurd, in de hoop mijn man boven water te krijgen, maar tevergeefs. De jaren zijn vergleden als olie, en de mensen vertellen me dat er niets anders van hem over zal zijn dan beenderen.' Ze heft haar doorschijnende handen. 'Ik dacht, o, Abdelrahman, dat als er iemand door het vlees van de oceaan zou kunnen kijken, in de onbetrouwbare geest van de vissen zou kunnen kijken, dat jij dat zou zijn, de beroemdste van alle zwemmers, een man die ontelbare keren is verdronken en weer teruggekeerd! En toch...'

Abdelrahman probeert zijn hart rustig te krijgen, spant zich in om te horen welk fruit er zou kunnen bungelen aan de dunne tak van 'en toch'. De oceaan zucht, vol van de nacht, en ver weg, vanaf een van de verre polen van de nacht, hoort hij een geluid als van satan die krijst om zijn verloren wereld. 'En... toch...?'

Ze zegt: 'En toch... vandaag heb ik ontdekt dat, van wat ik dacht dat liefde was, niets anders is overgebleven dan botten, en van wat ik dacht dat herinnering was, niets anders dan as rest. Vanaf het eerste moment dat ik je op de markt zag, o, Abdelrahman, heeft mijn ziel zich aan jou gehecht.'

Abdelrahman voelt de beweging van honderd emoties, het verschroeien van onzichtbare vleugels! Hij probeert te praten, maar kan alleen lachen, de lach van de verdoemden. De spieren in zijn zwemmersrug spannen zich als hij zich beweegt om de geliefde te omarmen, zij die hem weer zowel de kracht als het angstaanjagende gevoel van verlangen heeft geleerd. Hij loopt naar voren in de donkere boot.

Maar er is niets om naartoe te gaan. Want hij heeft het gevoel alsof de bodem is gesmolten, de reling is verbrijzeld, en als Abdelrahman eenmaal begint te vallen, kan hij het niet meer stoppen. Maar was dat het spoor van haar vingers op zijn huid? Was dat de zachtheid van haar ogen die zich sluiten in liefde? En was dat de jaloerse stem van de oceaan die zijn naam schreeuwt als Abdelrahman valt, snel, lomp, onbetwijfelbaar?

Hij tolt in de inktzwarte lucht van de zee en het laatste wat hij ziet door het opalen oppervlak is het gezicht van de geliefde die huilt... of lacht ze? En dan fladdert er een groep van allerlei verschillende vlinders, vrolijk en onverklaarbaar ver van de kust, over het wateroppervlak.

En hij tuimelt, verloren in de donkere zee, de liefde als een grote haak in zijn zij stekend. Abdelrahman is ontdaan van zijn krachten door de macht van de liefde. De aarde draait en de oceaan opent zijn oneindige catacomben, zijn bodem het domein van botten, en laat Abdelrahman Salahadin binnen.

Sirine wordt die morgen wakker met een angstig gevoel, opgewekt door haar late gesprek met Nathan. Ze heeft het idee alsof haar eigen geest is opgestegen in de nacht, afgescheiden en donker vloeibaar, nauwelijks omvat door haar lichaam. Het is een oud, bekend en onaangenaam gevoel. Om zichzelf te kalmeren denkt ze aan bepaalde heldinnen uit de verhalen van haar oom – vrouwelijke krijgers die onoplosbare dodelijke raadsels krijgen voorgelegd. Deze vrouwen veroveren paleizen en verslaan legers, verbreken betoveringen van stilte en machteloosheid, verwarren sfinxen en djinns, kennen de zeven soorten glimlachen en uiteindelijk, net nadat ze het raadsel hebben opgelost, laten ze hun masker vallen, de kleding van hun man, hun wapen, hun pen, en zijn ze gewoon weer zichzelf. Sirine wil dit soort vrouw zijn en ze laat zich door hen inspireren, maar dan maakt ze zich zorgen dat ze niet hun slimheid of uithoudingsvermogen heeft.

Babar echter heeft geen belangstelling voor Sirines stemming bij het ontwaken. Voor hem is de wereld zoals die is: puur geluk, zolang hij bij degene kan zijn van wie hij houdt. Hij wacht op de lichte vibraties van bewustzijn in de kamer en springt dan naast Sirine in bed. Ze kust hem op zijn purperen snuit en kleedt zich dan aan.

Ze hoort stemmen als ze de badkamer uit komt: mompelend, luider en dan wegebbend – dat is die van haar oom, en de andere – vlug en glad – klinkt als Aziz. Ze zitten te praten in de bibliotheek van haar oom en als ze binnenkomt hangt de doordringende geur van kardemom en koffie in de lucht. Die lijkt op te stijgen uit de Perzische kleden en de ruggen van ongelezen boeken, evenals uit de bronzen koffiepot midden op de tafel.

'Hallo, habeebti,' zegt haar oom. 'Je herinnert je vast nog wel onze beroemde dichter en vriend.'

Ze slaat haar armen over elkaar en grijnst naar Aziz. 'Je lijkt mij niet een type dat vroeg opstaat.'

Aziz zit in de gestoffeerde velours stoel bij de open haard – die haar oom zijn te gemakkelijke stoel noemt. Sirine merkt op dat hij een groot bord vol met haar *ghrayba*-koekjes voor zich heeft staan. 'Het is niet vroeg, het is erg, erg, erg laat. Ik ben nog niet naar bed geweest. Ik ben van plan om na deze middernachtelijke snack naar bed te gaan en te slapen tot na het avondeten.'

'Aziz was net aan het toelichten hoe de politiek in het Midden-Oosten een eindeloos enigma is.'

'Ik weet nooit wanneer ik mijn mond moet houden,' zegt Aziz. 'Ik dacht dat het schrijven van poëzie me dat zou leren, maar ik ben een hopeloos geval.'

'Sluit je aan bij de club,' zegt haar oom. 'De Hopeloze Gevallen Club.'

'O ja, die club,' zegt Sirine. Ze schenkt een half kopje van de koffie in en gaat naast hun stoelen zitten op de skai bank. 'Wat is er gebeurd?'

'Nou, eigenlijk is er niks gebeurd,' zegt Aziz. 'We hebben het hier over het universiteitsleven.'

Haar oom knikt en gaat met zijn vinger langs de vergulde rand van het porseleinen kopje.

'Ik zei heel vriendelijk en aardig tegen een vrouw in mijn Arabische poëzieles dat ze moest ophouden met te zeggen dat de hedendaagse islam een vrouwenhatende religie is. In de les doet ze dat nu tenminste.'

'O ja? En wat zei zij toen?'

'Eerst zei ze helemaal niets. Maar ze heeft wél een pen naar me gegooid. En toen zei ze dat ik probeerde haar te onderdrukken. Ik! Aziz! Hier zit 's werelds grootste feminist en liefhebber van vrouwen!'

'Niet per definitie hetzelfde.' Haar oom strekt zich uit naar Aziz' bord en tikt een beetje suiker van een kruimelig ghraybakoekje. 'Kennelijk heeft onze geliefde dichter hier een paar ideeën over godsdienst en poëzie met elkaar verward in de collegezaal.'

'Ik wees er alleen maar op dat er een traditie in de islamitische poëzie is die het denkbeeld van de ideale minnares gebruikt als een eerbetoon aan goddelijke liefde. Met andere woorden, sensuele liefdespoëzie gaat eigenlijk over de hemel. En vice versa.' Hij maakt een snijdende beweging met de vlakke kant van zijn hand. 'Ik ben onschuldig,' zegt hij.

'Zo onschuldig als een gele aap,' zegt haar oom. Hij en Aziz kijken elkaar aan. Aziz laat zich achterovervallen in zijn velours fauteuil met een lach die half gebulder en half gehijg is.

'Ik ben geen professor!' zegt Aziz. 'Ik heb ook nooit beweerd dat ik dat ben! Iemand las mijn boekje en belde me op om te vragen of ik hierheen wilde komen om dingen tegen de studenten te vertellen. De helft van de tijd heb ik geen idee wat ik zeg. Ik gooi er wat gedachten uit en hoop dan dat er een paar blijven hangen. Het zijn allemaal woorden voor me. Als ik ga zitten om te schrijven wil ik alleen maar dingen helder maken. Alsof je door een raam naar binnen kijkt.'

'Arme Aziz,' mompelt haar oom. 'Is altijd maar de ramen aan het lappen.'

'Ben je moslim?' vraagt Sirine.

Hij haalt zijn schouders op. 'Wie weet? Ik ben Aziz, ik ben groot, ik heb heel veel dingen in me. Ik verzet me tegen classificatie. En het komt me voor dat de islam het al moeilijk genoeg heeft in dit land. Dus, oké, de islam is patriarchaal en onderdrukkend plus nog eens tien miljoen andere dingen. Dat is wat godsdienst geacht wordt te zijn! Maar hoe moeten de Amerikanen in mijn les nu iets leren over iets als die vrouw schreeuwt als een terrorist?'

'Nou,' zegt haar oom, 'als die vrouw in jouw poëzieles...'

'Rana,' zegt Aziz.

Aziz steekt zijn handen omhoog. 'Ik weet niet wat ze zou kunnen zijn.'

'Nou, als deze Rana-en-nog-wat echt zou geloven in haar overtuigingen, dan zou ze zich niet zo druk moeten maken over zo'n dichtertje.'

'Niemand bindt haar vast,' zegt Aziz nors. Hij neemt nog een koekje en zwaait dan met zijn vinger naar Sirine. 'Ja, ja,' zegt hij. 'Jij begrijpt me tenminste. Iedereen die zulke koekjes kan maken, begrijpt mij. Het is griezelig hoe dat werkt. De meeste vrouwen kennen de echte Aziz. Ik heb dat altijd gevoeld. Ze zien diep in mij iets. Jij ook, hè? Wees maar niet bescheiden, ik ben een open boek voor je.'

'Misschien eerder een folder,' zegt haar oom.

Sirine haalt haar schouders op, maar voelt zich gevleid dat een beroemde dichter denkt dat zij hem begrijpt. Aziz komt overeind, pakt Sirines hand en buigt vanuit zijn middel, totdat hij bijna loodrecht ten opzichte van de vloer is. Hij sluit zijn ogen en kust haar hand zo teder dat ze bijna het gevoel heeft alsof ze een stroompje warmte onder haar huid voelt.

Haar oom strekt zich uit vanuit zijn stoel, grijpt de achterkant van Aziz' overhemd en trekt hem terug in zijn stoel.

'Jij begrijpt het echt,' zegt Aziz nadat hij is neergeploft in zijn stoel. Zijn blauwzwarte ogen lijken vloeibaar. 'Jij hebt mijn reputatie hersteld en ik moet erover nadenken hoe ik je daarvoor kan belonen.'

'Nou, eh,' zegt Sirine en ze probeert ernstig te kijken door in de richting van haar knieën te glimlachen. Ze ziet een kleine kusafdruk van poedersuiker op de rug van haar hand.

'Nee hoor,' zegt haar oom tegen Aziz. 'Eigenlijk smeken we je om ons nergens voor te bedanken.'

Maar Aziz knipoogt alleen naar Sirine en bijt in een volgend koekje.

Het is niet druk in het restaurant, zodat Mireille en Sirine door Um-Nadia naar de boerenmarkt in Westwood worden gestuurd die altijd op woensdagmiddag is. De twee vrouwen bekijken zorgvuldig alle tafels en kramen vol glimmende tomaten, zonnebloemen met zwarte harten, granaatappels vol bloedrode pitjes. De lucht ruikt naar rijp fruit. De warmte komt aangegolfd over de buurten, maakt dat de straten leeg worden, rimpelt boven de auto's als water. De twee vrouwen vullen zakken met pompoen, in stukken en in hun geheel, een andere zak met knoflook en een volgende zak met kommommers.

'De beste walnoten in de stad,' zegt een gebruinde, jonge boerenknecht tegen Sirine en Mireille. 'Ze zijn vers, volmaakt en ze smaken als boter.'

Sirine trekt een wenkbrauw op. 'Voor die prijs? Dat is je geraden.' Hij glimlacht, zijn tanden onmogelijk wit. 'Ach, je moet nu eenmaal betalen voor goeie waar.'

Mireille knippert met haar ogen naar hem. Ze draagt vandaag haar moeders valse wimpers en ze trillen een beetje. 'Geef ons maar twee pond,' zegt ze met een ondeugend lachje.

Nadat ze de zak hebben gekregen en zijn weggelopen, stoot Mireille Sirine aan en zegt: 'Ik heb een idee, laten we een college van Han gaan bijwonen.'

Sirine stopt en kijkt de straat af, tot aan de rand van de campus. 'Ach,' zegt ze. 'Ik weet het niet. Ik bedoel, om te beginnen weet ik niet of hij het wel op prijs zou stellen als wij dat zouden doen.'

'Natuurlijk wel! Hij geeft vandaag toch college?' vraagt Mireille. 'Laten we erheen gaan om naar hem te kijken. Wil je niet weten wat voor soort docent hij is?'

Mireille is tweeënveertig, tweeënhalf jaar ouder dan Sirine, maar ze vergeet telkens hoe oud ze heeft gezegd dat ze is, dus is ze geneigd om mensen te vertellen dat ze ergens tussen de zesentwintig en vijfendertig is. Ze besteedt graag haar fooien aan schoonheidsbehandelingen – gezichtsbehandeling, pedicures, een andere makeup – epileert haar wenkbrauwen tot verbaasde bogen, en knipt de advertenties van plastisch chirurgen uit de krant, om zich voor te bereiden op de dag, zegt ze, waarop ze moedig genoeg is om een facelift te nemen. Telkens als ze eraan denkt doet ze halve push-ups op het werkblad in de achterkeuken.

Sirine aarzelt, maar zoals gewoonlijk lukt het Mireille om haar over te halen iets te doen waarvan ze niet zeker weet of ze dat wel wil doen. Met zijn tweeën lopen ze in de richting van de enorme campus. Sirine is altijd verbaasd over de massa's studenten, hoe levendig en onconventioneel ze lijken te zijn en wat een wereld apart de campus is. Sirine gaat met Mireille het Talengebouw binnen, waar haar oom ook lesgeeft, en ze wandelen door de gangen. De meeste deuren van de leslokalen zijn gesloten, en het geluid van het doceren klinkt gedempt en waterig. Maar dan denkt Sirine dat ze de klank van Han's stem om de hoek hoort. Even raakt ze bijna in paniek; ze voelt zich opvallen en een beetje een spion. Maar dan grijnst Mireille en trekt haar mee in de richting van Han's stem. Sirine volgt, haar handpalmen met koud zweet en haar hart bonkend, en daar staat hij. De deur van het lokaal staat op een kier en ze kan Han aan de andere kant van het leslokaal zien staan. Ze schrikt zo als ze hem ziet, dat ze nauwelijks kan geloven dat hij niet meteen naar hen kijkt.

'Kom, laten we naar binnen gaan,' fluistert Mireille.

Sirine wil wel, maar iets houdt haar tegen. Ze voelt zich brutaal en dwaas, ze is ook overrompeld door de aanblik van zijn elegante voorkomen in het leslokaal. Hij ziet er zo compleet uit, zo volkomen op zijn gemak terwijl hij doceert – zoals zij zich voelt als ze kookt – dat ze hem niet wil storen.

'Dus zoals jullie allemaal weten – ja? – werd Mahfoez geboren in Caïro, in 1911,' zegt hij. Zijn hand veegt over het schoolbord, terwijl hij snelle, krachtige aantekeningen maakt. 'Hij heeft meer dan dertig romans geschreven en kreeg de Nobelprijs voor literatuur in 1988...'

Hij is in diepe concentratie, terwijl zijn handen bewegen, zijn hoofd naar achteren is gebogen naar de klas, vriendelijk en aandachtig. Sirine slaat de mooie jonge vrouwen gade – veel van hen zien eruit alsof ze uit het Midden-Oosten komen – die op de voorste rijen zitten, zo alert, allemaal kleine aandachtige bewegingen, over elkaar geslagen benen, een hand die door haren glijdt.

Mireille fluistert in haar oor. 'Het is vreemd. Ik zie wel dat hij aantrekkelijk is, maar hij is veel te... Arabisch voor mij.'

'Kijk eens naar al die meisjes.'

Ze kijkt even naar Sirine, wenkbrauwen opgetrokken. 'Die zijn niet zo mooi als jij.'

Sirine pikt er een vrouw uit die achter in het leslokaal zit, met een zwarte hoofddoek en jurk, zodat alleen het bleke ovaal van haar gezicht zichtbaar is. Haar ogen zien er zacht en glanzend als nertsbont uit, haar lippen zijn breed en vol. Ze is volkomen geconcentreerd op Han.

'Ik wist niet dat meisjes zich nog zo kleden in dit land,' fluistert Sirine. 'Ik dacht dat dat alleen daar nog zo was.'

'Ik durf te wedden dat ze dat van hun ouders moeten,' zegt Mireille. 'Ik geloof dat zij degene was die haar pen naar Aziz gooide. Dat heeft hij me verteld toen ze langs het restaurant kwam gelopen.'

'Zij?' Sirine loopt achteruit weg van de deuropening naar de gang om Mireille aan te kijken. 'Dat meisje dat helemaal gesluierd is?'

'Ja,' zegt ze.

'Maar ze zei dat de islam een vrouwen hatende godsdienst is – iets in die trant.'

Mireille zet haar handen op haar heupen en kijkt naar haar alsof ze een beetje gek is. 'Soms begrijp je er echt niks van.'

Han's stem klinkt luider en Sirine gaat weer terug naar de deuropening. Han loopt op en neer en krabbelt dingen op het bord. Ze herinnert zich dat dit een college moet zijn over eigentijdse Arabische schrijvers; de namen Adhaf Soueif, Emile Habiby en Nagieb Mahfoez worden op het schoolbord geschreven. 'Sommige critici beweren dat het Nobelprijs-comité Mahfoez heeft gekozen omdat hij een "veilige" schrijver is,' zegt Han. 'Dat zijn stijl erg westers is, erg toegankelijk voor Amerikaanse lezers, een beetje zoals Dickens met zijn grote verzameling karakters, eenvoudige prozastijl en directe humor.'

Twee van de vrouwen op de voorste rij kijken elkaar even aan. De een stopt haar haar achter haar oor, daarna doet de ander hetzelfde; hun over elkaar geslagen benen wiebelen op en neer.

'Maar Mahfoez is een zeer Egyptische schrijver, zijn schrijven geeft het sociale spectrum van zijn land weer – hij maakt deel uit van het scheppen van een opwindende nieuwe nationale identiteit.'

Zijn gebaren zijn breed en rond, opzwepend, het krijtje schiet over het bord. Hij loopt de banen licht in en uit die door de zijramen naar binnen vallen.

'...Said merkte eens op dat Mahfoez "een Galworthy, een Mann, een Zola en een Jules Romains is".' Hij tekent pijlen over het schoolbord. Sirine bewondert zijn zelfvertrouwen en zijn gemakkelijke autoriteit. 'Het is waar – ook bij Mahfoez zien we het sociale geweten, de aandacht voor menselijk lijden en sensualiteit, evenals de liefde voor filosofische beschouwingen.'

Han wendt zich tot zijn klas, loopt heen en weer, zwaait met zijn hand alsof hij een symfonieorkest dirigeert. 'Maar niet alles hoeft met het westen te worden vergeleken om indrukwekkend te zijn.' Hij glimlacht wrang naar de klas en Sirine schrikt op door een uitbarsting van gelach van de studenten. 'Mahfoez stamt af van oude Arabische tradities op het gebied van kunst en poëzie. Denk eens aan de klassieke Abbasidische periode – de Abbasiden waren moedige militaire leiders, maar ze waardeerden ook de kunsten en het theater. Ze bouwden betegelde moskeeën en overweldigende binnenhoven, en ze ontwikkelden en verfijnden methoden voor onderwijs en literatuur ten behoeve van het spirituele en psychologische welzijn van hun cultuur. Er is een oude uitdrukking in de Arabische wereld dat "Caïro schrijft, Beiroet uitgeeft en Bagdad leest". De Abbasidische schrijvers van Bagdad waren ook lezers en denkers. Ze waren in staat om een nieuw soort poëzie te ontwikkelen die brak met de starre pre-islamitische poëziecodes door de veranderingen in het leven van die tijd te observeren en zich daarmee bezig te houden. Generaties later deed Mahfoez hetzelfde door de straten en stegen van Caïro in te gaan en het dagelijks leven van de mensen om hem heen onder de loep te nemen.' Hij tekent een volgende pijl dwars over het bord. 'Mahfoez is een voorbeeld van de Abbasidische Arabier, "de renaissancemens" zo je wil – zowel politiek als artistiek ontwikkeld en sociaal bewust...' Hij pauzeert en kijkt naar de klas.

'Je zou hem zelfs tegenover Hemingway kunnen stellen...'

Er wordt opnieuw een beetje gelachen. Sommige studenten knikken. De vrouw naar wie Sirine had staan kijken, steekt haar hand op, maar de wacht niet op een teken dat ze iets mag zeggen. 'Ik zie het verband niet, professor,' zegt ze.

'Ach, Rana,' zegt Han zuchtend. Hij zegt het op een warme en gemeenzame toon, alsof ze oude vrienden zijn. 'Zo ongeduldig – geef me alsjeblieft even de tijd om te zeggen wat ik bedoel.'

Rana doet alsof ze pruilt en Sirine merkt de twee meisjes op de voorste rij op die met hun ogen naar elkaar rollen. 'Het lijkt nogal vreemd,' zegt Rana quasi-verlegen, waarbij ze duidelijk geniet van de aandacht.

'Nou, bekijk het zo... het heeft allemaal te maken met plaats en identiteit,' zegt Han. Zijn handen glijden weer in zijn zakken, en hij doet een paar stappen in haar richting. 'Hemingway switchte gemakkelijk van nationaal identiteit, reisde over de hele wereld, ontmoette iedereen, beleefde elk avontuur dat hij maar kon beleven, en toch wordt hij beschouwd als een typisch Amerikaanse schrijver. Mahfoez daarentegen heeft bijna zijn hele leven in dezelfde straten en buurten doorgebracht, schrijvend over Caïro en zijn inwoners, en toch wordt hij beschouwd als een internationale auteur...'

'Dat komt alleen omdat hij geen Amerikaan is!' zegt Rana, terwijl ze haar hoofd in haar nek werpt.

'Oké, maar denk eens over het volgende na. Mahfoez zei ooit: "Als ik net zoveel had gereisd als Hemingway, dan weet ik zeker dat mijn werk anders zou zijn geweest. Mijn werk werd gevormd doordat ik zo Egyptisch ben."'

Rana laat een minimale glimlach zien en buigt haar hoofd. Sirine haalt nauwelijks adem terwijl ze naar haar kijkt. Dan voelt ze Mireilles hand op haar schouder. 'Kom mee,' fluistert ze. 'We kunnen maar beter teruggaan.'

Han loopt naar het midden van het leslokaal, naar de plaats waar het licht in rimpelende golven door een half geopende jaloezie naar binnen valt. Zijn haar valt over zijn voorhoofd en de kleur in zijn ogen lijkt wazig en goud. 'De vraag in de huidige tijd is: wat betekent het om jezelf een "Egyptische schrijver" of zelfs een "Midden-Oosterse schrijver" te noemen?' zegt hij, zijn stem zachter nu. 'De media zijn verzadigd van de beeldspraak van het Westen. Is het nog wel mogelijk – of wenselijk – om een identiteit te hebben die hier los van staat?'

Sirine kijkt nog één keer naar de gesluierde vrouw voordat ze vertrekken. Rana slaat haar ogen op en Sirine denkt dat ze naar hen kijkt – of, liever gezegd, naar iemand achter hen, maar als Sirine zich omdraait om te kijken, staat er niemand.

9

'Abdelrahman Salahadin droeg zichzelf, zou je kunnen zeggen, als een handvol water,' zegt haar oom. 'Wat de reden is waarom zijn moeder Camille, mijn oud-oudtante Camille, het meest van hem hield. Blauw, blauw water als de blauwgeverfde huid van de in het blauw geklede bedoeïenen, handpalmen vol blauwheid.'

'Blauw blauw blauw!' mompelt Um-Nadia. 'Waar is het verhaal in al dit blauwe gedoe?'

Haar oom zucht, trekt zijn wenkbrauwen op. Sirine en haar oom en Um-Nadia zitten bij elkaar in zijn bibliotheek van denkbeeldige boeken, op bezoek na het werk.

'Nadat hij op een dag niet thuiskwam van zijn werk, wist ze dat er een paar mogelijkheden waren: de een was dat haar zoon was behekst door een *houri*, een djinn, of een mooie vrouw. De tweede dat hij uiteindelijk toch verdronken was, net zoals ze hem had verteld dat er zou gebeuren. En omdat ze een scherpzinnige vrouw was, wist ze ook dat het een ongelukkige combinatie van die twee zou kunnen zijn. Mijn tante Camille was een bevrijde Nubische slavin – ze was niet stom. Een tijd lang was ze de derde vrouw van de sultan van Imr, een sultane!'

'Poeh,' zegt Um-Nadia. 'Als ik een avocado zou krijgen voor iedere sultan die ik heb ontmoet, dan zouden we allemaal een gladde huid hebben.'

Sirines oom snuift. 'Hoe dan ook, het verhaal van hoe ze van vorstelijkheid in slavernij verviel is een interessant verhaal dat ik misschien op een dag nog eens zal vertellen. Goed dan. De knobbel in de ruggengraat van dit verhaal is dat mijn tante Camille herstelde van een onaangename periode van slavernij. Ze vermoedde lange tijd dat haar zoon wraak wilde voor haar slavernij, vandaar zijn eindeloze verstoppertje spelen met de beruchte Saudische slavenhandelaars.

Tante Camille beschilderde handen met henna, maar dat bracht weinig op. Ze dacht dat er maar één manier was om de noodzakelijke financiën bij elkaar te krijgen om haar zoon te vinden. Daarom besloot ze – in navolging van de familietraditie – om zichzelf weer als slavin te verkopen. Maar ze wilde zich niet overgeven aan een ordinaire slavenhandelaar. Nee, ze ging naar niemand minder dan de Britse ontdekkingsreiziger sir Richard Burton – die niets had van de charme van mijn favoriete acteur uit Wales, alleen dezelfde naam.'

Um-Nadia zucht. 'Dus met andere woorden, dit is gewoon een verhaal over de een of andere filmster.'

'Ik zei toch net dat het die andere Richard Burton is,' fulmineert Sirines oom.

'Sorry, sorry, sorry, sahib,' zegt Um-Nadia snel, terwijl ze met haar ogen rolt naar Sirine.

'Mooi! Nou! De reden – zoals ik op het punt stond te vertellen – dat tante Camille zichzelf verkocht aan Burton was omdat ze had gehoord dat de Engelsman de bron van de Nijl had gevonden.'

'Hoezo, was die dan zoek?' Um-Nadia slaat haar hand over haar mond zodra ze dit heeft gezegd.

'Mag ik nu praten?' Haar oom kijkt naar hen allebei. 'Of kan ik maar beter naar bed gaan?' Hij gaat staan. Beide vrouwen protesteren en hij gaat weer zitten. 'Nou goed. Ze had een plan om haar zoon te vinden. Ze dacht dat als ze Richard Burton zou kunnen overtuigen om haar naar de bron van de Nijl te brengen, ze de Moeder van Alle Vissen zou kunnen ontmoeten en die dan om haar hulp zou kunnen vragen – in de trant van moeder-tot-moeder – bij het vaststellen van de verblijfplaats van haar zoon, mijn neef, Abdelrahman Salahadin.'

'Zo dachten ze in die tijd,' legt Um-Nadia uit en ze knipoogt naar Sirine. 'Ik persoonlijk bak liever mijn vis.'

'Goed dan, het verhaal interesseert jullie duidelijk niet,' zegt Sirines oom, terwijl hij gaat staan.

'Nee, nee, alstublieft, oom,' zegt Sirine, terwijl ze zijn pols aanraakt. 'We luisteren echt.'

Hij kijkt even naar Um-Nadia, die terugkijkt met een heel on-schuldige uitdrukking op haar gezicht, en gaat dan weer zitten. 'Waar was ik gebleven?'

Het duurt een poosje voordat Sirine in slaap is gevallen; het duizelt haar van stukken van verhalen en adviezen. Ze doezelt weg, en dan is er een geluid in haar droom als het gespat van regen. Ze droomt dat ze in een rivier drijft en regenspatten maken de lucht om haar heen nevelig. Ze steekt haar handen uit, tilt haar gezicht op. De regen wordt harder.

En dan wordt ze wakker en is het niet meer echt het geluid van regen. Er klinkt een tik en nog een nieuwe tik tegen haar raam. Ze stoot Babar aan, die grommend en kreunend slaapt tegen haar en-kels. Dan staat ze op en loopt naar het raam. Het is Han, die bij het huis staat met handenvol stenen, en grinnikend als een idioot om-hoogkijkt. Ze doet haar raam lachend open, terwijl ze tegelijkertijd probeert om zachtjes te doen. 'Je maakt mijn oom zo wakker!'

'Hallo!' fluistert-schreeuwt hij. 'Hallo daar.'

'Waar ben je mee bezig?'

Hij glimlacht, bijna ingetogen. 'Dat weet ik eigenlijk niet. Vind je het erg?'

'Hoe laat is het?'

Hij legt een hand tegen de zijkant van het huis alsof hij van plan is omhoog te klimmen. 'Mag ik binnenkomen? Een minuutje maar – niet langer dan een minuut. Ik moest je gewoon weer even zien.'

Ze gaat naar de voordeur in haar versleten blauwe geruite pyjama – een exemplaar dat ze al jaren draagt – en de koele zwarte lucht die vanaf de voordeur komt binnengeslopen, krult zich rond haar blote enkels als een soort betovering. 'Hier ben ik.' Ze is een beetje verle-gen. 'Hm. Wil je soms warme chocolademelk?'

Zijn gezicht is moeilijk te zien in het donker. Hij legt een hand op haar haar en haar knieën worden opnieuw slap bij de herinnering aan de kus van de vorige avond. 'Zo, dus jij stond vandaag voor mijn leslokaal,' zegt hij.

'Heb je ons dan gezien?'

'Hoe had ik dat niet kunnen doen? Waarom zijn jullie niet binnen-gekomen?'

Ze staart hem aan, overmand door gêne. Uiteindelijk kijkt hij om zich heen en zegt: 'Dus dit is het huis van je oom?'

Ze bedenkt dat haar oom misschien ligt te slapen in een van de leunstoelen beneden. 'Kom,' fluistert ze. 'Laten we naar mijn kamer boven gaan.'

Sirine heeft haar vrienden altijd buitenshuis ontmoet; nooit eerder heeft ze een man meegenomen naar haar kamer. Zoals ze daar staat met Han heeft ze het gevoel alsof ze een vreemd element in haar kamer heeft gebracht, de ruimte alleen verlicht door straatlantaarns en de sterren. De kamer zien er ineens anders uit – schoon en leeg: kale muren, een nauwelijks gekreukeld dekbed. Ze denkt: *ouwe vrijster*, en houdt haar ellebogen vast. Han leunt in de deuropening en kijkt naar binnen. 'Aha,' zegt hij. 'Dus dit is je geheime plek.'

'Geheim?'

'Ja – slaapkamers zijn vol met allerlei soorten interessante verborgen dingen.'

'Die heb ik niet,' zegt Sirine. 'Niet dat ik weet.'

'We hebben allemaal verborgen dingen.'

'Dan zijn de mijne ook voor mezelf verborgen.' Ze trekt hem naar haar bed, waar ze naast elkaar gaan zitten. Ze voelt zich onhandig en opgewonden als een tiener. 'Echt hoor, ik slaap hier alleen maar. Het is een doodsaaie kamer.'

'Heb je al die dingen gedaan die een Amerikaans meisje doet? Had je slaapfeestjes en kussengevechten en al dat soort dingen die je op de tv ziet?'

'Zelden. Ik bleef vaak de halve nacht op om samen met mijn oom naar het nieuws te kijken of thee en hapjes te maken voor zijn vrienden. Die kwamen allemaal hierheen en deden niets anders dan eindeloos kletsen.'

'Dat klinkt niet erg Amerikaans. Had je geen, hoe heet dat, vaste bedtijd?'

Ze lacht en laat haar hand over het dekbed gaan. 'Meestal sliep ik niet eens hier. Ik viel in slaap waar dat maar uitkwam. Ik herinner me dat ik graag op het kleed onder de eettafel sliep samen met de hond. Mijn oom wist niet zo goed hoe hij een kind moest opvoeden. Dus we improviseerden eigenlijk maar wat terwijl ik opgroeide.'

'En kijk hoe goed dat is gelukt,' overpeinst Han.

Ze kijkt omlaag en steekt haar lippen naar voren, in een poging een glimlach te verbergen.

Hij zegt: 'God, wat was ik blij je op de universiteit te zien.'

'Weet ik,' zegt ze, zonder op te kijken. 'Ik ook.'

'Maar ik kon je niet recht aankijken. Dan had ik mijn les niet kunnen afmaken.' Zijn hand beweegt zich over de hare en draait die met de palm omhoog. 'Mag ik je iets geven?'

Sirine heft haar hand. Ze houdt een nieuwe zilverkleurige sleutel vast.

'Die is van mijn appartement,' zegt hij. Ze kijkt hem onthutst aan. 'Ik wil die graag aan jou geven. Ik bedoel, als je het niet vervelend vindt.'

'Je wil mij jouw sleutel geven?'

'Ik zat er net over na te denken.' Hij glimlacht en houdt zijn handen hulpeloos omhoog. 'Op de een of andere manier zat ik te denken dat dat me een goed gevoel zou geven... te weten dat jij deze sleutel zou hebben.'

Ze staart hem aan en vraagt zich af wat ze moet zeggen, maar ze voelt zich vreemd blij en gevleid; er gaat een rilling door haar heen. Hij trekt haar dichter naar de warmte van zijn borstkas en laat dan zijn lippen dalen op de bovenkant van haar hoofd. Ze houdt haar hoofd schuin zodat hij nu haar voorhoofd kust, dan het plekje naast haar oog, dan haar mondhoek.

En dan kussen ze elkaar opnieuw, waarbij haar mond zachter wordt. Hun verlangen is als een blauwe flits, en hun lichamen bewegen zich naar elkaar toe. Ze gaan achterover liggen op het bed terwijl ze elkaar kussen, en stoten tegen Babar aan die kreunt en klaagt maar toch gewoon blijft doorslapen. Sirines huid is rood en gevoelig, haar lippen rauw, lichtelijk geschuurd door het begin van stoppels op zijn gezicht. Zijn handen schieten heen en weer over het dunne katoen van haar pyjamajasje. Ze duwt ze grinnikend weg. Ze voelt zich zowel vrijmoedig als ingetogen. Iets in haar verzet zich, een duizelig makende mengeling van opwinding en angst. Ze weigert om verder te gaan dan kussen, maar dan kussen ze elkaar zo diep dat hun tanden tegen elkaar slaan, en ze lachen en kussen elkaar dan opnieuw. Ze klemt de sleutel in haar hand.

Sirine wordt om vijf uur wakker, haar gewone tijd, als de dageraad nog niet eens zilverachtig is en alle vogels nog slapen. Ze realiseert zich langzaam dat Han, nog in zijn kleren, slapend naast haar ligt, en dat Babar lekker tussen hen in is gekropen, tegen haar aangedrukt als een baby.

'O, mijn god.' Half lachend, half verschrikt schudt ze Han wakker.

Hij wordt wakker en kijkt onthutst om zich heen. Hij gaat overeind zitten. Zijn haar is in een glanzende stroom over zijn voorhoofd gevallen en zijn kleren zijn gekreukt, zijn overhemd gedraaid rond zijn borst. Ze bedekt haar mond met haar hand en kijkt naar de deur. 'Mijn oom is al op! Je moet echt gaan.'

Hij knikt, kust haar twee keer en streelt met zijn duim over haar jukbeen. 'Dus zo gaat een afspraakje met een keurig Arabisch meisje.'

'Keurige Arabische meisjes maken geen afspraakjes,' zegt ze, en ze kijkt achter zich naar haar gesloten deur, denkend dat ze haar oom al in de badkamer hoort.

Hij staat op en probeert zijn kleren glad te strijken. Hij duwt zijn haar naar achteren. 'Zie ik je later nog?'

'Het is zaterdag – het wordt vandaag een lange werkdag.'

'Dat geeft niet,' zegt hij, en hij beweegt zich naar het raam. 'Ik kan wachten.'

'Je kunt niet door het raam naar buiten! Het is hoog hier.'

'Maar één verdieping,' zegt hij, een beetje dwaas grinnikend. 'Dus ik zie je vanavond nog?'

'Dat weet ik nog niet,' sist ze, glimlachend en boos op zichzelf omdat ze glimlacht. 'Doe dat alsjeblieft niet – je bezeert jezelf nog.'

'O, ik ben toch al verdoemd,' zegt hij vrolijk, terwijl hij zijn benen uit het raam gooit. En voordat ze hem kan tegenhouden, glijdt hij helemaal naar buiten, hangt aan zijn vingertoppen, een paar meter boven de grond, en laat zich dan vallen. Hij wankelt, draait zich om, zwaait en werpt haar kussen toe als hij weggaat.

Tijdens haar ochtendpauze gaat Sirine naar de binnenplaats die door Um-Nadia de Vogeltuin wordt genoemd. Ze laat zich zakken in de hangmat die is vastgebonden tussen twee naar elkaar gebogen palmbomen, gedeeltelijk uit het zicht achter een beschaduwde plek van brede, waaiervormige bladeren. Ze dommelt een beetje, waarbij ze terugdenkt aan haar nacht met Han, haar lichaam zacht van verlangen en warmte. Er klinken flarden vogelgezang die door de lucht flitsen als wonderlijk gekleurde strepen. De lucht ruikt naar olijven en cipressen en naar in de zon bakkende kruiden – de half verwilderde lavendel en salie, tijm en rozemarijn, uien en knoflooksprieten die her en der op de binnenplaats groeien, min of meer verzorgd door Mireille en Sirine. Ze voelt zich slap en heeft bibberende knieën, alsof ze iets onder de leden heeft, alsof ze een beetje buiten haar eigen lichaam is getreden. Ze heeft de afgelopen nacht maar een paar uur geslapen en ze is net aan het wegdoezelen als een laag gebrom van stemmen door de keuken naar de achterdeur komt.

Nathan en Aziz zitten midden in een discussie als ze naar buiten komen, hun lichamen en gebaren levendig door de energie van hun woorden. Nathan laat zijn handen over zijn stoppelhaar gaan en Aziz' haar staat overeind als de veren van een merel; geen van beiden ziet haar. Ze gaan zitten aan het gietijzeren tafeltje onder de brede bougainvilletakken, waarbij ze de ijzeren stoelen luidruchtig naar achteren schuiven. Ze leunen naar voren en slaan hun enkels om de stoelpoten.

Sirine sluit haar ogen en even vervagen de verkeersgeluiden en de zoemende elektrische draden achter de binnenplaats tot een zacht gejammer, als een krekel die tjirpt.

'Maar de oude poëzie van het Midden-Oosten,' zegt Aziz, 'is zo vervelend. Het gaat allemaal over nachtegalen die eigenlijk geen vogels zijn, en rozen die eigenlijk geen bloemen zijn. En de verwaande critici zeggen dat Omar Khayyam eigenlijk niet over voedsel en wijn schreef, maar meer over de goddelijke liefde of iets anders overdreven aardigs. Niemand kan nog gewoon simpel genieten. Ik heb liever dat gebeden over seks blijken te gaan, en niet omgekeerd.'

Nathan snuift. 'Waarom is dat zo erg? Het is poëzie. Je weet wel, symbolisme.'

'Het is rook, spiegels, enzovoort,' zegt Aziz. 'Laat ik zeggen dat ik liever een beetje ouderwets gezoen heb. Misschien een beetje ouderwetse wilde seks.'

Sirine opent opnieuw haar ogen en ziet de mannen door een dun zon-en-bladerenwaas. Dan tilt ze een hand op om haar ogen af te schermen en ziet Han die zijn hoofd door de achterdeur steekt. 'Sirine?'

'Hallo!' zegt Nathan, terwijl hij zwaait.

'Ik geloof niet dat hij ons in gedachten had,' zegt Aziz.

'We hadden het over de Midden-Oosterse poëzie,' zegt Nathan tegen Han.

'O, nou, hou mij daar maar buiten.' Han pakt de derde stoel bij het tafeltje, maar speurt de binnenplaats af over zijn schouder. 'Ik bemoei me niet met poëzie.'

Sirine rekt zich uit, maar besluit dan om te wachten achter haar scherm van bladeren.

'Aha, ik begrijp het al. En ik neem aan dat jij de voorkeur geeft aan zoiets als: "Ze gingen naar de bar. En het was goed. En ze dronken een biertje, en ook dat was goed."'

'Is dat Aziz die Hemingway citeert?' vraagt Han.

'Aziz interpreteert alle groten,' zegt Aziz. 'Mijn Arabische dichter kan jouw Hemingway altijd verslaan.' Hij wendt zich tot Nathan. 'Hij zou trouwens ook Whitman kunnen verslaan. Je weet dat er een grote traditie bestaat aan gevoelige maar toch mannelijke Arabische dichters.'

Nathan steekt een vinger in de lucht. '"Ik leef in het aangezicht van een vrouw / die in een golf leeft – / een aanzwellende golf / die een kust vindt / als een haven verdwenen onder schelpen."'

Han tikt op de rand van de tafel. 'Bravo, Nathan.'

'Ja, erg bravo,' zegt Aziz. 'Dat is natuurlijk de poëzie van Ali Ahmed Said, beter bekend als Adonis. Ik zou die manier van dichten overal herkennen. En wat vind je hiervan?' Hij schraapt zijn keel en zegt dan: '"Een jonge gazelle bevindt zich in de groep, donkerlippig, fruit schuddend /getooid met een dubbel halssnoer van parels en topazen, / afzijdig blijvend, met de kudde grazend in het welige struikgewas, / knabbelend aan het arak fruit, gehuld in haar mantel."'

'Ibn al-Abd!' zegt Nathan. 'Dat is gemakkelijk. "De Ode van Tarafah".'

'Oké, oké.' Han steekt een hand omhoog. 'Laat ik er ook eens een proberen: "En een rode veer / wordt de lucht in geblazen door de magiër / Soms veranderend in een gazelle / Met horens van goud / Soms in een priesteres die zich bezighoudt met verleiding / En het spel van het einde / In de harem van de kalief / In zijn nacht waren geesten en verveling rond."'

'Abdoel Wahab Al-Bayati!' roept zowel Nathan als Aziz nog voordat Han klaar is.

'"Op de morgen waarop ze vertrokken / namen we afscheid / vervuld van droefheid / over de komende afwezigheid,"' zegt Nathan.

'O dat is, hmm, dat is... ik weet het...' Han zwaait met zijn hand in het rond.

Aziz gaat rechtop zitten. 'Dat is "Afscheid" van Ibn Jakh, elfde eeuw. Goed, deze raden jullie nooit – ik daag jullie allebei uit!' Hij steekt zijn handen omhoog en declameert: '"Als wit de kleur is / van rouwen in Andalusië / dan is dat een goed gebruik./ Kijk naar mij, /

ik kleed mezelf in het wit / van wit haar / in rouw om mijn jeugd."'
Hij vouwt zijn armen over zijn borst. 'Mijn leus.'

'Dat moet "Rouwen in Andalusië" zijn van Aboe il-Hasan al-Husri,' zegt Nathan. Hij strijkt een hand peinzend over zijn hoofd. 'Dat was zelfs een favoriet van een stel jonge schrijvers bij de Franse Culturele Club.'

Han houdt zijn hoofd schuin in Nathans richting. 'De Franse Culturele Club. O. Toevallig niet op het Tahrirplein?'

'Ja! Ken je dat? Een groep studenten en schrijvers van de Universiteit van Bagdad kwam daar vaak 's middags bij elkaar. Ze praatten dan over schrijven en reciteerden werk.'

'Waarom reciteert niemand in Amerika poëzie,' klaagt Aziz. 'Ze gaan naar het koffiehuis en drinken alleen maar koffie.'

'Ik heb gehoord over die salons van de Franse Culturele Club,' zegt Han tegen Nathan. Zijn stem klinkt geanimeerd. Sirine buigt naar voren in de hangmat zodat die een beetje zwaait en de bladeren boven haar hoofd beginnen te golven. 'Daar had ik toen graag naartoe willen gaan.'

'Dat had je ook moeten doen! Er zijn daar allerlei soorten kunstsociëteiten,' zegt Nathan. 'Niet alleen poëzie. We ontmoetten elkaar overal in Bagdad – acteurs en zangers en schilders. Een heleboel. Natuurlijk moest dat wel in het geheim gebeuren vanwege Saddam.'

Aziz laat zijn hoofd in een hand zakken. 'Ah, maar maakt een verbod de dingen juist niet veel opwindender?'

'Néé.' Han en Nathan zeggen het tegelijk.

'Nou goed,' erkent Han, 'soms dan. Ik vond het in die tijd wel opwindend. Maar ik ging weg om te studeren toen ik nog heel jong was, voordat ik aan iets van dat alles voor mezelf toe was. Toen ik nog een jongen was, fietste ik vaak langs de cafés en probeerde ik naar binnen te kijken.'

'O ja, in de cafés en de club was het altijd druk, het ging er levendig aan toe,' zegt Nathan. 'Natuurlijk gingen de mensen vaak naar elkaars huizen – vooral toen er steeds meer problemen kwamen. Maar de beste plek vond ik de Sapphire Club. Laat op de avond. Nadat alle toeristen waren vertrokken en de in het buitenland wonende mensen naar huis waren.'

'De Sapphire Club!' zegt Han. Sirine hoorde de zachte verandering in zijn stem, alsof hij naar iets aan het kijken was waar hij naar verlangde. Haar hart gaat sneller slaan. Ze duwt zich uit de hangmat

en probeert zijn gezicht beter te zien, maar verliest kort haar evenwicht en haar hand slaat door de bladeren. 'O!'

Dan gaat de achterdeur weer open en Um-Nadia staat op de drempel op haar goudkleurige hooggehakte muiltjes. Ze kijkt van Han
naar Aziz naar Nathan. 'Waar is onze chef?' vraagt ze, en ze zwaait
naar het scherm van bladeren. 'Cleopatra? Ze hebben je nodig bij de
grill!'

Zachtjes en schuldbewust komt Sirine tussen de bladeren vandaan,
en alle drie de mannen draaien zich om om naar haar te kijken.

10

Sir Richard Burton zwierf door de Arabische wereld als een gevlekte geestverschijning. Hij hulde zich in de kleding van het volk, bracht uren door met staren in Arabische ogen. Het Arabisch, op zijn beurt, belandde in zijn hart als een binnendringend zaadje, waar het hechtranken van overtuigingen en opvattingen liet groeien. Maar zijn tong was zo vlak als lei. Hij sprak zo veel talen dat er geen plaats meer was voor de klanken van zijn vaderland. Hij had echter, zoals zo veel Victorianen, de neiging om eigendommen te verwerven, een gehechtheid aan dingen die zowel materieel als persoonlijk waren, zoals koloniën en slaven – hij vond het vooral heerlijk om slaven te bezitten terwijl hij in het huis van iemand anders woonde. Hij was een amateur-slavenhandelaar, maar hij was wel een professionele amateur door de gewaden van veel verschillende stammen te dragen, hun voedsel te eten en de grond van zo veel verschillende landen te betreden.

Burton had een boek geschreven dat *The Perfumed Garden* heette, en nadat ze zichzelf aan Burton had verkocht, merkte Abdelrahman Salahadins moeder, tante Camille, dat ze op precies zo'n plek terecht was gekomen. Rondom Burtons huis in Syrië, waar hij in die tijd woonde, klonk overal vogelgezang en fladderden kleurige vlinders; latwerken verrezen in bloementuinen, druivenranken slingerden, en de hemel boog zich als het dak van een moskee. En te midden van dat alles zat sir Richard, ineengehurkt op kussens, dik als een pasja, met zijn vrienden en alle plaatselijke pummels die kwamen en gingen, pratend, etend, zich meningen vormend, het papierwerk in de war gooiden, enzovoort. Niet zoals het zogenaamde moderne Amerika waar ze de hele dag alleen communiceren via de telefoon en de computer, niemand elkaar ooit aankijkt en niemand nog weet hoe hij een tomaat moet bakken of eraan denkt om bloemen mee te brengen of om een baby te kussen.

Maar goed, sir Richard zei tegen tante Camille: ja, het is waar, ik ken de weg naar de bron van de Nijl, ik heb geholpen om die te vinden, maar het doet er niet langer toe. Ik wil niet langer iets te maken hebben met die stomme rivier. Sir Richards vroegere beste vriend had namelijk alle eer voor zichzelf opgeëist over het vinden van de bron, waardoor sir Richards hart er niet langer lag.

Wat gaat Camille dan doen? Verliest ze de moed? Niet in het minst. Ze gaat op een kleed op het terras zitten en begint diep na te denken over de tuin. Ze hoort het geluid van bladeren op bladeren en dat geluid is een woord en dat woord, zegt ze, is *aujuba*, wonder. Ze kijkt naar de manier waarop de nachtegalen en de kolibries door de tuin schieten als geesten en schaduwen. Ze maakt een huis van de openlucht, een cape van de nacht. Je hebt waarschijnlijk wel geraden dat ze niet echt een slavin was, maar dat maakte Burton weinig uit die, zoals je weet, maar een amateur was, en er gewoon plezier in had om mensen te verzamelen, gewoon voor het plezier van het verzamelen. Hij tooide zich met Arabieren, Chinezen en Indiërs, en hij schreef en schreef, waarmee hij probeerde de leegte in zichzelf te vullen met een laag inkt.

Zoals dat nu eenmaal gaat, was hij ook getrouwd. Het was een huwelijk waarbij ze allebei hun eigen gang gingen. Maar natuurlijk, zoals Tsjechov zei: als je bang bent voor eenzaamheid, dan is het huwelijk niets voor jou. Zijn vrouw was een inschikkelijk type die routinematig alle geschriften van haar man die haar niet bevielen, gewoon verbrandde.

Nou, het kon niet aan de aandacht van mevrouw Burton zijn ontsnapt dat een schoonheid met gitzwarte ogen en glanzend haar zich had gevestigd op een van hun terrassen, en toen ze meneer Burton daarop attent maakte zei hij vaag: o, mm, o ja, dat is waar, dat is waar. En toen mevrouw meer wilde weten, zei hij: o, mm, ze is een van de slavinnen, lieve.

Maar nu komt het interessante deel. Op haar langzame, aardige en doelbewuste manier begon tante Camille deel uit te maken van de fantasie van Burton. Als een rups die zich ontpopt, begon ze de metamorfose van slavin tot muze. Hij merkte dat hij graag over haar nadacht terwijl ze opgerold op het gazon lag en hij 's morgens zijn scones at, en hij keek graag toe hoe ze haar mispels pelde terwijl hij werkte aan zijn vervoeging van Kroatische onovergankelijke werkwoorden.

Hij was slavenhandelaar, ontdekkingsreiziger en vertaler, maar toch kon hij niet goed Camilles Witte Nijl-huid en Blauwe Nijl-haar vertalen in de juiste woorden. Ze liet hem lijden op zeven verschillende plaatsen en ze leerde hem de zeven soorten glimlachen; ze vulde zijn slaap met rook en liet zijn mond naar kersen smaken. En op een dag, nadat hij een paar notitieboekjes had doorgebladerd, zomaar wat verhalen uit het oude Perzië, Fenicië en Hindoestan, ontdekte Burton dat hij de onthutsende zin schreef: 'En daarna.' Hij was begonnen aan zijn beroemde, schandalige, suggestieve, Britse versie van Victoriaanse waanzin, vervaagd in de hemel boven het Midden-Oosten – zijn vertaling van *De vertellingen van 1001 nacht*.

Die avond na het werk, terwijl spotvogels luid zingen in de takken en de palmbomen boven haar hoofd buigen in de wind, hun geveerde bladeren als gekruiste zwaarden, loopt Sirine naar de Victory Markt.

'Bonjour, geëerde chef!' roept Khoorosh uit zodra ze binnenkomt. De winkel is klein en smal, de lucht vochtig, met een rijke mengeling van kruiden, knoflook, saffraan en kruidnagel. Sirine komt daar vaak, zelfs als ze niets nodig heeft – gewoon om een nieuwe specerij te proberen of een van Khoorosh' geïmporteerde ingrediënten te proeven, dromend over nieuwe gerechten ergens tussen Irak, Iran en Amerika.

'Chef, deze heb ik apart gelegd, alleen voor jou,' zegt Khoorosh, terwijl hij zich naar de ruimte achter de winkel haast. Hij keert terug met geconserveerde citroenen, Turkse honing, granaatappelpasta en een doosje met kleine abrikozen, en brengt die naar de toonbank. 'Kijk eens naar deze schoonheden,' zegt hij hoffelijk. 'Het voedsel der liefde.'

'Prachtig. Hoeveel krijg je van me?' vraagt Sirine.

'Waar heb je het over? Nu beledig je me toch echt.'

'Khoorosh, je kunt me niet altijd alles zomaar geven.'

'Nee, dit is een cadeau.'

'Ik wil betalen voor mijn cadeaus.'

'Dat maakt me niets uit. Dit is een cadeau van mijn hand in die van jou. Als je nog één woord zegt over geld, dan raak ik erg van streek. Ik begin nu al hoofdpijn te krijgen.'

Meer klanten komen binnen en ze begroeten Khoorosh in het Farsi, waarbij de taal vloeiend tussen hen heen en weer stroomt. Sirine schiet terug naar de schappen, waar de vertrouwde geur van specerijen zich mengt met het gelach van de klanten.

Ze houdt van de verfijnde stembuigingen van het Farsi, geniet van dit afluisteren zonder de taal te begrijpen; het is vertroostend en heerlijk en intens vertrouwd – de speciale taal van verlangen en nostalgie van de immigranten. Haar jeugd heeft ze doorgebracht op plaatsen zoals de Victory Markt, waar ze de hand van haar oom vasthield terwijl ze rondzwierven op zoek naar de speciale geuren die in geen enkele van de grote Amerikaanse kruidenierszaken te vinden was. Het maakte niet uit of de winkel nu Perzisch, Grieks of Italiaans was, want allemaal hadden ze dezelfde grote bakken met bonen en linzen, schapenkazen en glazen flessen met verse kazen, troebele flessen met olijven, vers brood en pasteitjes die de lucht met hun geur vervulden. En de winkel doet haar denken aan Han – op de een of andere manier doet alles haar denken aan Han, overstromend van verwijzingen naar hem. Als ze zich omdraait in een gangpad vol bakken met rode en gele specerijen en harsachtige geuren die door de lucht dwarrelen, wordt ze overmand door een verlangen dat zo heftig is, dat ze eindelijk begint te begrijpen dat ze niet ziek aan het worden is. Het lijkt erop dat er een bepaalde kracht in haar is losgemaakt tijdens de nacht, terwijl ze samen sliepen zonder elkaar echt aan te raken, en zijn adem over haar gezicht uitwaaierde. De intieme nabijheid van Han's lichaam komt nu terug in haar herinnering, de geur van zijn huid weerkaatst in de doordringende geur van gemalen specerijen. Ze wordt doordrongen van een verlangen dat haar cellen vult, en de terughoudendheid die ze normaal heeft verdwijnt onmiddellijk. De beweging van haar eigen hand door haar haar, de draaiing van haar benen, zelfs de ademhaling door haar mond ervaart ze bewust. Ze haast zich met de weinige boodschappen die ze heeft naar de kassa, haar hoofd gebogen en haar handen zoekend naar geld, en ze betaalt zoveel als Khoorosh haar toestaat.

Sirine loopt naar buiten, vergeet haar boodschappen en Khoorosh moet achter haar aan komen hollen met haar boodschappen. Ze lacht ademloos en stopt de zak in haar fietsmand, schopt de standaard weg en gaat de met sterren bezaaide nacht in. Ze zit nog helemaal in haar werkritme, haar gewrichten los, spieren soepel, maar ze fietst totdat ze bezweet en buiten adem is. Ze weet niet eens of Han thuis is, maar hij is er, doet de deur open en knikt alsof hij antwoordt op een vraag. Hij zet haar zak op het aanrecht en kijkt naar haar. Hij komt een paar stappen naar haar toe en dan, instinctief, verlegen, doet zij een paar passen terug. 'Wacht,' zegt ze. Ze haalt het bakje met abrikozen, rond en prachtig als rozen, te voorschijn en biedt hem er een aan. Hij neemt een hap en legt zijn hand over de hare, waarna zij een hap neemt en de fluwelen schil en het vruchtensuiker haar hele mond vullen. De lucht tussen hen is gecompliceerd, doortrokken van de geuren uit de zak: geroosterd sesamzaad, zoet oranjebloesemwater en geurig rozenwater.

Ze eten de abrikoos op en ze laat de pit in de gootsteen vallen; Han buigt haar hand opnieuw en likt een druppel sap van haar vingertop.

Sirine houdt haar adem in; de grond onder haar voeten gaat een beetje golven. Han glipt achter haar en laat zijn handen over de bovenkant van haar schouders glijden. Hij buigt de bovenkant van zijn hoofd naar haar achterhoofd, oefent druk uit met zijn handen en begint de spieren tussen haar nek en schouders te wrijven. Haar hoofd valt naar voren, in de ban van het genot ervan. Hij drukt zijn handpalmen langs het midden van haar rug, drukt op haar schouderbladen en wrijft net aan de binnenkant ervan. Ze laat hem omlaaggaan tot aan haar lenden, en dan omhoog tot aan de v tussen haar schouders. Hij streelt de zijkanten van haar ribbenkast, duikt in de gespannen welving van vlees over haar schouders, wrijft haar nek en laat dan zijn knokkels langs haar rug naar beneden lopen. Hij weeft er nieuwe bewegingen en ander soort druk doorheen. Na diverse dieper gaande, verrukkelijke massagebewegingen is haar lichaam botloos en vloeibaar.

Ze draait zich naar hem toe en ze vlechten hun armen door elkaar heen. Ze glijden en kussen en Sirine doet haar schoenen uit. Ze danst hem achterwaarts de slaapkamer in, en laat zich vallen op zijn matras. Ze trekken aan elkaars kleren, proberen elkaar uit te kleden, schoppend naar broeken en trekkend aan hemden. Hij pauzeert en haalt voorzichtig de gele plastic klemmetjes uit haar haar. Ze rollen over elkaar heen, strelen elkaars armen en benen; hij vlecht zijn vingers door de hare. Ze opent haar mond en proeft zijn huid en tong. Zijn kleur is die van amber, van karamel, van aarde. Zijn huid windt haar op; ze inhaleert diep, alsof ze zijn wezen zou kunnen inademen; hij smaakt naar amandelen, naar zoetheid. Ze aarzelt even, zegt dan: 'Heb je, je weet wel...'

'Wat?'

'Je weet wel. Bescherming?'

Hij trekt een neutraal gezicht en zegt dan: 'Bescherming tegen wat?'

Dan glimlacht hij, rolt naar zijn aan de kant gegooide broek en haalt een condoom uit de zak. Hij zwaait de verpakking aan een hoek rond en zegt: 'We zijn veilig!'

De laatste met wie Sirine seks heeft gehad was een gebruinde versierder op het strand die Danny heette, meer dan drie jaar geleden; lang genoeg om min of meer dat gevoel vergeten te zijn. Maar nu, terwijl Han zijn lichaam over het hare laat bewegen, het gewicht van zijn slanke dijen wrijvend tegen haar dijen, is het bijna een nieuw gevoel, waarbij het lichamelijke genot groeit en door haar spieren beweegt. Haar rug buigt zich en haar ribben lijken zich los te maken. Hij beweegt met een diep, bijna dierlijk vertrouwen, ogenschijnlijk zonder zich bewust te zijn van zichzelf; zijn lichaam totaal in beslag genomen en zijn ogen kalm en geconcentreerd. Ze opent haar mond en het enige geluid is een hijgende adem die naar buiten stoot, waarbij de kamer groter en dan kleiner lijkt te worden. Ze bewegen samen, kijken naar elkaar, handen ineen.

Aan het eind worden Han's ogen groter en donkerder en zijn mond opent zich alsof hij verbaasd is, maar hij maakt geen geluid; hij strekt zijn lichaam, trekt dan samen, verzacht en zakt dan langzaam in elkaar boven het hare. Ze drukt zich tegen hem aan en heeft dan het gevoel alsof ze door haar eigen lichaam valt; haar hart slaat snel in haar borst. Ze sluit uiteindelijk haar ogen en voelt de laatste trillingen van sensaties onder haar huid. En dan heeft ze kort het gevoel alsof ze haar lichaam verlaat; ze stijgt net iets boven hun kleine balkon, ziet rijen andere balkons, bleke straten, gepleisterde huizen in de kleur van huid, keurige rode pannendaken. De violette nacht glijdt over hun gezichten. Er zijn glinsterende palmen, blauwzwarte salamanders tussen de huizen, geduldige leguanen. Ze voelt hoe de insectenwereld in beweging is, gehoornde kevers en wezentjes met wasachtige vleugels die de lucht in vliegen. Ze opent haar ogen in de vochtige, koortsachtige droom van hun omarming.

Han's armen ruiken naar brood en slaap; als hij haar weer naar zich toetrekt, is het alsof ze in een wereld onder water terechtkomt, in een onderzeese grot. Ze sluit haar ogen en zweeft. En uiteindelijk valt ze rustig in zijn armen in slaap.

Af en toe is haar slaap zwaar als de oceaan, op andere momenten rijst ze omhoog tot onder het oppervlak en lijkt ze vreemde geluiden te horen; kleine kreten, onzuivere muziek. Of ze vangt een glimp op van vage gezichten, onbekende verschijningen. Ze voelt vaag dat ze wordt gadegeslagen.

Sirine wordt wakker nadat ze pas een paar uur geslapen heeft, in het eerste begin van de dageraad, en het appartement is gevuld met een zilveren nevel. Een land vol melkachtige kanalen. Ze loopt naar de deur en kijkt om naar Han en zijn gezicht is glad van de slaap; zijn huid heeft een bronzen patina gekregen.

Ze loopt rond in zijn kleine slaapkamer, naakt en met een wazige blik, met het gevoel alsof ze is wakker geworden in de droom van iemand anders. Her en der verspreid ziet ze voorwerpen: een paar boeken bedrukt met gouden Arabische kalligrafie, een glazen fles gevuld met gekleurd zand, een snoer kralen, een gevouwen vierkant stuk zijde, een koperen briefopener, en daarnaast een foto in een zilveren lijst: een jongere Han naast een jongen en een jonge vrouw, allemaal met dezelfde hazelnootbruine huid en kastanjekleurige ogen. Ze zien er gelukkig en mooi uit en Sirine voelt een vage jaloezie omdat ze duidelijk bij elkaar horen. Ze probeert zich te herinneren of Han heeft gezegd dat hij een zuster had. Ze legt de foto zorgvuldig terug naast de briefopener.

Slaperig wil ze terugkeren naar de warme grot van zijn armen en borst, maar ze blijft even luisterend stilstaan. Hoorde ze net iets? Ze staat in de deuropening die uitkijkt op het balkon en ziet hoe de naar kardemom ruikende mist overal op straat is, alsof die omhoog is gekomen uit de ademhaling van dromers in de straten met huizen.

Ze draait zich om om terug te gaan naar bed, maar dan trekt een schittering van iets haar blik. Ze draait zich weer om en het kan gewoon niet, maar de duisternis en de mist creëren de illusie van het gezicht van een waterspuwer die door het raam tuurt, alsof er iemand in een hoek van het balkon gehurkt zit te kijken.

Ze houdt haar adem in. Maar ze weet dat dit een begoocheling moet zijn, onderdeel van een droom. Ze sluit haar ogen en beweegt zich naar achteren, langzaam en voorzichtig, totdat haar been de rand van het bed raakt; ze laat zich erop zakken en ligt daar even, wachtend totdat haar geest tot rust is gekomen, en ze zegt bij zichzelf: het is niets, er is daar niemand. Ze trekt de dekens strak omhoog tot onder haar kin, kruipt dicht tegen Han aan, en na veel gedraai en anders liggen valt ze uiteindelijk weer in slaap.

Als ze weer wakker wordt is de mist verdwenen en is het ochtend. Han maalt koffie in een zware koperen koffiemolen, roert in thee vol munt en suiker, en snijdt stukken kaas, rijpe tomaten en roomkleurige avocado's voor hun ontbijt. Na het eten rijden ze naar Santa Monica en lopen door de vroege ansichtkaartblauwe straten. De zon staat bij het aanbreken van de dag al brandend aan de hemel, wolken weggesmolten tot ribben en visgraten, de palmbomen glinsterend van de hitte. Ze wandelen langs zakenmensen, studenten, cafépersoneel en toeristen, een waas van beweging.

Dan zegt een kleine jongen met grote bruine ogen en zijdeachtige wimpers: 'Moet je die zien, mama.' Zijn moeder zegt dat hij zijn mond moet houden en grijpt zijn hand. Sirine kijkt even naar Han's hand, de volmaakte, koffiekleurige huid tegen haar eigen witheid.

De zon is te heet, dus zoeken ze de schaduw op en ontdekken aan de rand van het park een klein gebouw dat open is – de bejaardensoos. Binnen biedt de schaduw verlichting, maar een gerimpelde man in een rolstoel komt naar hen toe gegleden over de donkere, gladde vloer.

'De soos is gesloten,' zegt hij. Ze maken aanstalten om weg te gaan, maar hij komt nog dichterbij. 'Behalve als u voor de camera obscura komt. De sleutel ligt op de plank, u kunt gewoon naar boven gaan.'

Ze kijken elkaar aan, draaien zich om en beginnen dan de krakende trap te beklimmen. De lucht is benauwd en voelt zwaar aan door mufheid of schimmel, als een kast die te lang gesloten is geweest. Boven gaan ze een onverlichte, gelambriseerde ruimte binnen, en in het midden ervan zien ze een grote, kleurige schijf die het oppervlak van een ronde tafel bedekt. Hij ziet eruit als een schilderij, maar Sirine realiseert zich dat de schijf vol bewegend licht is. 'Het is een soort periscoopbeeld,' zegt Han. Hij strekt zich uit, draait het cameramechanisme en het panorama wervelt over de tafel. 'Kijk, dit is een projectie van de straat buiten, dicht bij het gebouw.'

Sirine loopt rond de grote tafel: het is vol van de beelden van rijdende auto's, slenterende toeristen, opvliegende zeemeeuwen. 'Fantastisch.' Ze stelt zich voor dat de ruimte is gevuld met oude mensen van de bejaardensoos, allemaal gebogen over de tafel, kijkend naar de mensen op straat. 'Het is een spionnencamera,' zegt ze. 'Dit is mooier dan tv kijken. Je kunt zien wat de buren uitspoken.'

'Heel interessant,' zegt Han. 'Niemand zou ooit vermoeden dat al die bejaarde burgers hier verborgen zitten om iedereen te bespioneren. En je zult wel blij zijn om te horen dat dit apparaat afstamt van de moslims.'

'Dit camerading?'

Han draait de periscoop nog wat meer terwijl hij het beeld bestudeert. 'Een natuurkundige uit de eerste eeuw, Al-Hazen uit Bagdad – die heeft de camera obscura bedacht.'

Ze glimlacht plagerig. 'Zag hij ook voor zich hoe die zou worden gebruikt op de bovenste verdieping van een bejaardensoos?' Ze kijkt omlaag en merkt tussen de vage geprojecteerde beelden op het tafelblad iets op wat een enkele onbeweeglijke figuur in het midden van alle activiteit lijkt, de gestalte van een man, die op de een of andere manier vanaf zijn plek op de tafel recht naar haar lijkt te staren. 'Kijk daar eens,' zegt ze wijzend.

Han tuurt en de beelden trillen even en vormen zich weer en hij kijkt net voorbij het punt waar de man net had gestaan bij een lege parkbank met uitzicht over de oceaan. De man is verdwenen. 'Waar moet ik naar kijken?' zegt hij. 'Wat zag je?'

'Ik dacht – ik weet het niet – het is te idioot.'

'Vertel het me.'

'Ik zie de laatste tijd allerlei dingen.' Ze legt haar hand op de plek waar ze dacht dat ze de man zag en de beelden bewegen over haar vingers.

Han wil per se dat ze samen naar de plek wandelen – ze herinnert zich de bank, een plek met tijgerlelies – maar de man is verdwenen. Of was er helemaal nooit geweest. Ze kijkt om in de richting van de bejaardensoos en ziet het nu – de ronddraaiende camera obscura, neergezet op de punt van het dak onder zijn eigen kleine puntige afdak, bijna onzichtbaar.

'Ook al staat hij er niet meer, dat betekent nog niet dat hij hier nooit is geweest,' zegt Han galant. 'Eigenlijk is dat nu precies wat het wél betekent.'

'Mijn oom zegt dat het de Arabische ziekte is. Als je maar blijft denken dat de CIA je overal volgt.'

'Als iemand mij volgt, dan heb ik de neiging om nerveus te worden.'

Ze kijkt even naar hem en om de een of andere reden zegt ze: 'Nathan doet dat. Ik bedoel – hij volgt je overal.'

'Laten we eens nadenken,' zegt Han geamuseerd. 'Zou Nathan van de CIA kunnen zijn? Hij draagt zo'n smalle kleine bril en hij staart altijd naar mensen en neemt foto's. Maar aan de andere kant is hij ook volkomen loyaal – zijn Arabisch is verrassend goed – hij kent zelfs het dorpsjargon. Hij is beslist de hardst werkende student die ik ooit heb meegemaakt. En ik denk dat hij in principe zuiver van hart is.' Hij gaat op de lattenbank zitten en steekt een hand uit naar Sirine. Ze gaat zitten en laat zich wegglijden in de buiging van zijn arm. Het park bevindt zich hoog boven het strand en ze kijken toe hoe de golven aan komen rollen en zich weer terugtrekken. Ze wordt in beslag genomen door Han's uitdrukking 'zuiver van hart', en denkt erover om hem te vragen wat hij daarmee precies bedoelt, maar in plaats daarvan zegt ze: 'Ik zou willen dat ik Arabisch kon spreken.' Ze leunt naar achteren, de zon warm op haar gezicht en schouders.

Hij kijkt blij, en laat zijn kin op haar borst vallen. 'Echt waar? Zou je het willen leren? Het is een moeilijke taal om onder de knie te krijgen.'

Ze glimlacht en haalt haar schouders op. Ze is opgegroeid terwijl er om haar heen Arabisch werd gesproken, en ze voelt de aanwezigheid van het Arabisch ergens in haar achterhoofd, als een spooktaal – tintelend, helder en oceaanleeg. En ze voelt zich schuldig omdat ze het niet kan spreken.

'Je spreekt een taal pas echt vloeiend als die praktisch onzichtbaar voor je is,' zegt Han. 'Als ik vertaal, dan ga ik om met woorden als bewuste dingen. Je staart naar de bladzijden en je weet wat alles betekent, in beide talen, en je vraagt je af hoe je er in vredesnaam voor kunt zorgen dat beide talen – met hun geschiedenis en interpretaties – hetzelfde gaan betekenen.'

'Als je het zo stelt, dan klinkt dat bijna als een onmogelijkheid.'

Hij wrijft even met zijn handpalm over zijn voorhoofd. 'Als je probeert Hemingway in het Arabisch te vertalen, dan is dat bijna alsof je probeert een vogel in een rivier te vertalen. Niet alleen moet je de woorden vertalen, je moet ook proberen om de gevoelens en ideeën met betrekking tot alle mogelijke dingen te vertalen van de ene cultuur in de andere – bijvoorbeeld wat geloof of moed is.'

'Ik vind het om te beginnen al moeilijk genoeg om te zeggen wat die dingen inhouden.'

Han glimlacht en kijkt een andere kant op, maakt een klein geluid.

'Wat is er?'

'Ik dacht aan mezelf toen ik tien jaar was. Hoe ik nooit zoiets als dit had kunnen bedenken. Dat ik op een dag op een plek zoals hier zou zitten, met een vrouw zoals jij.'

Sirine probeert zich Han voor te stellen als een jongen van tien, wat ze een beetje moeilijk vindt – er is een bepaald aspect aan hem waardoor ze hem ziet als een eeuwige volwassene. Dan denkt ze aan de foto die ze in zijn kamer aantrof – de jongere Han die naast een kind en een jonge vrouw staat. 'Waar is de rest van je familie?' vraagt ze.

Hij geeft niet meteen antwoord. Ze wacht en kijkt uit over het water. De Santa Monica-golven zijn zacht en deinend, kantachtig door het schuim. Uiteindelijk zegt hij: 'Mijn moeders familie woont in Basra – in Zuid-Irak. Mijn vaders zuster Dalal woont in het noorden. Ik heb verder nog wat familie die sinds de Golfoorlog verspreid over het Midden-Oosten en Midden-Amerika woont. En mijn moeder en broer wonen nog steeds in Bagdad.'

Ze wacht even terwijl ze nadenkt en zegt dan: 'En je zuster?'

Zodra ze het vraagt heeft ze het gevoel dat er iets in Han gebeurt, een oneindig klein maar duidelijk gevoel, alsof een orgaan in hem bezwijkt. Maar hij schudt alleen zijn hoofd en zegt: 'Ze is daar, in Irak, bij de anderen.' Dan zegt hij: 'Goed, nu ben jij aan de beurt – waar is jouw familie?'

Sirine steekt haar hand uit. 'Hier. Dat wil zeggen – mijn vader en oom komen oorspronkelijk uit Irak, maar ik weet niet precies waarvandaan. Mijn moeder komt uit Santa Barbara – je weet wel, Californië – maar ik ken haar familie niet. Mijn ouders zijn allebei dood, en ik heb geen broers of zusters. Het is eigenlijk al heel lang alleen mijn oom en ikzelf.'

Hij haalt zijn hand van haar schouder, raakt haar losse krullen aan en kijkt nadenkend naar haar. 'Wat de reden is waarom je nooit uit LA weg zult gaan, nietwaar?' zegt hij.

Ze begint te protesteren, maar aarzelt dan. Ze kijkt over Han's hoofd en merkt hoe de camera obscura ronddraait onder zijn puntige hoed boven op het gebouw. De wind steekt op en schudt aan de rozenstruiken en werpt wat zanderig stof op. 'Ik denk dat ik altijd op zoek ben naar mijn thuis, een beetje althans. Ik bedoel, ook al woon ik hier, toch heb ik het gevoel dat mijn echte thuis op de een of andere manier ergens anders is.'

Hij zet een hand boven zijn ogen met de v van zijn open hand en even kan ze zijn uitdrukking niet zien. 'Wat maakt dan dat een plaats je het gevoel geeft dat je er thuis hoort?'

'Werk,' zegt ze. 'Werk is thuis.'

'Wat Amerikaans van je,' zegt hij glimlachend. 'En is werk ook familie?'

Ze kijkt hem even aan. 'Dat zou kunnen.'

Zijn ademhaling is licht en transparant tegen haar voorhoofd. Hij zegt niets. Ze kijken naar het langzame naderen van het verre grijze water en Sirine luistert naar de diepe tweedelige hartcyclus in Han's borst. Dan voelt ze hoe hij diep ademhaalt. 'Er is nog iets anders wat ik nog niet heb verteld,' zegt hij zacht. 'Over mijn broer.'

'Ja?'

Een wolk paardebloempluizen zweeft door de lucht, raakt zijn haar aan. Hij schraapt zijn keel en gaat naar voren zitten. Datgene wat er in zijn hoofd omgaat maakt dat zijn slapen samentrekken; zijn oogleden zakken. Hij gaat met de rug van zijn hand over zijn voorhoofd. Ze wacht en staart naar zijn schouderblad; ze heeft een stijgend gevoel van druk, als vingertoppen die tegen haar borstbeen duwen. 'Je hoeft het me niet te vertellen.' Haar stem is heel rustig.

'Hij is mijn jongere broer,' zegt Han langzaam. 'Hij heet Arif. Ik heb hem – en ook mijn ouders – al meer dan twintig jaar niet gezien.'

'Ben je al twintig jaar niet meer terug geweest?'

'Ik ben naar Engeland ontsnapt niet lang nadat Saddam Hoessein aan de macht kwam.'

'Dat moet angstaanjagend zijn geweest.'

Hij glimlacht vaag. 'Dat klinkt interessanter dan het was. Waar het op neerkomt is dat ik een beurs had en met veel moeite in Engeland ben gekomen. Arif was pas twaalf jaar toen ik het land verliet, maar hij was al bezig, volgens de grootse Iraakse traditie, met het omverwerpen van het gezag – door het lezen en schrijven van hoofdzakelijk subversieve poëzie – stel je voor.'

'Ik geloof dat mijn oom ook wel eens zoiets schrijft. Er zit veel rijm in?'

'Juist – rijm en gedurfde uitspraken.' Hij grinnikt breed. 'Ik heb het slechte voorbeeld gegeven. Hij is bijna tien jaar jonger – en hij heeft het idee gekregen dat ik een soort onverschrokken revolutionair ben die in ballingschap is gegaan. Ik wilde dat hij het land zou verlaten toen hij daar nog de kans voor had, maar hij weigerde te gaan. Hij zei dat hij zijn werk had,' zegt Han terwijl hij met zijn ogen rolt. 'Hij werd gearresteerd en in de gevangenis gezet nog voor zijn dertiende verjaardag. Dat was eenentwintig jaar geleden, en ik kan niet terugkeren om hem te helpen.'

Haar ademhaling zit hoog en gespannen in haar borst. 'Waarom niet?'

'Hm. Waarom niet.' Hij vlecht zijn vingers in elkaar, wat half een gebed lijkt. 'Er zijn veel waarom-niets in Irak. Het is een problematisch land voor Iraakse mannen – er is het leger, de gevangenis, martelingen, ophangingen. Ik word gezocht door de regering omdat ik me heb onttrokken aan de dienstplicht. Om te beginnen. Er zijn nog veel andere bezwarende factoren.' Han staart naar zijn biddende vingers. 'De dictator is berucht om zijn meedogenloosheid. Toen zijn schoonzoons terugkeerden naar Irak nadat ze zonder toestemming het land hadden verlaten, was Saddams idee van genade om hen toe te staan hun verontschuldigingen aan te bieden voordat hij ze liet executeren. Als Arif nog in leven is...' Hij pauzeert. 'Als Arif nog in leven is, dan zou het alles nog erger voor hem kunnen maken als ik het land weer zou binnenkomen. Maar misschien ook niet. Misschien zou het geen enkel verschil maken. Dat maakt ook dat dit allemaal zo moeilijk is. De frustratie. En het niet-weten.' Hij bestudeert opnieuw Sirines gezicht met zijn scherpe blik. Dan vouwt hij zijn handen onder zijn kin. 'Hoe kan ik hierover praten? Ik weet niet eens hoe ik erover moet denken. En nu heb ik je waarschijnlijk bang gemaakt met al die drama's en intriges.'

'O, zo gemakkelijk maak je me niet bang,' zegt ze nonchalant, maar eigenlijk is ze daar nog niet zo zeker van. Het is heel moeilijk voor Sirine om het zich voor te stellen – de bedreigingen, zijn broer in de gevangenis – terwijl ze daar zo achteroverleunen in de zachte lucht van Santa Monica. 'Zouden ze je vermoorden?' vraagt ze. Ze laat haar hand over de zijne glijden; ze is niet van plan om hem waar dan ook heen te laten vluchten. 'Echt?'

Han beweegt zijn hoofd naar achteren – het droevige, Arabische gebaar dat haar oom haar heeft geleerd en zoiets betekent als: luister je soms niet? Zijn uitdrukking lijkt een soort overgave: het verlies van iets wat hij al heeft verloren. Hij kijkt een andere kant op.

Meer vragen komen op in haar hoofd. Maar dan gaat een glanzende zwarte vogel in de palm net boven hun hoofden zitten, schreeuwend naar hen, en Sirine realiseert zich dat het al laat is. De zon is op en de insecten in de bomen om hem heen sissen als stoomketels. Sirine zal te laat op haar werk komen en Mireille zal de koffie maken, wat iedereen in een slecht humeur zal brengen. Ze kijkt door de groep waaiende palmbladeren, de stammen met kruisarcering en gespikkeld als grijs flanel. Een beweging in de bomen maakt haar aan het schrikken. Even denkt ze dat ze het gezicht van een jonge man ziet; nootmuskaatkleurige huid en kruidnagelzwarte ogen; hij beweegt zich door de bomen, kijkt over zijn schouder en rent bij hen vandaan. Maar hij is nu ver weg, een stukje licht tussen de bomen, zo ver weg dat hij misschien niet eens heeft bestaan.

II

Rondom het stijlvolle huis van sir Richard Burton was de lucht vol
horzels met tijgerstrepen en bijen die hun met gouden stuifmeel
getooide pootjes bewogen, en de hemel was vol donkerblauwe stor-
men. Tante Camille had liggen slapen, waken en mediteren op haar
Hariz-tapijt op het gazon aan de zijkant, af en toe in gezelschap van
een hond met jakhalsoren die Napoleon-was-hier heette. Ze wachtte op Burtons hulp bij het opsporen van haar ondeugende vermiste
zoon Abdelrahman Salahadin, en tegelijkertijd zat ze midden in het
proces om Burtons onbewuste muze en medewerkster te worden
– waarbij een muze natuurlijk de ultieme medewerkster is. Ze was
zo'n slechte slavin dat ze te voorschijn was gekomen aan de andere
kant van haar totale onverschilligheid als een soort prinses. Alle
huisbewoners bedienden haar – de bedienden, de buitenlandse geleerden en studenten, de Engelse ontdekkingsreizigers en ook Burton zelf – die haar glazen thee en schaaltjes met Duitse roomboterkoekjes bracht. Camille had Burton een veel grotere dienst bewezen
dan welke groep slavinnen met veren plumeaus ook. Burton was
aan het schrijven over een oude koningin van Bagdad, de beroemde verhalenvertelster in *De vertellingen van 1001 nacht*, Sheherazade,
maar Camille was degene geweest die Burton had laten zien wie
Sheherazade geweest zou kunnen zijn, met haar geduld op het gazon, haar ontembare hals, haar stalen polsen, haar achterover hellende ruggengraat. Ze was zelf het bewijs van fysieke schoonheid:
negenenvijftig jaar oud, buiten slapend, de morgen lang en wit als
een ooglid, haar wakende gestalte die zijn gevoel van wat mogelijk

was verstoorde. Ze liet zijn verbeeldingskracht ontwaken en verlichtte zijn bewustzijn als een toorts.

Burton werd verliefd op haar, ook al was hij zo getrouwd als een man maar getrouwd kan zijn. Maar wie wordt er af en toe niet verliefd op de verkeerde? Het punt is dat mevrouw Burton, die inmiddels overal aan gewend was – zigeunervolk, wormenplagen, rondzwerven in zandstormen – diezelfde mevrouw Burton had er wat moeite mee om te wennen aan koningin Sheherazade die op het gazon sliep. 'Wie is dat ook alweer?' vroeg ze aan haar man, terwijl hij verlangend en lyrisch naar de net-niet-helemaal-naakte gestalte in zijn fantasie staarde. 'Een slavin,' mompelde hij.

'Een slavin. Juist ja. En van wie is die slavin precies?'

'Nou, ze is onze slavin, lieve. Vermoedelijk.'

'Onze slavin. Vermoedelijk. Maar ze dient niemand. Klopt dat?'

'Dat klopt.'

'En – ik wil er niet te diep op ingaan, maar toch... wat wil ze precies?' En toen ze het neutrale gezicht van sir Richard zag, besloot mevrouw sir Richard dat het tijd werd om zelf naar het gazon te gaan om eens poolshoogte te nemen.

'En vertelde Camille het tegen haar?' vraagt Sirine.

'Lieverd, kennelijk is jou nooit goed verteld hoe je naar een verhaal moet luisteren. Je moet het verhaal naar je toe laten komen, je moet je er niet zelf mee gaan bemoeien. Om een lang hoofdstuk veel korter te maken voor Sirine-met-haar-horloge: ja, tante Camille zei tegen mevrouw Burton: "Ik wil naar de bron van de Nijl worden gebracht. Mijn beloning daarvoor zal zijn dat ik uw man zal bevrijden van zijn betovering."

Nou wist sir Richard nog niet zo zeker of dat hij wel bevrijd wilde worden – net zoals gevangenen altijd verward raken over de vraag of ze eigenlijk wel van hun ketenen bevrijd willen worden. Gelukkig dacht zijn vrouw helderder na over de hele situatie. Ze liet de Afrikaanse gidsen komen.

Op de dag dat ze vertrokken, was de zon een geel zijden lint; ze hadden helpers en dragers, heffers en sjouwers, en een hond met jakhalsoren met glinsterende zwarte ogen. "Napoleon-was-hier!" riepen ze de hond. "Kom!"'

Han begint regelmatig naar Nadia's Café te komen: Sirine bereidt een diner voor hem als iedereen is vertrokken en kijkt dan toe hoe

hij eet, tevreden en verlegen, als hij haar prijst en haar telkens opnieuw vertelt dat dit zijn favoriete maal is. Ze maken 's avonds een
wandeling of gaan naar de film, en ze gaat twee keer achter elkaar
met hem mee naar huis, dan drie keer, waarbij ze vergeet haar oom
te bellen om hem te zeggen dat ze niet thuiskomt. Maar als ze belt
om zich te verontschuldigen als ze een vierde nacht wegblijft, zegt
hij: 'Ik weet het al, habeebti.'

Zij en Han blijven tot laat in de avond op om met elkaar te praten.
Han legt zijn boeken en papieren aan de kant, en ze zitten verliefd
tegen elkaar aan op het kleed in de meubelloze kamer en proberen
elkaar met stukjes en beetjes te vertellen wie ze zijn en waar ze vandaan komen. Han vertelt haar over het voedsel dat ze in Irak aten, de
kleren die ze droegen, de dieren en planten, de winden en rotsen van
zijn vaderland. Hij vertelt haar die dingen op een vlakke, nuchtere
toon, alsof het allemaal iets is wat hij langgeleden achter zich heeft
gelaten, simpele kunstvoorwerpen waar hij bijna zonder gevoel naar
terugkijkt. En dan probeert Sirine haar jeugd in Los Angeles voor
hem op te roepen met een soortgelijke stroom van ondergeschikte
details: hoe het in haar klaslokaal rook, haar wollen rok en kniekou-
sen, de manier waarop ze haar haar in vlechten, met haarklemmetjes of in een paardenstaart droeg, waarbij ze probeerde om het glad
te kammen, het glanzend, steil en netjes te krijgen. Maar ze merkt
dat ze moeite moet doen om zich die dingen te herinneren, en dat
vooral bepaalde herinneringen – uit haar vroege jeugd, voordat haar
ouders stierven – moeilijk zijn om naar boven te halen.

Op een avond in oktober, nadat ze vier weken met elkaar zijn en
Sirine vier nachten achter elkaar bij Han is gebleven, komt ze tot de
conclusie dat ze het huis van haar oom mist. Ze belt Han op en vertelt hem dat ze die avond niet met hem mee naar huis zal gaan. Dan
fietst ze naar huis vanaf haar werk, en volgt de smalle lichtbundel
van haar koplamp door de dichte, stroperige duisternis, de kruisarcering van koplampen overal om haar heen, en vingers van palmbladeren gebogen over het trottoir, sommige moszacht of stijf als
stro en getand. Richels en gaten lijken zich voor haar te openen en
vormen doemen op uit de schaduwen, waterachtig en veranderlijk
als vissen onder het water. Ze zoeft langs Han's appartement, banden tikkend, maar vanaf de buitenkant kan ze niet goed zien welk
raam van hem is.

Nu lijkt het alsof de nacht is vervuld van schaduwachtige vormen die ergens vanuit haar binnenste naar buiten zweven – chaotisch en vol verlangen. Ze hoort gekras in de struiken, stemmen tussen de gebouwen, de stad is vol lawaai, iedereen is aan het praten. De slaapkamerdeur van haar oom is onbeweeglijk en gesloten. Ze loopt er zachtjes langs. Babar slaapt midden op haar bed met een glimlach op zijn gezicht – dromend over het eten van mieren. Hij opent zijn ogen als ze binnenkomt en volgt elke beweging van haar. Sirine doet de ramen in haar slaapkamer open. Omdat zij en Han zoveel hebben gepraat over hun verloren thuis en familie, is ze bang dat ze zal gaan dromen over haar ouders; ze kan voelen hoe het ligt te wachten om zich in haar te ontvouwen. Die bepaalde droom. Ze legt een arm langs het raamkozijn en wenst dat ze het nu kon dromen, met haar ogen open en de nacht verlicht door sterren en straatlantaarns, de hemel zo blauw als schalie en geen spoken die wachten in de kast.

Ze wil niet denken aan Han, maar nu lijkt het erop dat ze het niet kan tegenhouden; hij heeft haar gedachten al in beslag genomen, zit in haar hoofd. Ze zit gevangen in zijn nieuwe licht, een zeegloed die zich aan haar hecht als zwemmen in een fosforescerend tij. Han. Ze voelt zijn naam in haar mond. Dan denkt ze aan de gesluierde vrouw in zijn leslokaal, het mooie ovaal van haar gezicht als een zeldzame orchidee, en Sirines hartslag lijkt hoger te worden. Ze stelt zich haar geliefde met zijn albasten ogen voor, een ivoorkleurige doek om zijn hoofd en mond geslagen om hem te verhullen, terwijl hete stuifaarde hem omringt als hij vecht voor een verdwenen rijk. Dan denkt ze aan hem, alleen in zijn stoffige, raamloze kantoor, de gangen gevuld met aantrekkelijke meisjes – veel van hen Arabisch, net als hijzelf – ontwikkeld, bekoorlijk, stuk voor stuk, zo lijkt het, met meer recht op Han dan zijzelf.

Ze ontdekt sporen van Han's geur op haar kleren en in de lucht. Ze stapt in bed en zweeft weg, en Han's stem is als een rivier die door de kamer loopt. Ze heeft nooit eerder zulke gevoelens gehad voor een man – haar Amerikaanse vriendjes leken allemaal veel gemakkelijker onder controle te houden. Nu heeft haar verlangen zich alarmerend verspreid, als een geest die uit zijn fles is gekomen.

De lucht in haar slaapkamer is warm en poederdroog. Hij hangt boven haar bed en trekt tegen het plafond. Muggen zweven door haar open raam naar binnen als geesten. De palmen langs de straat geven hun weelderige, duidelijke geur af, en er hangt nog een geur in de lucht – iets wat naar rook en aarde ruikt, als bladeren die diep op een open plek in het bos worden verbrand.

Ze kan Babar zien die opgekruld op zijn plekje aan de voet van het bed ligt, en haar gadeslaat op zijn gebruikelijke verlangende, vaag bezorgde manier. Zijn ogen glinsteren en zijn grote zwarte neus reflecteert een puntje licht. Ze kan niet slapen. Ze mist Han. Ze sluit haar ogen en er verrijst een beeld in het donker: Han, een jonge vrouw, een jongen; nootmuskaatkleurige huid, kruidnagelkleurige ogen.

Een briesje steekt op en dwaalt rond in de gordijnen. Ze opent haar ogen en denkt dat ze een hagedis op het plafond boven haar bed ziet. Ze kijkt er even naar, sluit dan haar ogen en een volgende herinnering komt naar boven: witte geschulpte randen, zwart en wit, een jonge vrouw in een geruite jurk, witte sokken, een rond bleek gezicht – haar moeder.

Sirine stapt weer uit bed, loopt naar beneden naar de in de steek gelaten zitkamer, zoals haar oom die noemt, en ontdekt het zware fotoalbum op de onderste plank van de grote boekenkast. Ze trekt het kolossale album naar voren – tot twee keer zijn grootte gezwollen door de foto's – en besluit het mee te nemen naar het kleine Italiaanse café, La Dolce Vita, vier straten verderop. Het café is alleen verlicht met kaarsstompjes in wijnflessen, waardoor het constant gesloten lijkt, maar Sirine heeft het altijd geopend gevonden, op welk moment ze ook kwam.

Het is een warme, glinsterende nacht en een paar oudere Italiaanse klanten in zwarte jassen zitten aan de kromgetrokken tafeltjes die buiten zijn neergezet. De enige kelner, de kaarsrechte, correcte Eustavio, buigt, kust haar één keer op elke wang en zegt: 'Ciao, maestra', en gaat dan een cappuccino voor haar maken – al jaren geleden heeft hij besloten dat dit de drank is die hij voortaan aan haar zal serveren.

Sirine schuift aan een van de vier kleine gietijzeren tafeltjes, waarbij haar knieën tegen de ijzeren poten stoten, en ze zwaait het album open waardoor het hele tafelblad bedekt is. Weggestopt tussen de bladzijden liggen gedroogde bloemen, oude brieven en een potloodtekening die Sirine ooit in de eerste klas maakte van haar moeder, vader en oom waarbij ze allemaal elkaars handen vasthouden, hun haar worteltjesoranje en hun ogen helemaal zeegroen. Op de stijve bladzijden van het album zijn kleine zwarte hoekjes geplakt waarin de foto's zijn bevestigd. Het zijn zwartwitfoto's en Sirines ouders zijn mager en grijnzen als kinderen. Een briesje blaast haar moeders rok omhoog en haar haar naar voren, terwijl ze op een stuk wrakhout op het strand van Catalina Island zit. Op een andere foto buigen zij en Sirines vader zich naar elkaar toe in een boog die is uitgehakt in een van de reusachtige sequoia's. Op een andere foto is haar toen nog veel jongere oom uitgelaten een soort mislukte radslag aan het maken op het grasveld bij hun oude appartementengebouw, waarvan de naam in ijzeren krulletters zichtbaar is in een hoek: Avalon. Dat was roze geschilderd, gelooft ze. Ze denkt dat ze zich dat gebouw herinnert. Of misschien herinnert ze zich alleen de foto. Foto's van onbekende vrienden, met lange benen, lachend, morsend met glazen vol drank, lui liggend in nylon strandstoelen op het gras. Sommige van die mensen zaten ook bij het Rode Kruis, samen met haar ouders. Ze wenst dat ze wist hoe ze heetten. Ze slaat de bladzijden om en dan is zijzelf daar, stevig gewikkeld in een dekentje, witblond haar rechtopstaand als de punten van een ster om haar hoofd, haar kleine gezicht gerimpeld, haar vingertjes om de wijsvinger van haar moeder gekruld. Sirine brengt haar gezicht heel dicht bij de foto's en bestudeert ze.

'Aha, het middernachtelijke fotoalbum,' zegt haar oom over haar schouder. Hij gaat tegenover haar aan het tafeltje zitten, waarbij zijn knieën tegen de ijzeren poten stoten. 'Het is weer zover.'

Ze grinnikt naar hem. 'U wist dat ik hier was?'

Hij haalt zijn schouders op. 'Lijkt me logisch.'

Eustavio komt haastig aangelopen, kust haar oom en begroet hem uitvoerig in het Italiaans.

'Si, si, si,' zegt haar oom, het enige Italiaans dat hij kent.

'Oom, uit welk deel van Irak komt onze familie?' Er is een foto van haar vader die zijn voeten gekruist op een bureau heeft gelegd dat is bedekt met stapels papieren, een verbijsterde uitdrukking op zijn gezicht.

'De middernachtelijke Iraakse conversatie,' zegt haar oom. 'Heb ik je dat nooit eerder verteld? Ik zou kunnen zweren dat ik dat heb gedaan, maar misschien ook niet...'

'Alstublieft, vertel het me dan nog een keer.'

'O, we komen uit een klein oud plaatsje. Het heette Bab el Shaikh – De deur van de sjeik – vind je dat een leuke naam?'

'U praat er nooit over. U praat helemaal nooit over Irak.'

Hij steekt zijn handen omhoog. 'Ik ben een sentimenteel iemand. Alles raakt mijn gevoelige hart. Als je een sentimenteel iemand bent, dan vind je het moeilijk om over dat soort dingen te praten.'

Een foto: haar ouders, armen om elkaar heen, haar moeders wijde rok die in een windvlaag opwaait.

Sirine tikt met haar vingers tegen haar koffiekop. 'Hoe komt dat?'

'Omdat je dan over het verschil tussen toen en nu gaat praten, en dat is vaak iets droevigs. Immigranten zijn trouwens altijd al een beetje droevig. Niemand waarschuwt je ervoor als je je land verlaat wat dat doet in je hersenen. En verder zijn sommige immigranten droeviger dan andere. En er zijn allerlei soorten redenen, maar de belangrijkste reden is wel dat je niet terug kunt gaan. Zo bestaat het Irak waar jouw vader en ik vandaan komen gewoon niet meer. Het is een nieuw, angstaanjagend land geworden. Als je oude huis niet meer bestaat, dan wordt alles in het algemeen nog droeviger.'

Eustavio brengt hen borden met bedauwde, naar rozen geurende *panne cotta*. 'Vind jij ook niet dat emigranten droeviger zijn dan andere mensen?' vraagt haar oom aan de kelner.

Eustavio gaat rechtop staan en sluit zijn ogen. Hij antwoordt Sirines oom in het Italiaans, dan zegt hij tegen Sirine in Engels met een zwaar accent: 'Droefheid? *Certo!* Als we ons vaderland verlaten, worden we verliefd op onze eigen droefheid.'

Sirines oom knikt terwijl Eustavio wegloopt. 'Je hoort het,' zegt hij.

Sirine trekt haar lepel door de dikke laag schuim op haar koffie. 'Hoe was het? In uw stadje in Irak?'

Hij denkt er even over na. 'Ik zou zeggen ongeveer hetzelfde als hier. Alleen klein. En geen films. Droog en heet in de zomer. Nat en koud in de winter. Er gebeurde niet veel. Er was een groentemarkt waar ze de beste tomaten achterhielden. Een kleine witte school, houten lessenaars. Iedereen bemoeide zich altijd met elkaars zaken, dat herinner ik me nog wel. Niemand bezat veel, geen auto's of tv's. We hadden een paar ezels. Jouw vader en ik, we hadden lol in stenengooigevechten tegen de kinderen die op de heuvel woonden.'

'Han's broer werd gearresteerd en hij zit nog steeds in de gevangenis,' gooit Sirine eruit. 'Han zegt dat hij nooit meer terug kan gaan.'

Een foto van een tweejarige Sirine die in een opblaasbadje zit, met een van de bandjes van haar badpak van haar schouder gegleden.

Haar oom staart naar haar, sluit zijn ogen. Uiteindelijk wrijft hij met zijn vingertoppen over zijn ogen. 'O nee. Vreselijk. Ja, weet je, het Irak waar jij over praat is een ander Irak. Totaal anders dan het land waarin jouw vader en ik zijn opgegroeid. Het spijt me voor Han.' Hij drukt zijn knokkels tegen zijn mond en denkt even na. 'Heb je daar die foto van ons tweeën? Toen we hier pas waren, waren we zo mager als Frank Sinatra ooit is geweest.'

Sirine vindt de foto: knokige ellebogen, magere nekken, knokige knieën, hun broekspijpen die vijf centimeter boven hun enkels hangen, hun armen om elkaars schouders geslagen. 'We lieten een zo groot mogelijke snor staan. We waren er behoorlijk zeker van dat de meisjes daar helemaal weg van zouden zijn.'

Sirine laat een vinger over de foto glijden; raakt haar vaders snor aan.

'Habeebti,' zegt haar oom, waarbij zijn stem als een sliert rook om haar hoofd krult. 'Waarom ben je zo gespannen? Maakt Han je bang? Al die verhalen van hem?'

'O nee...' Ze begint haar hoofd te schudden. Toch wel.

'Ik denk dat we hier allemaal veilig zijn, lieverd. Waarom zou je in de bezemkast kijken of Saddam Hoessein daar is?'

Sirine vouwt haar armen over haar borst.

'Habeebti,' zegt haar oom. 'Jij kunt dit prima. Je oom is de bange wezel in de familie... jouw vader was dat niet. Die was moedig. Je kunt dat al zien door alleen maar naar hem te kijken. Kijk eens naar die snor! Hij was nergens bang voor. Hij ging overal heen... Hij werd verliefd op je moeder op de manier waarop je in een meer springt.'

Sirine kijkt naar de foto, de vage gezichten, en ze wenst dat ze zich kon herinneren hoe haar vaders stem klonk. Ze denkt dat die misschien net zo klonk als de stem van haar oom. Ze neemt een hap van de custardachtige panne cotta en die smelt weg in tien aparte smaaksensaties. Ze ruikt sinaasappels en citroenen, kersen en hout en zelfs de zachte zijde en wol van Perzische tapijten, de geur waarvan ze dacht dat die uit Irak afkomstig was.

Weer thuis valt Sirine in slaap op de vloer in de zitkamer, het grote fotoalbum onder haar hoofd als een kussen. Haar oom drapeert een deken over haar heen en Babar komt dicht tegen haar aan liggen. Ze doezelt wat en het dromen gaat over in herinneren; een stukje herinnering dat boven haar hoofd ronddraait, zich ontrafelt, zoals zo vaak gebeurt, en iets blijkt te zijn waarvan ze dacht dat ze het was vergeten.

Misschien was ze vier jaar. Het kleine meisje waar Sirine naar staarde door het glazen oog van het televisiescherm, was vermoedelijk net zo oud als Sirine. Het scherm was rond en gebogen. Toen de eerste televisie in huis kwam, dacht Sirine dat het een vissenkom was, en ze was teleurgesteld toen ze het licht aandeden en er mensen in zaten.

Maar ze begon het toch leuk te vinden om ook de mensen te zien. Ze keek naar het kleine meisje op de tv. Ze raakte het glas van het scherm aan en elektrische geluiden knetterden tegen haar hand. 'Hoe heet ze?' vroeg Sirine.

'Dat weet ik niet,' zei haar oom. 'Misschien heet ze Meena?'

'Ja,' zei Sirine. 'Dat denk ik ook.'

Het kleine meisje keek naar Sirine. Sirine kon merken dat ze haar zag aan de stand van haar ogen. Ook al was het een zwartwittelevisie, toch kon ze de huidskleur van het kleine meisje zien. Ze drukte haar pols tegen het gezicht van het kleine meisje om het verschil tussen hen beter te kunnen zien. 'Kijk,' zei ze. 'Ze is gekleurd. Net als *baba*.'

'Ja, net als jouw baba.'

Sirine ging op ongeveer twintig centimeter van de tv zitten en stopte haar vinger in haar mond. Het kleine meisje had een gezwollen buik en er kropen vliegen aan de randen van haar ogen. Sirine wilde over die dingen vragen stellen, maar ze deed het niet. Toen klonk er een groot woord en haar oom zei dat het grote woord Bangladesh was. 'Mama en baba,' zei Sirine.

'Ja, habeebti,' zei haar oom. Zo noemde iedereen Sirine: habeebti. Mijn schat. 'Daar zijn ze nu.'

'Kennen ze Meena?'

'Moeilijk te zeggen. Dat zullen we ze moeten vragen als ze terugkomen,' zei haar oom.

Toen ze de tv uitzetten, veranderde het kleine meisje in een klein puntje van sterrenlicht in het midden van het scherm. Sirine legde haar vinger erop.

Sirine en haar oom zaten op de harde bank en keken naar het nieuws. Het nieuws had twee ernstige mannen en ze heetten Huntley en Brinkley. En hun muziek vóór het nieuws was angstaanjagend en hard en het liep over Sirines lijfje als regen. Later volgde er een

aflevering van *Perry Mason* en zijn muziek bestond uit lange schaduwen.

Maar toen ze luisterden naar de harde muziek en keken naar de
ernstige mannen, wist Sirine dat ze naar haar ouders zochten. Haar
ouders waren altijd op plaatsen waar de mannen over spraken. En
ook al zag ze nooit haar mama of baba op de tv, toch wist ze dat ze
ergens binnen in de televisie zaten.

12

Dus tante Camille maakt zich klaar voor haar reis naar de Nijl. Maar dit brengt een interessant punt naar voren – namelijk dat een reis nooit zomaar een reis is en een plaats nooit zomaar een plaats. In sommige Arabische landen, als iemand daar over Malta praat, nou, dan hebben ze het over de maan. Als iets zo mooi is dat je het bijna niet kunt verdragen, dan zeg je dat het je naar de Tuin van het Paradijs heeft gevoerd. Als je beweert dat je bereid bent om naar de bron van de Nijl te reizen, dan zeg je eigenlijk dat je voor eeuwig wil blijven wachten op wat je graag wil. En mensen die stapelverliefd zijn geworden? Die zeggen dat ze naar Bagdad zijn verhuisd.

De ochtend in het restaurant is stralend als chroom en werkt op Sirines zenuwen, zo intens heet; die eigenaardige late herfstwarmte van Los Angeles die ruikt naar beenderenmeel, citroen en stof, kleren die kurkdroog worden aan de waslijn, opgedroogd zeewier en oceaanzout als een hoogwatermarkering in de lucht. Zelfs het gebulder van vliegtuigen klinkt lager, opgezogen in de hitte als het geluid van stijgende temperaturen. Als haar dromen al gekomen zijn, dan hebben ze alles in de ochtend weer uitgewist – ze herinnert zich niets. Ze was wakker geworden met een kreukel in haar wang van het fotoalbum waarmee ze was gaan slapen, en met Babar aan haar voeten, die haar aankeek met jaloerse, vochtige ogen.

Ze begint aan de koffie voor de ontbijtklanten in het café en inhaleert het rijke aroma. Meestal is die geur een troost, maar op de een of andere manier vormt het vandaag een kleine knoop onder haar borst. Ze gaat naar de achterkeuken en stopt in de deuropening, waar ze uitkijkt over de binnenplaats. De lucht is vol langgerekte wolken, strepen kobalt en poederblauw, een zwiepende wind. Mireille doet haar kinverstrakkende gezichtsoefeningen in de spiegel van de open wc-deur. Ze heeft met eyeliner kleine kattenoogstreepjes bij haar ooghoeken getrokken. Victor Hernandez veegt borden schoon en kijkt op zijn gebruikelijke manier naar Mireille – een beetje mismoedig en verloren. Sirine zou nu eigenlijk tomaten moeten snijden, maar in plaats daarvan stapt ze naar buiten op de veranda, waar ze een vreemde en heerlijke eenzaamheid koestert. Ze gaat zitten op de koele traptree. Um-Nadia komt naar buiten met een pot koffie en een kopje en gaat naast haar zitten. 'Waar denk je toch constant aan, habeebti?'

Sirine laat haar kin in haar handen zakken en staart naar de bloeiende bougainville met zijn uitbundige kleurenpracht. 'Hoe noemen ze die ook alweer, de gekke-vrouwenboom?'

'De mejnoona. Gek van liefde.'

De hele morgen staat Sirine het brooddeeg in en uit elkaar te duwen, en ze rolt koolbladeren, dik en zijdeachtig, om rijst en krenten. Ze doet nieuwe ingrediënten in een salade, een decoratie van noten, verse kruiden en gedroogd fruit. Um-Nadia proeft haar salade, die smaakt naar oceaan en helmgras en lijkt te schrikken. 'Wat is dit goed,' mompelt ze.

Sirine neuriet en roert. Ze rommelt in zakken wilde rijst. Terwijl Victor rondrent, en de gebruikelijke borden met hummus en tabouli verzamelt, maakt zij een mosterd van geplette druiven, een cake met flink wat kaneel en peper.

Die middag komen Nathan en haar oom binnen, en hij is Nathan aan het vertellen over de zeven soorten glimlachen. 'Er is ook de Glimlach Door Tranen Heen, die op- en neergaat, als je probeert nobel te zijn; de Onschuldige Hondenglimlach, als er iets te verbergen valt; de Knap Gezicht Glimlach, als je wil dat iedereen je bewondert...'

Sirine begint thee in te schenken, maar Nathan schudt zijn hoofd. 'Nathan is een uitstekende chaperon,' zegt haar oom. 'Hij luistert. Het merendeel van de tijd.' Ze brengt haar oom een bord met mamoolkoekjes gevuld met dadels. Haar oom houdt een koekje omhoog: 'Kijk hier eens naar. Arabieren vullen alles – een tomaat, een koolblad, een koekje. Allebei de middeleeuwse kookboeken – *Het kookboek van Al-Baghdadi* en *De Kitab al-Wusla Ila'L-Habib*, ook bekend als *Het boek van de band met de geliefden* – bevatten recepten voor smakelijke aubergines, gevuld met vlees. Wist je dat Shakespeares favoriete gerecht gevulde aubergine was? En er zijn mensen die zeggen dat Shakespeare eigenlijk sjeik Zubayr heette.' Haar oom zwaait naar Nathan. 'Dat is nog eens een leuk scriptieonderwerp voor je.'

Hij drinkt zijn thee op en vertrekt met de mededeling dat hij nog les moet geven, maar Nathan blijft aan het tafeltje zitten. Sirine merkt op dat hij zijn grote camera aan een band rond zijn nek draagt, en zijn uitpuilende boekentas neemt de stoel naast hem in beslag. Hij legt zijn camera boven op de tas naast hem. Dan verandert hij van gedachten en legt hem op het tafeltje.

's Middags is Nadia's Café vaak een plek voor studenten; de staf gaat meestal naar huis, naar hun vrouwen en gezinnen. Telkens als er een professor verschijnt gaat er een geroezemoes door het café. De studenten raken geïnteresseerd. En het lijkt erop dat door zijn omgang met de docenten een beetje van deze mystiek ook aan Nathan is blijven kleven. De studenten kijken even naar hem. Abdullah, een broodmagere ouderejaars uit Jemen die bouwkunde studeert, kijkt even naar Nathans camera, en Gharb en Jenoob, nieuwe studenten uit Egypte, proberen zonder succes om Nathan te verleiden tot een discussie over de rechtmatigheid van belastingen.

Sirine is klaar met het bereiden van zes borden shish kebabs van lamsvlees en drie borden met kip, sprenkelt nog een beetje olie over rundergehakt en hummus, over gekruide gepureerde aubergine, over een kom met olijven en druppelt wat citroensap over vier taboulisalades. Ze veegt het werkblad schoon en leunt er dan tegenaan om naar Nathan te kijken.

'Mooie camera,' zegt ze.

Zijn grijze ogen schieten in haar richting en bewegen zich dan snel weer weg. 'Ja,' zegt hij. 'Vind je niet?' Hij houdt hem liefdevol in allebei zijn handen. 'Wil je hem bekijken?'

Ze laat hem haar handen zien die glinsteren van uiensap en knoflookvelletjes. 'Bedankt, maar...' zegt ze.

Zijn blik is strak, open en verschrikkelijk serieus, zijn uitdrukking geconcentreerd en oververhit. Dan kijkt hij weer naar zijn koffie, roert er linkshandig in en giet er met zijn rechterhand suiker in. 'Ik heb net wat nieuwe afdrukken gemaakt. Misschien wil je ze zien,' zegt hij terloops. Hij haalt een map uit zijn boekentas en trekt een foto uit de map. Die is zo groot als een vel typepapier, matglanzend met grijswitte tonen, en het duurt even voordat ze ziet wat het is: een foto van Sirine en Han die dicht bij elkaar staan, hun gezichten stralend, een beetje onscherp. Ze kijken alsof ze op het punt staan elkaar te kussen, maar ze houden allebei een bord en een plastic wijnglas vast. Sirine veegt haar handen zorgvuldig af en pakt de foto bij de randen vast. Ze denkt even dat het papier heet en elektrisch aanvoelt als de kookplaat van een keukenfornuis, waarbij die gewaarwording door haar lichaam tintelt. Het is zo'n teder beeld: alsof iemand erin geslaagd is om een foto te maken van het moment van liefde, een prismatische mist, gevangen terwijl het in de lucht tussen hen in glinstert. 'O jee,' zegt ze. Dan kijkt ze op naar hem. 'Wanneer was dit? Ik kan het me niet eens herinneren.'

Hij haalt zijn schouders op, bescheiden en gegeneerd. 'Ik hoop dat je het niet erg vindt. Ik vraag nooit om toestemming – ik bedoel, dat kan ik niet. Mijn foto's komen min of meer over me, als ik de geest krijg. Ik zie iets en dat is het dan gewoon, dan móet ik dat shot nemen.' Zijn ogen glinsteren achter zijn brillenglazen. Hij raakt de foto aan. 'Dit was op de receptie voor Aziz. Jullie stonden daar samen te praten en ik was min of meer verborgen in de menigte. En jullie keken allebei zo – nou ja, zó...' Hij gebaart naar hun afbeeldingen. 'Zoals je kunt zien. Maar ik bedoel, ik wil niemand lastigvallen – als je het niets vindt...' voegt hij er haastig aan toe, terwijl hij zijn hand uitsteekt naar de foto.

'Ik vind hem prachtig,' zegt ze, terwijl ze de foto steviger vasthoudt. Ze krijgt even een onbehaaglijk gevoel omdat hun persoonlijke leven zo openbaar lijkt – zo zichtbaar – maar dan denkt ze dat dit meer het resultaat moet zijn van Nathans vakmanschap – dat hij ziet wat anderen niet kunnen zien, als een dokter of een priester – iemand van wie je aanneemt dat die er blasé voor is en professioneel omgaat met vertrouwelijke informatie.

'O ja? Echt waar?' Zijn lippen zijn bleek, zijn ogen neergeslagen, zijn wimpers dik als stukjes vilt.

Net op dat moment klingelt de deur open en komt Han binnen. Nathan trekt snel de foto uit Sirines handen en stopt hem terug in zijn tas. Als hij opkijkt, lijken zijn ogen licht en diepte te hebben gekregen, alsof dit precies degene was op wie hij zat te wachten. Hij houdt zijn boekentas omhoog in Han's richting. 'Ik heb vandaag wat oude filmrolletjes ontwikkeld en er zitten wat afdrukken bij die je misschien wel...'

Han glimlacht naar Sirine alsof Nathan een grap tussen hen tweeen is, maar Sirine kijkt naar de tas, haar nieuwsgierigheid gewekt ondanks zichzelf. 'Graag,' zegt ze.

Nathan haalt voorzichtig een nieuwe map te voorschijn, slaat die open en spreidt een aantal grote zwartwitafdrukken over de tafel uit. De foto's zijn betoverend en mooi: mannen met lange geweren, lange zwaarden, met franjes versierde ingewikkeld gedrapeerde hoofdtooien. Er zijn achtergronden van uitgestrekte witte valleien, foto's van oudere mannen met scherpe gezichten, met lange beenderen en schaduwen om zich heen, jongere mannen met fijne, driehoekige jukbeenderen.

'Mijn god,' fluistert Han, terwijl hij door de afdrukken bladert. 'Moet je dit zien.' Hij pakt een foto op van een eenzame karavaan met lange schaduwen langs een waterige horizon van duinen. 'Dit zijn de Iraakse woestijnstammen, nietwaar? Bedoeïenen.'

'Precies, precies,' zegt Nathan. 'Maar er kunnen ook wat moeras-Arabieren tussen zitten. Misschien wat Koerden.'

Han pakt een opname van een lachende man op, een hand in zijn schoot, het lange handvat van zijn kromzwaard tegen zijn borst gedrukt, spierwitte tanden in een gezicht donker van het stof. 'Die gezichten,' zegt hij zacht.

En ook Sirine is getroffen door de kalme, geduldige blik van deze mensen, alsof ze hun hele leven doorbrengen met het afturen van de horizon, alsof afstand en tijd zijn ingebouwd in hun lichaam. Ze bewondert een opname van kamelen, hun hooghartige, intelligente koppen.

'Je hebt hier iets moois weten vast te leggen, denk ik,' zegt Han. 'Heel bijzonder.'

Nathan kijkt omlaag, blij en ogenschijnlijk een beetje verbijsterd door de lof. Han draait de foto van de lachende man om. 'Dit zou haast de broer van onze putbewaker kunnen zijn – Aboe-Najmeh. Hij heeft net zo'n lach – die verlichtte zijn hele gezicht. En hij hield zijn hand altijd zo, over zijn hart, alsof hij een gelofte aflegde.' Han kijkt naar Nathan. 'Heb jij bij die mensen gewoond?'

Nathan staart in het zwarte oog van zijn koffiekop, schudt dan zijn hoofd. 'Alleen bezocht. Ik heb door heel Irak gereisd, maar ik bleef trekken. Hoe meer ik zag, hoe meer ik wilde zien. Totdat ik uiteindelijk een poosje in Bagdad ben gebleven.' Hij kijkt even naar Sirine. Han bladert door nog meer afdrukken en stopt bij een foto van bergen, omhuld door schaduwen van wolken. 'Hier,' zegt hij. 'Dit landschap.' Hij laat het aan Sirine zien. 'Ik was dol op dit gebied.'

Nathan knikt. 'O, de Masrah-vallei.'

'Mijn vader had daar familie wonen. We bezochten ze altijd in de lente. Ik kan het bijna ruiken,' zegt Han. 'De lucht ruikt naar droge grotten, verschroeid onkruid en botten.'

'En zout en olijven en koffie,' zegt Nathan. 'En de lucht is vol wit stof.' Nathan verzamelt de foto's en schuift de map naar Han toe. 'Alsjeblieft, je mag deze hebben.'

Han aarzelt en kijkt even naar Sirine.

'Het geeft niets,' zegt Nathan. 'Ik heb de negatieven. Ik heb nog veel meer foto's van dat gebied. Alsjeblieft.'

Sirine kijkt een andere kant op; ze trekt een nieuwe foto uit de map en staart er verrast naar. Het is een stadsbeeld: een opdringerige baan neon in de schemering, kleden die uit hoog oprijzende ramen hangen, bogen en deuren in de vorm van een sleutelgat, strepen van auto's en motoren, op verschillende hoogtes gebouwde appartementen, een tekst in het Arabisch en Engels, mensen die tussen auto's door schieten, een jongen die een zilveren dienblad draagt; alles ziet er met roet bevlekt, scheef en duizelingwekkend uit. Een waanzinnige plaats; ze houdt de foto aan de randen geklemd tussen haar vingertoppen, alsof hij vlam zou kunnen vatten. Hij trekt aan haar, geeft haar het gevoel alsof ze voorover valt, alsof ze, wanneer ze de foto nog een moment langer zou vasthouden, op dat grauwe asfalt zou vallen.

Han kijkt even over haar schouder. 'Waar kijk je...'

Nathan merkt op: 'O, ik haal altijd mijn foto's door elkaar. Dat is Bagdad...' Hij begint de foto uit haar vingers te trekken, maar stopt dan en kijkt fronsend op. 'Sirine, is daar... rook?'

Ze kijkt eindelijk weg van de foto en realiseert zich dat er een donkere spiraal van iets wat aan het verbranden is, vanuit de achterkeuken doordringt. Ze schuift haar stoel naar achteren en schiet door de klapdeur. Het is een grote pan met rijst – ze heeft die op een laag vuur achtergelaten, maar is die daarna helemaal vergeten. Nu vult de achterkeuken zich met rook en uit de rijstpan komt een zwarte wolk gestroomd.

Sirine tilt de pan van het fornuis en haast zich naar de binnenplaats, en hoopt dat Victor nog geen tijd heeft gehad om de batterij-en van de blusinstallatie van het restaurant te vervangen. Um-Nadia, Mireille en Victor staan allemaal bij elkaar in de rook. Ze turen naar haar als ze de grote pan de trap af sjouwt en die op de leistenen zet. 'Ik dacht al dat ik iets rook,' zegt Mireille.

Victor tilt het deksel op en wappert ermee naar de grote wolk rook. 'Wauw,' zegt hij. 'Iemand heeft de rijst laten verbranden.'

'Heb jij de rijst laten verbranden?' vraagt Um-Nadia; ze kijkt ver-baasd, zelfs opgewonden. 'Jij laat nooit de rijst verbranden.'

Sirine wrijft over haar voorhoofd. 'Wat een bende. Wat een bende.'

'Jij laat nooit de rijst verbranden,' zegt Um-Nadia opnieuw, nu openlijk glimlachend. 'Heel interessant.'

Tegen de tijd dat Sirine teruggaat naar de keuken, is Nathan ver-trokken en vertelt Han haar dat hij college moet geven. Nadat hij weg is, merkt ze dat er iets naast de grill zit gestoken. Het is de foto die Nathan heeft genomen van haar en Han; een van de randen gekruld doordat die zo dicht bij de hitte zit; ze kan het verbrande papier rui-ken. Op de achterkant van de foto staat een adres en een aantekening die simpelweg vermeldt: Nathans studio.

Khoorosh, de kruidenier, zit aan een tafeltje te lunchen. Hij kijkt op van zijn bord met gevulde kool en gebaart met zijn vork. 'Die Amerikaanse jongen heeft dat voor je achtergelaten,' zegt hij. 'Hij is een beetje gestoord, neem dat van mij aan. Soms komt hij naar de Victory en neemt dan foto's van dingen.'

'Wat voor dingen?' vraagt Sirine.

Khoorosh veegt zijn grote snor af met twee vegen van zijn servet. 'Idiote dingen. Dozen tissues, babyvoeding, selderie. Hij maakt me erg nerveus. Ik heb eens tegen hem gezegd dat hij zich beter zou voelen als hij wat voedsel zou eten in plaats van er foto's van te maken.'

'Wat vreemd.'

'Hij is zo'n type dat ervan houdt om te discussiëren, vraagt overal je mening over – wat vind ik van deze president, die dictator, de sjah vergeleken met de ayatollah, Iraanse joden, Iraakse joden, Palestijn-se christenen, moslims in Hollywood – wat al niet,' zegt hij, terwijl hij het wegwuift met een hand.

Sirine kijkt naar de deur. 'Wat zeg je daarop?'

Hij neemt een grote hap van zijn kool en haalt zijn schouders op. 'Ik zeg dan dat ik een kleine zakenman ben. Ik heb geen tijd voor politiek, ik heb geen geld, ik heb de energie er niet voor, en ik heb er niet echt belangstelling voor. En bovendien vind ik de meeste mensen op de wereld prima.'

'Nou dan. Gelukkig voor ons,' zegt Sirine tegen hem, terwijl ze tegen de bar leunt.

Hij grinnikt tegen haar, steekt de laatste gevulde kool aan zijn vork, houdt die halverwege in de lucht en zegt van harte: 'Van jou hou ik.'

Ze brengt de rest van de dag door met haar ellebogen tegen haar zijden gedrukt, waarbij ze nauwelijks opkijkt van het voedsel of van het fornuis. Ze ziet telkens de vage foto voor zich, die haar gedachten opeist: Bagdad. Ze wil nooit ergens heen, denkt ze. Ze wil haar huis nooit verlaten.

Maar die avond, als het werk klaar is, wil ze weer terug naar Han's appartement.

13

Tante Camille, sir Richard Burton, mevrouw Burton en een stuk of vijfentwintig dragers, spoorvolgers, lopers, gidsen en algemene helpers staken de onbetrouwbare, koperkleurige Sinaï over naar Moeder Afrika, gingen linksaf bij Caïro en namen per ongeluk de lange weg langs de Nijl. Burton was een betere vertaler dan ontdekkingsreiziger en een betere feestvierder dan vertaler. Maar je weet hoe sommige mensen zijn: ze zijn goed in één ding, dus denken ze dat ze overal goed in moeten zijn.

Ze volgden het sprankelende, breder wordende water naar plaatsen waar het veranderde in gesponnen zilver en melk. Maar het is vreemd hoe de namen van dat water werkten – de Blauwe Nijl ziet er helemaal niet blauw uit en de Witte Nijl is niet wit, en misschien denk je dat de Dode Zee niet veel persoonlijkheid heeft, maar hij bijt en krabt zodra je erin gaat en laat een korst over je hele lijf achter als je geen douche neemt.

Maar goed. Uiteindelijk gingen ze in de richting van de bron van de Nijl – het Nyanzameer of Tanameer of Albertmeer of Tanganjikameer – ook Victoriameer genoemd – afhankelijk van de richting waaruit je kwam en welke dorpen je plunderde. Maar trekt de rivier zich iets aan van de namen van zijn bronnen? Zelfs de Libanezen kunnen maar niet beslissen of ze nu Arabieren zijn of niet, aangezien er zo'n tweeduizend jaar geleden wat Feniciërs in de buurt waren.

Niettemin kwamen ze bij een kruising, waar een enorme *mishkila* ontstond over welk meer de zuiverste bron van de Nijl was. Sir Richard stelde dat het de grootste bron moest zijn, terwijl zijn vrouw pleitte voor de oudste, maar tante Camille was op zoek naar de ziel van de rivier. Uiteindelijk besliste zij – zoals zulke beslissingen vaak worden genomen – niet op grond van de wetenschap of geschiedenis, maar doordat ze luisterde naar haar innerlijke stem. Ze zou naar het meer gaan met de mooiste naam, het woord dat zich ontvouwde als de bladeren van een begonia – Tanganjika, hetzelfde meer dat tevens was genoemd naar een besnorde en zuur kijkende oude Engelse koningin. Tanganjika/Victoria zou het beste van twee dingen zijn, dacht ze, van Noord en Zuid, van Afrikanen en kolonisten, van kippen en eieren, enzovoort.

Dus daar brachten ze haar naartoe, naar de steile groene oever van het Tanganjikameer. Het water spreidde zich als een baljurk voor haar uit; het ontrolde zijn diepe groene wateren, en vissen hingen in zijn stromingen als stukjes jade en topaas. Ze lieten haar daar alleen achter, met alleen een jonge Afrikaanse drager en een hond met jakhalsoren, en uiteindelijk realiseerde de drager zich dat niemand echt op hem lette, waarop hij wegglipte in een smalle opening van de jungle. Wat tante Camille best vond. Die nacht zag het water er loom en bodemloos uit, en lichtvlekjes dansten als metalen schubben op het oppervlak. Ze zag dingen vanuit haar ooghoeken en ving geluiden op met haar oorschelpen, en ze ontrolde haar Harizkleed en sliep languit onder iedere ster aan de hemel, waarbij krekels de hele nacht door tjirpten.

De rest van het verhaal is gebaseerd op geruchten en vermoedens, maar dit is wat ze vertelde: ze werd de volgende morgen vroeg wakker door een stem in haar achterhoofd die klonk als een klok. De lucht was vervuld van een glinsterend gordijn van insectengezoem, en de stem kwam als honing die in een boog in een kom melk vloeit. 'Ik ben de bewaker van de Nijl,' zou de stem gezegd hebben. 'En ik hoor dat je naar mij op zoek bent.'

Sirine fietst die avond naar Han's appartement. Ze is doodop van haar werk, haar geest zacht. Nathans foto van hen tweeën zit in een envelop in het mandje dat aan haar stuur is bevestigd. Ze ziet een streep licht onder zijn deur door schijnen en klopt zacht. Hij doet de deur open en zijn gezicht breekt open in een brede lach. 'Sirine,' zegt hij, alsof hij haar in jaren niet heeft gezien. 'Ik heb je gisteravond gemist.' Hij omcirkelt haar met zijn armen en neuriet iets op het ritme van de Arabische muziek, en ze bewegen zich over de vloer van de zitkamer – niet helemaal een dans, maar méér dan geschuifel. Ze lachen en draaien rond op het beige vloerkleed, langs de stapel boeken, bergen papierbladen met aantekeningen, potloden, een kaartsysteem, blocnotes. Ze ziet dingen in flitsen – koffiekringen op papier, verkreukelde overhemden, losse sokken. De ordelijke, keurige kamer van hun eerste afspraakje is verdwenen. Ze dansen rond openliggende boeken, open muziekcassettes, een paar borden bedekt met kruimels, koffiekopjes vastgeplakt aan schoteltjes, over een paar verkreukelde papieren van studenten, en uiteindelijk naar de slaapkamer.

Ze lacht lichtzinnig. Een stemmetje in haar hoofd waarschuwt haar dat ze het even rustig aan moet doen – moet proberen alles op een rijtje te zetten. Maar in plaats daarvan laat ze zich boven op hem trekken als hij achterover valt op het bed, waarbij ze om elkaar heen rollen alsof ze samen een heuvel afrollen. Hij houdt haar dicht tegen zich aan en ze beginnen elkaar zo heftig te zoenen dat ze bijna buiten adem raakt; gekleurde lichten flitsen achter haar ogen. Han trekt aan zijn overhemd, negeert de knoopjes, trekt het over zijn hoofd uit. Ze trekt haar rok omhoog rond haar heupen en laat haar broekje omlaag glijden. Ze klimt boven op Han, maar dan draait hij haar om, kantelt haar heupen en penetreert haar van boven af, hun vrijen intens en zwijgend, waarbij het lichtzinnige verdwijnt. Als ze klaarkomt, sluit ze haar ogen en heeft ze opnieuw het gevoel alsof ze naar voren vliegt door de lengte van haar lichaam. Dan vrijen ze opnieuw, met nauwelijks een pauze ertussenin. Ze vrijen te vaak, totdat ze zich allebei verbrand en half gevild voelen. Ze inhaleert de lucht aan de binnenkant van zijn hals en in zijn haar. De lucht van zout. Ze wrijven hun voeten tegen elkaar, kussen en gaan anders liggen, maar kunnen geen plek vinden waar ze hun armen kunnen laten rusten. Ze is opgewonden van haar verlangen, van hun stroom van kussen, van de exotische nacht in een toch nog vreemde kamer, de gehoornde maan die door de balkondeur wordt omlijst, schuin en wachtend als een kelk om te worden gevuld. En als ze uiteindelijk in slaap vallen, is het alsof ze in een put vallen, echoënd, bodemloos en donker.

Later wordt Sirine weer wakker in de vroege ochtendmist en ze houdt Han's hand vast. De klokradio zegt dat het al halfzes is en ze heeft het gevoel alsof ze helemaal niet geslapen heeft. Ze staat op om naar de badkamer te gaan en de mist is als een sluier tegen de donkere ramen. Ze ziet de boeken, de briefopener, een opalen gebeds-snoer met een zilveren kwastje, maar de foto van Han met de jongen en de jonge vrouw is verdwenen, terwijl vreemd genoeg het lege zilveren lijstje is blijven staan.

Han is wakker als ze terugkomt, wachtend op haar. Hij opent zijn armen, strekt zich naar haar uit. 'Kom terug in bed.'

'Dat kan niet. Ik moet echt zo weg. Ik kom tegenwoordig telkens te laat op mijn werk.' Maar dan stapt ze weer in het warme bed en legt haar hoofd tegen zijn borst, kamt met haar vingers door het krullende haar.

'*Ya elbi, ya hayati, ya eyeni,*' mompelt hij.

'Wat betekent dat?'

'*Elbe* betekent "mijn hart", *hayati* betekent "mijn leven". *Ya eyeni* "mijn ogen".' De woorden glinsteren boven haar. 'Zeg nog eens wat.'

'*Ya wardi* "mijn bloem", *ya thahabi* "mijn schat"...' Het is als een litanie van lichaamsdelen, dingen van de aarde en lucht en dingen die lichamelijk en bovennatuurlijk zijn – 'mijn roos, mijn zevende hemel, mijn vijgenboom, mijn goud, mijn zintuigen' –, alsof alles met elkaar verbonden is binnen deze liefdestaal.

'Het is als een gedicht,' zegt ze, terwijl ze met haar vingers op zijn borst tokkelt. 'Het klinkt meer als liefde in het Arabisch.'

'Dan in het Engels? O. Dat weet ik niet. Romeo en Julia kwamen uit Engeland. Hoewel ze in het verhaal Italiaans zijn.' Hij gaapt uitvoerig, laat een hand over haar haar glijden. 'De Amerikanen zouden zeggen dat je etnocentrisch bent.'

Sirine lacht. 'Wat zouden de Arabieren zeggen?'

'Waarschijnlijk dat je gelijk hebt.' Zijn blik glijdt over haar. 'Mijn Amerikaanse koningin van Sheba.' Ze trekt haar vingertoppen langzaam over zijn gezicht en hij sluit zijn ogen even. 'Soms als ik naar je kijk heb ik het gevoel alsof ik een vrije val aan het maken ben,' zegt hij, en hij opent dan zijn ogen. 'Alsof je uit de top van een boom valt of zoiets.'

Ze knippert met haar ogen. 'Hoe bedoel je dat?'

'Hoe moet ik...?'

'Wat aan mij maakt dat je je zo voelt?' Ze vindt het vrijmoedig dat ze dat vraagt, dat ze dat zo ronduit vraagt. Maar hij heeft precies datgene beschreven wat zij ook voelt – het gevoel van omlaag storten – zo snel en zo ver.

Hij leunt nu op zijn ellebogen en houdt haar vast, terwijl hij zichzelf boven haar in evenwicht houdt. Hij kijkt haar intussen aan, zijn adem bewegend in haar haar, zo rustig en intens dat ze even denkt dat hij geen antwoord zal geven. Maar uiteindelijk zegt hij: 'Jij bent de plaats waar ik wil zijn – jij bent het tegenovergestelde van verbanning. Als ik naar jou kijk – als ik je aanraak – dan voel ik rust. Ik voel vreugde. Het is alsof je een soort geheim kent, hayati, de sleutel hebt tot écht leven.' Hij kust al haar vingertoppen en zegt: 'Hier en hier en hier en...'

Ze lacht en zegt sceptisch: 'Ken ik dat geheim?'

'Gedeeltelijk, het is de manier waarop je dingen weet. Bij de meeste mensen is het zo dat, als ze iets weten op de manier waarop mensen verondersteld worden dat te weten – alsof ze het bezitten of hebben gevangen – ze dat denk ik helemaal niet echt weten. Maar op de een of andere manier, om de een of andere reden, ben jij anders. Jij bent in staat om het weten gewoon te laten bestaan binnen in jou, of om je heen, of aan de oppervlakte van je huid. Het is alsof je weet hoe je stil genoeg moet blijven zodat wilde vogels naast je komen zitten.'

'En jij bent zo'n wilde vogel?'

Hij glimlacht traag.

Ze herinnert zich dan iets en zegt hem dat hij even moet wachten. Ze trekt zijn overhemd aan, zacht van zijn aftershave en zweet, en loopt naar haar fiets, die tegen de deur van de zitkamer staat. Dan komt ze terug met Nathans foto en overhandigt die aan hem. 'Deze is voor jou. Die heb je gisteren niet gezien.'

Hij doet het bedlampje aan en staart naar de foto, draait hem een beetje, en verwondert zich. 'Mijn god,' mompelt hij. 'Dat zijn wij. Waar komt die vandaan? Ik kan me niet herinneren dat die werd genomen.'

Ze knikt. 'Nathan nam die foto toen wij niet keken. Op de dag dat we elkaar voor het eerst hebben ontmoet.'

'Wat een boef.' Hij buigt zijn hoofd naar achteren. 'Is hij op ons af geslopen?'

'Hij zegt dat hij nooit om toestemming vraagt. Zit dat je dwars?' vraagt Sirine, terwijl ze zichzelf afvraagt of het haar ook dwars zou moeten zitten.

Hij zet de foto tegen het bedlampje en staart ernaar. 'Dat zou je wel verwachten. Maar dat is niet zo. Het is prachtig, wij tweeën op die manier bij elkaar.'

Hij wil haar de foto teruggeven, maar ze schudt haar hoofd. 'Nee, jij mag hem houden.'

Hij knikt en kijkt er lang naar terwijl hij ergens over nadenkt, en staat dan op. 'En ik heb ook iets wat ik je wil geven,' zegt hij. Hij loopt naar de stapel boeken en pakt zijn gebedssnoer en de zijden omslagdoek. Hij overhandigt haar de gevouwen doek. 'Ik wil je dit geven.'

Het materiaal is zo zacht tussen haar vingers dat ze het gevoel heeft alsof ze haar hand in water steekt. Het materiaal zweeft en glanst in haar schoot. Het is zo mooi dat ze er een beetje bang voor is. Ze vouwt de doek niet open. 'Dank je wel,' zegt ze. 'Maar dit... dit is te veel. Ik kan het echt niet aannemen.'

Hij buigt zijn hand om de rand van haar haar waar het in haar gezicht valt, en veegt het weg. 'Alsjeblieft,' zegt hij vastberaden. 'Ik wil het.'

Ze glimlacht en gaat met haar vingers over de stof. 'Waar komt die omslagdoek vandaan?'

'Ze stuurden hem naar me nadat ik was ontsnapt. Ze wilden dat ik een herinnering zou hebben.'

'Een herinnering waaraan?'

Hij kijkt even naar haar en ze heeft de indruk dat hij niet weet wat hij haar moet vertellen. Uiteindelijk zegt hij: 'Ik heb eigenlijk niet zo lang bij mijn familie gewoond. Toen ik een tiener was, ging ik op kostschool in Caïro. En toen ik tweeëntwintig was, verliet ik Irak voorgoed. Mijn ouders hadden heel weinig geld om me te helpen het land uit te komen, en het was gevaarlijk voor me om weg te gaan. Maar het was ook gevaarlijk om te blijven. Het was 1980 en Saddam Hoessein had die vreselijke oorlog aan Iran verklaard. Ik zou in militaire dienst hebben gemoeten of in de gevangenis zijn gezet. Iedereen hielp me ontsnappen – mijn familie en vrienden. Mensen brachten geld, ze planden mijn route. Aboe-Najmeh gaf me zijn dolk ter bescherming, maar uiteindelijk gebruikte ik die om er een soldaat mee om te kopen die me buiten Bagdad aanhield. Mijn vriend Sami vond een taxichauffeur die me midden in de nacht zestig kilometer de woestijn in reed. Ik moest ontsnappen via de woestijn, naar Jordanië waar mijn familie vrienden had, eerst in een open jeep vol met andere vluchtelingen, en toen te paard met een groep bedoeïenen en tot slot nog eens twee dagen te voet.'

'Je hebt twee dagen door de woestijn gelopen,' zegt ze, verbaasd.

Hij wrijft over zijn nek. 'Nou ja, door de smalste hoek ervan. Maar inderdaad, het was de woestijn en ik was onbetwistbaar te voet. Ik was gewaarschuwd door de bedoeïenen dat er overal gewapende mannen waren, soldaten van Saddams garderegiment, huurlingen, Koerdische guerrillastrijders, allerlei soldaten verborgen in grotten en bomen. De normale soldaten waren omkoopbaar, maar de fanatieke soldaten waren dat lang niet altijd. Ik had wat buitenlandse munten die een vriend me had gegeven, zodat het moeilijker voor hen zou zijn om die te tellen. In die twee dagen at ik niet en dronk ik nauwelijks. Het was 's morgens 43 graden, terwijl het 's nachts ijskoud was, en ik wist nooit wanneer een soldaat of grenswacht onverwacht te voorschijn zou kunnen komen. Het enige wat ik had toen ik vertrok waren de kleren die ik droeg en een fles water. En dit – om mijn schouder gewikkeld, onder mijn hemd.' Hij houdt het gebedssnoer omhoog zodat de kralen tussen zijn vingers door lopen; Sirine vindt het net een halssnoer dat bestaat uit blauwe tranen. 'Deze *misbaha*-kralen waren van mijn vader. Ze zijn van lapis lazuli. Om me te helpen mijn gebeden op te zeggen,' voegt hij eraan toe. 'Maar ik merkte dat ik geen gebeden meer in me had, dus toen gebruikte ik ze in plaats daarvan om me te kalmeren. En deze was van...' Hij raakt de zijden omslagdoek aan, en fronst dan alsof hij het zich niet helemaal meer kan herinneren. 'Deze was van mijn moeder. Ik had hem in Engeland op mijn bed liggen.'

Hij laat het overhemd van haar schouders glijden, slaat dan de omslagdoek uit en drapeert die langzaam over haar achteruit leunende lichaam; de zijde valt als water over haar huid. Het is een vierkante doek van ongeveer een meter twintig, zwart met licht wisselende tonen grijs en roze, langs de randen geborduurd met een precies, ingewikkeld patroon dat haar doet denken aan rode bessen. 'Dit is het traditionele patroon uit het dorp van mijn moeder in het zuiden. Alle dorpen hebben hun eigen patroon. Als je ze bestudeert, dan kun je erachter komen waar een bepaalde borduursteek vandaan komt.' Hij overhandigt haar de doek. 'Ze droeg hem altijd over haar haar.'

Sirine tilt hem op en drapeert de zijde over haar hoofd zoals ze dat door gesluierde moslimvrouwen heeft zien doen, en windt de uiteinden om haar hals.

'Ja,' zegt hij. 'Precies zo. Aha. Nu zie ik een Arabische vrouw in je – een aristocratische prinses uit een oud geslacht. Hier en hier...' Hij raakt haar ogen en lippen aan. 'En hier.' Hij laat zijn hand langs haar naakte lichaam gaan en legt hem dan op de punt van haar heup. 'Het past helemaal bij je.'

'Je bedoelt om gesluierd te zijn?' Ze raakt de rand van de hoofddoek bij haar hals aan. 'Of om naakt te zijn?' Ze trekt een rand van de doek omlaag over haar gezicht. 'Zo soms?'

Hij raakt haar jukbeen aan en kust haar zacht door het materiaal van de omslagdoek heen. 'Mm, hm. Of/of.'

Ze voelt langs een rand, en laat de omslagdoek dan afglijden. 'Het is een prachtige doek. Maar echt hoor...'

'Nee, alsjeblieft.' Hij hangt de omslagdoek terug. 'Ik heb mijn gebedssnoer.' Hij houdt zijn hand omhoog zodat ze het door zijn vingers kan zien lopen. 'Ik heb dit. Maar ik wil dat jij de omslagdoek houdt.'

Ze wil de doek wel, maar er is iets mee, een vaag gevoel dat haar waarschuwt. 'Het is je enige herinnering,' protesteert ze.

'Ya elbi,' zegt hij. Mijn hart. Hij wikkelt de doek rond haar schouders en laat zich weer naast haar op het bed vallen. 'Kijk eens naar jezelf, kijk alleen maar. Hij is gewoon voor je gemaakt. Je moet hem houden.' Hij knoopt twee hoeken samen. 'Mijn moeder droeg deze hoofddoek toen mijn vader verliefd op haar werd.'

Sirine leunt tegen hem aan, maar raakt hem niet aan. Ze heeft er behoefte aan om hem aan te kijken, het getij van zijn herinnering. Ze raakt de sluier aan, vraagt dan zacht: 'Mis je je familie?'

Hij bestudeert haar, zijn uitdrukking rustig en peinzend. 'Ja en nee. Het is moeilijk om nieuws uit Irak te krijgen, er komen maar zo weinig brieven door, en als dat wél lukt, dan zijn ze meestal zo zwaar gecensureerd dat je er niet veel meer van begrijpt. Ik neem aan dat mijn broer nog steeds in de gevangenis zit en ik hoop dat hij en mijn moeder nog in leven zijn. Maar ik kan dat niet met zekerheid zeggen. En ik zal nooit weten of ik ze ooit nog zal zien.' Hij pauzeert. 'Ik moet altijd aan hen denken.'

Ze kan er niets aan doen; ze vraagt: 'En je zuster?'

Hij wacht, terwijl hij naar haar blijft kijken. En dan voelt ze het opnieuw: het gevoel dat zij tweeën samen in het verhaal zitten. Het voelt alsof iets zich aan het ontrafelen is. Sirine ademt oppervlakkig; zij en Han zijn zo dicht bij elkaar, hun armen in elkaar gevlochten. Maar hij geeft haar geen antwoord. In plaats daarvan zegt hij: 'En jij, Sirine?' vraagt hij. 'Mis jij je ouders?'

Haar schouders doen pijn, trekken gespannen omhoog. Licht komt door het raam naar binnen in lichte vlekken, als sierlijke witte zeilbootjes. Dit is iets waar ze nog nooit over heeft gepraat. Ze kijkt weer naar zijn gezicht en dan omlaag in dat brekende licht, de herinnering.

Langzaam begint ze te praten. Ze vertelt hem over het werk van haar ouders als Rode-Kruishulpverleners. Hoe ze vaak van huis waren, altijd op de ergste plaatsen, de gevaarlijkste, door oorlog verscheurd, verwoest. Ze vertelt over haar vaders mening dat het merendeel van de grootste eigentijdse problemen van de wereld konden worden teruggevoerd op de Amerikaanse obsessie met handel, en haar moeders overtuiging dat Amerikanen net zo toegewijd waren aan de natuur, godsdienst, vrienden en familie als de Arabieren.

Ze kijkt naar Han terwijl ze praat. Hij houdt haar hand vast en zijn ogen volgen de hare. En haar stem trilt niet, dus gaat ze door met hem te vertellen over hoe ze samen met haar oom zat te wachten op haar ouders, kijkend naar het nieuws en wachtend. Ze vertelt over de manier waarop ze soms dacht dat er in de relatie van haar ouders niet voldoende ruimte was voor haar – ze waren zo gefocust op elkaar, ze reisden samen en weigerden opdrachten die hen uit elkaar zouden halen, maar haar lieten ze achter.

'Het was niet hetzelfde als dwars door de woestijn trekken,' zegt ze zacht; ze leunt achterover tegen de muur achter het bed. 'Maar in zekere zin is dat ongeveer zoals ik me toen voelde. Wachtend totdat ze thuis zouden komen. Kijkend naar de dagen op mijn kalender als iets wat je kon doorstrepen, weghalen. Ik kan me herinneren dat ik mijn oom bijna iedere morgen vroeg: "Is dit de dag waarop ze thuiskomen?" En dan zei hij zoiets als: "Niet eerder dan de middag voor de morgen van drieënhalve avond achter elkaar."'

Han lacht en streelt haar hand. 'Die oom van jou...'

Ze sluit haar ogen, voelt zijn vingers tussen de hare lopen. 'Ik denk dat ik mijn halve kindertijd wachtend op hen heb doorgebracht. En toen op een dag hield ik ermee op. Ik stond op, maakte het ontbijt voor ons klaar en ik vergat te vragen of dit soms de dag was. En dat was zo'n opluchting dat ik het bleef vergeten. Ik hield gewoon op met wachten. Mijn oom was degene die met me praatte en die me voorlas – niet zij. Hij hield gewoon op de juiste manier van mij.'

Han knikt, terwijl hij haar gadeslaat. 'Je bedoelt, hij wás er,' zegt hij.

'Dat was het belangrijkste. Gewoon dat.' Ze kijkt langs Han's schouder naar het witte, glimmende raam. 'Ik werd zelfs niet meer opgewonden als mijn ouders thuiskwamen. Ik probeerde het niet te laten merken, maar ik kan me het moment herinneren waarop ik niet meer terug wilde naar het huis van mijn ouders als ze er weer waren. Meestal gingen ze een maand weg, soms langer – wat een eeuwigheid is voor een kind. Na een tijdje kreeg ik het gevoel alsof ik nog nauwelijks wist wie ze waren. Zij waren die volwassenen die leken te denken dat ik van hen moest houden. Alsof ik hun mijn lief-de verschuldigd was.' Ze richt haar blik omlaag, verrast omdat ze voelt hoe haar gezicht rood wordt. Haar keel knijpt samen, de herin-nering koud onder haar huid. 'Mijn moeder leek vaak droevig – min of meer verward, denk ik. Ze was altijd zo opgewonden als ze thuis-kwam, ze huilde vaak als ze binnenkwamen, en dan drukte ze me hard tegen zich aan. En ik hield me dan... slap.'

Sirine vertelt Han: ze was waarschijnlijk een jaar of zeven toen haar moeder nachtmerries begon te krijgen. De eerste paar nachten van haar ouders thuis waren meestal rustig, bijna saai, vergeleken met de aangrijpende dingen die ze hadden gedaan – ze hadden een maand slachtoffers met brandwonden in India verzorgd of verhon-gerende vrouwen en kinderen in Soedan geholpen. Maar dan volgde er een nacht waarin Sirine wakker werd – eerst begreep ze niet waardoor ze wakker was geworden – haar zintuigen beneveld door diepe slaap. Het was een geluid alsof iemand de nacht in twee stuk-ken trok. Sirine was dan zo bang dat ze als vastgebonden op haar bed lag, verlamd alsof de lucht uit haar longen werd geperst. Dan het ge-luid van haar vaders stem, die door het geschreeuw van haar moeder heen riep: 'Sandra! Sandra!', alsof hij naar haar riep vanaf een ande-re oever, haar terug naar huis riep. Maar ze werd nooit wakker uit haar geschreeuw; soms werd het erger, soms nam het meteen af. Si-rines vader stond altijd een paar minuten later in haar deuropening en fluisterde dan: 'Habeebti?' Maar om de een of andere reden hield ze dan haar ogen gesloten; haar adem zacht en oppervlakkig, alsof ze bang was of zich geneerde omdat ze haar moeders geschreeuw had gehoord. De volgende morgen werd er nooit iets gezegd over het ge-schreeuw.

Toen Sirine negen was hield het geschreeuw op, maar in plaats daarvan hoorde ze haar moeder 's nachts huilen. 'Ik kan er niet meer tegen,' hoorde ze haar zeggen. 'Ik kan dit niet meer. Ik kan dit niet meer.'

En haar vaders zachte gemompel als antwoord: 'Je kunt het wel, Sandy, je kunt het wel.' En toen op een nacht, toen het geschreeuw maar doorging, hoorde ze zijn stem zeggen: 'Goed, goed, goed...' Een paar dagen later vertelde Sirines moeder tegen haar dat ze zouden ophouden met reizen. Ze hadden gevraagd om een bureaubaan in Los Angeles, en dan zouden ze voortaan thuis blijven. Ze hadden nog één laatste opdracht: het helpen bij de wederopbouw van een Afrikaans dorp. Daarna zouden ze voorgoed thuis blijven, beloofde ze, terwijl ze gehurkt, bijna knielend voor Sirine zat en haar blik zocht alsof ze om vergeving vroeg.

Ze vertrokken, en dat was de laatste keer dat Sirine hen zag.

Sirine geloofde dat ze hen uit haar leven had weggewenst.

'Ach ja,' zegt Han. Hij omvat voorzichtig haar handen, alsof ze van eierschaal is gemaakt. 'Kinderen denken soms dat ze dat soort mysterieuze krachten bezitten, nietwaar?'

Sirine schudt haar hoofd. Ze weet niet wat ze weet; ze staat zichzelf niet toe om dat soort dingen te denken – dat doet ze al jaren niet meer. Ze drukt haar kin tegen haar borst en voelt het begin van een pijnscheut die diep in haar lichaam zit – de donkere ruimte die zich wijd opende toen ze besefte dat haar ouders dood waren. Ze kan ineens niets meer zeggen; ze kijkt naar Han en hij kijkt terug en ze ziet dat hij het volkomen begrijpt. Hij strekt zich uit, slaat zijn doek om haar heen en neemt haar in zijn armen. Ze voelt de heerlijke luxe en veiligheid van een omarming, legt haar hoofd tegen zijn borst en haalt diep adem.

Later die dag, weer op haar werk, hangt Sirine haar omslagdoek over een haak in de keuken waar die niet vies zal worden. Ze zou hem graag om haar middel willen dragen maar ze wil de zachte, vluchtige geur ervan beschermen, bang om die te bederven met keukenluchtjes van gebakken uien, knoflook, lamsvlees en olie.

Tijdens de middagstilte, als de hitte zich concentreert in de lucht en de palmbomen van glas worden, zit Sirine met Um-Nadia in de keuken als de telefoon gaat. Um-Nadia neemt op en Sirine kan merken aan de manier waarop ze zegt: 'Ho ho. O nee, ondeugende man die je bent – ja, ja, ondeugend – nee, nee, dat ben jij zelf, jij bent slecht, heel ondeugend...' dat ze het heeft tegen Odah, de Turkse slager, die verliefd is op Um-Nadia in ieder geval al zolang Sirine hem kent. Um-Nadia zegt altijd tegen Odah dat ze zich bewaart voor de mysterieuze meneer x. Nu legt ze haar hand over de hoorn en zegt tegen Sirine: 'Hij vertelt net dat hij een paar prachtige lams-bouten apart heeft gelegd en dat jij de mooiste mag komen uitzoeken.' Sirine doet haar schort af; ze overweegt om de doek om haar hals te slaan, maar op de raamthermometer ziet ze dat het 32 graden is. Iedereen blijft maar zeggen wat een warme herfst het wel niet is.

Sirine loopt aan het begin van Westwood Boulevard. De grote straat ziet er verhit en gelig uit, als de huid van een hagedis in de late middag; er zijn Iraanse restaurants, markten en bakkerijen in de straat, rustig nu, maar vol rond etenstijd. Dit is een omgeving waar ze in de afgelopen acht jaar bijna iedere dag is geweest. Er is het geraas van het verkeer aan de andere kant van de heuvel, de grijze stoepranden, de betonnen trottoirs met scheuren erin, de drukke mengelmoes van Perzische winkels – schoonheidssalon Shiraz, de Victory Markt, bakkerij Shusha en drogisterij Shaharazad, met hun winkelborden in het Engels en Arabisch. Lange, fluweelachtig ogende sedans en gammele kleine auto's staan neus aan neus geparkeerd langs de stoeprand.

Sirine loopt niet helemaal tot aan de hoek; ze wacht op een opening tussen de auto's en schiet dan de straat over. Ze loopt langs een fruitstalletje waar ze haar gratis kumquats geven, langs een gevallen elektriciteitsdraad, monteurs van de elektriciteitsmaatschappij, en een paar politieagenten die haar vragen wat de specialiteit van vandaag is, langs de Perzische Marxistische Revolutie Boekwinkel, waar de verkopers naar haar zwaaien, naar slagerij Topkapi aan het einde van de straat. Het is een kleine winkel, glanzend en wit glimmend als een tand. Als je daarbinnen harder praat dan een fluistering, echoot je stem door de hele zaak. Odahs winkel is altijd vol met Turken, Arabieren en Perzen, evenals Italianen, Polen, Bosniërs en Russen – bijna alle klanten zijn identiek geklede vrouwen, met zwarte hoofddoeken en stevige zwarte schoenen. Sirines oom noemt het de ouwevrouwenwinkel.

Meestal laat Odah de vleesbestelling door een van zijn talloze zonen of neven naar Nadia's Café brengen. Maar Sirine vindt het niet erg om naar de winkel te komen en zelf de waar te keuren. Ze houdt ervan om te kijken naar Odah en zijn knappe zonen, terwijl ze druk in de weer zijn met van de vitrine naar de weegschaal lopen en handig omgaan met de grote bouten, en naar het vlees met zijn heldere, verse glans van gemarmerdheid en bloed.

Ze staat ergens ver in de slordige rij die bij de deur begint en naar de toonbank leidt, kijkend naar een kleine vrouw die kennelijk geen Engels spreekt en gebaren maakt tegen een van Odahs zonen – om aan te geven hoe groot het stuk vlees moet zijn dat ze wil hebben – als er iemand de rij in komt gestruikeld. De oude vrouwen snakken naar adem en hun tassen zwaaien aan hun armen. Sirine draait zich om en herkent de schouders van de man. Hij lijkt half gebogen te staan, alsof hij zich wil verbergen achter de rij klanten. 'Aziz?'

Hij draait zich om en tuurt bezorgd om zich heen, terwijl zweetparels bij zijn slapen glinsteren. 'Ja?' Hij pauzeert en herkent uiteindelijk Sirine. Een grote lach verschijnt op zijn gezicht en hij zegt: 'Daar hebben we Cleopatra!' Hij grijpt haar hand en kust die.

Er klinkt luid protest en diverse oudere vrouwen duwen Aziz uit de rij. Achter hen zwaait een witharige vrouw met staalblauwe ogen een knokige vinger naar hem en zegt: 'Niet voordringen!'

'Voor wie ben je je aan het verstoppen?' Sirine stapt uit de rij. Ze kijkt door het grote etalageraam naar buiten en ziet de rand van een zwarte hoofddoek snel bewegen door de straat. 'Hé, is dat niet die studente?'

Aziz' ogen worden rond en onschuldig. 'Wie is welke studente? Ik heb geen studenten, alleen moordenaars.' Hij trekt een zakdoek uit zijn zak, dept zijn gezicht en trekt zijn vochtige blauwzijden overhemd los van zijn borst. Dan kijkt hij nog eens om zich heen en zegt: 'Nee, echt hoor, ik heb alleen een klein technisch probleem. Een complicatie, zoals ze zeggen. Ik heb iets meer plezier dan een enkele Aziz aankan.' Hij lacht zijn enorme lach en pakt opnieuw Sirines hand. 'Wat heerlijk je weer te zien. Wat zie je er prachtig uit zonder schort voor.'

Sirine trekt snel haar hoofd in. 'O, nou.'

'Waar breng je je vrije tijd door? Is die Han soms je leven in beslag aan het nemen? Je weet toch dat hij geen poëzie schrijft.'

Ze laat haar handen in haar zakken vallen, probeert iets te bedenken wat ze met zichzelf heeft gedaan. 'Nou, ik ben met van alles bezig geweest,' zegt ze verdedigend.

Hij trekt zijn zwarte wenkbrauwen op. 'Je klinkt net als mijn studenten, die zijn altijd met van alles bezig. Waarom kom je niet naar mijn kantoor, dan zal ik je poëzie leren schrijven. Ik kan je privé-les geven.' Hij leunt naar voren, brengt zijn gezicht dicht bij het hare, en ze kan iets als zoethout in zijn adem ruiken.

'Nou...' Ze slaat haar armen om zich heen, pakt haar ellebogen vast. 'Engels was mijn slechtste vak.'

'We zullen alles in klassiek Arabisch schrijven,' zegt Aziz.

'Ik weet niet of Han het erg op prijs zou stellen als jij mij privé-les zou geven.'

'Han?' Hij klinkt alsof hij die naam nooit eerder heeft gehoord. 'Waarom?'

'Sirine van mijn dromen!' Een stem barst in echo's los tegen de witte tegels van de winkel. Alle oude vrouwen houden op met hun gesprekken en draaien zich om. Odah komt te voorschijn uit zijn kantoortje aan de zijkant van de winkel. 'Sirine van de bomen!' Odah is ongeveer een meter zestig, met zware brede schouders, geen nek en een groot hoofd bedekt met wollig zwart haar. Zijn grote zachte neus lijkt een beetje platgedrukt tegen zijn gezicht en zijn ogen zijn enorm en treurig. Hoe blijer Odah is, hoe droeviger hij kijkt. 'Sirine, kom even mee naar achteren! Ik wil je iets laten zien!' Hij grijpt haar hand en ze gaan snel achter de toonbank, waarbij Aziz volgt. Ze lopen een gang door en gaan via een deur naar de koelcel achter de winkel. Hun adem verandert in damp. Aan het plafond hangen lange zijden rundvlees. Odah leidt haar naar een zilverkleurig koelkastje; ze leunen eroverheen en hun adem maakt bleke spiralen. Aziz zegt: 'Sesam, open u!'

Odah kijkt naar hem. 'Wie mag u wel niet zijn?'

'Dat is Aziz maar,' zegt Sirine.

Hij steekt zijn hand uit. 'Ik ben Aziz de dichter,' zegt Aziz.

'O, een dichter.' Odah lijkt Aziz' hand niet op te merken. 'Dat doet er niet toe.' Hij buigt zich over het koelkastje, dat zich met een kleine zucht opent. Hij kantelt het en toont een rij lichtroze lamsbouten. 'Jij hebt eerste keus. Het allerbeste lentelamsvlees.'

'Maar het is oktober,' zegt Aziz.

'In Nieuw-Zeeland is het lente!' Odahs stem weerkaatst tegen de glanzende grijze muren. Hij legt zijn hand zacht tegen zijn borst, herstelt zich dan en buigt zich weer over het vlees. 'En dit,' zegt hij, terwijl hij voorzichtig een paar stukken vlees verpakt in slagerspapier omvat, 'is voor mijn roos, Um-Nadia. Wil je haar dat zeggen? Speciaal van Odah.'

Als Sirine het lamsvlees heeft uitgekozen en weer terug is naar de winkel, overhandigt Odah haar Um-Nadia's pakje met vlees, verpakt in goudfolie met daaromheen een roze lint. Hij tikt erop en tikt dan op zijn borst terwijl hij zegt: 'Denk eraan, van mij.'

'Dat is nog eens echte romantiek,' zegt Aziz, terwijl hij toekijkt hoe Odah weer verdwijnt in zijn kantoortje. 'Hij is vast getrouwd.'

'Nee, hij is gescheiden. Een aantal keren.'

'Aha, geen wonder. Een chronische romanticus. Maar romantiek is een van de fundamenten van het leven, een cruciaal element, als brood en water, vind je niet?' Hij kijkt haar aandachtig aan, zijn glimlach gemakkelijk en zacht, en Sirine merkt even op hoe glad zijn gebruinde huid is en hoe helder zijn donkerbruine ogen zijn. Dan realiseert ze zich dat hij weer haar hand vasthoudt. Ze maakt zich los en stopt haar hand weer in haar zak. Ze voelt hoe ze een kleur krijgt tot in haar hals. 'Ik neem aan van wel. Ik heb daar nooit eerder op die manier over nagedacht,' zegt ze.

'Misschien krijg je niet je minimale dagelijkse behoefte,' zegt hij. 'Je ziet er een beetje bleek uit. Een beetje lusteloos. Dokter Aziz denkt dat je misschien meer poëzie, meer muziek, meer kussen, meer gelach en ook meer dansen in je leven nodig hebt. En hij is bereid daar een recept voor uit te schrijven.'

Ze probeert een antwoord te bedenken, als de witharige vrouw die achter Sirine in de rij heeft gestaan en nu op weg is naar buiten, Sirine op haar schouder tikt met een in wit papier gehuld pak vlees. Ze steekt een vinger op, zwaait daar krachtig mee en zegt dan in gebroken Engels: 'Apenstreken!'

Plotseling klinkt er een wild gekletter, een heftig vibrerend lawaai dat de kleine ruimte vult als gebulder van water. Een helderblauwe flits schiet om hen heen: op de een of andere manier is er een vogel de winkel in gevlogen die nu tegen het etalageraam klappert, in een poging te ontsnappen. De oude vrouwen schreeuwen in twintig verschillende talen, laten hun boodschappen, strooien manden en boodschappentassen op wieltjes vallen en rennen de winkel uit, net als Odah en zijn zonen. Aziz trekt Sirine ook de winkel uit. 'O nee, o, lieve hemel!' roept hij lachend terwijl hij zijn hoofd schudt. 'Ze denken dat het het boze oog is.'

'Het ís het boze oog, idiote dichter!' schreeuwt Odah kwaad tegen hem als ze zich door de deur naar buiten dringen. 'Weet je wel wat dat voor mij betekent! Allemaal nieuwe amuletten!'

Sirines hart slaat snel en ze is buiten adem. Ze drukt een hand tegen haar borst, alsof ze het daarmee kan kalmeren, en tuurt door het raam naar binnen. De arme vogel slaat nog steeds met zijn vleugels tegen het raam, een wilde, ronde blauwheid. Odah wendt zich tot haar, buigt en pakt dan het pakje met het roze lint erom van haar af. 'Het spijt me vreselijk,' zegt hij, zijn wijdopen ogen glanzend. 'Maar dat is nu onmogelijk. Ik kan niet toestaan dat Um-Nadia dit krijgt onder de huidige omstandigheden.'

'Waarom niet? We zijn de winkel uit – het is in orde.'

Odah schudt plechtig zijn hoofd. 'Iets – of iemand,' hij kijkt even naar Aziz, 'heeft toegelaten dat het boze oog mijn winkel is binnengekomen. Alles is besmet. Geloof me, als ik erachter kom wie hier verantwoordelijk voor is...'

'Tijd voor mijn poëzieles,' zegt Aziz, en hij begint achterwaarts weg te lopen van Sirine en Odah. 'Ik heb ze achtergelaten om iets te schrijven. Leuk jullie twee te hebben ontmoet.' Hij draait zich om en loopt de heuvel op naar de campus.

Zwaar zuchtend legt Odah het vlees boven op de brievenbus, alsof het een soort speciale bezorging is. 'Goed,' zegt hij, en hij slaat zijn armen over elkaar.

Terwijl Sirine en alle klanten nog bij elkaar op het trottoir staan, komen twee jonge politieagenten aangereden in een surveillancewagen. Odah vertelt hen dat het boze oog in zijn winkel is. Een van de agenten legt een hand op zijn wapen en de andere zegt: 'Ik denk dat we de brandweer moeten bellen.' Dan staat iedereen een tijdje te kijken hoe de vogel door de etalage rond raast, en Odah zucht diverse keren diep, waarbij hij af en toe roept: 'O, het slechte voorteken!' Eindelijk bedenkt Sami – de slimme zoon – dat de deur opengezet moet worden. Net zo plotseling als de vogel is gekomen, vliegt die nu ook de deur uit, en stijgt dan rustig als een windzucht op in de bomen. En terwijl ze kijkt hoe hij wegvliegt, voelt Sirine hoe ook een stuk gespannenheid uit haar lichaam verdwijnt. Ze loopt weg van de slagerswinkel met een wonderlijk vredig gevoel. Als ze de hoek omslaat denkt ze dat ze een blauwe flits in een van de struiken ziet en ze loopt er dichter naartoe, terwijl ze zich afvraagt of het de ontsnapte vogel is. Maar dan hoort ze hoe Mireille verderop in de straat haar naam roept. En ze gaat erheen, en bedenkt dat het misschien maar beter is om het boze oog achter zich te laten.

14

Het verhaal dat je niet zult geloven gaat als volgt: er was eens een Arabisch rijk dat de wereld domineerde. Het glorieuze Abbasidische Rijk regeerde van de achtste tot de dertiende eeuw – vijfhonderd jaar. En Bagdad was zijn hemelse hoofdstad. Nu knipper je met je ogen: het is zeven of acht eeuwen later en de wereld is op zijn gebruikelijke manier ondersteboven gedraaid, het Abbasidische Rijk verdwenen. Maar een paar Arabieren hebben een herinnering die heel ver teruggaat en ze geloven graag dat op een dag de wereld met alles erop aan hen zal worden teruggegeven. De meeste andere Arabieren zouden tevreden zijn met een beetje vrede, minder vechten in hun achtertuin, hun achtertuin behouden, enzovoort. En dan zijn er nog de Arabieren die het gevoel hebben dat, ongeacht wat zij zouden willen – de wereld of een beetje vrede en rust – Amerika vastbesloten lijkt om hen dat te onthouden.

Dus tante Camille wachtte op de oevers van het Tanganjikameer, in de hoop op een audiëntie bij de Moeder van Alle Vissen. Dacht ze aan het einde van het Abbasidische Rijk? Mogelijk. Niet waarschijnlijk. Net als de meeste Arabieren nam ze aan dat op die late morgen in 1258, toen de Mongoolse horden aan de poorten van Bagdad stonden, het feest bijna voorbij was. Of misschien vond ze dat die dag in 1492, toen de Moorse vorst van Granada de sleutels van de stad overhandigde aan koning Ferdinand, nou, dat dit het einde ervan was!

Tante Camille had net gehoord hoe een warme stem die klonk als een klok vroeg of ze haar soms zocht – een bijzondere, onaardse stem waarvan ze verheugd aannam dat dit de stem van de Moeder

van Alle Vissen was. Stel je dus haar verbazing voor toen de klim-
planten zwaaiden, de struiken trilden en de takken kraakten, en niet
de Moeder van Alle Vissen, maar een grote woestijngeest met ogen
als granaten en een huid in de kleur van cacaopoeder naar voren
stapte en uitriep: 'Halt! Ik ben de Verloren Geheime Koning van het
Abbasidische Rijk, en ik moet weten waarom je hier bent.'

Deze djinn was niet dom; het was zijn bedoeling om iedere Arabier die hij tegenkwam van streek te maken door dit te zeggen. Het
Arabische Abbasidische Rijk had eenzelfde glorietijd beleefd als het
Romeinse Rijk en had de diepzinnigheid van de Grieken bereikt; het
had continenten en hemisferen overspannen, bibliotheken, uitvindingen en hemelse inzichten tot stand gebracht – en toen was het
verdwenen en moesten de Arabieren weer gewone mensen zijn.
Maar hier stond dan een djinn met krakende gouden sandalen en
glinsterende smaragden ringen aan zijn middelste tenen. Zijn borst
was bedekt met rinkelende medailles van alle koningen en generaals
die hij had opgegeten, zijn neusvleugels waren wijdgeopend en zijn
ogen waren wijdgeopend en zijn haren en baard stonden in elke
richting uit, denk je eens in. De Verloren Geheime Koning van het
Abbasidische Rijk! Hij bood hun de bittere onbeschaamde hoop van
hernieuwde glorie en daarnaast ook een stukje nostalgie. De verloren koning die was gekomen om de Arabische troon terug te win-
nen! Het was alsof je oog in oog stond met Karel de Grote of de witte
geest van Elvis.

Maar tante Camille bleef doodkalm; ze nam hem van top tot teen
op en zei uiteindelijk: 'Ik heb nog nooit gehoord van een verloren
Abbasidische koning.'

'Nou,' siste de geest – en zijn adem rook naar net aangestreken lu-
cifers en kokende olie, en de laatste geschreeuwde wensen van duizend stervende schepsels – 'dat is ook de reden waarom ik de Ge-
héíme Verloren Koning van het Abbasidische Rijk ben, nietwaar?
Toen mijn teleurstellende vader, de Moorse vorst, de moslimstad
Granada weggaf, liet mijn grootmoeder me naar een geheime plek
brengen – wat, zoals iedereen weet, ervoor kan zorgen dat de tijd stil
blijft staan. Ik ben honderd jaar in een grot gebleven en toen de over-
stromingen kwamen, werd ik gedwongen om over de wereld te zwerven als een naamloze wilde met alleen een wilde ezel als gezelschap,
waarbij ik mijn haar over mijn rug liet golven en mijn baard voor me
uit liet waaien, en mijn geest liet volstromen met opzwepende ge-

dachten. Dit ging zo door, samen met alle mogelijke chaos en avonturen, totdat ik werd gevonden en geadopteerd door de Moeder van Alle Vissen, die me leerde hoe ik moest bidden en die me weer het pad van het leven op stuurde.'

Bij het noemen van de Vissenmoeder, veerde tante Camille op en riep uit: 'Dat is precies degene voor wie ik ben gekomen!'

De geest rolde zichzelf uit tot zijn volle lengte van twee meter twintig, zodat zijn haar glansde en zijn tenen glinsterden, en hij zei met een stem die de lage rommelende tonen van de ronddolende Nijl en de zijdezachte zigzagbewegingen van de Eufraat bevatte: 'Heb je een afspraak?'

Die avond, net voordat Sirine weggaat om naar huis te gaan, staat Mireille bij het raam en fluistert: 'Kijk eens naar de maan, hij ziet eruit als een baby.'

Um-Nadia fronst, draait zich om en zegt tegen Sirine: 'Er is iets gebeurd in de slagerswinkel!'

Sirine, die de hele geschiedenis met de vogel inmiddels is vergeten, kijkt verschrikt op. 'Heeft Odah je soms gebeld?'

Um-Nadia tuurt naar haar. 'Het staat in je ogen te lezen – die zijn nu zó.' Ze zwaait met haar vingertoppen op een franjeachtige, glijdende manier. 'En je bent teruggekomen zonder lamsvlees.'

'Eh, er was inderdaad iets aan de hand,' begint Sirine voorzichtig. Um-Nadia's ogen kijken scherper. Sirine vertelt het verhaal van de opgesloten vogel in de winkel, en Um-Nadia slaat haar hand tegen haar borst. Dan moet Sirine langzaam haar hoofd heen en weer bewegen van Um-Nadia, waarbij ze haar gezicht controleert, en ook Sirines handen worden zorgvuldig onderzocht, waarbij ze ze omdraait. 'Oké, in orde,' zegt ze uiteindelijk, kennelijk gerustgesteld. 'Maar je moet vanavond wel extra voorzichtig zijn – er hangt iets in de lucht,' zegt ze, terwijl ze naar Sirine wijst.

Maar Sirine voelt zich kalm en helder, licht en onbevreesd. Nadat ze het restaurant heeft afgesloten, fietst ze door de nacht, aangenaam en warm als kasjmier, op weg naar Han. De bougainville gekke-vrouwenbomen schudden hun papierachtige bloemen. Wolken schuimen aan de hemel, de maan is laag en bijna vermiljoen, en de sterren zweven langs in hun eigen baan. Sirine voelt de gedachte aan Han alsof die in haar eigen lichaam ronddraait, alsof hij het fundamentele element is waar Aziz het over had – net zo noodzakelijk als lucht en brood. Ze voelt zich aangetrokken tot Han alsof hij haar in een heerlijke betovering heeft.

Hij staat op haar te wachten voor zijn gebouw, bewegingloos onder de lange, violette schaduwen. Hij glimlacht en neemt haar fiets over. Hij kust haar hals in de lift. Dan stapt hij naar achteren en kijkt naar haar, zijn uitdrukking vaag in het zwakke licht. 'Daar ben je dan,' zegt hij. 'Laat me je eens bekijken. Ben je hier echt?'

'Nou,' zegt ze, 'ben jij wel echt hier?'

'Soms weet ik dat niet zeker,' zegt hij ernstig. 'Heb ik dit allemaal gedroomd of is het echt?'

Ze lopen, hun armen om elkaars middel geslagen, zijn appartement binnen en gaan regelrecht naar de slaapkamer. Een bord met gesneden fruit staat op het bed. Ze eten en drinken wat wijn en vrijen dan met elkaar; een plaat van de Libanese zangeres klinkt op de achtergrond, licht als een hand die over haar haar dwaalt.

Naderhand ligt Sirine met haar wang tegen zijn borst, het geluid van zijn hart dreunend in haar oor, en daarachter het geluid van de muziek. Ze zinkt weg in de trillingen van zijn lichaam, de vloeibare hoedanigheid van zijn stem trillend in zijn longen. De lange beweging van zijn streling herhaalt zich, warm en hypnotisch, en ze valt in slaap.

Maar in de nacht draaien ze van elkaar weg. Haar slaap is versplinterd, besprenkeld met vreemde droomgeluiden; de lach van een baby, muzieknoten, een laag vibrerend gekreun. Ze dobbert net onder het oppervlak van een onrustige slaap en wordt telkens wakker. Er is geen maan en de nacht buiten het raam is van pluche en als een speldenkussen en te donker, alles wegdrukkend, zelfs de sterren.

En ze heeft opnieuw het gevoel alsof ze in de gaten wordt gehouden, zo echt alsof er werkelijk iemand aanwezig is in de kamer. Ze heeft het gevoel alsof ze simpelweg haar ogen zou kunnen openen en de starende figuur gebogen over hun bed zou kunnen zien.

Ze doet een paar keer haar best om wakker te worden, waarbij ze droomt dat haar geest wakker is, maar haar lichaam slaapt. Uiteindelijk slaagt ze erin haar ogen te openen in het donker – niet meer dan een spleetje – maar er is niemand. Alleen Han die slaapt, zijn ademhaling zacht en regelmatig. Ze draait zich op haar zij en slaat hem gade. Hij ziet er anders uit in zijn slaap, zijn gelaatstrekken nu neutraal. Ze laat haar knieën over de rand van het bed glijden, pauzeert dan en kijkt om naar hem, terwijl ze zich afvraagt of het mogelijk is dat ze al van hem houdt.

Ze tilt haar voeten geluidloos uit bed, komt overeind, en wordt opnieuw getrokken naar de kleine tafel aan de andere kant van de kamer. Ze ziet er dezelfde voorwerpen, maar op de een of andere manier lijken ze veranderd; de fles met het gekleurde zand ziet er giftig uit, de briefopener ziet eruit als een dolk. Ze zoekt naar de foto van Han en de jongen en het meisje, maar die is verdwenen. Ze zoekt naar een aanwijzing, een soort kleine sleutel. Ze moet meer over hem weten, moet weten of het veilig is om van hem te houden. Haar handen gaan voorzichtig, voorzichtig, naar de bovenste la van zijn kast. Die gaat zoevend open en onthult zachte, gevouwen vormen van kleren. Ze laat haar handen ertussen glijden, terwijl ze even over haar schouder kijkt. Onder in de la voelt ze iets en behoedzaam trekt ze het eruit: een brief.

Bevend neemt ze die mee naar de badkamer en doet de deur zacht dicht. Ze heeft nooit eerder op deze manier rondgesnuffeld in de kamer van een vriend en is verbaasd over zichzelf – waar heeft ze het lef vandaan gehaald om zoiets te doen? Wat als hij wakker wordt? Toch lijkt ze zichzelf niet te kunnen weerhouden. De brief is gericht aan Han op een schooladres in Engeland, diverse keren doorgestuurd, de buitenkant bedekt met krabbels en correcties. De brief zelf is gedateerd april 1999, een halfjaar geleden. Een paar zinnen zijn in het Arabisch, de rest is geschreven in een kriebelig, schuin handschrift in het Engels:

Dus nu ga ik over in deze taal, in de hoop zo de censuur en nieuwsgierige ogen te kunnen vermijden, begrijp je. Goddank voor mijn tijd op de Aaliyyah-meisjesschool – daar heb ik tenminste nog iets nuttigs geleerd. Maar de post is onbetrouwbaar hier, en ik heb geen idee of je ook maar een van mijn andere brieven hebt ontvangen. In ieder geval schrijf ik voor een deel om mezelf te horen denken, omdat niemand anders wil luisteren. Wij zijn een volk van hardopdenkers, en Bagdad is een stad van doden.

Ik hoop dat je de sluier hebt ontvangen die ik je vorig jaar heb gestuurd.

Ik vraag me vaak af hoe jouw leven daar is, in zo'n koude, verre plaats. Ik kan het me niet goed voorstellen. En heel waarschijnlijk kun jij je ons leven ook niet meer goed voorstellen.

Voor wat het heden betreft, dat ziet er nu zo uit: de lucht boven de stad is elektrisch, trillend van chemische stof en as. Een grijze soep, land dat braak ligt. Het leven gaat moeizaam door. De groenteverkoper opent zijn stalletje, maar voor de kinderen is er niet voldoende melk, en ze zijn overal, waar je ook kijkt op straat, hun ogen te groot en hun knieën en enkels en polsen knokig. Als je een kind een banaan geeft, dan zal het gauw wegrennen, voor het geval je van gedachten mocht veranderen, en het fruit met schil en al opeten. De draaimolen in het pretpark naast de dierentuin van Bagdad is nog steeds vol kinderen. Ze rennen en klimmen over de beschilderde paarden, en hun gelach is iets wat bevriest in de lucht, al een echo als jij het uiteindelijk hoort. Onze jonge vrouwen, net als onze mannen, marcheren in formatie door de straten, met hun hoofddoeken en lange, zwarte geweren. Ons prachtige, mooie land bestaat niet meer. We kunnen niet ontsnappen aan de lucht van verbranding. Vreselijke chemische neerslag, verhongering, geen medicijnen, de gebruikelijke catastrofe – zo stomvervelend om slachtoffer te zijn. Er zijn veel ziektes, zoals cholera, malaria, tyfus en rachitis. Wat idioot om te moeten vechten tegen ziektes die eigenlijk niet meer voorkwamen! Onze oude nacht licht op van de bommen. De Amerikanen bombarderen Irak nog steeds bijna dagelijks. Ik heb gehoord dat deze machtsvertoningen tijdens de Golfoorlog op de Amerikaanse televisie werden vergeleken met vuurwerk.

Je moeder heeft het altijd over je, alsof je net even naar een andere kamer bent gegaan en zo weer terug zult komen. Ik schrijf je nu om je te vertellen, heel onomwonden en heel bedroefd, dat het niet goed gaat met je moeder. Ze is vroeger natuurlijk ook al ziek geweest, maar nu is het iets anders. Ik weet niet of het mogelijk is om te sterven aan droefheid – hier leven te midden van zo veel verliezen en verdriet – maar ik begin nu te denken dat dit best eens zou kunnen. Je moeder eet steeds minder. Ze blijft het liefst op bed liggen en ze gaat niet langer meer bij de andere vrouwen zitten. Ik zie een soort duisternis omhoogkomen in haar, als de duisternis die omhoogkomt vanaf de bodem van een put.

Ik vertel je dit nu, lieve schat, niet om je pijn te doen, maar om je te laten weten dat als je je moeder nog in dit leven wil zien, dit wel eens je laatste kans zou kunnen zijn. De moord kan natuurlijk niet ongedaan worden gemaakt, en we leven allemaal in angst voor Saddams meedogenloosheid. Maar het zou kunnen dat je misschien toch nog een manier zult weten te vinden om naar huis te komen.

Ik denk elke dag aan je en, als God het wil, dan zullen we elkaar ontmoeten in het volgende leven, als het dan niet meer in dit leven is. Herinner je je nog dat je me vertelde, in de tijd toen we allebei nog op school zaten, dat je nooit je gebeden vergat? Jouw geloof, zei je, was wat je karakter en geest had gevormd en je hoop voor de toekomst gaf. Ik vraag me af, Hanif, of je nog steeds iedere dag je gebeden verricht?

Er volgt een regel in het Arabisch. En daarna:

Mijn liefde voor altijd, D.

Sirines handen trillen. *Welke moord?* Ze is verlamd, denkt: ik moet het hem vragen. Maar als ze dat vraagt zal ze haar gesnuffel onthullen, het verraad van zijn vertrouwen. Ze voelt de aanwezigheid van een dode boven hen hangen, onzegbaar en onweerlegbaar, een geest met marineblauwe ogen in de hoek – misschien de starende indringer die ze in haar slaap voelde.

Ze sluipt de badkamer uit en stopt de brief snel terug onder zijn kleren in de la. Nu denkt ze dat ze overal in het appartement vreemde, kleine geluiden hoort, vreemd getik en gekraak waardoor haar hart een sprongetje maakt in haar borst. Ze heeft moeite om zijn gestalte in het donker te onderscheiden, maar ze moet hem zien. Is hij van plan om terug te gaan naar Irak? Heeft hij iemand gedood? Haar geest is verward, maar ze is te bang om te proberen de brief weer open te vouwen en hem opnieuw te lezen. Ze kijkt om zich heen.

En van wie is die brief? De briefschrijfster noemde hem 'lieve schat'. En dan, naar boven komend als een wezen verborgen in zwart water, herinnert ze zich Um-Nadia's verhalen over bedrogen vrouwen, hun trouweloze mannen. Ze staart naar Han's slapende gestalte en het lijkt op dat moment alsof hij niets anders is dan een schaduw, een rimpeling van inkt die over de lakens loopt. En dit allemaal – alles wat er tussen hen leek te groeien – was niet meer dan een verhaal dat ze zichzelf had verteld.

Sirine denkt aan de manier waarop haar ouders verdwenen naar de Soedan, toen ze een klein meisje was, zoals ze dat al zo vaak daarvoor hadden gedaan – naar Turkije, Afrika, India, naar hongersnoden, burgeroorlogen en aardbevingen, waarbij Sirine soms wekenlang, soms zelfs maanden, helemaal niets van hen hoorde; geen adres, de telefoonverbinding kapot. De laatste keer dat ze verdwenen, hoorden Sirine en haar oom pas een paar dagen na hun dood wat er was gebeurd. En in tegenstelling tot de familie van slachtoffers op het nieuws die spraken over akelige voorgevoelens, had Sirine geen flauw idee dat er iets aan de hand was op het moment dat het gebeurde.

Sirine voelt zich duizelig en heeft slappe knieën. Ze laat zich op het bed vallen. Wat als hij van plan is om te gaan? Misschien is Han wel getrouwd, denkt ze. Misschien heeft hij wel kinderen. En misschien heeft hij wel iemand vermoord. Ze blijft doodstil liggen, en let op het omhoog- en omlaaggaan van zijn borst. Als ze nu weggaat, zal ze nooit meer terugkomen; het is te veel voor haar. Ze begint te doen wat ze altijd deed toen ze een klein meisje was – ze zoekt naar een teken, wat voor teken ook. Ze deed dat altijd, zodat ze zou weten dat haar ouders nog in leven waren als ze weg waren: een blauwe auto of een kind met een stuk speelgoed of een vogel in de boom hield hen in haar hoofd in leven. Intussen weet ze wel dat dit kinderlijk en onmogelijk is, maar toch ligt ze te wachten, zelfs terwijl ze haar hoofd schudt, in een poging het leeg te maken. Haar hart voelt doorschijnend. Haar handen ballen zich tot vuisten, haar adem zit opgesloten in haar borst. Het is te veel, te moeilijk. Ze voelt hoe haar gevoelens voor Han samentrekken, zich terugtrekken naar een opgesloten, verre ster binnen in haar centrum. Net als ze op het punt staat op te staan, haar kleren en tas en fietssleutel te pakken, hoort ze hem mompelen en naar haar toedraaien.

'Sirine?'

'Ja?'

Maar hij slaapt. Hij bromt zacht, terwijl zijn handen over het bed tokkelen. 'Sirine,' mompelt hij, 'Sirine.'

Ze draait zich om, ogen wijdopen, en haar blik valt op het zilveren lijstje – hij heeft het verplaatst naar zijn nachtkastje en ze ziet dat er nu de foto in zit die Nathan heeft genomen – die van Sirine en Han en hun stralende, niet loslatende blik, het opalen moment van liefde.

Alles in haar houdt stand, wordt bleek en zet zich dan uit. Ze sluit haar ogen, terwijl ze luistert naar zijn stem, de hulpeloze waarheid van het slapen. En voorlopig is dat net voldoende: een manier om in hem te geloven.

Het is zondag, Sirines vrije dag. Ze slapen uit en maken een ontbijt van het fruit uit de bomen op de binnenplaats van het gebouw: zoete sinaasappels, mandarijnen, tomaten, grapefruit, avocado. Ze zitten op een aluminium tweezitsbankje op zijn balkon met borden en messen en een kommetje zout. Een spoor van sap loopt tussen hun vingers door en Han kust haar handpalmen.

Terwijl ze naar hem kijkt in de transparante morgen, de lucht opbollend als vitrage, voelt ze zich hoopvol en beter, alsof ze aan het herstellen is van een ziekte. De herinnering aan de brief in de nacht lijkt makkelijker om mee om te gaan in dit heldere licht. Ze denkt dat er een manier moet zijn om ernaar te vragen. Ze worden getest, vertelt ze zichzelf – hoewel ze niet zeker weet waarom – en de enige manier om door deze test heen te komen is door zich heel rustig te houden.

Han verdeelt een mandarijn in partjes en voert haar die één voor één. Dan snijdt hij een citroen doormidden, strooit een lepel suiker over de doorgesneden kant en bijt erin. Sirine kijkt om zich heen naar de waaiende palmen en de stoffige straat. Die morgen heeft de weerman op de radio gezegd dat het een bijzonder warme nazomerse dag zou worden. Ze snijdt een avocado open en besprenkelt die met grof zout voordat ze die aan Han overhandigt. 'O, Leila deed dat ook altijd,' zegt hij zacht. 'Zout op een avocado.'

Ze kijkt naar hem. 'Leila?'

Een punt in het midden van zijn ogen bevriest. Hij legt de helft van de boterkleurige avocado neer. 'Mijn zuster, Leila.'

'Ik wist niet dat ze zo heette.'

'Heb ik je dat niet eerder verteld?' Hij raakt de bleke avocado op zijn bord aan, maar pakt hem niet op.

Het gevoel dat ze ergens iets heeft gemist zit haar dwars. 'Ik geloof het niet. Je hebt eigenlijk nog bijna niets over haar verteld.'

'O nee?' Hij glimlacht, maar zijn glimlach breekt niet echt door. Hij legt zijn hand op zijn nek en zucht. Een kort briesje werpt het stof in spiralen onder het balkon op. Dan probeert hij een betere glimlach en zegt: 'Ik geloof dat je gelijk hebt. Ze is jonger. Ze woont nog bij mijn ouders...' Zijn stem sterft weg.

Zijn ogen zijn donker en schitterend, bijna fosforescerend. Hij legt haar vingers tegen die van hem, en laat ze er één voor één tussendoor glijden. De afgedankte fruitschillen beginnen al om te krullen op het bord, opgedroogd als kleine juweelkleurige palmen; de milde geur van sinaasappels en citroenen hangt in de lucht. 'Sirine, vergeef me deze vreselijke vraag, maar... vertrouw je me?'

Ze voelt zich onmiddellijk schuldig. Ze buigt haar hoofd en kijkt dan weer op. 'Ik geloof het wel.'

Hij knikt. 'Natuurlijk. We zijn nog maar in de beginfase van elkaar leren kennen, dat weet ik. Ik heb – als jij dat kunt opbrengen – wat meer tijd nodig. Er is meer wat ik je moet vertellen, maar alleen – nu nog niet. Maar ik zal het doen, als je kunt wachten. Dat beloof ik je. Is dat... kun je dat voor me doen?'

Ze leunt naar voren, opent haar mond, wil hem nog meer vragen, maar ze voelt ook een soort waarschuwing, een gevoel alsof bladeren rond haar borst vliegen. Misschien wíl ze ook wel niet meteen alles weten. Dus komt ze simpel overeind en begin hun borden te verzamelen. Het bestek rammelt in haar hand. Ze brengt alles snel naar de spoelbak in de keuken en voelt zich zo licht in haar hoofd, dat ze zich afvraagt of ze de afgelopen nacht wel genoeg slaap heeft gehad. Ze laat het hete water hard in de spoelbak lopen, zodat de stoom rond haar gezicht omhoogkomt. Ze pakt de afwasborstel in de ene hand en een bord in de andere en kijkt in de richting waar Han nog steeds zit op het balkon. Hij heeft zijn blauwe gebedssnoer uit zijn zak gepakt en laat het tikkend rondgaan, waarbij hij iedere kleine kraal over zijn wijsvinger wrijft met zijn duim.

Ze laat de borden staan en gaat weer naar het balkon. Ze voelt een spanning in haar die naar buiten drukt als een vloedgolf. Ze gaat naast hem zitten op het tweezitsbankje, kruist haar armen over haar borst en zegt: 'Is het waar dat moslims vier vrouwen mogen hebben?'

Hij lacht, geschrokken. 'Wat is dit?'

Ze voelt zich dwaas, maar de vraag hangt nu in de lucht. 'Gewoon iets wat ik heb gehoord,' mompelt ze. 'Iets wat ik me altijd heb afgevraagd. Mireille zegt dat het waar is.'

Hij strekt zijn arm uit over de rug van het bankje. 'Goed. Nou. Ik denk dat het technisch gezien, volgens de islamitische wet, inderdaad is toegestaan om vier vrouwen te hebben. Maar er is hier wel een groot probleem: Mohammed zei dat, als je meer dan één vrouw trouwt, je ze allemaal gelijk moet behandelen. Wat volgens veel religieuze geleerden praktisch onmogelijk is.'

'Waarom onmogelijk?'

Hij slaat zijn arm om haar schouders. Ze voelt het stijgen en dalen van zijn ribbenkast. 'Het zit in de menselijke natuur om favorieten te hebben,' zegt hij rustig, terwijl hij haar haar streelt.

'Heb je het gevoel...' hakkelt ze, schuldbewust en bezorgd, denkend aan de verstopte brief. Ze drukt haar handpalmen samen. 'Ik bedoel... geloof jij dat jouw godsdienst – die islam – bepaalt wie je bent?'

Ze kan voelen hoe hij aarzelt, zijn hoofd beweegt alsof hij probeert haar aan te kijken. 'Dat is een interessante vraag,' zegt hij voorzichtig. Haar handpalmen worden vochtig en ze vraagt zich af of ze zichzelf heeft verraden. Maar als ze niets zegt, zucht hij en zegt: 'Voor mij ligt dat gecompliceerder dan alleen dat. Er zijn mensen die hun identiteit ontlenen aan hun werk, godsdienst of familie. Maar ik denk van mezelf dat ik mijn identiteit ontleen aan een afwezigheid.'

Ze durft het aan om een blik op hem te werpen. 'Welke afwezigheid?'

'Nou, ik ben geen gelovige meer, maar ik beschouw mezelf nog wel als een moslim. In sommige opzichten is mijn godsdienst zelfs nog belangrijker voor me dan dat.'

'Hoe kun je een moslim zijn als je er niet in gelooft?'

'Ik geloof niet in een specifiek beeld van God. Maar ik geloof wél in sociale constructies, gevoelens van loyaliteit, culturele identiteit... O.' Hij zucht diep en kijkt weg en Sirine is al snel bang dat hij genoeg heeft van al haar vragen, of dat hij denkt dat ze niet intelligent genoeg is voor hem. Maar dan zegt hij: 'Het feit van mijn verbanning is groter dan al het andere in mijn leven. Het verlaten van mijn land was als – ik weet het niet – alsof een deel van mijn lichaam werd geamputeerd. Ik heb fantoompijn door het verlies van dat lichaamsdeel – ik word achtervolgd door mezelf. Ik weet het niet – slaat dit allemaal ergens op? Het is alsof ik iets probeer te beschrijven wat ik niet ben, wat er niet meer is.'

'Ik geloof dat ik het wel kan begrijpen,' zegt ze timide.

'Verbanning is als...' Hij gaat naar voren zitten, ellebogen op zijn knieën, zijn gebedssnoer gewikkeld rond een open hand, zijn handen tastend naar een soort vorm of beeld. 'Het is een vage, grauwe ruimte, vol geluiden en schaduwen, maar er is niets echts of werkelijks daarbinnen. Je denkt constant dat je oude vrienden op straat ziet – of oude vijanden die maken dat je hardop schreeuwt in je dromen. Je loopt op mensen toe, ervan overtuigd dat het familieleden van je zijn, en als je dichtbij bent, blijken hun gezichten toe te behoren aan volkomen vreemden. Of soms vergeet je gewoon dat dit Amerika is en niet Irak. Alles wat je was – iedere blik, klank, smaak, herinnering, dat alles is weggevaagd. Je vergeet alles waarvan je dacht dat je het wist.' Hij laat zijn handen vallen. 'Dat moet je ook wel doen.'

'Waarom?'

'Je moet het jezelf laten vergeten, anders word je gek. Soms als ik van die dakloze mensen op straat zie – je weet wel, diegenen die rondlopen en tegen de lucht praten, rondschuifelen in oude gescheurde kleren – soms denk ik dat ik me nog nooit zo verbonden heb gevoeld met iemand als met die mensen. Zij weten hoe het voelt – ze leven tussen twee werelden in, zodat ze eigenlijk nergens zijn. Verbannen van zichzelf.'

Sirine krijgt een gevoel alsof spookvingers langs haar ruggengraat lopen; ze rilt en drukt haar ellebogen dicht tegen zich aan. 'Dus... dat is wat je hebt gedaan? Ik bedoel, je liet het jezelf vergeten?' vraagt ze, in de hoop dat hij ja zal zeggen.

Maar hij zegt: 'Dat probeer ik.' En dan: 'Soms is het zo moeilijk. Ik had geen idee, geen flauw idee, toen ik mijn land verliet, hoe ingrijpend dat zou zijn. Het is veel moeilijker dan ik ooit voor mogelijk heb gehouden. Ik was niet voorbereid op hoe erg ik hen zou missen – en hoe veel ellendiger ik me nog zou gaan voelen door de simpele wetenschap dat ik niet terug zou kunnen. En natuurlijk had ik dit alles ook nooit kunnen weten voordat ik vertrok, toen ik zo jong en opgewonden was en dacht dat ik overal klaar voor was.'

Sirine staart naar hem en wacht totdat hij samen met haar terug zal lopen naar de kamer, zijn armen om haar heen zal slaan, zal zeggen dat zij al die verliezen in zijn leven ruimschoots heeft goedgemaakt. In plaats daarvan sluit hij echter zijn ogen, waarbij hij zijn schouders zwaar laat hangen, en zijn gebedssnoer door zijn vingers laat klikken.

15

Tante Camille had eindelijk haar bestemming bereikt, over de brede rug van Egypte, bij de poort van de Moeder van Alle Vissen, om nu te worden tegengehouden omdat ze geen afspraak had. Niet te geloven toch? Dus tante Camilles tere schouders bogen zich en Napoleon-was-hier liet zijn zware hondenkop zakken en de krokodillen huilden en de jacarandabloesem viel uit de purperen hemel. 'Nee,' bekende ze de bewaker-djinn. 'Ik heb geen afspraak.'

Nu was dit geen hardvochtige geest. Eigenlijk was hij vreselijk weekhartig. Maar de Eeuwige Gouden Regel is: een afspraak is vereist. Uiteindelijk is de wereld vol van alle mogelijk vissers met hongerige ogen, die denken dat er geen zoeter, zachter gerecht bestaat dan een filet van de Moeder van Alle Vissen, opgediend met wat knoflookcitroensaus. En dat soort komt altijd zonder afspraak.

De djinn moest proberen te laveren tussen zijn weekhartigheid en de aangeboren liefde voor regeltjes van een djinn. Hij was een neef van de Sfinx en een achterachterneef van Repelsteeltje. Hij overwoog om haar een van de oude raadsels van poortwachter-djinns op te geven, onoplosbaar voor iedereen behalve voor de held. Maar hij besefte onmiddellijk dat zij de heldin was van dit verhaal, wat haar een uitgesproken, natuurlijke kracht verleende.

In plaats daarvan humde en babbelde hij wat – zo goed als een djinn met scharlakenrode ogen dat kan – en in wezen versperde hij Camille de weg totdat de moëddzin van het Tanganjikameer tijd had gehad om in zijn boom te klimmen om zijn oproep tot gebed te doen. Op dat moment stond de tijd stil en keek de natuur op; de vogels hielden op met kwetteren en de bladeren stopten met ritselen, om hun ziel door die melodieuze, door de lucht zwevende oproep te laten leiden naar het pad van het gebed. Opgelucht greep de grote djinn haar hand in zijn vlezige, zweterige klauw en zei: 'Laten we bidden!'

Tante Camille knielde en zei haar gebeden, die grotendeels bestonden uit: Lieve God, laat me alstublieft voorbij deze djinn komen. Na een gepaste tijd beëindigde ze toen haar gebeden en alle wezens en geesten in het bos deden hetzelfde. Iedereen zuchtte en ging toen weer aan het werk. Iedereen, behalve de djinn, die maar bleef buigen en bidden, alsof er geen morgen en geen vandaag was. Het schoot door tante Camille heen dat hij misschien wel eens zou kunnen blijven bidden tot de volgende oproep tot gebed over een paar uur, en dat hij dus in feite eindeloos zou kunnen doorgaan met zijn gebedengedoe, en daarmee iedere voortgang in de richting van de vissenmoeder zou kunnen belemmeren. Dus bedacht ze een ander plan. Ze riep haar trouwe metgezel, Napoleon-was-hier, kruiste haar vingers en zei: 'Kun jij ruiken of deze gestoorde djinn een *mutbakh* – ook wel een keuken genoemd – hier ergens in de buurt heeft?' Nou, de hond stak zijn lange getrainde neus in de lucht, liet die heen en weer gaan en, jazeker, ze gingen op weg.

Het is laat op de dag, het licht rood en glanzend alsof het van ver weg komt. Maar er zijn nog steeds een paar studenten die buiten voor Han's kantoor wachten – allebei jonge vrouwen in korte rokjes, met rugzakken en afgekauwde potloden. Sirine gaat bij hen zitten en luistert naar de stemmen achter de deur met het matglas; de een laag en loom als een donkere rivier, de andere jonger en zachter, verlevendigd met vrouwelijk gelach, rinkelend als een lepel in een glas thee. Hun schaduwen rimpelen in waterige stukken over het raam. Han steekt zijn hoofd om de hoek van de deur, ziet Sirine en glimlacht. 'Ik ben nog een paar minuten bezig...' Hij gebaart naar de wachtende studenten.

Hij staat in de deuropening en de studente tegen wie hij sprak glipt langs hem heen en – zo merkt Sirine op – strijkt daarbij heel licht tegen hem aan. 'Dank u, professor,' zegt ze, ogen neergeslagen, een zwakke glimlach op haar lippen. Het is de gesluierde vrouw, de hoofddoek stevig weggestopt bij haar kin, alleen haar gezicht omlijstend – maar Sirine vraagt zich af of ze soms lippenstift en eyeliner op heeft. Han roept een volgende studente binnen en sluit de deur. De gesluierde vrouw draait zich om om weg te gaan – Sirine probeert zich te herinneren of dit de vrouw is die haar pen naar Aziz gooide – als ze zich omdraait en zegt: 'Ben jij niet Sirine?'

Verbaasd gaat Sirine rechtop zitten. 'Kennen wij elkaar?'

De ogen van de vrouw zijn zwart met wijnkleurige vlekjes erin, en haar wimpers zo lang dat ze een lichte ronding maken, als een gewelf. 'Mijn familie ging heel vaak eten bij Nadia's Café – toen ik nog een klein meisje was. Ik vond het altijd prachtig om jou in je keuken aan het werk te zien. Dat was jaren geleden – ik ben hier nu studente,' zegt ze. Een bescheiden glimlach. 'En Hanif – ik bedoel, de professor – heeft het vaak over jou.'

'Hij heeft het over mij?'

'O – niet in de les hoor. Privé.' Nu bedekt ze haar glimlach met haar vingertoppen, alsof ze iets heeft onthuld. 'Ik bedoel, als hij hier aan het werk is natuurlijk. Hij spreekt... heel warm over jou. Hij zei iets over dat ik de hijab draag' – ze wijst naar haar hoofddoek – 'en we kwamen daar toen over aan de praat. Maar weinigen van ons dragen in dit land nog de sluier. En hij vertelde me dat je belangstelling lijkt te tonen voor de islam.'

Sirine glimlacht zwakjes. 'Hij heeft dat tegen jou verteld? Onder vier ogen?'

Nu trekt de studente er een stoel bij en gaat tegenover Sirine zitten; haar uitdrukking is strak en een beetje intens. 'Als je denkt dat je meer zou willen weten, ik zit bij een groep...' Ze trekt een velletje papier uit een notitieboekje en begint erop te schrijven. 'Vrouwen in de islam. We komen één keer per week bij elkaar. Kom alsjeblieft. Als je maar een klein beetje geïnteresseerd bent. Het is zo belangrijk dat vrouwen zoals jij erbij komen, je bent zo'n voorbeeld voor de jongere vrouwen.' Sirine staart haar aan. Het gezicht van de studente is open en glanzend als een schelp. Ze strekt zich uit en raakt Han's omslagdoek aan die Sirine om haar hals heeft geslagen. 'Wat prachtig. Die steekjes. Je ziet er zo... bijna Arabisch mee uit. Je bent Iraaks, is het niet?' vraagt ze.

Han had haar dat zeker ook verteld, denkt Sirine. 'Half,' zegt Sirine. 'Mijn vader.'

'Net als Han!' Ze grijpt Sirines hand. 'Was ik maar Iraaks. Ik hou van Irakezen. Dat zijn de beste Arabieren. Bagdad is de moeder van de hele Arabische wereld. Nu moet je echt, echt komen. Er is zondagmiddag een bijeenkomst – ben je dan vrij? Ik zal naar je uitkijken.' Ze komt overeind, buigt zich snel en geeft Sirine een vluchtige kus op haar wang. Sirine ruikt parfum met aroma's van jasmijn en kruidnagel.

Ze verdwijnt door de deur en Sirine zit daar, handen in haar schoot, haar hart bonkend.

Die avond in bed schuift Sirine weg van Han. Schaduwen van draaiende koplampen kruipen door de slaapkamer en maken lage, zwarte sporen, het witte schuim van golven.

'Wat is er?' vraagt hij, terwijl hij een bungelende lok haar achter haar oor schuift.

'Ik denk dat ik wel naar die bijeenkomst ga,' zegt ze, zich ervan bewust dat ze hem aan het testen is, zonder precies te weten wat zijn reactie zal zijn. 'Die bijeenkomst van Vrouwen in de islam, waar jouw studente me over heeft verteld.'

Hij aarzelt, kijkt geamuseerd. Het zwart van zijn ogen vermengt zich met het zwart van zijn wimpers als gesmolten chocola, donkere streepjes onder huidplooien. Een zacht waas van stoppels bedekt de onderkant van zijn gezicht. 'Natuurlijk, als je daar zin in hebt.'

'Heb jij er dan geen mening over?'

Hij antwoordt niet meteen; hoe langer hij zwijgt, hoe meer ze denkt dat ze erheen wil. Hij ligt op zijn rug in bed en ze glijdt over hem heen. Zijn lippen zijn bleek en zacht, zijn handen vouwen zich open. 'Ach, allebei is goed.' Hij vult zijn handen met haar haar. 'Dat vind ik nou zo plezierig aan dit land,' zegt hij. 'Je kunt doen wat je wil. Een bijeenkomst is niet meer dan een bijeenkomst. Er hoeft niets meer aan vast te zitten dan alleen dat.'

De bijeenkomst is in een groot hotel in het centrum. Sirine slaat een hoek om, en loopt volgens de aanwijzingen van de portier door een eindeloze, bochtige gang. Iedere kamer aan de gang heeft een goudkleurig bordje met daarop de naam: de Santa Ana, San Gabriel, Sierra. Ze vindt de Shasta-kamer aan het einde van de gang en als ze de zware deur openduwt, is het een uitbarsting van wit gelambriseerde wanden en barokke kristallen kroonluchters. De muren en de vloerbedekking hebben allemaal dezelfde roomwitte kleur die lijkt te vervagen vanuit het midden van de kamer. Er is een podium met een bloemstuk van gele rozen, en bij elkaar in het midden van de grote kamer, een losse kring van stoelen en een groep van zeventien of achttien vrouwen. Een handjevol vrouwen is gesluierd en draagt zwarte kleding tot op de grond; de rest is gekleed in broeken en truien, spijkerbroeken en blouses.

De vloerbedekking voelt sponsachtig aan onder Sirines voeten en de stemmen van de vrouwen worden geabsorbeerd door de muren, waardoor het moeilijk is om iets goed te verstaan, tot het moment dat ze daadwerkelijk in de kring van stoelen zal zitten. Alleen haar hartslag klinkt luider en vult haar oren. Sirine betreurt het dat ze Mireille niet heeft meegenomen ter ondersteuning, maar toen ze haar uitnodigde, zei Mireille dat ze tegen godsdienst was, punt uit. Sirine is gaan denken dat ze hier misschien iets belangrijks zou kunnen ontdekken met betrekking tot Han – de dingen die hij haar niet leek te kunnen vertellen. Maar hoe langer ze blijft staan in de grote ruimte, hoe ongemakkelijker ze zich voelt. Dit doet haar denken aan een bijeenkomst waarvoor ze ooit de catering verzorgde: een kleine agressieve, strijdlustige groep die zichzelf Vastberaden Vrouwen noemde. Ze vraagt zich af of iemand het in de gaten zou hebben als ze zich nu zou omdraaien en stilletjes weg zou lopen. Maar inmiddels zijn alle gezichten in haar richting gedraaid. De studente die haar had uitgenodigd, is nergens te bekennen en even bevriest ze, terwijl ze zich afvraagt of dit een soort geheim genootschap is. Dan wenkt een van de vrouwen in het zwart haar en zegt: 'Maak je geen zorgen. We bijten niet.'

Sirine gaat op de rand van een stoel zitten, alsof ze zo weer weg moet. De vrouwen gaan weer met elkaar kletsen. Een vrouw is bezig met een kruiswoordpuzzel, een andere vrouw, van wie het haar is bedekt met een zwarte hoofddoek, vlecht het haar van een vrouw in een donzige roze trui. Diverse vrouwen glimlachen naar Sirine.

Een vrouw in een gebreid grijs vest en met een dubbelfocus bril aan een paarlen kettinkje gaat staan en verwelkomt hen. Ze vraagt of iedereen zichzelf kort wil voorstellen – Sirine vraagt zich af of dit voor haar wordt gedaan – en sommige vrouwen mompelen alleen verlegen hun naam en nationaliteit. Een vrouw zegt: 'Ik ben getrouwd met Hassan Almirah en mijn kinderen heten Tonia en Tamin', voordat iemand haar eraan herinnert om ook haar eigen naam te noemen. Maar veel van hen komen met een soort getuigenis of verzoek: 'Ik heb drugs gebruikt om te proberen mijn ziel te bevrijden, maar toen vond ik de islam.' Of: 'Ik bid voor een baan en dat alles weer goed zal komen met mij.' Als Sirines beurt steeds dichterbij komt, begint haar hart te bonken en haar geest wordt leeg. Dan kijkt iedereen naar haar. 'Sirine,' weet ze uit te brengen. 'Ik kook.' Een gesluierde vrouw die naast haar zit raakt haar schouder aan en buigt zich naar haar toe. 'Ik had niet gedacht dat je echt zou komen,' fluistert ze.

Sirine draait zich om – het gezicht van de vrouw is bedekt, op haar ogen na, omfloerste zwarte knikkers, het soort ogen die Um-Nadia Cleopatra-ogen zou noemen. Ze verwijdert de sluier die haar mond en neus bedekt en Sirine ziet ineens dat het de mooie studente van Han is. 'Ik ben Rana,' zegt de vrouw tegen de groep. 'Zoals de meesten van jullie wel weten. Uit Saudi-Arabië. En ik heb geen man en ik heb geen kinderen.'

De secretaresse leest notulen en mededelingen voor, en nodigt hen dan uit voor een groepsdiscussie over de vraag of ze zullen deelnemen aan een sit-in op de campus om te protesteren tegen de bezetting van de Westelijke Jordaanoever, of ze zelfgebakken producten zullen doneren voor een Lutherse inzamelingsactie, en of ze zullen deelnemen aan een discussie in een nieuwsprogramma van een plaatselijk televisiestation om het negatieve beeld van Arabieren in Hollywoodfilms te bespreken.

Sirine kijkt naar de gezichten van de vrouwen om haar heen: ongeveer de helft van de groep heeft een blanke huid en lichte ogen, waaronder ook een paar van de gesluierde vrouwen. Sommigen dragen een witte hoofddoek en sommigen een zwarte, en iedere doek lijkt te zijn geknoopt of vastgemaakt op een iets andere manier: de uiteinden weggestopt aan de zijkant van het gezicht of kunstig rond de hals geslagen, of vastgemaakt onder de kin. Diverse oudere vrouwen hebben hun ogen donker gemaakt met streepjes eyeliner en dragen opvallende rode lippenstift.

Plotseling buigt Rana zich naar voren, ellebogen op haar knieën, en zegt dat ze iets belangrijks te vertellen heeft. Ze draagt een gouden ring aan haar duim met wat een inscriptie lijkt van Romeinse cijfers, en Sirine kijkt toe hoe ze die ronddraait terwijl ze praat over de Golfoorlog. Haar stem klinkt steeds intenser terwijl ze zegt: 'Negen hele jaren na de oorlog – het is de totale vernietiging van de economie en het volk van Irak... met vrouwen en kinderen als doelwit... de Amerikaanse embargo's... biologische wapens, raketlanceerbases, zenuwgas...' Sirines concentratie valt af en toe weg – ze neemt nog wel brokstukken van wat Rana aan het vertellen is in zich op, maar ze wordt afgeleid door haar geëxalteerde uitdrukking en stem: 'Amerikaanse moslims moeten alles doen wat ze kunnen om hun steun voor hun Iraakse broeders en zusters te tonen. We kunnend demonstreren, naar het Congres schrijven...'

Het meisje in de roze trui laat haar kauwgom klappen en wiebelt met haar voet. Een aantal vrouwen steekt een sigaret op terwijl Rana spreekt, en de groepsleidster kijkt nerveus en zwaait met haar hand naar de rook. 'Degene die er de oorzaak van is dat het rookalarm weer afgaat,' onderbreekt ze, 'zal de volgende vergaderruimte moeten zoeken.'

Rana strekt zich verontwaardigd uit en werpt een vernietigende blik over de groep. Een van de oudere vrouwen zucht en vouwt haar armen over haar borst, terwijl ze haar lichaam heen en weer schommelt in haar stoel. 'Rana, het spijt me, maar moet je nu altijd zo schreeuwen? Mensen zoals jij maken dat de Amerikanen denken dat moslims altijd boos zijn.' Ze voegt er iets in het Arabisch aan toe, waarop een aantal andere vrouwen schreeuwt: 'Engels, Engels!'

Rana kijkt verbijsterd. 'Hoe kun je zo praten, Suha?' vraagt ze. 'Ken je het effect van een Amerikaanse raket op een Iraakse tank?' Ze heft haar hand. 'De Amerikanen vuurden nog nadat de Irakezen zich al hadden óvergegeven, ze waren zich aan het terugtrekken.'

Suha snuift. 'Ik weet niet eens waarom jij van ons verwacht dat wij alles weten over al die politieke kwesties,' zegt ze. 'We willen gewoon Amerikanen zijn, net als ieder ander.'

Rana wijst naar Suha. 'Dat bedoel ik nu. Dit is precies de houding die het probleem vormt! Jij wil weten waar terroristen vandaan komen? Ze ontstaan door passiviteit – van goed bedoelende mensen! Amerikanen willen grote auto's, grote huizen – het interesseert ze niet wat hun regering doet om ervoor te zorgen dat ze goedkope benzine in hun auto's kunnen gooien, dat ze al die grote, dure dingen kunnen realiseren. Best, maar verbaas je dan niet als je uiteindelijk hier met terrorisme te maken krijgt.'

'Hoe kun je nu zoiets zeggen over je eigen land?' vraagt Suha, terwijl haar gezicht rood wordt van verontwaardiging; diverse andere vrouwen knikken. 'Jij bent hier zelfs geboren.'

'Hoe kun jíj zo onverschillig zijn voor menselijke levens? We hebben het hier over jouw broeders en zusters!'

Suha steekt een hand op en zegt: 'Mijn broeders en zusters wonen in Orange County waar ze thuishoren.'

Na de bijeenkomst wendt Rana zich tot Sirine, en grijpt haar handen vast. Rana's handpalmen zijn warm – haar hele lichaam straalt warmte uit en het heldere licht lijkt de roze kleur uit haar huid weg te trekken. Haar ogen lijken enorm en star. 'Zuster,' zegt Rana, en zelfs haar stem klinkt verhit. 'Je bent een geboren moslim, dat zie ik gewoon.'

Sirine staat stil en laat toe dat Rana haar handen vasthoudt in een stevige greep. Ze is een beetje bang voor Rana, maar voelt zich ook door haar geïnspireerd. Ze krijgt een plotselinge roekeloze impuls om haar in vertrouwen te nemen, om haar een paar van de vragen te stellen die haar ongerust maken. 'Ik vroeg me af...' begint Sirine voorzichtig, maar schrikt dan terug door de manier waarop Rana's ogen groter worden. 'Ik bedoel... nou ja, bedankt dat je me hebt uit-genodigd.'

Sirine glimlacht, maar nu lijken Rana's ogen over haar heen te glijden, een licht ironische uitdrukking op haar gezicht. 'Ik hoop dat je er iets aan hebt gehad. Soms weet ik niet eens zeker of er een ma-nier is waarop een christen een moslim kan begrijpen,' zegt ze pein-zend. 'Mag ik vragen welk geloof jij hebt?'

Sirine kijkt omlaag naar haar handen en merkt een fijn spoor van meel tussen haar vingers en onder haar nagels op. Ze stopt ze in haar zakken. 'Ik denk dat ik eigenlijk geen geloof heb,' begint ze voorzichtig. 'Ik bedoel, mijn ouders waren niets, dus...' Ze maakt haar zin niet af, bang dat Rana teleurgesteld zal zijn hierover, dus voegt ze eraan toe: 'Maar ik geloof wel in veel dingen.'

'Juist ja.' Rana lijkt niet erg onder de indruk. 'Dat is interessant.'

Sirine denkt dat ze een flits van sarcasme ziet weerspiegeld achter het oppervlak van Rana's ogen. Het schiet door haar slanke gestalte als onderdrukt gelach. En toch kan Sirine er niets aan doen dat ze Rana bewondert, haar intense schoonheid en haar felle geest. In haar aanwezigheid heeft Sirine het gevoel alsof haar eigen geest niet meer is dan een klein, vaag verlicht plekje.

Het lijkt erop dat de airconditioning in de kamer is aangezet. Siri-ne laat haar handen langs haar prikkelende armen gaan. 'Heb je het koud?' Rana neemt de brede katoenen doek van haar eigen schou-ders en slaat die om Sirine heen. Hij doet Sirine denken aan de omslagdoek die Han haar heeft gegeven. Deze is zwart met een blauwe geborduurde rand in de vorm van bloemblaadjes. En even vraagt Sirine zich af of Han hen allebei een doek heeft gegeven. Maar Rana buigt zich over haar en zegt: 'Alsjeblieft. Hou hem alsjeblieft. Ik wil het.'

Door het raam kan Sirine zien hoe de warme bergwind zand en stof de lucht in laat dwarrelen. 'O nee, dat kan ik echt niet aannemen,' zegt ze.

Rana omarmt haar, waarbij ze Sirine in de doek vasthoudt en haar op beide wangen kust. Dan fluistert ze in haar oor: 'Mijn zuster.'

16

Het is minder bekend van djinns dat, hoewel ze geen zitkamer, eetkamer, studeerkamer of badkamer hebben, zelfs geen comfortabel
bed, ze wél prijs stellen op een aardige keuken. Om er hun zoete
smaak te bevredigen, misschien wat knaffea te bakken, koffie te zetten, een paar mensen te gast te hebben – dat soort dingen. De mutbakh van de riviergeest bevond zich achter een spleet in een grote
stenen muur langs de oever van het meer, en Napoleon-was-hier en
tante Camille moesten zich één voor één door de smalle opening
persen om binnen te komen. De keuken was nauwelijks meer dan
een zevenkantige marmeren ruimte met een vier meter hoog ge-
welfd plafond, een gestolen Romeinse mozaïekvloer met een gevleugelde antilope, een bemoste zwerfkei als tafel, vier stoelen van
twijgen, een piepkleine open haard in de rots met een altijd brandend vuur, een koude hoek en een voorraadkamer, en een heel grote
stapel botten – die Camille verkoos te negeren, maar die Napoleon-
was-hier intrigeerde. Ze controleerde de koude hoek en trof er zeven
muizen, twee eekhoorns, een krokodillentand en een paar grijze
wut-wut, of vleermuizen, aan. In de voorraadkamer vond ze een kan
olijfolie, diverse knoflookbolletjes en uien, een paar rijpe tomaten,
een halve citroen, een paar dadels, een grote kool, wat rijst, potten
met kardemom, thee, peper, groene tarwe, suiker, kurkuma, zout,
nootmuskaat, fenegriek, gedroogde munt, saffraan, kaneel, oregano,
sumak, linzen en gemalen koffie. En achter dit alles, glanzend en
zwetend, glad en satijnachtig, zwart als onyx en bol als een baby,
vond ze een aubergine.

Tante Camille stak hem met beide handen hoog in de lucht, als een vroedvrouw die een pas geboren kind ophoudt, en verkondigde: 'Het antwoord op onze gebeden!'

Hierop volgde wat uithollen en schrapen, wat snijden en hakken, wat vullen en wat bakken. Ze vond wat rozijnen hier, een paar pijnboompitten daar, bakte wat in *aleeya*, het vet van een lamsstaart. Ze moest wat experimenteren met de hitte van het vuur, maar binnen de kortste keren was er een schitterend gerecht van gestoofde aubergine, opgediend op een kobaltblauwe glazen schotel.

De geur van het gerecht vervulde de keuken en zweefde om hen heen terwijl ze de schotel door het bos naar de djinn droeg. Hij was in al die tijd niet één keer gestopt met zijn gebeden, maar toen tante Camille dichterbij kwam, kringelde de aangename, knoflookachtige, boterachtige, nootachtige, aubergineachtige geur om zijn hoofd, totdat hij het gevoel kreeg alsof al zijn zintuigen uit zijn lichaam zouden vliegen. Hij wiebelde op zijn hakken, ontwaarde tante Camille met haar schotel, en donderde prompt: 'IK BEVEEL JE OM MIJ DE AUBERGINE TE GEVEN!'

'Niet zo snel,' zei tante Camille, terwijl ze het gerecht achter haar rug hield. 'Ik wil geen vrome djinn storen tijdens zijn gebeden.'

'Hmm, ja,' zei de djinn, die er hongerig en betrapt uitzag.

Plotseling keek ze verstrooid. 'Dat wil zeggen... behalve natuurlijk als...'

'Behalve wat...?'

'Behalve natuurlijk als u tot diegenen behoort die geloven dat het lichaam eren en de zintuigen behagen een van de beste manieren is om God te danken.'

De djinn sprong opgelucht op. 'Ja, dat is het! Dat is het precies!' riep hij uit, en zijn tong ontrolde zich en zijn vingers strekten zich uit naar de aubergine.

'En weet u wat ze zeggen over zulke heilige mannen?' vervolgde ze, nog steeds haar schotel stevig vasthoudend.

'Nou nee, niet precies,' zei de djinn, die zijn ogen niet losliet van de aubergine.

'Dat ze het soort heilige mannen zijn die niet hechten aan ceremonie en die nooit staan op een afspraak.'

Hierop werd de geest overmand door zijn eigen honger – en als je ooit niet voorbij een djinn of een bullebak of een portier kunt komen, dan moet je aan het volgende denken: hun honger zal hen altijd overmannen. Hij sprong op en riep uit: 'Vergeef me, Moeder van Alle Vissen!' De Verloren Geheime Koning van het Abbasidische Rijk en de Heilige Man van de Aubergine greep hierop de schotel en verdween in het zwarte bos met zijn nieuwe godsdienst.

Sirine kijkt naar het vroege ochtendnieuws uit Caïro op de tv die boven de bar hangt. Een ernstig kijkende man en vrouw zitten achter een bureau en lezen in het Engels voor van een stapel papieren. Achter hen zijn kleine, omkaderde beelden te zien: brandende olievelden, een stervende baby, vrachtwagens van de vn die door modderige kapotte straten rijden. Sirine vraagt zich af hoe iemand als Rana erin slaagt om hier iets van te begrijpen: die verhalen die geen begin of einde lijken te hebben, geen grenzen, ongemerkt overgaand – net als het nieuws op het scherm – van Irak naar Bosnië naar Ierland naar Palestina. De grimmige uitzendingen vervullen haar met een onbestemde angst, vrees voor de wereld voorbij Westwood Boulevard.

De studenten komen geleidelijk het restaurant binnen, gaan naar dezelfde stoelen aan dezelfde tafeltjes. Ze komen zo vroeg – terwijl de zon steeds later komt – dat er nog lange wolken aan de hemel hangen, met een roze waas eronder. De lucht ruikt naar vuur en chocola, zwarte thee en een duidelijke geur van aarde. Allemaal hebben ze stapels studieboeken bij zich, maar ze vouwen kranten van thuis open, gedrukt op bleekgroen of geel papier. Ze openen ze ritselend, speuren de kolommen af, waarbij het gele papier flikkert als kleine vlammen. Nieuws uit Algerije, Bethlehem, Bagdad. Ze heeft ze wel eens gezien in de bibliotheek van de campus, waarbij ze turen naar het internetnieuws op het scherm. Ze weet dat het nieuws het middelpunt vormt van hun leven, berichten over het land dat ze moesten verlaten, vreselijke dingen die er gebeurd kunnen zijn met hun familie en vrienden.

Een jonge student die aan de bar zit houdt zijn krant rechtop opengeslagen, zodat Sirine een foto op de voorpagina kan zien. Die is korrelig, een beetje gevlekt, als iets uit een halfvergeten nachtmerrie; een groep mensen met een zak over hun hoofd. Nekken waaraan wordt gerukt. Tenen naar voren wijzend. Hun voeten raken de grond niet. Ze staat daar, starend naar de foto, haar handen plat gedrukt tegen haar schort, niet bewegend. Een koud gevoel trekt door het midden van haar borst, als een ijzeren lepel die rinkelt in een lege ijzeren pot. Het is bijna hetzelfde als hoe ze zich voelde toen ze de brief in Han's kamer las. Uiteindelijk laat de student zijn krant een stukje zakken en kijkt op. Hoge, fijne jukbeenderen. Zijn brillenglazen flitsen wit op tegen zijn huid. Hij ziet er vaag bekend uit – ze heeft hem al eerder in het restaurant gezien – hij lijkt te jong om al op de universiteit te zitten. Hij kijkt naar haar.

'Wat is dat?' vraagt ze voorzichtig, terwijl ze naar de foto wijst. 'Wat gebeurt er daar?'

De student haalt licht zijn schouders op, die zo mager zijn dat ze de botten van zijn schouders door zijn dunne hemd heen kan zien. 'Gewoon Saddam Hoessein. Die even een voorbeeld wil stellen. Hij zegt dat die mensen samenspanden met de Amerikanen om de regering omver te werpen.' Zijn stem klinkt te ironisch en triest voor zo'n jeugdig gezicht.

'En was dat zo?'

De student duwt zijn bril omhoog met een vinger. Ze kan zijn ogen niet goed zien. En ze weet niet uit welk land hij komt. 'Het is mogelijk. En misschien was het iets anders. Hij heeft alle mogelijke redenen, ze schieten hem te binnen of hij verzint ze naar willekeur.' Hij werpt nog even een blik op de foto en haalt dan zijn schouders op. 'Dit is niets bijzonders.'

'Niets bijzonders?'

Hij duwt opnieuw zijn bril omhoog, maar deze keer bekijkt hij haar behoedzaam en aandachtig. 'Wat kan het jou schelen?' zegt hij uiteindelijk.

Ze is onthutst; zonder na te denken, beweegt ze een hand naar haar borst. 'Natuurlijk kan het mij schelen. Waarom zeg je dat?'

Later tijdens haar pauze speurt ze de voorpagina's van de Amerikaanse kranten af bij de kiosk in de straat: *The Los Angeles Times, The New York Times, The Washington Post*. Er zijn geen foto's; vandaag staat er niets vermeld over Irak. Helemaal niets.

Die avond gaat Sirine vroeg naar huis, meteen nadat ze de grootste drukte hebben gehad, net als de hemel donker begint te worden. Ze fietst door Westwood Village, langs de rand van de campus met niet meer dan een haastig opgeschreven adres op een stukje papier, door een doolhof van studentenhuizen, studentensociëteiten en appartementen. Ze moet onderweg diverse mensen de weg vragen. De volle nacht lijkt in te vallen zodra ze de rijen straatlantaarns achter zich heeft gelaten, de duisternis nu zo dicht dat de sterren ineens helder boven haar lijken te stralen. De hemel is een ingewikkeld samenstel van gloeiende planeten en herkenbare sterrenbeelden – Stier, de Plejaden – die haar oom haar vroeger wel liet zien vanaf het dak van zijn huis als ze aan het wachten waren op de thuiskomst van haar ouders. Ze stopt en kan nu bijna een gespikkeld licht zien achter de sterren – geen maan, alleen een diepe dimensie van sterren achter sterren, lagen toevoegend, als kamers die zichtbaar worden vanuit een donkere ruimte.

Ze raadpleegt het adres opnieuw bij het blauwe licht van een tv dat vanuit een zitkamer op het trottoir schijnt. Even is ze ervan overtuigd dat ze verdwaald is. Dan slaat ze een hoek om en merkt dat ze toch in de goede straat is. Het adres leidt naar een schuur, weggestopt tussen een paar slaperige appartementencomplexen van twee en drie verdiepingen. De planken wanden van de schuur zijn aan het wegrotten, vermolmd, en een deel van het bouwwerk bestaat uit niet bij elkaar passende triplex platen. Het gazon staat vol onkruid en zelfs de twee bananenbomen staan er gebogen en in hun groei belemmerd bij, hun brede voorkanten gespleten en bruin opkrullend. Een elektriciteitsdraad hangt knetterend boven het ingevallen dak. Er is geen huisnummer te bekennen en Sirine ziet binnen geen licht – het ziet er onbewoond uit.

Ze stapt van haar fiets en loopt er behoedzaam mee naar het portick. Er hangt een zurige, vreemde lucht. Ze staart naar de deur die een beetje scheef in zijn kozijn hangt, en besluit om het hele idiote plan op te geven, om te keren en weg te rijden. Ze heeft net het adres in haar zak gestopt en is al teruggelopen naar de straat, als ze een deur achter zich krakend hoort opengaan. Ze draait zich om en ziet Nathan daar staan. 'O, mijn god, ben jij het, Sirine,' zegt hij. 'Ik dacht al dat ik buiten iets hoorde.' Hij laat zijn armen langs zijn zijden vallen en grinnikt. 'Je bent toch gekomen.'

Ze lacht. 'Hoi. Ik...' stottert ze, niet zeker of ze eigenlijk wel was uitgenodigd. 'Ik zag vandaag wat foto's – ze stonden in de krant – ik weet het niet. Ik begon na te denken over jou... en...'

'Kom binnen, kom binnen.' Hij steekt zijn arm ter verwelkoming uit en ze gaat door de scheve deur naar binnen. 'Vergeef me. Ik breng zo veel tijd in mijn donkere kamer door, dat ik niet meer in de gaten heb of het nu dag of nacht is. Dat maakt me gewoon niet meer uit. Ik ben eraan gewend geraakt om te leven zonder de lichten aan te doen.' Hij draait een schakelaar om in de kamer – meer een nacht-lampje dan een echte lamp, dat maar net voldoende licht geeft voor Sirine om vormen te kunnen onderscheiden – lege kopjes, dozen, blikken, allerlei rommel, rondslingerend op bovenmaats meubilair.

'Kom, deze kant op...' Hij leidt haar door de kamer – zij volgt, waarbij ze tegen onduidelijke voorwerpen opbotst – 'Let maar niet op de...' Hij schopt wat aan de kant. 'Ik krijg maar zelden bezoek.' Hij opent een deur achterin. En hier is de lucht het sterkst – me-taalachtig, onaangenaam en zuur, bijna duizelig makend. De kamer baadt in een poederachtig bronsrood licht, en meer half zichtbare voorwerpen tekenen zich flauw af in de hoeken en hangen aan het plafond.

'Welkom in mijn vleermuizengrot.' Er is allerlei fotoapparatuur, een metalen klapstoel, een lange tafel vol bakken met oplossingen, en een stapel negatieven die hij in stukken aan het knippen is.

'Hier werk je?' Ze voelt zich verlegen. Allebei praten ze op een in-gehouden, voorzichtige toon, alsof er vlakbij mensen liggen te sla-pen.

Hij houdt wat negatieven omhoog, en loopt dan naar de bakken. 'Ik was net wat afdrukken aan het maken. Kijk – dit is ontwikkelaar en dit is een stopbad en...' Zijn gezichtsuitdrukking is vaag in het rode licht. Hij houdt een zilverkleurige tang omhoog. 'Wil je het zien?' Hij laat een vel fotopapier in het bad glijden en beweegt het even heen en weer, grinnikt dan. 'Ik kan bijna niet geloven dat je hier bent. Echt hoor – niemand komt ooit bij mij op bezoek.' Hij pauzeert en vraagt dan: 'Heb je Han verteld dat je hierheen ging?'

Ze glimlacht ondeugend. 'Nee. Maar ik denk dat het wel goed is.' Ze pakt een blik op en zet het dan weer neer. De donkere kamer is klein en Nathan lijkt instinctief in elkaar gedoken te lopen, terwijl hij tussen de bakken door beweegt. Nathan zegt: 'Let op.' Hij laat het vel fotopapier in een bak glijden en na een paar minuten kan Sirine spookachtige vormen omhoog zien komen op het papier in de klei-ne plastic bak. Ze probeert het beter te zien: het haar en het gezicht van een vrouw, haar spierwitte armen geheven in rechte hoeken, zwemmend over het oppervlak van het papier; haar benen lijken vreemd gebogen, haar voeten samengebonden – een vissenstaart? Hij laat het in de volgende bak glijden.

Nathan buigt zich weer over de bakken: nog meer vreemde beel-den duiken op uit het chemische bad – mensen die lachen – wiggen van lichte tanden in donkere gezichten. Ze zien eruit als wezens van een andere planeet.

'Waar zijn die foto's van?'

'O, dat weet ik nooit precies.' Hij houdt nog een negatief op. 'Vroeger plakte ik overal een etiket op, zette de datum op mijn film en hield alles bij. Toen ontdekte ik dat het beter was om gewoon te vergeten wat het was wat ik had gefotografeerd om het dan later terug te laten komen in deze nieuwe vorm. Als geesten. Zodat ik de beelden echt bewust zie.' Hij buigt zich met zo'n concentratie over de bakken dat Sirine het gevoel heeft alsof ze net uit zijn bewustzijn is verdwenen. Zijn ademhaling gaat zwaar, onbewust, met een ijl gepiep als een vogelgeluid. Ze bestudeert zijn profiel nauwkeurig; zijn haar ziet eruit alsof hij zelf bezig is geweest met een keukenschaar of een mes; zijn smalle kaak spant en ontspant zich.

'Wat is dit?' Ze wijst op een apparaat met een klokje als op een fornuis. Ze raakt het aan en het rode licht boven hun hoofden gaat uit, waardoor de kamer in een dimensieloze duisternis wordt gehuld. Ze grijpt de rand van een tafel vast. 'O jee!'

'De tijdklok.' Het rode licht gaat weer aan. Nathans hand ligt op haar onderarm. Grauwe spookogen, een en al pupillen. 'Alles goed met je?'

'Ja hoor.' Ze lacht zwakjes.

'Weet je het zeker?' Hij kijkt naar haar, tuurt. 'Je ziet er niet echt goed uit.'

Ze gaat op de metalen klapstoel zitten naast de tafel en vraagt zich af of de dampen haar soms duizelig maken. Ze sluit haar ogen en opent ze en zijn gezicht doemt vlak voor haar op. Even lijkt het alsof hij haar wil kussen. Dan recht hij zijn rug en draait zich om.

'Wil je soms wat water?'

Ze staart naar zijn rug. Ze zou dolgraag meer hoogte willen krijgen van Nathan. Het is als een kriebelend gevoel net onder het oppervlak van haar huid. Het lijkt erop alsof hij iets van haar wil, maar niet het soort dingen dat mannen meestal willen. Dit lijkt meer op een onmogelijk en eindeloos verlangen – het soort verlangen dat nooit werkelijk bevredigd kan worden. Ze merkt het zachte stuk blote nek op, de roze randen van zijn oren en de achterkant van zijn kortgeknipte hoofd, en ze voelt dat hij wacht op iets als een bevestiging, vergeving. 'Nathan,' zegt ze langzaam, 'hoe lang heb je in Irak gewoond?'

Hij draait zich om; ze kan zien dat hij die vraag niet had verwacht. 'Het komt gewoon doordat... je lijkt er zoveel van te weten,' zegt ze. 'Ik denk dat Han er graag met jou over zou willen praten.'

'O ja?' Hij pakt een papiertang op en draait die rond. 'Weet je, ik had daar eigenlijk niet eens mogen zijn.'

'O nee?'

'Er is een reisverbod voor Irak. Ik ging mee met een vriend die hulpverlener is, om voedsel en schoolvoorzieningen voor kinderen het land in te smokkelen. Absoluut niet toegestaan door onze regering. Toen ik in Bagdad was, sprak een Amerikaan in een kostuum me aan die zei dat ik twee keuzes had: het land verlaten of mijn foto's overhandigen.'

'O.' Ze voelt hoe haar ogen groter worden. Ze heeft een paar van dat soort verhalen al eerder gehoord van studenten – over dat ze moesten komen voor ondervraging – de CIA, de FBI – de angstaanjagende, onzichtbare mannen die de macht leken te hebben om alles te doen wat ze maar wilden en met wie ze maar wilden. 'Wat deed je toen?'

Hij tuurt haar gepijnigd aan. 'Ik was verliefd in die tijd, ik kon niet weg.'

'O.' Ze knippert met haar ogen, haar adem gevangen in haar keel alsof ze de hik heeft. 'Wat stond er op die foto's?'

Hij schudt zijn hoofd, mond strak en grimmig. Dan zegt hij: 'Gewoon mensen. Niets belangrijks. Ik dacht niet dat daar iets belangrijks tussen zat. De man vroeg me om een rapport te schrijven over mijn ervaringen, maar ik weigerde om dat te doen. Ik wilde hem geen namen of dat soort informatie geven. Ik vertrok, verliet mijn appartement in de stad en ging wonen bij de familie van de vrouw van wie ik hield. Ik sliep in de velden buiten hun huis. Ik wist dat die man me daar onmogelijk zou kunnen vinden.'

'Zaten er bij de foto's die je aan die man gaf ook foto's van haar? Van die vrouw?'

Hij staart strak naar de zilverkleurige tang. 'Een paar.' Hij draait zich om en steekt zijn tang in een van de plastic bakken. Sirine kijkt toe hoe de beelden omhoogkomen uit het bad: merels, kale bomen als potloodtekeningen, mensen die praten, maar aan al die foto's klopt iets niet helemaal – een man lijkt te veel vingers aan zijn hand te hebben, een enkele hoorn komt te voorschijn uit het midden van een hertenkop.

'Gebeurde... gebeurde er toen nog iets?'

Hij schudt zijn hoofd, rammelt met de papiertang in de bak. 'Het is... het is te veel om uit te leggen. Eerlijk gezegd... is het moeilijk voor mij om eraan te denken, aan de dingen van toen. Het is jaren geleden gebeurd. Ik heb eigenlijk al te veel gezegd.'

Ze wacht, in de hoop dat hij door zal gaan. Als hij dat niet doet, vraagt ze uiteindelijk zacht: 'Heb je nog foto's van haar?'

Een kind bij wie het haar lijkt ondergedompeld in teer, geplakt tegen zijn hoofd. Een vrouw met ogen als teer, diepe holtes gevuld met vloeistof.

'Ik kan niets vinden,' zegt hij. Dan kijkt hij op naar Sirine, zijn uitdrukking smekend. 'Vertel Han hier alsjeblieft niets over. Over de man of de foto's of iets van dit alles. Ik had geen keus,' zegt hij heftig. 'Ik kon haar niet achterlaten en ik kon haar niet meenemen. Ik wist niet wat ik moest doen, ik was wanhopig. Vertel Han er alsjeblieft niets over, alsjeblieft, ik denk niet dat hij het zal begrijpen.'

'Ik weet zeker dat Han...'

'Alsjeblieft, beloof het me.'

Ze knikt. 'Het is in orde, het is goed, echt. Ik zal niemand er iets over vertellen.'

Nathan schudt zijn hoofd. 'Ik voel me klote omdat ik je dit heb verteld. Ik zeg altijd meer dan ik van plan was, en ik heb het pas door als er een paar dagen zijn verstreken en ik de gelegenheid heb gehad om te beseffen hoe idioot ik moet klinken. Ik weet zeker dat mensen denken dat ik gestoord ben.'

'Nee hoor... het is...'

Hij kapt haar af: 'Waarom moeten mensen altijd overal over praten? Praten, praten, praten. Waarom kunnen we alles niet gewoon laten voor wat het is? Voor mij is dat voldoende.' Hij gebaart naar de foto's. 'Wat ik zie, is meer dan genoeg voor mij. Waarom moeten mensen gaan graven achter de randen om woorden en dingen op te diepen, om te proberen iets te vinden? Er is daar verder niets. Of niets wat iemand zou moeten weten. Ik weet genoeg van wat er in mij is, en meer hoef ik niet te weten.'

'Is dat niet een beetje... eenzaam?' mompelt ze, en ze kijkt rond in de kamer. Ergens onder de chemische lagen denkt ze dat ze zijn adem of zijn huid kan ruiken – een muffe mengeling van sesamzaad en gebrande suiker. En zijn stem, zo laag gemoduleerd en trillend in haar oor, als de stem vanuit een schelp, van diep onder het zeeoppervlak. Plotseling krijgt ze het benauwd; ze wil hier niet langer zijn. Maar Nathan houdt nog een foto omhoog en zegt: 'Het is alsof je kunt zien waar hun ziel is. Weggestopt in een deel van hen.'

Ze kijkt even naar het beeld: een man met een donkere huid die op een stoel voor een kantoordeur zit. Zijn benen zijn over elkaar geslagen en zijn hoofd is iets gedraaid, zijn postuur en de helling van zijn schouders elegant hellend in een mooie, kalligrafische boog. Zijn uitdrukking is verlangend en verdrietig, alsof hij heeft gehuild en daarmee nog maar net is opgehouden toen de foto werd genomen. 'Wat droevig,' zegt ze zacht. Haar hart lijkt op te stijgen in haar borst; het is zo'n vreemde, ontroerende foto. 'Wie is die man?'

Nathan grinnikt, stopt dan en kijkt naar haar. Even later zegt hij: 'Nou, dit is Han natuurlijk.'

Ze staat te wachten in Nathans deuropening. In het licht van de halvemaan kijkt ze uit over het verwaarloosde gazon; ze kan peren rood als rozen tussen de bladeren zien hangen, terwijl motjes met zachte vleugels, groengeel en turkoois, erlangs fladderen. Ze ruikt citroenbladeren, mirte en bessen die nagloeien in de warme nacht. De late duisternis verzacht het huis en het erf, maakt dat alles er vreemd en romantisch uitziet.

'Hier is de foto!' Nathan komt terug in de voorkamer, terwijl hij hem ophoudt met een witte kartonnen lijst eromheen. 'Ik wilde hem eerst inpakken, maar...' Hij stopt de foto in haar handen alsof het een gedeeld geheim is. 'Bedankt dat je bent gekomen. En dat je me liet praten over – je weet wel – al die dingen. Het betekent veel voor me.'

Ze pakt de foto aan zonder ernaar te kijken en pauzeert even. Ze wrijft haar vingers langs de rand van het matte karton en kijkt dan op. 'Nathan, wat zou er met Han gebeuren als hij terug zou gaan naar Irak?'

De vraag lijkt hem aan het schrikken te maken. Hij houdt zijn hoofd een beetje schuin. 'Waarom? Heeft hij iets in die richting gezegd?'

'Nee, o nee, ik vraag het me alleen af, ik bedoel, wat zou er gebeuren als hij dat zou doen?'

'Ik denk dat we hem dan nooit meer terug zouden zien.'

Ze houdt zijn blik nog een moment langer vast, stapt dan achteruit en kijkt even naar de foto: een waas van auto's, een kleine jongen in een hoek met een donkere mond waarvan Sirine kan zien, zelfs op de zwartwitfoto, dat ze kersenkleurig zijn, een hand die hem uit beeld trekt, een winkeluithangbord in schuine Arabische letters. Het is een straattafereel, de winkels tussen Nadia's Café en de slagerswinkel, en in het midden staat Sirine met een vragend gezicht, haar haar wit als een toorts, wegwaaiend van haar gezicht, op weg ergens naartoe.

17

Zo, waar zijn we gebleven? Wachtend met tante Camille op de oever van het Tanganjikameer, in de hoop dat de Moeder van Alle Vissen naar haar toe zal komen. Het Tanganjikameer is wild, golvend en woest, water dat in verbinding staat met de Nijl, vol met alle mogelijk waterdieren. Er waren Grote Ogen en Gele Vinnen, Wervelende Lantaarns en Bolle Bekken. Vissen met gerimpelde voorhoofden en stompe vingers als boze boekhouders, vissen met zelfgenoegzame lachjes en slimme koppen als studenten, en vissen met lange wimpels als haren en lange hangende vinnen als benen en rare sproeterige hoofden als de kinderen aan de overkant van de straat.

En alle babyvissen in het diepe, saffierblauwe water stonden onder de hoede van de oude, oude, oude moeder. En ze hield van al haar vissen, zelfs van de vis die leek op dat vreemde kind hier uit de buurt, omdat moeders nu eenmaal zo zijn. Geen objectiviteit ten opzichte van het voorwerp van haar liefde. Zelfs als ze zeggen dat ze objectief zijn kun je het maar beter niet geloven.

En de Moeder van Alle Vissen, je bent misschien verbaasd om dat te horen, was een vermoeide, kleine, zoutige sardien met een plat neusje en een saai jurkje en een zwart hoofddoekje om haar kin geknoopt, alsof al die oude Russische en Griekse, Italiaanse en Arabische vrouwen het idee over hoe ze zich moeten kleden, van haar hebben. Haar lijfwacht, de djinn met zijn chocoladekleurige huid, had haar in de steek gelaten voor niet meer dan een enkele gevulde aubergine, dus er viel niets anders voor haar te doen dan medelijden te hebben met de vreemde reizigster, verloren dwalend langs de oever, en te kijken wat ze kon doen. Ze stak haar gevoelige vissen-neus boven water en zei: 'Wat is er aan de hand? Ik ben de Moeder van Alle Vissen. Wat hebben ze nu weer uitgespookt?'

Tante Camille ging dicht bij de rand van het meer zitten, wrong haar handen en zei met haar zachtste, liefste stem: 'O, lieve moeder! Ik ben ook een moeder, misschien hebt u gehoord van mijn zoon. Zijn naam is Abdelrahman Salahadin...'

Plotseling rolden de moeders van de naaktslakken en de kikkers en de otters en alle kleine wezens uit het meer, samen met de Moe-der van Alle Vissen, knipperden met hun ogen, schudden hun hoof-den en zuchtten theatraal. 'Abdelrahman Salahadin... grappig,' zei de Moeder van Alle Vissen, 'op de een of andere manier zou je niet den-ken dat zo'n jongen ook een moeder heeft.'

'Ik weet het,' zei tante Camille. 'Het is een ondeugende jongen en ik heb geprobeerd om hem zo goed mogelijk op te voeden en hem alles te leren wat hij moest weten, maar hij is nog steeds ondeugend. En om de een of andere reden hou ik het meest van de slechtste van allemaal.'

Hier zuchtten de moeders van de wezens uit het meer allemaal in-stemmend, omdat ze wat dit aanging empathie voelden.

'Maar alles goed en wel,' vervolgde tante Camille, 'het is een feit dat ik die jongen te veel verwend heb. Ik heb het hem niet één keer maar wel duizend keer gezegd: geen zogenaamde verdrinkingen meer! Maar luisterde hij? Welnee! Hij draaide zich gewoon om en deed precies het tegenovergestelde. Best. Geeft niet. Het probleem is het volgende: precies wat ik zei dat er zou gebeuren, is er ook ge-beurd – hij heeft zo vaak gedaan alsof hij verdronk, dat hij vergat hoe hij moest zwemmen. Hij wordt al maanden vermist... misschien al jaren, ik weet het niet meer. Lieve Vissenmoeder,' pleitte ze, 'u bent mijn enige hoop. Ik doe een beroep op u, van moeder tot moeder, kunt u mij zeggen wat er is geworden van mijn jongste en favoriete zoon Abdelrahman Salahadin?'

De Moeder van Alle Vissen mediteerde een poosje, en blies intus-sen peinzend belletjes. Toen kwam ze weer boven water en zei: 'Nou, eigenlijk is dit een schending van het protocol, maar uit respect voor de Solidariteit van Moeders zal ik antwoord geven. Ik weet hoe het voelt om een zoon te verliezen. Ik heb ontelbare kinderen verloren in netten en aan lijnen, in tijden van droogte en honger, en een moe-der voelt ieder verlies net zo hevig alsof het haar enige kind op de wereld was! Ik weet inderdaad wat er is gebeurd met Abdelrahman Salahadin. Hij werd ontvoerd door een van onze vele maritieme tovenaressen, die afreet of zeemeerminnen of selkies of sirenen worden genoemd. Alif, die waardeloze zeemeermin, amuseerde zich door te doen alsof ze een treurende weduwe was, op zoek naar haar verloren man, en ze lokte onschuldige bedoeïenen naar de oceaan en meer van dat soort wateren waar ze helemaal niet horen te zijn.'

'Een afreet!' riep tante Camille uit en ze trilde in al haar botten. De situatie was ernstiger dan ze had gedacht.

De dagen zijn nu vervuld van een licht als het licht van de ondergaande zon, een laatste, krachtige uitademing voor de lange nacht. Alles is helder en ingekleurd. Thanksgiving is de eerste van de eenzame vrije dagen voor de studenten. Nadia's Café zal gesloten zijn, maar er zullen altijd een paar buitenlandse studenten zijn die dat vergeten of niet weten wat voor dag het is, die aan de deur gaan staan trekken en naar binnen gluren door het donkere raam. Dan zien ze het bord op de deur, geschreven in het Engels en Arabisch; ze merken de nevelige rust in de straten op, de onverlichte etalages, het geklik van de verkeerslichten boven Westwood Boulevard, en ze lopen twee keer zo eenzaam terug naar huis.

Sirine en haar oom proberen altijd om iedereen uit te nodigen die behoefte heeft aan een plek om te zitten, aan een hapje en een praatje. Op het werk kondigt Sirine aan dat het dit jaar een Arabische Thanksgiving zal zijn, met rijst en pijnboompitten en gemalen lamsvlees in de kalkoen in plaats van maïsbrood, en yoghurtsaus in plaats van cranberry's. Mireille reageert chagrijnig en zegt dat ze niet van yoghurt houdt, en Sirine zegt geërgerd waarom kunnen we de dingen niet eens anders doen? En Um-Nadia zegt: meisjes, dat maakt allemaal niets uit, we nemen gewoon die rijstvulling en ik breng een kan met die rodebessengelei mee.

'Ik ben van plan om vijfhonderd sit-ups per dag te gaan doen,' zegt Mireille, terwijl ze de tailleband van haar zwarte spijkerbroek inspecteert. 'Ik ben van plan om af te vallen ter ere van Thanksgiving.'

Voorheen zou Sirine wekenlang in beslag zijn genomen met bedenken wat ze zou willen koken voor Thanksgiving. Het was haar moeders favoriete feestdag en de traditionele Amerikaanse gerechten doen Sirine altijd aan haar denken, de warmte van hun tafel in de herfst; het behoort tot haar vroegste en beste herinneringen. Maar alles is nu anders. Haar geest wordt in beslag genomen door Han. Ze hoort zijn stem in de structuur van dingen, in lopende kranen en motors en in de Vogeltuin.

Ze brengen hun nachten samen door en Sirine ontdekt op wat voor manier Han slaapt. Ze merkt dat hij nachtmerries heeft, dromen die hem zo van streek maken dat hij aan de dekens gaat trekken en zo hard schreeuwt dat zij met een bonkend hart wakker schrikt. Als ze hem probeert wakker te maken, staart hij haar aan zonder dat hij haar lijkt te herkennen, of hij zegt een paar onbegrijpelijke woorden, om vervolgens weer in slaap te vallen. Ze denkt dat, als hij misschien meer over Irak zou praten, hij niet zo veel nare dromen zou hebben, dat er misschien een manier is om ervan los te komen. Maar dat zegt ze niet tegen hem – ze ligt alleen wakker en kijkt naar hem. Soms kan hij niet slapen. Dan ligt hij te draaien, en Sirine wordt dan rond middernacht wakker in een leeg bed en hoort hem rondlopen door het onverlichte appartement, van het ene raam naar het andere.

Op een nacht wordt ze wakker, loopt zacht naar de deur van de slaapkamer en kijkt hoe Han bij het raam zit. Hij fronst en staart voor zich uit alsof hij zich iets probeert te herinneren. Zijn gezicht glanst, een lichtvlek valt vanaf het raam over zijn blauwzwarte haar. De stadsnacht lijkt omlaag te komen, het licht sterker en intenser, te helder. Er zijn vlekken aan de hemel, als regensluiers die boven een verre stad hangen.

Nadia's Café benauwt hen een beetje – een glazen huis waarin iedereen op hen let en luistert. Dus op vrije dagen rijden Han en Sirine naar Wilshire, naar het noorden of zuiden van Westwood, verkennen de eindeloze straten van de stad, neuzen rond in onbekende buurten of ontdekken de verder afgelegen buitenwijken en aangrenzende steden: Pasadena, Corona, Malibu; alles wat ze zien is nieuw voor hen. De grote appartementencomplexen, glazen kantoren, balkons en elektrische deuren buigen zich naar hen toe als ze omhoogkijken door de voorruit. Ze rijden van de gepleisterde muren en rode pannendaken in West LA naar het zakencentrum. Ze kijken hoe bankiers en secretaresses verdwijnen in de late middag, totdat er niets anders over is dan lange, blauwe schaduwen en lege gangen. Of ze gaan naar de kledingbuurt, met straten vol kramen waar kleren en speelgoed, strengen chilipepers en groene kammen bananen worden verkocht; een plek waarvan Han zegt dat die hem doet denken aan de straten van Caïro. Sirine koopt stevig Mexicaans snoep, pastelkleurig Koreaans snoep, knisperende theeblaadjes, citroengras, kaffir-limoenblaadjes, Chinese medicinale kruiden en poeders, Japanse zalf en crème. Ze proeft alles wat eetbaar is, onderzoekt nieuwe smaken, test de verrassing ervan; en telkens als ze proeft leert ze iets over evenwicht en samenstelling, toevoeging en vermindering. Han slaat haar gade, bekijkt het vreemde voedsel. Als ze hem aanbiedt om ook te proeven, sluit hij zijn ogen en schudt zijn hoofd.

Ze brengen een bezoek aan de halfverlaten stadsdierentuin en staren naar de skeletachtige restanten van oude kooien, lagen stro, de geesten van vergeten dieren. Ze slenteren langs Melrose, Sunset, Rodeo Drive, kijken even naar de glinsterende etalages van juweliers en kledingzaken. Han wil cadeaus kopen voor Sirine, maar ze wil niet eens naar binnen; de lege, luxueuze ruimtes maken haar nerveus. Ze dolen door granietkleurige straten, afval zwevend in de lucht als as, en ze realiseren zich dan dat ze wandelen over versleten sterren, afgesleten namen, handafdrukken in het cement.

Sirine vraagt Han dingen over hemzelf. Ze vraagt hem naar zijn ouders en zijn herinneringen aan school en vrienden. Hij komt met snippers details, flarden van herinneringen aan de kalkachtige wegen in hun kleine dorp, de grasgroene olijfolie op hun keukentafel, de gitzwarte valk die in een boom naast hun huis woonde. Hij vertelt haar over naar de woestijn gaan, die een paar kilometer vanaf de boerderij van zijn oom begon – dezelfde woestijn die hij uiteindelijk zou doorsteken toen hij Bagdad ontvluchtte, de door de wind geteisterde kilometers heet, compact zand en een grote massa wolken erboven.

Op een dag in de tweede helft van november, als ze al bijna drie maanden met elkaar omgaan, zitten ze op het gras voor het grote Talengebouw waar Han lesgeeft. Ze genieten van de mooie dag en praten. En Han zegt tegen Sirine: 'Ik weet niet zeker of het is zoals het echt is gebeurd of gewoon zoals ik het me herinner – de manier waarop ik me dingen wil herinneren. Het lijkt alsof het leven oneindig simpeler en gemakkelijker was, een langzame, rustige voortgang door de dag. We werkten, we aten, we praatten. We deden kleine dingen om onszelf te vermaken. Mijn moeder en de vrouwen uit de buurt verhandelden onderling wat ze nodig hadden: garen en knopen, eieren, olijven, gloeilampen, kippen. Mijn moeder verhandelde haar borduurwerk. En ze gaf lees- en schrijfles in ruil voor eten en kleren, soms schapen. Ooit gaf iemand haar een oud stenen schrijftablet dat volgens haar heel oud was, met inscripties in het Oegaritisch, wat het oudste bekende alfabet schijnt te zijn. Ze zei dat onze eigen familie ooit een kasteel in Babylon had en dat de muren waren bedekt met mozaïeken van dieren die praten met mensen, mensen met hoorns en vleugels, kamers zonder plafonds, en vloeren van water. En de geur van een 's nachts bloeiende jasmijn was in de steen gewreven.' Hij glimlacht. 'Familieoverlevering.'

De hemel is glasachtig turkoois, zo warm dat Sirine er slaperig van wordt. Ze leunt achterover op haar ellebogen en laat haar nek naar achteren vallen, om het licht in zich op te nemen. Het is zondag, zodat het rustig is op de campus en er hangt een verstilde sfeer als in een kerk om hen heen. Ze tuurt naar Han en merkt dat zijn ogen gesloten zijn, zijn gezicht verwrongen van verdriet. 'Han, wat is er?' vraagt ze gealarmeerd. Het is die blik; ze begint die nu te herkennen: de blik van zijn slapeloze nachten.

Hij draait zijn gezicht weg en even antwoordt hij niet. Dan zucht hij en zegt: 'Het komt door het licht, de lucht.'

Ze tuurt naar de hemel.

'Even – even vergat ik waar ik was. Ik vergat dat dit Amerika is. Ik was op de oever van de Tigris. Ik kon de zon door mijn oogleden heen zien. Mijn zuster stond op het punt me te roepen voor het eten. Het was alsof het licht in me doordrong en het allemaal terugbracht, en toen moest ik terugkeren naar deze plaats.'

Ze knikt, maar haar keel doet pijn. Ze brengt haar gezicht dicht bij dat van hem en slaat haar been over zijn been, alsof ze zichzelf in hem zou kunnen persen en hen tweeën in de aarde, in die plek en dat moment, om te maken dat hen niets zal overkomen.

'Ik begrijp het niet,' zegt hij. 'Ik weet niet wat er met mij aan de hand is.'

'Misschien... is het een beetje zoals, zoals de dood is,' zegt ze voorzichtig. Ze weet niet precies hoe ze moet zeggen wat ze bedoelt; ze praat langzaam, terwijl ze probeert haar gedachten te verwoorden. 'Er is niets in het leven wat je kan laten begrijpen wat de dood werkelijk is. Ik bedoel – als iemand die je na staat, sterft, dat kun je dat niet echt begrijpen, nietwaar? Je kunt het wel in je hoofd begrijpen, maar het enige wat je lichaam weet is dat je ze niet meer ziet of kunt aanraken – dus het enige wat dit betekent is dat ze gewoon verderop in de straat of in een andere stad kunnen zijn.'

Hij knikt. 'Ja.'

'En het is heel moeilijk om jezelf te laten weten dat je ze nooit meer echt zult zien of aanraken. Om tot het besef te komen dat ze alleen nog door herinneringen bij je zijn.'

'Ja ja. En voor mij is dat op de een of andere manier zelfs nog erger,' zegt Han. 'Dit is iets vreselijks om te zeggen, maar ik denk dat het gemakkelijker zou zijn als ik wist dat ze dood zijn. Als ik zou weten dat ik alleen door zou moeten leven met de ervaring dat ik hen één keer heb verlaten, en daarna nooit meer. De laatste tijd word ik vaak wakker met het gevoel alsof ik pas gisteren ben weggegaan. Of pas een uur geleden.' Hij komt overeind tot in zithouding en houdt zijn hoofd vast, met zijn vingers gespreid door zijn haar. 'Tweeëntwintig jaar geleden, toen ik naar Engeland vertrok, had ik het gevoel alsof ik onder narcose was gebracht voor een operatie... alsof ik in slaap was gevallen...'

'Je liet het jezelf vergeten,' zegt Sirine.

'Pas nu ben ik bang,' zegt hij.

'Waar ben je bang voor?'

Hij wrijft over zijn slapen. 'Dat ik niets ben vergeten, helemaal niets. Ik begin inmiddels te denken dat het al die tijd diep in mij heeft gezeten. En sinds ik jou heb ontmoet – begint het terug te komen. Ik begin het weer te voelen en te zien. Als ik de laatste tijd een hoek omsla, lijkt het alsof ik zo Sadoun Street of de Jumhurriya-brug zal zien. Iedereen met wie ik praat lijkt te veranderen in de groenteverkoper of mijn onderwijzer op de lagere school.'

'Sinds je mij hebt ontmoet?' vraagt ze verbijsterd.

Hij pakt haar hand. 'Nee, het is goed. Ik heb gepraat en nagedacht over dingen waar ik niet meer over heb nagedacht sinds ik Irak verliet. Er zijn herinneringen naar boven gekomen die ik zo ver had weggestopt, dat ik niet eens meer wist dat ik ze kwijt was. Het is alsof ik je alles wil laten weten wat ik zelf weet, ik wil je meenemen door mijn hele geschiedenis, zodat het in ons allebei zit, zodat je weet wie ik ben – me echt kent.' De zon maakt de hemel wit en hij houdt een hand boven zijn ogen. 'Maar soms als ik me dingen begin te herinneren... soms ben ik bang dat ik niet meer kan stoppen.' Hij pauzeert even. 'Aboe-Najmeh zei altijd dat je drie keer weg moet gaan voordat je je echt van iets los kunt maken.' Hij glimlacht. 'Ik heb Irak tot nog toe nog maar twee keer verlaten.'

Sirine slaat Han gade en even lijkt het alsof ze echt de oude sporen in Han's gezicht kan zien, een bepaalde blik die zijn oorsprong lijkt te vinden in duizenden jaren staren naar de horizon – een eenzaam, prachtig staren, warmer en verleidelijker dan alles wat ze ooit heeft gezien. En dat op de een of andere manier overeenkomt met een gevoelig en stil element in haarzelf. Ze heeft een moment waarin een flits van herkenning in haar opvlamt, en sluit dan haar ogen.

18

Oude verhalen en herinneringen – vooral de oude verhalen die zich
verzamelen in het collectieve onderbewustzijn van een familie –
zijn als luchtspiegelingen. Illusoir en fantastisch, en toch zijn ze
vaak gebaseerd op een soort reflectie van de werkelijkheid. Je wil
weten of tante Camille werkelijk met een vis sprak? Heel goed mogelijk. Ze was nu eenmaal zo'n type. Was het echt de Moeder van
Alle Vissen? Nou, misschien was het gewoon een vis die er voor-
naam uitzag. Misschien was het gewoon het gevolg van de eenzaamheid, nadat Camille gevangen had gezeten als slavin in het
kille huis van een Engelsman in de woestijn. Misschien was er helemaal geen slechte verleidster-zeemeermin, maar misschien bestaat
er wél een ongezonde, onweerstaanbare drang om naar plaatsen te
gaan waar je niet thuishoort. Waar het om gaat bij het luisteren naar
een verhaal zoals dit, habeebti, is dat je je niet druk moet maken
over de waarheid van de details, maar de geest van de dingen de gelegenheid moet geven zich te openbaren. Je moet leren om alles gewoon te laten voor wat het is.

Laat de tomaat een tomaat zijn.

Dus de Moeder van Alle Vissen riep de vrouw van het meer, een
Tunesische meermin die Kan Zamana heette. Die lag net bewegingloos op de rotsen uitgestrekt, haar glinsterende staartschubben schitterend in de zon en haar zachte bruine schouders glanzend, en Kan
Zamana vertelde tante Camille wat er met haar zoon was gebeurd.
Ze zei dat Abdelrahman naar de onderzeese grot van de zeemeerminnen was gebracht, een plezierpaleis voor ontvoerde zeelieden,

bewaakt door de Nisna's – halfgevormde aapachtige wezens met één been en één arm. En dat ging een poosje goed; Abdelrahman was een modelgevangene – knap, met goede omgangsvormen, plezierig gezelschap. Maar niet lang na zijn komst arriveerde er een andere bedoeïen in de onderzeese grot. Hij heette Jaipur al-Rashid, maar de mensen noemden hem Crazyman al-Rashid.

Het schijnt dat Crazyman al-Rashid, voordat hij werd ontvoerd door de zeemeerminnen, al zijn eigen opmerkelijke ervaring had gehad – maar niemand wilde naar zijn verhaal luisteren en toen ze dat uiteindelijk toch deden, wilde niemand hem geloven. Hij beweerde dat hij was ontvoerd door een soort woestijnversie van buitenaardse wezens. Crazyman al-Rashid had zichzelf zo gek gemaakt in zijn pogingen om iemand zo ver te krijgen te luisteren naar zijn verhaal over kameelloze voertuigen en vurige engelen dat, toen de zeemeermin die Alif heette uiteindelijk instemde om zijn hele vermoeiende verhaal aan te horen, hij zo opgewonden raakte bij het vertellen ervan dat hij zo de pier af liep. Het zeemeerminnenvolk – dat niet het verschil weet tussen boven en beneden, en nog minder tussen goed en kwaad – trok hem omlaag naar de inktblauwe grot waar Abdelrahman Salahadin werd vastgehouden, en daar begon Crazyman zijn gevangenzittend gehoor van één man op te winden door diens hoofd te vullen met idiote verhalen. Crazyman ging zo lang door tot in kleurrijke details dat hij Abdelrahman Salahadin besmette met zijn waanzin. Abdelrahman raakte geobsedeerd door de beelden en geluiden waar Crazyman het over had, ervan overtuigd dat hij die allemaal ook zelf moest zien.

Bij het horen van dit verslag raakte tante Camille opgewonden. 'Dus mijn zoon is daar nu?'

'We moesten hem laten gaan,' zei Kan Zamana. 'Iedereen werd gek van hem. Crazyman paste zich uiteindelijk aardig aan; hij at gepelde zeedruiven en geblancheerd zeewier en sliep tot de middag. Maar nadat hij al die ongewenste verhalen had aangehoord, was er niets meer over van Abdelrahman Salahadins goede gedrag en welgemanierdheid. Het ergste van alles was nog dat hij de obsessies van Crazyman had overgenomen. Die twee bleven maar kakelen over Fil'-Imm dit en Fil'Imm dat. En iets wat Hal'Awud heette. En de Dar'Aktr, altijd maar over de Dar'Aktr!'

Maar wat betekenden die veelbelovende woorden, vroeg tante Camille zich af. Fil'Imm, Hal'Awud, Dar'Aktr. Waren dat soms een soort engelen of djinns? Kennelijk waren het wezens zo machtig en toch zo stomvervelend om over te horen praten, dat Alif en de andere sirenen hadden besloten dat ze Abdelrahman nog liever zijn geld teruggaven en hem vrijlieten dan nog één woord erover te moeten aanhoren.

'Dus hij is helemaal niet meer bij de zeemeerminnen!' riep tante Camille uit met net zo veel opluchting als wanhoop. 'Maar zeg dan alsjeblieft waar hij wél is.'

De luie zeemeermin duwde zich omhoog op een elleboog en wees. 'Het laatste wat ik heb gehoord, mevrouw, is dat Abdelrahman Salahadin naar Hal'Awud is gegaan, in het vreselijke en angstaanjagende land van de ondergaande zon.'

Het is acht minuten over halfzeven in de morgen van Thanksgiving, en Sirine staat in de keuken knoflook fijn te snijden, terwijl Babar aan haar voeten ligt. De keuken is heet en geurt naar bradende kalkoen. De avond ervoor is Um-Nadia langsgekomen met haar houten doosje vol handgeschreven recepten, gerechten die Um-Nadia niet meer heeft klaargemaakt of gegeten sinds zij en Mireille vijfendertig jaar geleden uit Libanon zijn weggegaan. Er zaten recepten bij van simpele, verfijnde gerechten als rijstpilaf en couscous, maar ook van meer bijzondere gerechten als gebraden hele duif met couscous, en gesmoorde lamshersens. En ze bespraken de ingrediënten en bereidingswijzen tot laat in de avond. Um-Nadia viel uiteindelijk in slaap op de harde bank in de zitkamer, terwijl Sirines oom in zijn leunstoel tegenover haar wegdoezelde. Maar Sirine bleef de hele nacht op, terwijl ze recepten doornam, hakte en voorbereidde. Ze zocht Iraakse gerechten op, en probeerde het voedsel uit Han's jeugd te vinden waar ze hem over had horen praten, *sfeeha* – een hartige pastei gevuld met vlees en spinazie – *mensaf*, een grote ronde schaal van rijst met lamsvlees en yoghurtsaus met uien, en als dessert, zachte mamool-koekjes die in je mond smelten. Ze vulde de kalkoen met rijst, uien, kaneel en lamsgehakt. Er staan nu pannen op het fornuis met gesauteerde groenten met zoetzure azijn, en linzen met tomaten, uien en knoflook, evenals zoete aardappels geglaceerd met ahornsiroop, een ovenschotel met sperziebonen en pompoensoufflé.

Pas over een paar uur zullen de eerste gasten komen en Um-Nadia en Mireille lopen door iedere kamer met doeken en meubelwas, en gaan stofzuigen, stoffen en vegen. Op een gegeven moment komt

Mireille binnen, leunt op het gespikkelde aanrecht en slaat Sirine gade terwijl ze bezig is. 'Er ruikt hier iets goed,' zegt ze. 'Wat is dat?'

Um-Nadia staat in de deuropening en zwaait met een hand zodat haar armbanden rinkelen. 'Het ruikt naar de Arabische keuken van vroeger.'

Sirine glimlacht, houdt haar hoofd schuin en wipt wat stukjes selderie en ui in een braadpan met de punt van haar houten lepel.

Rond de middag is iedereen er: Han, Mireille, Victor Hernandez en zijn neef Eliazer, Aziz de dichter, Nathan, Um-Nadia, Cristobal de conciërge, Sharq, Jenoob, Abdoellah, Schmaal en Gharb – vijf van de eenzame studenten uit het café – en Sirine en haar oom. Babar begroet ieder van hen door op zijn achterpoten te gaan staan en de afdrukken van zijn stoffige voorpoten op hun broek te zetten.

Mireille dekt de tafel en Um-Nadia serveert *mezze* in de bibliotheek. Maar de studenten en Aziz gaan regelrecht naar de verlaten zitkamer om te kijken naar parades en football op de oude tv met het trillende beeld en zijn hoed van gebogen antennes en gekreukt aluminiumfolie. De studenten liggen op de drie lagen tapijt, ongeveer een meter vanaf de tv, langdurig in het Arabisch klagend omdat er geen afstandsbediening is – zoals Aziz voor Sirine vertaalt. Aziz zit helemaal aan de andere kant van de kamer op de bank en vraagt hen om hem alles uit te leggen over de parades en het footballspel, en dat lijken ze niet erg te vinden, want ze vertellen er geduldig alles over aan hem. 'Wie is die zwevende man?' vraagt Aziz.

'Dat is geen zwevende man,' zegt Schmaal. 'Dat is de Reuzenvogel.'

Aziz glimlacht naar Sirine. 'Drie jaar in dit land, en dit is mijn allereerste parade.' Hij zucht en tuurt dan naar het lichte scherm. 'Het is een soort demonstratie, nietwaar?'

'Alleen zonder stenen,' zegt Schmaal.

'En met muziek!' zegt Gharb.

Sirine gaat naar de keuken om naar de kalkoen te kijken. De ramen glimmen als munten, de ruimte verzadigd van licht. Alles glanst – de boter, een handvol gesneden tomaat, een kom peterselie – volle kleuren als een schilderij. Ze voelt hoe het licht door haar heen gaat. Ze is net in de jus aan het roeren als twee armen zich langs haar naar voren bewegen en haar omcirkelen, en ze hoort Han in haar oor mompelen: 'Ik heb je gemist.'

Ze glimlacht, blaast een sliert haar weg van haar voorhoofd en leunt achterover tegen zijn stevige borst. 'Ik heb de hele nacht doorgewerkt.'

'Dat merk ik. En wat ruik ik nu?'

Ze leunt haar hoofd naar achteren en glimlacht. 'Herken je het?'

Han laat zijn neus in haar nek zakken.

'Je hebt voor mij ooit gehaktbrood gemaakt, dus daar wilde ik je op deze manier voor bedanken.' Ze gebaart naar de pannen. 'Een Arabische Thanksgiving. Dat was mijn idee – wat vind je ervan?' Ze tilt het deksel van een pan met gerookte groene tarwekorrels op en steekt er een lepel in. 'Hier. Proef eens.'

Hij houdt de lepel even in zijn mond. Ze weet wat hij proeft, hoe de dikke soep op smaak is gemaakt met peper, knoflook en een heerlijke, diepe rokerigheid. 'En probeer dit eens,' zegt ze. Frisse groene groente, knoflook en citroen. 'En dit.' Kruidig, vlezig, vaag fruitig.

Hij legt de lepel op het aanrecht. Hij sluit zijn ogen en haalt diep adem. 'Han?' Ze lacht en legt een hand op zijn borst.

Hij raakt zijn lippen aan.

De Thanksgivingmaaltijd is uitgebreid en bedekt dampend het tafelblad waarbij de hete schalen tegen elkaar aanstoten. Er zijn drie geopende wijnflessen, allemaal verschillend van kleur, en er lijken veel meer borden en bestek te zijn dan werkelijk nodig is. Tot de bijdragen van de gasten behoren een groot rond *fatayer* – een lamspastei – die Aziz heeft gekocht bij het groenogige meisje in de Iraanse bakkerij; van Um-Nadia zes blikken met cranberrygelei, die ze alvast in plakken heeft gesneden, van Cristobal hele geroosterde walnoten in chilisaus, en Victor kwam met drie zelfgemaakte pompoentaarten en twee liter slagroom. Nathan wil zijn camera op de tafel houden, ook al is die met zijn forse lens zo groot als een soepterrine, en pas nadat Um-Nadia, Mireille en Victor allemaal tegen hem tekeer zijn gegaan, haalt hij het toestel weg.

'Moet je ons nou toch zien,' zegt Sirines oom, 'zoals we hier bij elkaar zitten als een stelletje Amerikanen met onze idiote kalkoen. Goed, ik wil een toost uitbrengen. Op lieve, ongewone families, aardige honden die zich netjes gedragen, dit soort voedsel, de zeven soorten glimlachen, de halvemaan, en iedere dag een lekkere kop muntthee. *Sahtain.* Proost, en God zegene ons allemaal.'

Ze knikken en klinken.

'Is dat voor Kerstmis?' vraagt Jenoob. 'Als je dat zegt over God zegene?'

'Eigenlijk is het mooi voor elk moment,' zegt Aziz.

'Wat zijn de zeven soorten glimlachen?' vraagt Eliazer.

Victor gebaart met zijn hand in een discreet niet-vragen-gebaar.

Han zit aan de andere kant van de tafel tegenover Sirine, en Nathan zit naast Han. Babar zwerft van het ene paar knieën naar het volgende, en accepteert stukjes en hapjes. Sirine luistert maar half naar de tafelgesprekken. Ze probeert zich te concentreren op het eten, waarbij ze professioneel haar werk probeert te beoordelen, maar de tafel is zo levendig en druk dat het moeilijk is om veel aandacht te besteden aan iets. Ze voelt de elektriciteit van Han's aanwezigheid tegenover haar. Zijn voet glijdt over de grond in haar richting, totdat ze kan voelen hoe zijn wreef die van haar raakt. Nathan zit naast Han, en kijkt naar wat hij doet.

Sirine stopt een vorkvol zoete aardappel in haar mond. De aardappelen zijn zacht als fluweel, de jus satijnachtig. Het is alsof ze het leven in al die ingrediënten kan proeven: de struik waaraan de cranberry's groeiden, de aarde in het brood, zelfs het warme bloed dat ooit binnen in de kalkoen zat. Het komt terug bij haar, het geheimpje dat altijd van haar was, jarenlang, de enige waarheid die ze leek te hebben – dat voedsel beter was dan liefde: zekerder, echter, bevredigender en verrijkender. Zolang ze zich maar kon verliezen in het ritme van het pellen van een ui, was ze compleet. En zolang ze kon koken, zou er van haar worden gehouden.

Schalen worden doorgegeven, met veel lawaai, en de conversatie vervlakt tot gegons. Dan leunt Gharb glimlachend naar voren en zegt: 'Dit is bizar.'

Iedereen kijkt naar hem.

Hij zwaait met zijn handen. 'Al deze mannen en vrouwen samen.'

'Ja, stel je de mogelijkheden voor,' zegt Aziz. Hij zit aan de andere kant van Mireille, die weer naast Sirine zit. Victor Hernandez staart naar Aziz vanaf de andere kant van de tafel, terwijl zijn lippen verstrakken.

'Dat is wat ik bedoel,' zegt Gharb. 'In mijn dorp eten de mannen en vrouwen apart, om uit de problemen te blijven. Dit is het eerste Amerikaanse huis waarin ik echt heb gegeten, dus ik zal er wel aan moeten wennen. Het bevalt me natuurlijk wel. Absoluut!'

'Amerikaans?' zegt Nathan.

'Je hebt het nu over Egypte!' verkondigt Um-Nadia vanaf het hoofd van de tafel. 'In Beiroet is het altijd jongen-meisje, enzovoort, enzovoort. Veel moderner.'

'Ach, in Irak is dat ook niet per se het geval,' zegt Sirines oom. 'In ons dorp zaten de mannen en vrouwen bij grote feesten altijd apart, maar voor de gewone maaltijden aten familie en vrienden altijd samen.'

'Bij ons ook,' zegt Han. 'Allemaal samen.'

'Maar ja, maar dat is gevaarlijk,' zegt Schmaal vanaf zijn kant van de tafel. Iedereen draait zich naar hem toe. Hij haalt zijn schouders op. 'Wat is er? Het enige wat ik zeg is dat dat jongen-meisjegedoe in Amerika kan omdat het hier nu eenmaal zo gaat, ja toch? Maar in Koeweit? Je vraagt er dan gewoon om. Als je bij een meisje zit dan vraag je om moeilijkheden.'

Diverse mensen buigen hun hoofd naar achteren, maken een afkeurend *tsss*-geluid. 'Alweer fout,' zegt zijn vriend Shark. Eigenlijk heet hij Sharq, wat 'Oost' betekent, maar hij heeft al zijn Amerikaanse vrienden gevraagd om hem Shark te noemen. Sirine kan het verschil in uitspraak niet horen, maar hij heeft haar verzekerd dat het een enorm verschil is. 'Daar ligt de mishkila, het probleem,' zegt hij. 'Die houding. Alle Arabische jongens zijn zo gespannen en nerveus over wat de familie wel niet zal denken, dat ze bang zijn om zich normaal te gedragen of zoiets.'

'Normaal?' vraagt Abdoellah lachend. 'Wat is dat?'

'Je weet wel – normaal-gewoon. Dat iets niet belangrijk is als je het niet belangrijk máákt.'

'O ja? Nou, in het jaar voordat ik naar de States kwam ging mijn zuster Maisoon een ritje maken met haar vriend in zijn auto. Natuurlijk werd ze helemaal niet geacht een vriend te hebben. Maar goed. Ze parkeerden ergens buiten de stad, waar ze dachten dat ze veilig waren. Natuurlijk zag de een of andere bedoeïen dat ze met elkaar aan het zoenen waren...'

Er worden blikken uitgewisseld over de tafel.

'Eigenlijk nog erger dan zoenen. Hoe noem je dat? Vrijen?'

'Wauw,' zegt Schmaal. 'Ze hadden toch moeten weten dat dat niet kon.'

Abdoellah slaat op de tafel zodat de vorken opspringen en Um-Nadia maakt een afkeurend geluid. 'Nou nou, ze waren aan het zoenen! Hoeveel Amerikaanse meisjes heb jij gezoend?'

'Hé, ik zeg niet dat ik het ermee eens ben of zo,' zegt hij. 'Alleen dat het zo ging. En niet één, om je vraag te beantwoorden. Amerikaans, niet-Amerikaans, wat dan ook. Vooral niet in het openbaar in een auto.'

Nathan leunt naar voren en kijkt Abdoellah strak aan. Zijn gezicht is rood en hij houdt een glas wijn vast. 'Wat gebeurde er met je zuster?' vraagt hij.

'Mijn vader wilde dat ik haar zou slaan,' zegt Abdoellah. 'Je weet wel, omdat ik haar oudste broer ben en zo. Ik werd geacht haar een lesje te leren of zo.'

'Wauw,' zegt Schmaal.

'En wat heb je gedaan?' vraagt Nathan.

'We sprongen op en neer.'

Aziz begint te lachen.

'We deden de slaapkamerdeur dicht en ik zei: "Laten we gaan springen." En we begonnen te springen en sloegen tegen de muren en ik schreeuwde allerlei dingen zoals slet en hoer en zo. En Maisoon gilde alsof ik alle tanden uit haar mond sloeg. Toen maakte ze haar haar helemaal in de war en trok haar T-shirt kapot. Toen kwamen we de slaapkamer uit en mijn moeder gaf me zo'n harde duw dat ik op mijn kont viel en zij grijpt Maisoon en zegt zoiets van: je had haar toch niet zo hard hoeven slaan. En mijn vader zegt iets in de trant van: je bent flinker dan ik dacht, zoon. Dus vertel mij niets over normaal.'

Sirine bijt op haar lip. Ze voelt hoe Han's voet tegen de hare drukt.

'Eigenlijk is het een triest verhaal,' zegt Nathan, zijn stem donker. 'Ik bedoel – zo worden Arabische vrouwen daar nog behandeld. Die hele houding.'

Han lijkt zich een beetje buiten de gesprekken te begeven, zijn aandacht verdelend tussen Sirine en zijn bord met *frekeh*. Hij eet langzaam, een kleine hap per keer. Sirine vraagt of hij niet wat kalkoen en cranberrygelei wil, misschien wat vulling, maar hij glimlacht alleen en schudt zijn hoofd.

Het gesprek aan tafel meandert door de rest van de maaltijd. Terwijl Nathan chagrijnig en teruggetrokken wordt, praat de rest van hen over de vreemde maar niet onplezierige ervaring van het eten van kalkoen, en het genoegen van de rijstvulling, de gevulde pompoenen en druivenbladeren, de roomspinazie en geglaceerde zoete aardappels, de gerookte frekeh en de *baba ghannuj*, en Um-Nadia's in plakken gesneden cranberrygelei. Ze kletsen over de stamgasten en de studenten en docenten aan de universiteit en beginnen dan te praten over de politiek met betrekking tot het Midden-Oosten, waar iedereen geagiteerd van raakt, dus probeert Aziz hen te kalmeren door uitvoerig te praten over zijn politieke theorieën, waarbij hij culturele politiek in verband brengt met culturele poëzie. 'Denk eens na over het verschil tussen de eerste en derde persoon in poëzie,' zegt hij, waarbij hij zijn duimen tegen zijn wijsvingers drukt. 'Dat is als het verschil tussen kijken naar een persoon en kijken door hun ogen.'

'Zo denk ik over eten,' onderbreekt Sirine hem, en een paar van hen lachen.

Aziz steekt zijn kin omhoog en laat zijn oogleden zoet vleiend zakken. 'Vertel ons eens wat meer daarover.'

'Nou, ik bedoel...' Ze zoekt naar woorden en trekt een stuk brood los, terwijl ze probeert te bedenken wat ze bedoelt. 'Een voorbeeld... het proeven van een stuk brood dat iemand heeft gekocht, is als het kijken naar die persoon, maar het proeven van een stuk brood dat iemand zelf heeft gebakken is alsof je door hun ogen kijkt.'

'Prachtige metafoor,' zegt Aziz.

Nathan tilt zijn hoofd op. 'Dat geeft andere mensen macht over jou.'

'Niet meer dan normaal,' zegt Aziz. 'Iemand zal altijd de macht hebben, en iemand zal altijd het brood bakken.' Hij draait zich om en glimlacht hoffelijk naar Sirine. 'Jij hebt de ziel van een dichter! Koken en proeven is een metafoor voor zien. Jouw kookkunst onthult Amerika voor ons niet-Amerikanen. En vice versa.'

'Chef is geen Amerikaanse kok,' zegt Victor Hernandez. 'Niet op de manier waarop Amerikanen voedsel bereiden – door alleen zout in de pan te gooien. Alle karakteristieke smaken gaan dezelfde kant op. Chef kookt zoals wij dat doen. In Mexico voegen we kaneel bij de chocola en peper in de cake, waardoor dingen uit elkaar worden getrokken, je weet wel, zodat ze groter worden?' Hij gebaart met zijn handen, waarbij hij zijn handpalmen opent. Mireille kijkt achterdochtig naar haar bord met kalkoen, maar Sirines oom lacht en knikt en zegt: 'Ja, dat is heel goed. Het maakt je wakker. Ergens in de koran zegt de profeet er geloof ik iets over – dat voedsel je optimistisch hoort te maken.'

Maar dan vraagt Jenoob hoe je in het Engels zegt wat het tegenovergestelde is van optimistisch. En plotseling komt het gesprek op de een of andere manier weer op de politiek. Schmaal brengt de vn en de kernwapeninspecties naar voren, en Gharb begint over honger in Irak en misdaad en prostitutie, en Nathan zegt dat er in Irak nog net geen hongersnood is en dat het land nog steeds regelmatig wordt gebombardeerd door Amerika, dat hen nog maar kortgeleden helikopters verkocht, maar wie kan dat iets schelen. Dan worden ze allemaal stil en staren ze naar hun bord.

'Ze denken trouwens toch dat we allemaal terroristen zijn,' zegt Aziz vrolijk, terwijl hij een vork met puree naar zijn mond brengt.

'Wie zijn die "ze"?' vraagt Victor. Hij slaat de tanden van zijn vork tegen zijn bord, wat een gevaarlijk tikkend geluid maakt. 'Ik denk dat in ieder geval niet.'

'Jij? O, geweldig. Als jij en ik in een winkelcentrum zouden lopen, denk jij dat een van de blanke jongens het verschil tussen ons zou weten? Ze zouden denken dat jij een van mijn terroristische maten bent.'

'Ja, als ik met jou op stap zou zijn. Wat ik nooit zou zijn.'

Nathan pakt een bord hummus op. 'De echte ironie van vandaag is dat dit soort typisch Amerikaans gefeest en geslemp aan de gang is terwijl ze thuis verhongeren...'

'Over wiens thuis heb je het nu?' vraagt Schmaal.

'Waarom moet het altijd politiek en geruzie zijn met jullie!' roept Um-Nadia uit.

'Dat ben ik met je eens. De Amerikanen moeten onze poëzie en verhalen horen en dat soort dingen,' zegt Gharb, en hij wendt zich dan tot Aziz. 'Waarom schrijf je nooit politieke gedichten?'

'Dat is niet wat ik bedoel!' zegt Um-Nadia.

'Ze bedoelt dat de Amerikanen moeten weten over de grote, donkere, romantische ziel van de Arabieren,' zegt Sirines oom, een beetje intens.

'Geloof me, ik was ooit zo politiek dat bij mij vergeleken Mahmoud Darwish leek op het weeskind Annie. Ik liet Edward Said eruitzien als... Edward Scissorhands,' zegt Aziz, terwijl hij met een vuist op zijn borst slaat.

'Wie is dat weeskind Annie?' vraagt Shark.

'Maar luister, ik kreeg er genoeg van om constant aangevallen te worden. Denk je dat ik aardige brieven kreeg toen ik mijn politieke poëzie ging voorlezen? Nee. Ik kreeg brieven waarin stond, nee, vertel ons niet van die ongelukkige verhalen over Arabieren. Ik kreeg telefoontjes waarin ze zeiden, nee, niet nog meer slecht nieuws, schrijf over harten en bloemen en blije, blije Arabieren die zo aardig zijn tegen elkaar. En van wie kreeg ik die brieven? Van de Arabieren die altijd klagen dat er niet genoeg waarheid over Arabieren in de tijdschriften en op de tv is.'

'Natuurlijk,' zei Jenoob. 'Het enige wat we op de tv of in de film zien over Arabieren is dat ze iemand doodschieten, een bom naar iemand gooien of iemand ontvoeren.' Hij telt ze af op zijn vingers. 'Dit zijn de keuzes. De enige tekst die ze mogen zeggen is: "Hou je mond en ga zitten!"' schreeuwt hij, vingers gebogen als een pistool.

Um-Nadia grijpt naar haar oren. 'Zo is het genoeg!' Ze wendt zich tot Sirine. 'Oké, best. We gaan ons nu maar eens bezighouden met de kwestie van het dessert.'

'O ja,' zegt Sirine snel. 'Ik ga het wel halen.'

Sirines omslagdoek ligt nog opgevouwen op het aanrecht. Ze pakt hem op. Ze is van plan om hem te dragen voor een bijzonder effect als ze Victors pompoentaart naar binnen gaat brengen. Ze staat in de kouder en donker wordende keuken, te midden van de zilverkleurige deksels van pannen, op zoek naar een mes, als ze voetstappen hoort. Nathan staat in de deuropening, zijn gezicht plechtig. 'Sirine, ik hoopte dat ik even met je zou kunnen praten over ons gesprek van pas geleden. Er zijn een paar dingen die ik...' Hij stopt plotseling, komt dichterbij, zijn hoofd een beetje schuin. 'Wat is dat?'

'Dit?' Sirine opent haar handen zodat er een baan stof naar buiten golft, en de kleine beskleurige steekjes worden onthuld. 'Mijn omslagdoek.'

Nathan tilt zijn vingers op en net voordat hij de stof gaat aanraken stopt hij. 'Heb je die van Han?'

'Vind je hem mooi?' Ze vouwt de hele doek open en slaat die om haar schouders.

'O,' zegt Nathan met een stem die nauwelijks hoorbaar is.

Sirine zegt: 'Hij is heel oud. Hij was van Han's moeder.'

Nathans gezicht betrekt. Hij zegt even niets, maar staart alleen naar haar en de doek. Dan zegt hij onvast: 'Heeft hij je dat verteld?' Hij zegt verder niets meer, maar staat daar gewoon nog even. Sirine haalt de omslagdoek van haar schouders. Ze opent haar mond, maar Nathan zegt: 'Ik... kan niet... ik... sorry. Het spijt me', en hij verlaat snel de keuken.

Sirine wil achter hem aan gaan, maar dan komen Um-Nadia en Mireille de keuken in en is er een hoop gedoe met de pompoentaart en het zetten van koffie, en dat is het enige waar ze op dat moment aan kunnen denken.

Iedereen is naar de bibliotheek gegaan voor baklava, knaffea, koekjes, pompoentaart en verhalen. De late middagzon komt de bibliotheek binnen en legt overal een waas van helder oranje en roze over, zet stoelen en muren en het Perzische tapijt in brand. Schmaal steekt een hand omhoog en het kleine web van huid tussen zijn vingers glanst. Babar buigt naar achteren waarbij zijn voorpoten zich recht naar voren uitstrekken en zijn kop naar achteren kantelt. Hij gaapt gigantisch, zodat zijn tanden en uitrollende tong het enige is wat er nog van zijn kop te zien is.

'Dit is hoofdstuk vier – of is het vijf?' vraagt Sirines oom aan Um-Nadia. 'Ik hoop dat je het nog kunt volgen.'

'Wacht, we hebben hier wat achtergrondinformatie nodig of zoiets,' zegt Victor. 'Waar zijn we?'

Haar oom schudt zijn hoofd. 'Je bent nergens. Dit is niet het soort verhaal dat op de ene plek begint en direct doorgaat naar een volgende. Het is het soort verhaal dat eindeloos doorgaat. En het heeft geen enkele moraal. Het is een moraalloos verhaal. Je kunt een tijdje bij het verhaal blijven, of je kunt koffie gaan drinken in de tuin en er naar de vinken gaan kijken. Wat ook leuk is.'

'Dus,' onderbreekt Um-Nadia ongeduldig, 'hoofdstuk vier of vijf of zes of wat je maar hebt.'

'Ja.' Sirines oom doet zijn kraag goed en neemt een slokje koffie. 'Hoofdstuk wat-je-maar-hebt.'

Eliazer, Cristobal, Gharb en Shark liggen allemaal te slapen op het tapijt, tussen het meubilair in. Jenoob en Schmaal slapen op de paardenharen bank, en een kamer verderop is het geluid van Babar die door hun jassen op de bank in de hal snuffelt, op zoek naar eten.

Sirine verlaat de bibliotheek om te proberen Nathan te vinden. Ze kijkt in de zitkamer, in de tuin, de eetkamer, de keuken en wil dan naar boven gaan. Ze is van plan om er bij hem op aan te dringen om met haar te praten en haar te vertellen wat er aan de hand is. In plaats daarvan loopt ze Aziz tegen het lijf die net uit de badkamer van boven komt. '*Tisslam eedayki*,' zegt hij. Je hand is gezegend – het compliment aan een kok. Hij pakt Sirines hand en drukt er een kus op. Dan draait hij haar hand om, kust het midden van haar handpalm, en vouwt haar vingers over de kus alsof hij een cadeautje inpakt. 'Ja. Wat een prachtig oud huis. Is jouw slaapkamer niet ergens boven?'

'Dat had ik je al verteld,' zegt ze. 'Maar de badkamer voor gasten is beneden, voor eventueel toekomstig gebruik.'

'Weet je,' zegt hij, zijn stem melodieus en suggestief, 'ik heb het altijd zo jammer gevonden als een mooie vrouw zich bindt aan slechts één man.'

Ze glimlacht en trekt een wenkbrauw op. 'Dan kun je maar beter op zoek gaan naar die vrouw en haar dat vertellen.'

'Weet je zeker dat Han zo onschuldig is?'

Ze vouwt haar armen over haar borst. 'Wil je soms zeggen dat jij iets weet wat ik niet weet?'

Hij haalt een van haar handen van haar elleboog en kust de binnenkant van haar pols. Ze kan zijn eau de toilette ruiken – geurige citroen en gras. 'Er zijn zo veel dingen die ik je zou willen laten weten! Ga je binnenkort eens uit met Aziz? Gewoon een uitje met een vriend? Alleen wij tweeën, gewoon wat flirten. Geen apenstreken. Geen gekheid. De hemel verbiede dat er iets leuks zou gebeuren.'

'Ja, de hemel verbiede het.'

Hij buigt zich alsof hij de binnenkant van haar elleboog wil kussen, maar ze trekt haar arm terug. 'Niet boven de hoogwaterlijn,' zegt ze.

Ze hoort voetstappen de trap op komen en instinctief doet ze een stap bij Aziz vandaan. Het is Victor, zijn ogen turend en zijn armen gespannen. Hij stopt ineens als hij Sirine en Aziz ziet en kijkt heen en weer tussen hen tweeën. 'Ik dacht dat ik... dat ik een vrouwenstem hoorde en zijn...' Hij werpt een vernietigende blik op Aziz en kijkt dan naar Sirine. 'En ik dacht dat het... ik weet het niet.'

Aziz strekt zijn nek om eerst over zijn ene schouder en dan over zijn andere schouder te kijken. 'Niemand anders hier dan wij,' zegt hij.

Victor kijkt kwaad naar hem.

'Het spijt me, Victor,' zegt Sirine. 'Ik heb hier... net niemand anders gezien. Heb je de keuken al geprobeerd?'

Victor houdt eindelijk op met Aziz kwaad aan te kijken en begint bonkend de trap af te lopen. Ze hoort hem mompelen, *pendejo*, eikel.

'Over dat afspraakje zonder gekheid,' wendt Aziz zich weer tot Sirine. 'Wanneer zullen we...'

'Nu even geen tijd,' zegt ze, terwijl ze langs hem glipt, de gang in. 'Ik ben op zoek naar iemand.'

'En ik ben niet die iemand?' zegt hij bedroefd. 'Niemand is ooit op zoek naar mij. Natuurlijk. Goed hoor.'

'Maar bedankt voor de heerlijke fatayer die je hebt meegenomen vandaag.'

Hij stopt en buigt, duidelijk blij met zichzelf. 'Die was gemaakt van de laatste van die prachtige lamsbouten van Odah.'

'Welke lamsbouten?'

'Weet je nog toen het boze oog in de slagerswinkel kwam en Odah het lam terugpakte? Nou, toen de politie arriveerde, liet hij het lamsvlees boven op een brievenbus achter. Ik vond het zonde dat dat prachtige vlees verloren zou gaan. Dus ik liep terug, pakte het en ben er toen mee naar de bakkerij gegaan, waar het meisje met de groene ogen er iets bijzonders van heeft gemaakt.'

'Maar hij zei dat dat vlees...' Ze maakt haar zin niet af, terwijl ze nadenkt.

'Het boze oog?' Aziz haalt zijn schouders op. 'Ik heb er eerst aan geroken. Ik heb er niets van het oog op kunnen ruiken.' Hij zwaait en gaat naar beneden.

Eindelijk kan Sirine zich laten neervallen in een ligstoel naast Han in de achtertuin. Ze zitten daar een poosje stil naast elkaar, en kijken naar Babar die kijkt naar de rode tabby van de buren die de bessen van een struik eet. Telkens als Babar dichterbij komt, blaast de kat zich op tot twee keer zijn formaat, en zakt dan weer in elkaar zodra Babar zich terugtrekt.

'Ga je met me mee naar huis?' vraagt Han hoopvol.

Sirine zucht en kijkt naar het keukenraam net boven en achter hun hoofden. 'Dat kan ik niet doen,' zegt ze. Ze ziet voor zich hoe groot de berg borden en schalen daar is. Iedere schotel en pan in huis is op de een of andere manier gebruikt. Ze hoort de kraan lopen en weet dat Um-Nadia en haar oom op hun plaats bij de spoelbak staan.

'Maak je je zorgen over de borden?' zegt Han zacht. 'Borden zijn eeuwig. Ze worden telkens weer vies. We laten ze gewoon voor wat ze zijn.'

De achterdeur kraakt zachtjes, alsof daar iemand had gestaan. Sirine kijkt op, wrijft dan over haar armen en slaat die om zichzelf heen. 'Wat vind jij van Nathan?'

Hij verplaatst zijn gewicht in de stoel en zet die iets meer naar achteren. 'Nathan.' Hij grinnikt zacht en mompelt iets in zichzelf, kijkt dan verstrooid een andere kant op. 'Die hond van je oom is angstaanjagend, dat zie je zo.'

De lucht beweegt en stijgt op rondom hen, en bladeren ritselen langs de grond. Sirine is doodmoe, voelt zich uitgewrongen en duizelig en heeft hoofdpijn omdat ze niet geslapen heeft. Daarom stemt ze in met zijn plan om stiekem weg te glippen zonder van iemand afscheid te nemen. Ze trekken stiekem als dieven hun jas aan. Dan lopen ze op hun tenen langs de keuken met de kletterende borden en bergen schuim, langs de verlaten zitkamer met de blèrende tv, langs de stille zogenaamde bibliotheek, de lange gang door en de voordeur uit.

19

Tante Camille hoorde dat ze helemaal voor niets naar de bron van de Nijl was gegaan. Nadat haar zoon de hele onderzeese wereld had verveeld met zijn verhalen over Hal'Awud, was hij naar het land van de ondergaande zon gegaan.

Zij en Napoleon-was-hier, de hond met de jakhalsoren, sloegen het stof van zich af en begonnen te lopen in de richting van de zonsondergang. Wat een belachelijk iets, dacht tante Camille, om te wandelen in de richting van de zonsondergang. Hoe moet ik weten wanneer ik moet stoppen?

Helaas voor haar besloot ze om haar vertrouwen te stellen in het richtingsgevoel van de hond. Dat kwam doordat hij haar had geholpen bij het vinden van de keuken van de djinn – die niet zo ver weg was – en omdat honden mensen beetnemen door te doen alsof ze altijd de weg weten. Babar bijvoorbeeld neemt ons regelmatig beet. Maar in werkelijkheid zijn honden gewoon gereïncarneerde monniken die hun gebeden niet goed hebben opgezegd.

Napoleon nam de leiding en tante Camille volgde. Hierdoor kwam het dat ze in grote cirkels in de richting van de woestijn gingen. Op deze manier verstreken er jaren. De bedoeïenen en stadsmensen gaven hun eten en zegeningen en namen aan dat ze op pelgrimstocht naar Mekka waren. In die tijd werd tante Camille het hof gemaakt door een Egyptische prins die haar ontving in zijn woestijntent en die haar een klein slavinnetje gaf om haar gezelschap te houden. Tante Camille noemde het meisje Hanan, wat vriendelijkheid en tederheid betekent, en ze voedde haar zachtmoedig op, wiegde haar 's avonds in slaap met het verhaal van de zoektocht naar Abdelrahman, mijn neef. Maar toen ze Hanan vrijliet op haar achttiende verjaardag, hadden ze Abdelrahman Salahadin nog steeds niet gevonden, en Hanan vertrok teleurgesteld.

Camille liep in grote cirkels door de woestijn over de heuvels van Afrika, totdat een stam die daar in de buurt was, nieuwsgierig werd en naar haar toe kwam lopen om haar eens van naderbij te bekijken. Het waren bijzonder zelfingenomen bedoeïenen, erg trots op het feit dat ze handelden in wierookhars en niet in geiten of kamelen of de gebruikelijke stinkende beesten van de bedoeïenen. Hun haar en huid waren stoffig blauw van kleur en ze roken naar hun wierook, en ze spraken Italiaans en Arabisch, evenals een melodieuze en vrolijk kwetterende taal die door de oude Soemeriërs Loeloeboeloe of de taal van de vogels werd genoemd. Ze mochten Camille wel, en die kwam erachter dat ook zij daar niet thuishoorden. Het waren leden van een stam die oorspronkelijk uit de Dhofarbergen kwam, op het Arabisch Schiereiland. Ook zij wisten van Hal'Awud en Dar'Aktr en waren daar niet erg positief over. Het bleek dat Dar'Aktr een persoon was, luidruchtig en erg blank – bijzonder blank – met borstelige wenkbrauwen, haar als een stuk boomheide en een manier van spreken die leek op de wind die op de woestijn beukt. Het kwam in feite door Dar'Aktr dat ze nu op die plek waren, zo ver van huis. Hij had hen daarheen verhuisd, zeiden ze, en had daarvoor zijn vreemde bevel gegeven.

'Jullie verhuisd?' vroeg ze ongelovig. 'Hoezo?'

Ze schudden alleen hun hoofden en maakten tekenen tegen het boze oog en zeiden dat alleen Allah dat wist, dat het elke verklaring tartte. Hij had zijn vreemde bevel gegeven, wat kennelijk ook elke verklaring tartte, en liet hen toen achter zonder dat ze nog terug naar huis konden. Ze waren niet echt ongelukkig met deze regeling, voegden ze eraan toe, maar het was tamelijk lastig. Camille merkte dat als je die mensen eenmaal beter kende, ze eigenlijk wel aardig waren. Ze vertelde hun op haar beurt over haar ondeugende zoon, over hoe ze hem had gewaarschuwd, over haar tocht langs de Nijl, over haar gesprek met de vis. Camille vertelde hun ook over de tijd die ze als slavin had doorgebracht bij de beroemde ontdekkingsreiziger, sir Richard Burton, en de stamleden raakten opgewonden en zeiden: ja, ja! Ar-Rashad Bur'aton! De angstaanjagende blanke man met zijn holle ogen! Die was daar ook! En ze voelden zich op de een of andere manier allemaal gesteund, alsof deze ontmoeting zo had moeten zijn. En ze spraken af dat als zij Camille konden helpen om haar weg terug naar huis te vinden, Camille de stam zou helpen om hun weg terug te vinden naar hun plek op het Arabisch Schiereiland.

De dag begint met een uitbarsting van zonlicht vanachter smog en mist; de zon schijnt boven de kaarsrechte straten en bruine slingerende ravijnen en azuurblauwe weerspiegelende zwembaden. Hij kruipt in de lange dunne takken van wilde lavendel en heide. Hij raakt de warme toppen van daken, de armoedige smalle steegjes. De spichtige planten die groeien in sloten en op het open veld. Gele dingen scherp als skeletten en gehoornde duivelse planten, hard blauw struikgewas knoestig als knokkels. Het licht stijgt op en trekt langs een halvemaanvormige horizon, een grote open hemelvlakte, licht zoutig, sporen van fruit, citrusvruchten, water in de wind.

Sirine is eerder wakker geworden dan Han. Ze leunt op een elleboog en bestudeert de bruine tinten van zijn huid in het ochtendlicht. Terwijl ze dat doet, herinnert ze zich een droom waarin Han een dubbelleven leidde en een geheim gezin had in Irak. Zijn vrouw was een soort heks die hem had betoverd – een vrouw die eruitzag als Rana, gepassioneerd en briljant en tot alles in staat – iemand die hem terug zou roepen naar het Oude Land – naar zijn ware identiteit. Ze droomde dat deze vrouw haar zwarte sluier afgooide, en daaronder droeg ze een krans van gele bloemen in haar haar, een rode jurk als een uitbarsting van vlammen; ze keek naar Sirine en begon te lachen.

Sirine wrijft in haar ogen en probeert helder te denken. Ze glijdt voorzichtig uit bed en gaat naar de kleine witbetegelde badkamer. Ze tuurt in de dof geworden spiegel op het medicijnkastje, draait die een beetje in een poging het licht te vangen. Ze staart naar het beeld van zichzelf in de spiegel met de metalen rand. Het enige wat ze kan zien is wit. Wat is ze wit. Haar ogen wijdopen, amandelvormig en zeegroen, haar neus en lippen aardig en normaal geproportioneerd. Helemaal haar moeder. Dat is het enige wat iedereen kan zien: als mensen vragen naar haar nationaliteit, reageren ze met verbazing als ze zegt dat ze half-Arabisch is. Dat zou ik nou nooit hebben gedacht, zeggen ze dan lachend. Daar zie je absoluut niet naar uit. Als mensen dat zeggen, heeft ze het gevoel alsof haar huid loslaat. Ze denkt dat ze op de een of andere manier haar moeder aan de buitenkant heeft geërfd en haar vader aan de binnenkant. Als ze haar eigen inwendige organen zou kunnen vergelijken met die van haar vader – het bloed en de beenderen, en de vorm van haar geest en emoties – dan denkt ze dat ze haar ware en diepverborgen aard zou ontdekken. Ze stelt zich haar ouders voor, jong, hun eerste kind verwachtend, misschien wel een echte samenvloeiing van hun twee lichamen verwachtend. Zouden ze teleurgesteld zijn geweest, vraagt ze zich af, toen ze een volkomen blank kind kregen?

Ze probeert geluidloos terug te kruipen in bed, maar Han doet zijn ogen open. Sirine ziet vlekjes goud in de zwarte oppervlakken. Hij zoekt haar met zijn ogen en glimlacht, en haar hart bonst. Ze denkt dat het een soort glimlach is die ze nooit eerder bij hem heeft gezien, intiemer en tegelijk ver weg, niet werkelijk voor haar bestemd. 'Hé?' mompelt hij. En dan: 'Habeebti? Wat is er?'

Sirine glimlacht terug en vraagt dan wat hij voor zijn ontbijt wil hebben. Hij gaapt en gaat rechtop zitten, en vraagt bijna timide: 'Je kunt zeker niet nog eens frekeh voor me maken?'

Het gerecht van gerookte tarwekorrels met olijfolie en knoflook. Ze zit stil, het zonlicht vanaf het balkon glijdt door de slaapkamer. Er staan zakkenvol frekeh in het huis van haar oom, vele kilo's in het restaurant, zelfs de Indiase markt een paar straten vanaf Han's appartement verkoopt het in bulkverpakking. Maar ze haalt diep adem, fronst en zegt: 'Ik weet niet of ik het nu ergens kan krijgen.'

Ze zegt tegen Han dat hij nog even moet blijven slapen en loopt dan alleen naar de Indiase markt. Maar als ze terugkomt met haar boodschappen heeft ze geen frekeh bij zich. Ze maakt roereieren met spek als ontbijt. Ze roert een scheut dikke room en geraspte kaas door de eieren, laat het spekvet in de eieren trekken, snijdt vierkante beboterde toast doormidden, en vult de glazen met sinaasappelsap. Ze brengt dit Han op bed, en hij glimlacht en eet het en zegt niets meer over de frekeh.

Later die morgen, terwijl ze op haar werk is, realiseert Sirine zich dat ze zich niet meer kan herinneren waar ze haar omslagdoek heeft neergelegd.

'Je prachtige omslagdoek? Heb je die verloren?' roept Um-Nadia uit.

'Ik heb hem niet verlóren,' zegt Sirine, terwijl ze door de kasten en op de planken in de keuken rommelt. 'Hij moet hier ergens zijn.'

Um-Nadia zegt tegen Victor en Cristobal dat ze overal moeten kijken, en dan belt ze Sirines oom thuis. 'Zeg ons dat die omslagdoek daar ligt,' roept ze in de hoorn. Ze wacht en wacht en luistert dan knikkend, alsof ze het onvermijdelijke bevestigt. Ze legt een hand over de hoorn en zegt: 'Nee. Verdwenen.'

Mireille wendt zich tot Sirine. 'Kun je je herinneren wanneer je hem voor het laatst hebt gedragen?'

Maar Sirine heeft geen laatste herinnering. Er staat haar alleen vaag iets bij van gisteren, over dat ze het dessert naar binnen bracht, en haar omslagdoek over een stoel had gedrapeerd.

'Ik geloof niet dat ik je die omslagdoek heb zien dragen,' zegt Mireille.

'Wacht eens...' zegt Victor, 'het kan zijn dat ik hem op de grond in de keuken heb zien liggen.'

'Typisch Sirine,' zegt Um-Nadia.

Nathan komt langs voor baklava en koffie. Hij ziet eruit alsof hij een kater heeft en doodop is, zijn ogen hol van vermoeidheid, en hij heeft zijn camera niet bij zich. Hij verontschuldigt zich dat hij zo plotseling is vertrokken tijdens het etentje, maar hij kreeg vreselijke hoofdpijn.

'Heb jij soms haar doek gezien?' vraagt Um-Nadia, terwijl ze haar armen in de lucht gooit.

'Je hebt hem toch niet verloren?' Zijn pupillen zijn donker als lood. 'Ik heb je er daar nog mee gezien in de keuken. Dat kan ik me nog herinneren. Waar heb je hem neergelegd?'

Sirine laat iedereen plechtig beloven dat ze er geen woord over tegen Han zullen zeggen. Ze fietst regelrecht naar huis na haar werk. Ze keert alle kussens in de zitkamer om. Kijkt onder de stoelen in de bibliotheek. Ze zoekt in de wasmand. Dan denkt ze dat ze hem opgevouwen op het aanrecht in de keuken ziet liggen; ze haalt al opgelucht adem, maar het is alleen de keukenhanddoek. 'Ik heb hem niet verloren,' zegt ze bij zichzelf. 'Hij moet gewoon ergens zijn.'

Haar oom kijkt achter een paar boeken in de bibliotheek. 'Wat bent u aan het doen?' vraagt Sirine. 'Daar is hij echt niet.'

'Op zo'n plek liggen zoek geraakte dingen in films altijd,' zegt hij.

Ze wil eigenlijk niet eens meer de moeite nemen om nog boven te gaan kijken, maar besluit dan om het voor alle zekerheid toch te doen. De badkamer (ze heeft een plotselinge, wilde hoop dat Aziz wilde zien hoe de doek hem stond) is leeg, de handdoeken hangen recht als soldaten. Ook haar slaapkamer ziet er keurig en leeg uit: ze ziet het donkere kersenhouten arrensleebed, de lege muren, het roomwitte dekbed. Ze maakt een rondje om het bed, kijkt om naar de overloop en hoort dan een geluid als van huilen onder het bed vandaan komen.

Ze laat zich op handen en knieën vallen. Het is Babar, die een hoog vreemd gekerm laat horen, alsof hij gewond is. Hij ligt languit op zijn buik onder het bed – een plek die hij zelden opzoekt, behalve als hij bijvoorbeeld de kerstboom omver heeft getrokken of alle broodjes voor bij de warme maaltijd heeft opgegeten.

Sirine tuurt onder het bed. 'Babar,' zegt ze zacht, terwijl ze een punt van het dekbed omhooghoudt. 'Wat is er aan de hand, lieverd? Wat heb je gedaan?'

Hij ligt midden onder het bed. Hij rolt met grote schuldige ogen naar haar. Hij zucht en kreunt en ze strekt zich uit onder het bed om te proberen hem te troosten en heeft dan door dat hij ergens op ligt. Ze reikt onder hem terwijl hij protesteert, dan gromt. Verbaasd zegt ze: 'Babar, nee!', en ze trekt een grote witte envelop te voorschijn. Hij is oud en dubbelgevouwen, niet dichtgeplakt, en erin zit een kleurenfoto.

Ze trekt hem eruit. Een close-up van een meisje – een jonge vrouw eigenlijk – met stralende koolzwarte ogen en lang, krullend zwart haar dat in dikke lokken om haar gezicht waait. Ze lacht en trekt het opvliegende haar weg van haar gezicht met haar hand – of probeert dat. Haar huid is als glanzende barnsteen en iets aan haar lach verlicht de hele foto.

Sirine houdt hem in beide handen vast, waarbij het gelach van het meisje opstijgt in de lucht, opklinkt in alle hoeken en zingt op de overloop; haar haar – donker maar wild en krullend als dat van Sirine – waait omhoog en valt weer neer, en haar ogen zijn recht op Sirine gericht.

Ze kijkt weg van de foto maar kijkt er even later weer naar. 'Waar komt die vandaan? Waar heb je die vandaan?' vraagt ze aan de hond, die nu tegen haar been leunt.

Ze bestudeert de foto nauwkeurig: de structuur van de huid van het meisje, de plooitjes naast haar lachende mond, de rimpeltjes bij een ooghoek. Plotseling dringt het tot haar door: dit is dezelfde vrouw die ze zag op de foto in Han's slaapkamer. Zijn zuster? Om de een of andere reden schrikt ze hier nogal van. Hoe is die hier gekomen? Haar adem giert door haar borst.

'Wat is dit?' vraagt ze, waarbij de aandrang maakt dat haar stem scherp klinkt. Babar staart haar grijnzend en hijgend aan.

Het gevoel komt van buiten haar lichaam, als een vibratie in de lucht, trillend in de grond. De verborgen foto lijkt een soort zwarte magie. Ze denkt aan de bezweringsrituelen die ze van Um-Nadia heeft gehoord; het lint vastgebonden aan de poot van een wieg om de baby te beschermen, het speciale kralensnoer om bepaalde geesten op te roepen, de spiegel die een doorgang vormt voor geesten. Even glinstert de foto, beschenen door het licht. Het lijkt niet veilig om hem aan te raken. Ze verbergt de foto in de la van haar nachtkastje.

Die nacht blijft ze weer in Han's huis. Ze zegt bijna iets over de foto, maar besluit dan om het niet te doen. Ze droomt dat Han ergens een vrouw verborgen heeft die haar omslagdoek heeft gestolen; ze tergt Sirine ermee, rent net iets voor haar uit, te snel, waarbij de doek achter haar aan golft als een banier. Ze rent ermee de oceaan in, waarbij de golven lange violette slierten schuim opwerpen.

Heel laat die avond gaat de telefoon waardoor ze wakker wordt. Sirine voelt hoe Han behoedzaam uit bed stapt en naar de zitkamer sluipt. Hij spreekt in het Arabisch, waarbij zijn stem zacht daalt en stijgt. Hoewel ze de woorden niet kan verstaan, hoort ze iets heel zachts en smekends in Han's stem; ze kan bijna de lichten boven de woestijnbergen zien en de stromingen van de Tigris ruiken. Ze denkt aan de foto, weggestopt in haar nachtkastje, trillend van het lachen.

Sirine ligt heel stil, ogen wijdopen, en neemt de duisternis in zich op. Haar ademhaling zit vast in haar, haar handen samengebald. Toen ze een klein meisje was, lag ze vaak wakker, alleen in de logeerkamer in het huis van haar oom, als haar ouders voor hun werk op reis waren. Die eenzame nachten hadden een bepaald soort eenzaamheid, met haar ouders weg alsof ze nooit werkelijk bestaan hadden. Ze lag wakker en probeerde zich dan voor te stellen met wie ze zou zijn als ze volwassen was – dertig, veertig, vijftig jaar oud. Het was alsof je probeerde door de hemel te kijken, lagen van gele nevel, naar een plaats ver weg. Ze sprak dan tegen haar toekomstige persoon, riep die persoon voor de geest zodat ze het gevoel had alsof die al bij haar in de buurt was. Als haar ouders terugkeerden, waren ze altijd erg opgewonden om haar te zien. Meestal hadden ze een vreemd stuk speelgoed voor haar meegenomen uit een van de landen waar ze gewerkt hadden – de ene keer was het een strooien poppetje uit India, een andere keer was het een soort marionet uit Thailand, op papier getekend en aan lange stokken vastgemaakt. Sirine vroeg zich altijd af of dat speelgoed van zieke kinderen was geweest. Haar moeder drukte haar altijd net iets te hard en te lang tegen zich aan en haar vader keek alsof een deel van hem nog op de plaats was die hij net had verlaten, zijn ogen leeg, niet echt gericht op Sirine. Later propte ze de cadeautjes altijd onder in de vuilnisbak achter het huis.

Maar nu doezelt Sirine, half luisterend naar de sissende waterachtige geluiden van het Arabisch die de slaapkamer in zweven. Ze denkt verlangend aan haar oude leven vóór Han, over slapen in haar veilige smalle bed, aan Babar die haar voeten warmde. Haar oom met zijn favoriete tomatensalade en Um-Nadia met haar thee met kardemom, en alles is in orde, zoals het altijd is.

Als Sirine weer wakker wordt is de zon nog steeds niet op, maar het licht is aan in de keuken. Ze staat op, kleedt zich aan en loopt de slaapkamer uit. Han zit aan de keukentafel *The Los Angeles Times* te bestuderen. Sirine ziet nog meer donkere foto's en kijkt een andere kant op. Dan ziet ze bleekgele krantenpagina's onder een stapel essays van studenten. 'Wat is dat?' vraagt ze, terwijl ze de rand ervan aanraakt.

Hij trekt de krant te voorschijn en laat hem aan haar zien. 'O. Dat is de krant uit Jeruzalem.'

'Ik wist niet dat je die las.'

Hij glimlacht alsof hij zelf ook een beetje verbaasd is. 'Meestal doe ik dat ook niet. Ik denk dat ik af en toe gewoon nieuwsgierig word. Ik heb die krant gekocht bij de kiosk op de campus.'

'Heb je hem al gelezen? Staat er iets interessants in?'

Hij kijkt nu naar haar. 'Niet echt. Ik bedoel – de gebruikelijke afschuwelijke dingen. Verdiep je je in de buitenlandse politiek?'

'O, ik weet het niet. Ik bedoel, ik weet dat ik dat wel zou moeten doen.' Ze staart naar het gelige krantenpapier, half opgekruld op het aanrecht, de gevlekte foto, Arabisch dat slingerend over de pagina's loopt: een geheime code voor iets. Ze draait haar polsen, trekt aan haar handen – een oude gewoonte uit haar jeugd toen ze haar handen afveegde aan haar schort in de hoop dat de baklava knapperig zou zijn of het lam mals of de druivenbladeren goed bijeen zouden blijven. Han kijkt haar even aan en legt dan zacht zijn hand over de hare. 'Habeebti, wat is er?'

Ze kijkt omlaag, slaat haar handen om haar ellebogen.

'Alsjeblieft, wat is er?'

Uiteindelijk kijkt ze hem recht aan. 'Je moet me meer vertellen,' zegt ze, haar stem trillerig. 'Ik weet nog niet genoeg over je. Als wij – als wij van plan zijn om – wat het ook zal worden met ons. Ik heb meer nodig.'

Hij houdt zijn handen op, alsof hij een offer doet. 'Natuurlijk. Wat je maar wil. Vertel me wat je wil weten.'

Ze vermijdt zijn blik en zegt: 'Ik moet meer weten over de vrouwen in je leven.' Hij pakt haar handen en ze houdt die stevig vast, alsof hij haar optilt, haar hoofd boven een onzichtbare lijn houdt. En ze verwacht bijna dat hij zal gaan lachen of geschokt zal kijken, of op zijn minst zijn hoofd zal schudden en zal zeggen: waar heb je het over, welke vrouwen?

Maar in plaats daarvan knikt hij als een soort erkenning, alsof hij heeft zitten wachten op zo'n vraag, en hij zegt: 'Natuurlijk zal ik het je vertellen – zoveel als er te vertellen valt.'

II

20

'Toen ik nog een kind was,' mompelt Han, 'toen ik nog erg jong was, zochten mijn vriend Sami en ik altijd naar manieren om onszelf te vermaken. We woonden in een klein dorp aan de rand van Bagdad en mijn vader bezat een paar hectaren boomgaarden met citroenen, vijgen en olijven. Maar we woonden ook zo dicht bij de stad dat, toen de putbewaker Aboe-Najmeh ons die fietsen gaf, we ontdekten dat het gemakkelijk was om naar de stad te fietsen en de buurten en markten te verkennen. Sami en ik werden avontuurlijker en we begonnen op ons gemak door straatjes te rijden en ons door struiken heen te wurmen. Ik kon er niks aan doen. Ook al was ik bang voor het onbekende, toch werd ik constant aangetrokken door vreemde straten. Op die manier ontdekten we het zwembad van het Eastern Hotel...'

Zijn familie was niet rijk – ze hadden niet genoeg geld voor zijn studieboeken of om zijn zuster naar school te sturen. Han zat buiten onder de straatlantaarns om zijn huiswerk te leren, omdat ze zich geen elektriciteit konden veroorloven. Soms keek hij naar de vogels die 's avonds boven zijn hoofd over vlogen; meeuwen met scherp afgetekende vleugels en merels met lange staartveren. Hij liet zijn vingers over de woordenlijsten in zijn schriften gaan, en schreef zijn favoriete woorden op: *shelaal, asfoor, mismar, shemsiyya...*

In het Irak van zijn jeugd ging alles langzaam. Een hagedis had er van zonsopgang tot zonsondergang voor nodig om van de ene kant van het slaapkamerplafond naar de andere te lopen. Zelfs de morgen had zijn tijd nodig, langzaam lichter wordend van grijs naar blauw naar groen naar geel. Han was echter ongeduldig en stelde zich constant alle plaatsen voor waar hij naartoe wilde reizen, het leven dat hij wilde hebben.

En toen op een dag fietsten hij en zijn beste vriend Sami door een druk, onbekend deel van de stad en ontdekten er, puur bij toeval, rijen smaragdgroene bomen die in de vorm van dozen waren gesnoeid. Ze slopen dichterbij en zagen een glimp van een stuk blauw water tussen de bladeren. Han had het gevoel alsof hij wakker was geworden in een van die nieuwe tijden en plaatsen waar hij van droomde.

Sami bleef wat achter, maar voor Han waren de kleurrijke bloemen en sierlijke palmen net zo vertrouwd als de verhalen van zijn oom over de avonturen van Sinbad. Sami riep: 'Nee, nee, Han!' terwijl hij tussen de struiken naar binnen glipte en ontdekte dat hij terecht was gekomen in een wereld van lange benen, rode nagels, kristalheldere ogen, rijen bleke vrouwen op ligbedden, gerangschikt rond een volmaakte ronde maan van blauw water.

Langzaam volgde Sami zijn vriend door de struiken. Toen bleven de twee jongens, elf jaar oud, bevroren op hun plek staan staren. In het begin bewoog geen van de vrouwen zich, en Han vroeg zich af of ze wel echt waren.

Uiteindelijk richtte een van de vrouwen zich langzaam op, wat de jongens aan het schrikken maakte, en duwde haar zonnebril een stukje omlaag langs haar neus, terwijl ze naar hen tuurde. Hij keek naar haar glanzende lippen die zich licht bogen en toen liet ze een lach horen die klonk alsof iemand een klein etensbelletje liet rinkelen. Plotseling lachten alle vrouwen, de lucht gevuld met het geluid van de belletjes, hun haar en huid glinsterend als juwelen.

De vrouw met de zonnebril strekte zich uit naar Han en hij kwam gehoorzaam naast haar staan. 'Zo, kleine man,' zei ze in het Engels en ze pakte zijn hand. 'Zou je willen zwemmen?'

Hij had Engels op school gehad; hij was een goede leerling. Hij realiseerde zich dat hij begreep wat ze zei. Zijn ogen werden groot en hoopvol. Hij keek over zijn schouder. Hij had in de Tigris gezwommen en hij had gelezen over betoverde zwembaden in *De vertellingen van 1001 nacht,* maar nooit eerder had hij er een gezien. Het zag er een beetje uit als een vijver, maar dan een die was neergedaald uit de hemel, een vloeibare saffier gezet in marmer. 'Ja,' zei hij met een klein stemmetje. Sami staarde hem aan alsof hij Han nooit eerder had gezien – hij sprak gewoon met hen! In hun eigen taal!

'Wat een mooie, knappe jongen ben jij,' zei ze. 'Hoe heet je?'

'Hanif,' zei hij, nog steeds met een klein stemmetje.

'Nou, Hanif,' zei ze. 'Je hebt prachtige ogen. Kijk eens, Kay.' Ze draaide Han om zodat hij de dame op de stoel ernaast recht in het gezicht keek. 'Kijk eens naar die wimpers.'

Han kon niet zeggen of de vriendin zelfs maar naar hem keek vanachter haar grote zonnebril. 'Schat,' zei de vriendin op een trage toon, 'ik vind hem om op te eten.'

'Ga je gang,' zei de vrouw met vuurrood haar. Han realiseerde zich dat ze tegen hem sprak. Ze tilde een lang, glanzend been op – het eerste blote vrouwenbeen dat hij ooit had gezien – en wees met haar voet naar het water. 'Ga maar, iemand moet toch gebruikmaken van dat belachelijke ding.'

Han keek naar Sami en keek toen weer om, met grote ogen en sprakeloos. Hij wist hoe graag Sami wilde wegrennen. Maar Han wilde blijven.

Hij trok zijn witte overhemd uit, vouwde het op en legde het op het gras. De vrouwen bleven bewegingloos op hun stoelen liggen, een paar van hen bladerden door tijdschriften, lome verveling steeg van hen op als stoom. Hij liep om het zwembad heen, de marmeren rand warm van de zon, oneindig glad, maar er leek geen plaats om af te dalen te zijn, geen aflopende kant of grote stenen. Hij liet zich zakken door op de rand te hurken, waarbij hij Sami's gefluisterde smeekbeden negeerde, en strekte één voet uit naar het blauw. Maar een schaduw in het water – een wolk? Een vliegtuig? – leidde hem af en hij verloor zijn evenwicht. Zijn voet sloeg plat tegen het wateroppervlak dat uiteenspatte in ontelbare vlammende tegels, en hij viel in het zwembad.

Ogen open, oren open, mond open, haar recht overeind wapperend. Zijn hoofd vulde zich met de vreemde trilling van de onderwaterwereld en het geluid van zijn eigen kloppende hart. Zijn tante had hem eens verteld dat het water – net als de lucht en het vuur – was gevuld met zijn eigen djinns. Maar toen de belletjes waren verdwenen was het enige wat hij kon zien – zijn longen barstend, druk op zijn oren – de volmaakte wereld, helder en koud en doorkruist met schuine lichtstralen. Hij dook hoestend op aan het oppervlak – terwijl hij zijn haar naar achteren gooide; een cirkel van glinsterende druppels – en riep tegen Sami: het is geweldig! Sami liep naar de rand en terwijl hij met wijdopen ogen naar Han keek, sprong hij in het water. Ze kwamen daarna iedere dag, waarbij ze wegslopen bij de andere jongens. Ze vouwden altijd hun overhemd netjes op, legden dat op het gras en brachten hun dagen in het water door. Ze werden acrobatisch en vermaakten de vrouwen met handstanden en radslagen. Ze kwamen aangerend en sprongen dan in het zwembad – armen om opgetrokken knieën geslagen, hoog zeilend in de lucht – waardoor er bogen water in de richting van de ligbedden vlogen. De vrouwen gilden en hielden hun handen omhoog, en sommige wapperden boos met hun tijdschriften en trokken hun badjas aan.

Han leerde de vrouwen kennen die in hun stoelen lagen gerangschikt om de rand van het zwembad: Helga, Houlani, Dee Dee, Sarah, Dot, Gina, Kay, Renate, Connie, Dominique, Margaret, Ginger, Lisel, Pehar, Farnaz en Janet. Ze waren de vrouwen van diplomaten, bezoekende hoogwaardigheidsbekleders, politici en zakenlieden. De meeste vrouwen bij het zwembad hadden geen baan of een eigen inkomen. Ze smeerden zichzelf in met olie, lazen romannetjes en hielden zakspiegeltjes schuin onder hun kin. Han had moeite om zich voor te stellen dat ze tot dezelfde menselijke soort behoorden als de vrouwen in zijn dorp – vrouwen die constant aan het werk waren met het schoonmaken van rijst, het dorsen van tarwe, het vegen van vloeren, het borduren van lakens, hun huid ruw, ogen met lijntjes van jaren turen over velden en hoge muren van kameeldoorn die naar de zon toe klommen.

De vrouwen bij het zwembad leken Han onvolgroeid, gevangen tussen jeugd en volwassenheid – ze waren duidelijk ouder dan hij was, maar toch zo slank als kinderen, hun huid teer als van een larve. En ze hadden de nukkigheid van kinderen – ze probeerden Han en Sami zo ver te krijgen om hun kunstjes in het water te doen, totdat ze er onvermijdelijk genoeg van kregen en terugkeerden naar hun tijdschriften.

Janet keek nooit verveeld. Ze hield Han scherp in de gaten, tenminste dat hoopte hij – scherper dan Sami, die ook intelligent en grappig was en goed in Engels, hoewel misschien iets minder dan Han. Iedere dag als de jongens eindelijk uit het water kwamen, zag de hemel er gezwollen en schaduwachtig uit, en de late zomerlucht was nog steeds heet. De huid van de jongens was altijd gerimpeld, hun shorts drijfnat rond hun magere heupen. Janet haalde extra handdoeken voor hen – zacht en dik als room, geborduurd met het monogram van het Eastern Hotel.

Ze had belangstelling voor Han. Ze was anders dan de andere vrouwen, hoewel ze misschien op het eerste gezicht hetzelfde leek, met hun air van zowel verwachting als verveling. Maar hij merkte aan de manier waarop haar ogen zich versmalden als hij verhalen vertelde over zijn leven buiten het zwembad, dat ze echt luisterde.

Sami lag dan op zijn handdoek te doezelen in de zon, op het knisperende, verbrande gazon dat zorgvuldig werd onderhouden, bemest en gemaaid om de marmeren patio te kunnen omcirkelen. Maar Han zat dan naast Janets stoel, met gekruiste benen op het marmer, en vertelde haar over het ingewikkelde borduurwerk dat zijn zuster maakte op linnen, het nauwkeurig nakijken van de linzen door zijn moeder, het dagelijks fijnmaken van kruiden – sesamzaad, tijm, sumak – de lucht gevuld met een rode nevel. Hij vertelde haar dat zijn moeder, net als Janet, ook leefde in een samenleving van vrouwen apart van hun mannen – die ander werk deden en zich op een andere manier ontspanden.

Janet lachte en gooide haar glanzende haar naar achteren en zei: 'Denk je dat ik altijd zo leef?'

En Han knipperde onzeker met zijn ogen, omdat dit het enige was wat hij van haar wist, dus daarom had hij aangenomen dat ze in een eeuwig zomerseizoen leefde, in haar badpak bij het zwembad.

Maar na twee maanden van dit dagelijks plezier kwamen Han en Sami op een dag naar het zwembad en waren sommige van de vrouwen verdwenen, hun ligbedden ingeklapt en opgeborgen. Toen Han naar hen vroeg, zuchtte Janet en liet haar hoofd op een hand rusten en zei: 'Het is bijna het einde van het seizoen, goddank. We gaan weer naar huis.'

En de week erop waren alle vrouwen weg, ook Janet – verdwenen zonder een spoor achter te laten of afscheid te nemen. De jongens stonden op de witmarmeren rand, de ligbedden leeg, alleen het koude kristal van het water helder en strak als een vreemde zon.

Han keerde daarna nog diverse keren terug bij het zwembad – ook al begon de lucht duidelijk frisser te worden en werden de dagen korter. Maar de vrouwen keerden niet terug. Uiteindelijk verdwenen alle ligbedden en werd er een gekreukt zwart zeildoek over het zwembad heen gelegd. Han en Sami keerden terug bij hun oude groep vrienden. Maar iets in Han was veranderd. Hij voelde zich ongeduldig en ontevreden bij zijn vrienden, zelfs op school – waar hij voorheen dol op was geweest. Hoewel hij zich nog hetzelfde kleedde en er hetzelfde uitzag, was hij toch veranderd.

De winter kwam en ging; Han werd twaalf jaar en sommige van de jongens op zijn school werden eraf gehaald om hun vaders te helpen bij hun werk. Han zou zijn vader die zomer in de boomgaarden gaan helpen – hij had ernaar uitgekeken. Hij zou eindelijk oud genoeg zijn om tussen de mannen te werken. Daarna zou hij in de herfst teruggaan naar school. Zijn vader en moeder zagen allebei Han's ongewone gaven. Er was zelfs sprake van om hem uiteindelijk naar de universiteit van Bagdad te sturen – hoewel het geld wel een probleem zou zijn, benadrukte zijn moeder. O, geld is altijd een probleem, had zijn vader geantwoord.

Han begon te werken in de boomgaarden, en klom in de hoogste, zachtste takken voor de olijven. Vroeg op een morgen voordat hij aan het werk zou gaan, toen Han nog tussen slapen en wakker worden in zat, dromend over het plukken van de harde, zware olijven, klonk er getik op het raam. Han stond gapend op en daar stond Sami. 'De dames,' zei hij, zijn wangen roze van het zweet. 'Ze zijn terug!'

Han glipte het huis uit en hij en Sami gingen op weg naar het zwembad in het vage licht voor het aanbreken van de dag. Ze kropen door de heg en daar zagen ze de strandbedden, opnieuw gerangschikt in een cirkel, een zonnebril op de ene, een paar elegante groene sandaaltjes naast een andere – en, zachtgrijs en glinsterend, het zwembad, de hoes eraf gehaald als een oude huid, het water helder en stil als gedachten.

Maar nu was er een probleem – Han en Sami waren inmiddels twaalf jaar en hun vaders verwachtten van hen dat ze thuis zouden komen helpen op het veld.

Han verzon een verhaal over een speciale bijeenkomst op school, waardoor hij die dag vroeg kon weggaan uit de boomgaarden. Die middag fietste hij regelrecht naar het zwembad, waar hij Janet begroette. Daarna vertelde hij haar met trillende stem dat hij die zomer niet opnieuw bij hen zou kunnen doorbrengen.

Maar Janet opende alleen een strooien tas bij haar stoel en haalde er een geborduurde katoenen portemonnee uit. Daar trok ze een paar biljetten uit en zei: 'Zou je me Arabisch kunnen leren?'

Toen Han's vader al dat geld zag en hoorde wat Han te zeggen had, was hij eerst perplex en zelfs verontwaardigd – hij had moeite om zich voor te stellen waarom een rijke Amerikaanse vrouw een twaalfjarige zou betalen om haar een taal te leren. Hij vroeg Han: 'Hoe hebben jullie elkaar ontmoet? Wanneer? Hoe kwamen jullie met elkaar aan de praat? Wat zegt haar man hierover?'

Han keek naar de grond. Hij had Janets man nog nooit ontmoet – hoewel ze een ring droeg, wist hij niet eens zeker of zo'n man wel bestond – en hij kon zichzelf er niet toe brengen om zijn vader nog meer voor te liegen. Misschien was ze niet eens getrouwd, gaf Han toe, maar haar vriendinnen waren altijd bij haar.

'Hoeveel vriendinnen zijn daar dan?' vroeg zijn vader.

Han dacht hierover na. 'Misschien veertien of vijftien,' zei hij.

Zijn vader barstte in lachen uit. 'Veertien of vijftien vriendinnen? Ben je soms in een harem terechtgekomen?'

En Han – die eigenlijk nog nooit een harem had gezien – die er alleen verhalen over had gelezen in *De avonturen van Sinbad de zeeman* – vroeg zich af of dat misschien zo was.

Gelukkig was zijn vader niet als andere vaders, die waarschijnlijk hadden geweigerd om hun zoon niet op het veld te laten werken. Zijn vader wist door een enkele blik op al dat Amerikaanse geld dat zijn zoon vele malen meer zou verdienen door deze vrouw les te geven dan blootsvoets tussen de olijfbomen. En wat nog beter was – hij zou werken met een Amerikaanse: dit, voelde hij, zou nog belangrijkere dingen voor zijn zoon kunnen ontsluiten. Hij stond toe dat zijn vragen niet beantwoord werden.

Han stuurde zijn fiets met één hand, zigzagde door smalle straatjes, ontweek straathonden en kippen, waterdragers en sieradenverkopers, messenslijpers en fruitverkopers, vrouwen die bladen met brood op hun hoofd droegen, jongens die zilverkleurige bladen vol theeglazen en potten hete thee droegen. In zijn andere hand hield Han een schrijfblok met wit papier, twee potloden, een Arabisch-Engels woordenboek en een dik Arabisch grammaticaboek, om haar de prachtig gevormde letters van het *Fus'ha*, het klassiek Arabisch en tevens de taal van de koran, te leren.

Sami had niet zo veel geluk – hij moest van zijn vader op het veld blijven werken, maar Janet had Sami ook geen handvol geld aangeboden om haar les te geven. Dus zo kroop Han iedere dag alleen door het gat in de heg om zijn leerlinge te ontmoeten.

Een week, misschien twee weken, schreef Janet de oefeningen over die Han haar opgaf, waarbij ze haar best deed om haar vingers rond de bogen en lijnen van *alif, ba, ta* te buigen... probeerde om haar lippen rond de keelklank van de letter *'ayn* te buigen, de raspende *ghayn* en de zwaarheid van de *dad*. Onvermijdelijk echter begon ze, na een minuut of vijftien worstelen, weer met haar vriendinnen te kletsen over de feesten op de ambassade. En lag Han weer in het zwembad, waar hij de vrouwen afleidde met salto's en duiken.

Ze creëerden op die manier een ideale wereld. Han zwom of lag op het gras op een hotelhanddoek, waar hij luisterde hoe de vrouwen met elkaar aan het kletsen waren, terwijl ze in de zon lagen te bakken, en verblindende nabeelden van water en chloormist langs zijn oogleden gleden. Er waren daar vrouwen uit wat haast elk land van de wereld leek, en in hun gezelschap ontwikkelde hij zijn gevoel voor taal. Hij merkte hoe hij, na een paar weken luisteren naar gesprekken in het Duits, Hindi of Italiaans, plotseling in de gaten kreeg wat de beginselen van die talen waren. Sommige van de vrouwen spraken tegen hem in het Engels en sommige in hun eigen taal, en hij merkte dat als hij aandachtig genoeg luisterde, de betekenis van de woorden uiteindelijk vanzelf duidelijk werd, glinsterend door de onbekende klanken als fruit aan donkere takken.

Na twee weken van halfslachtige oefeningen duwde Janet de boeken en papieren aan de kant en zei tegen Han: 'Misschien zou het beter zijn als we alleen het spreken oefenen.'

Han was opgelucht: het was altijd een enorme klus om Janet zover te krijgen haar alfabet te oefenen en telkens als hij haar een nieuwe letter leerde, leek ze de letter die ze ervoor had geleerd, alweer vergeten te zijn.

Maar haar Arabische woordenschat leek niet verder te gaan dan de hotellobby: ze kon vragen om fruit, ijs, een kapster, een auto, een kamermeisje, handdoeken, wodka, nagellak, bloemen, dekens en de stomerij, en kon in bijna perfect Arabisch zeggen: 'Ik wil', evenals 'Geef me'. Maar hoe erg hij ook zijn best deed, het leek hem niet te lukken om haar vocabulaire verder uit te breiden dan dit. De conversatielessen werden net als de schrijfoefeningen aan de kant geschoven, toen Janet besloot dat ze haar tijd beter kon besteden aan het perfectioneren van Han's Engels. En ze zou hem een salaris blijven betalen vanwege het plezier om dat te mogen doen.

Toen Han in de herfst terugkeerde naar school, waren de taaldocenten verbaasd over zijn vorderingen in het Engels, Italiaans en Farsi. En Han's familie was blij geweest met het geld dat hij die hele zomer had binnengebracht. Er kwamen traktaties op tafel zoals se-samkoekjes en gedroogde abrikozen, en frekeh met gerookte dui-venborst, en er kwam nog een schaap bij. Han's vader vond het goed dat deze regeling ook de zomer erna werd voortgezet. 'Zolang je vriendin de lessen nodig heeft,' zei hij, waarmee hij Han's moeder tot zwijgen bracht.

Soms stak de woestijnwind op en wervelde er zand van vele kilo-meters verderop in de lucht, en soms dreigde er onweer in de lucht. Maar meestal waren het lange, hete, transparante dagen van zwem-men en praten. Janet leek gefascineerd door wat Han haar vertelde over zijn leven buiten het zwembad en ze stelde hem veel vragen. Zij op haar beurt vertelde over haar leven in een plaats die Lincoln heet-te en in Nebraska lag, over vlakke velden vol eindeloze rijen maïs, beplante hectaren die vlak bij haar achterdeur begonnen, en hoe de open woestijn haar deed denken aan die vlaktes.

Aan het einde van hun derde zomer begon er geruchten de ronde te doen over een revolutie in Bagdad – de regering zou corrupt zijn en de Irakezen hadden een idealistische hoop op een nieuw regime. Maar Han's vader was er niet van overtuigd dat de nieuwe partij be-ter of effectiever zou zijn dan de vorige, en dat zei hij ook aan tafel en in de stad. De buren op hun beurt begonnen te praten over het feit dat Han niet in de boomgaarden hoefde te werken zoals de an-dere jongens. Han's familie, die altijd al werd beschouwd als een beetje terughoudend, werd nu bekeken met openlijke achterdocht en verontwaardiging; waarom hadden ze een schaap erbij in hun veld? Er werd over gekletst dat Han iedere dag naar de stad fietste, en zijn vrienden begonnen hem Eye Spy te noemen.

Janet leek geïrriteerder en verstrooider toen ze elkaar aan het begin van de zomer van Han's veertiende jaar weer ontmoeten. Haar man dacht erover om een andere tijdelijke post aan te nemen – de politieke situatie in Irak was instabiel. Janet en haar vriendinnen fluisterden en waren in gedachten verzonken. Een paar van de an-dere vrouwen waren die zomer niet teruggekeerd en de sfeer bij het zwembad was anders. En ook Han was aan het veranderen. Hij begon te groeien, en hele dagen zwemmen hadden hem brede schouders, een sterke rug en een lang, gespierd bovenlijf gegeven. Hij begon er steeds meer uit te zien als een man en minder als een jongen. Hij merkte op dat de vrouwen naar hem keken als hij uit het water klom – niet alleen meer als hij erin dook. Sommigen van hen begonnen hun badjas om zich heen te slaan als hij langsliep, terwijl anderen juist hun benen ontblootten. Hij zag dat zijn schaduw breder en langer werd, de vlakke natte afdruk van zijn voeten groter.

Er gebeurde ook iets in zijn hoofd. Hij praatte met Janet op hun gebruikelijke manier – zij lag lui op haar ligbed, glinsterend van druppels babyolie, en hij lag languit gestrekt op handdoeken op de grond.

Maar Janets ogen waren steeds vaker zacht en glanzend, en ze kreeg de gewoonte om een haarlok rond een vingertop te draaien terwijl ze met hem praatte, als een hypnotiseur die een zakhorloge aan een ketting laat zwaaien. En Han merkte dat als hij haar 's avonds verliet om terug te gaan naar zijn eigen huis, hij aan haar bleef denken. Hij herinnerde zich haar ogen als groter en donkerder dan ze in werkelijkheid waren. En in plaats van aan het zwembad dacht hij om de een of andere reden aan de grote groene oceaan, met zijn dolende pieken en witte aderen, zijn diepe putten, zijdeachtige golven en verre blik.

Op een middag laat in de zomer legde Janet haar gelakte nagels op Han's pols en vroeg snel of hij die avond terug wilde komen naar het zwembad. Er was iets belangrijks waarover ze met hem wilde praten.

Hij was nooit eerder 's avonds naar het zwembad gegaan, en opnieuw moest hij een reden verzinnen om toestemming van zijn ouders te krijgen om weg te mogen. Ze zouden nooit toestaan dat hij na het donker een vrouw zou ontmoeten. Dus verzon Han een nieuwe smoes – deze keer dat zijn vriend Sami ziek was en dat hij even bij hem langs wilde gaan. Zijn handen trilden terwijl hij sprak en hij hield ze daarom achter zijn rug verborgen. Het was een roekeloze leugen – gemakkelijk te ontdekken. Zijn moeder trok een wenkbrauw op en keek even naar Han's vader, maar die knikte alleen maar.

Dus vertrok Han na het avondeten, als alle families bij elkaar zijn in huis, de jongens al in bed liggen, omdat ze goed uitgerust moesten zijn voor hun lange uren op het veld of in de boomgaard. Han nam op zijn fiets de hellende donkere straathoeken en steegjes van Bagdad. Hij zag ogen knipperen in het donker, straatlantaarns die alleen een hand of mond verlichtten.

Hij reed bevend door de stadsnacht, maar al snel zag hij de kleine opening in de heg. Hij stapte van zijn fiets en kroop door het gat.

Zijn ogen moesten even wennen omdat, ook al was de nacht donker en naadloos rondom het zwembad, het water zelf glansde als een kleine planeet. Lampen die rondom en aan de binnenkant van de rand van het zwembad waren geplaatst, stuurden turkooizen stralen door het water. Hij keek instinctief naar Janets ligbed, maar dat was leeg. Even dacht hij dat ze hem maar wat had geplaagd en dat het niet werkelijk haar bedoeling was geweest dat hij zou komen.

Nadat hij daar even alleen had gestaan en de rijen lege stoelen in ogenschouw had genomen, kreeg Han echter het gevoel alsof er iets over zijn schouders kroop en langs zijn nek, alsof iemand hem van achteren had beslopen en nu op zijn huid blies. Toen hoorde hij zijn naam roepen op een gouden en warme toon, alsof de maan zelf had gesproken. Hij draaide zich om en daar, armen wijd aan de andere kant van het zwembad, stond Janet. Haar lange haar hing los, de uiteinden drijvend op het saffierblauwe water.

Hij had haar zomer na zomer gezien in haar Amerikaanse badpak, maar nooit, in al die tijd, had hij haar in het water gezien. Hij hurkte bij de rand van het zwembad, waarbij ze elkaar gadesloegen. Toen, zonder waarschuwing, dook ze onder, en het geluid van de zee dat hij al weken hoorde, misschien al jaren, steeg op in zijn oren. En schijnbaar zonder dat hij daar iets over te zeggen had, dook hij erin na haar.

Hij was veertien jaar oud. Hij zwom naar Janet toe – hij had geen idee hoe oud ze was – drieëntwintig, dertig, vijfendertig? Hun eerste kus was onder water in de misleidende verlichting. Han schoot naar het oppervlak, zijn hart en longen bonkend, duizelig van opwinding. Hij draaide om haar heen, omcirkelde haar met zijn armen, en ze liet zich door hem omduwen, haar armen strak om zijn ribben. Het was moeilijk te zeggen of ze speelden of serieus waren, zelfs niet toen ze de bandjes van haar badpak losmaakte, zodat haar lange witte buik en kleine borsten in zijn handen flitsten. Zelfs niet toen ze hem bij zich naar binnen leidde, nog steeds in het zwembad, waarbij ze hem liet zien hoe en waar, en hij per ongeluk zijn gevoelens in het Arabisch fluisterde, waarbij ze haar hoofd schudde en zei: nee, praat Engels – zelfs toen leek het allemaal nog een soort spel.

Haar man zou worden overgeplaatst, zei ze. Het was niet veilig meer voor hen om nog in Bagdad te blijven – de monarchie zou spoedig omver worden geworpen en het Amerikaanse consulaat waarschuwde dat het niet kon instaan voor hun veiligheid. Ze wist niet, fluisterde ze, hoe lang ze nog in de stad zouden kunnen blijven. Han keek om zich heen, maar het enige wat hij zag was de omheining, het dichte struikgewas en de porseleinen maan. Het was te snel voor hem om haar droefheid te begrijpen; hij was nog helemaal opgewonden van hun liefdesspel, zijn geest leek verschroeid, zijn lichaam gloeide nog na op de plaatsen waar ze elkaar hadden aangeraakt. 'Habeebti, mijn schat,' zei hij, maar hij had het gevoel alsof hij alleen maar de woorden herhaalde die hij in liedjes had gehoord. Het leek alsof hij helemaal geen woorden had voor alles wat er was gebeurd. Hij had het gevoel alsof hij zou wegsmelten, dat lucht en regen dwars door zijn vlees konden gaan. 'Ik ben zo gelukkig,' slaagde hij er uiteindelijk in om te zeggen.

'Gelukkig? Maar dit had helemaal niet mogen gebeuren!' riep ze plotseling uit terwijl ze rechtop ging zitten.

Hij hief zijn hoofd. 'Wat bedoel je? Wat had er niet mogen gebeuren?'

'O, god.' Ze bedekte haar ogen met een hand. 'Begrijp je het dan niet, Han?' zei ze. 'Ik ben een gelukkig getrouwde vrouw, en jij... jij bent nog maar een jongen.'

Hij ging rechtop zitten. Hij staarde haar aan.

'Maar toen ik me realiseerde dat ik je misschien nooit meer zou zien, nou ja, toen kon ik er geen weerstand aan bieden. Toen ik je zo zag staan, bij de rand van het zwembad – je zag er zo lang en knap uit, deed je me denken aan mijn man toen we elkaar voor het eerst ontmoetten. Wij waren toen nauwelijks ouder dan jij nu bent.'

Hij wist niet zeker of het nu kwam door de nachtbries die over zijn vochtige huid streek, maar hij begon te trillen. Zijn tanden klapperden. Janets starende ogen zagen eruit als nevel, en haar huid was zo bleek dat het helemaal geen huid leek. Ze vroeg wat er met hem was terwijl hij langzaam ineenkromp en zich van haar losmaakte. Ze drukte zich omhoog op een elleboog, alsof haar benen haar niet meer konden dragen, en misschien kwam het door de schok, maar er leek een vage glimlach op haar gezicht te verschijnen. 'Waar ga je heen?' vroeg ze, alsof ze niet kon geloven dat hij wegging.

Hij trilde nu zo erg dat hij niet zeker wist of hij nog wel door het gat in de heg terug zou kunnen kruipen. Hij voelde hoe de fiets trilde, alsof die op het punt stond in te storten, de wielen piepend, de handvatten los; maar toen hij eenmaal fietste, begon het trillen minder te worden en de fiets bracht hem door de schaduwen naar huis.

Zijn vader was teleurgesteld dat de Amerikaanse taallessen abrupt waren gestopt. Han vertelde hem dat zijn leerlinge inmiddels heel goed was in het Arabisch en dat ze alles had geleerd wat hij haar kon leren. Zijn vader was ongelovig en protesteerde dat geleerden hun hele leven en hele bibliotheken hadden gewijd aan de studie van het Arabisch. Han haalde zijn schouders op en zei dat hij zelf misschien maar eens meer moest studeren. Zijn moeder echter, die meteen vanaf het begin al geen goed gevoel had gehad over deze aangelegenheid, stak haar armen uit en trok het hoofd van haar zoon in haar schoot. Ze streelde zijn haar en zei tegen zijn vader: *khullus*, het is over nu, en des te beter. We hebben hem thuis nodig; hij hoort hier.

De volgende dag en alle dagen erna werd Han wakker met zijn gedachten bij Janet en het zwembad, en dan kwam alles weer bij hem naar boven – haar spookachtige ogen en schokkende woorden. Langzaam verdween het geluid van de branding uit zijn bewustzijn totdat het niet veel meer was dan een vage hartslag.

Hij stond op zelfs nog voordat de vroege zomerzon op was, trok zijn werkkleren aan en ging naar de boomgaarden. Maar elke dag als de zon hoog aan de hemel stond en de zilveren bladeren en donkere olijven roosterde, kwam Han uiteindelijk naar binnen en sloop dan de keuken in. Daar zaten zijn moeder en zuster met de buurvrouwen, terwijl ze deeg aan het kneden waren aan de tafel en het avondeten aan het voorbereiden waren, waarbij ze allemaal zaten te lachen en elkaar verhalen aan het vertellen waren. Leila's gezicht lichtte op als haar broer verscheen bij de deur en ze deelde dan haar stoel met hem; ze waren allebei zo slank dat dit nog net kon. De vrouwenstemmen kalmeerden en troostten hem.

Zijn vader en moeder wisten dat hij zijn werk verwaarloosde, en nu Han geen geld meer binnenbracht, was hij nodig op het veld. Maar toch lieten ze hem een beetje zijn gang gaan – het was hun wel duidelijk dat hij gekweld werd door een soort innerlijke wond sinds het einde van de taallessen – iets waar hij met geen van beiden over kon praten.

Op een avond aan het einde van de zomer hing de maan warm, rond en oranje aan de hemel. De familie was net klaar met eten, maar in plaats van dat ze de borden verzamelden, bleven ze allemaal aan tafel zitten praten. Hun vader vertelde het verhaal van hun oom Amoon, die tot halverwege de woestijn naar Mekka was gelopen, het toen opgaf en besloot terug te lopen. Ze hoorden het geluid van gevleugelde insecten die tjirpten in het donker en een wilde kat die krijste als een baby.

Toen klonk er een klop op de deur. 'Ik doe wel open,' zei Leila.

Hun vader zei dat hij wel zou kijken wie er was. Het was te laat voor meisjes om naar de deur te gaan.

Het was een vrouw die de *nikaab* droeg – een dikke, zwarte sluier die haar hoofd en gezicht helemaal bedekte. Een zwarte jas omhulde haar van hals tot enkels, en verder droeg ze witte handschoenen en zwarte laarzen. Han's vader vroeg haar om binnen te komen en het was onmiddellijk duidelijk dat dit geen Arabische vrouw was – ze was te lang en ze bewoog zich niet als een Arabische. Toen ze in het Engels begon te praten, realiseerde Han zich dat het Janet was.

Ze lieten haar plaatsnemen aan de eettafel, waarbij ze elkaar even aankeken, haastig de borden afruimden, en vroegen of ze soms iets wilde eten of drinken. Maar ze weigerde alles, haar stem gespannen en dringend, en ze zei dat ze iets belangrijks met hen te bespreken had.

Han zat bevroren aan de tafel, met slappe knieën en handpalmen prikkelend van het zweet. Hoewel hij niet veel wist over hoe dat soort dingen precies gebeurden, vroeg hij zich toch af of ze misschien zwanger was. Of misschien had ze de betekenis van hun avond samen overwogen – zoals Han dat had, telkens opnieuw – en vond ze nu dat – wat? dat ze was aangerand of verlaten, of misschien zelfs verkracht. Of misschien wilde ze hem terug.

Zijn hart bonsde terwijl hij naar haar luisterde. Hij was zo nerveus dat hij nauwelijks hoorde wat ze zei. Maar zijn ouders spraken maar een beetje Engels zodat Han – die perplex was van gêne – zich realiseerde dat hij voor haar zou moeten vertalen. En terwijl ze sprak, begon hij te begrijpen dat ze was gekomen om hen een soort aanbod te doen.

Eerst stelde ze zichzelf voor als de vrouw aan wie Han les had gegeven.

Han had een goed stel hersens, zei ze, hij is een uitstekende, imponerende leraar. Hij is bijzonder en zijn talenten mochten niet verloren gaan.

Han mompelde deze woorden diep blozend in het Arabisch, terwijl zijn ouders knikten, verrast maar niet zenuwachtig door deze opzienbarende bezoekster. Daarom, zo ging ze verder achter haar sluier, wilden zij en haar man een studiefonds oprichten om voorbeeldige studenten zoals Han naar een speciale particuliere school in Caïro te sturen – een plaats waar koningen en diplomaten hun zonen heen stuurden om te leren over de politiek en de maatschappij, en hen voor te bereiden op de beste universiteiten van de wereld.

Han's handen klemden zich om de rand van zijn stoel terwijl hij vertaalde. Zijn armen en rug werden stijf. Zijn moeder legde een zachte hand op zijn schouder en zijn zuster legde een hand op zijn arm.

'Nou,' zei zijn vader uiteindelijk tegen Han in het Arabisch. 'Vertel haar het volgende: u hebt ons beslist veel stof tot nadenken gegeven. We zijn overweldigd door uw edelmoedige aanbod, dat spreekt vanzelf. Maar dit is geen stap die lichtvaardig moet worden genomen. Caïro is erg ver van hier en Han is nog jong – hij is nooit weg van huis geweest. Er zijn veel dingen die overwogen dienen te worden, en zeker niet in de laatste plaats Han's eigen wensen in deze kwestie.' Han vertaalde dit allemaal met gebogen hoofd en een rood gezicht.

Toen glimlachte zijn moeder alsof ze zich iets herinnerde, keek op en zei in het Arabisch rechtstreeks tegen Janet: 'Han vertelde ons dat u alles hebt geleerd wat hij u kon leren.' Ze pauzeerde even, terwijl Han vertaalde. Toen trok ze haar wenkbrauwen op, leunde naar voren en vroeg heel langzaam en duidelijk: 'Hoe gaat het met uw Arabisch?'

Han zweeg, vertaalde dit niet, maar hield zijn adem in, tanden op elkaar geklemd. Janet wendde zich van Han naar zijn moeder en vroeg uiteindelijk vrolijk in het Engels: 'Wat zegt u?'

De familie bleef zitten aan de keukentafel terwijl Han hun gast uitliet. Hij was niet van plan om dit vreemde aanbod aan te nemen en wilde verder niets meer tegen haar zeggen, behalve een beleefd goedenavond. Maar toen ze bij de deur waren gekomen duwde ze hem naar buiten en trok de deur achter hen dicht. Toen fluisterde ze: 'Mijn man heeft ons in het zwembad gezien.'

Han's borst stroomde vol lucht en zijn ogen sperden zich open. De nachthemel leek twee keer zo groot te worden, terwijl puntige witte sterren plotseling verschenen.

'Maak je geen zorgen.' Ze raakte zijn arm aan en een elektrische stroom schoot door het contactpunt waar ze hem aanraakte; Han trok zich los. 'Hij keek naar buiten vanachter een van de hotelramen en hij wist niet zeker wat hij zag. Hij dacht dat het twee kinderen waren die in het water aan het spelen waren, maar naderhand kwam ik binnengelopen in mijn natte badpak.'

Han staarde haar aan, woedend op zichzelf omdat hij zich in zijn hoofd had gehaald dat er ooit een romance tussen hen tweeën zou kunnen opbloeien. Hij was pas veertien jaar oud, maar op dat moment had hij het gevoel alsof hij al duizend jaar had geleefd. Hij had het vage idee dat ze hem in zekere zin had gebruikt, al die tijd – hoewel hij niet goed begreep hoe en waarom.

'Maar hij heeft je gezicht niet gezien,' vervolgde Janet, 'al zag hij wel dat je Iraaks was. En deze keer heeft hij gezworen dat hij erachter zal komen wie het was – wat ik hem ook vertel.'

'Deze keer?' De sterren bewogen snel aan de hemel, en lieten lange witte staarten achter.

Ze streek de zoom van haar nikaab glad. 'Denk je dat het gemakkelijk voor mij is, om op deze manier te moeten leven? Om maandenlang in mijn eentje te moeten doorbrengen in desolate plaatsen zoals hier?' Ze keek om zich heen naar de verzameling kleine dorpshuizen, de onverlichte straat. 'Er zijn andere mannen in mijn leven geweest,' zei ze zacht. 'En dat weet hij. Maar ik heb hem nooit eerder zo van streek gezien. Misschien komt het omdat je een Arabier bent,' overpeinsde ze. 'Hij is geobsedeerd bezig erachter te komen wie je bent. Hij zou veel problemen kunnen veroorzaken. En we hebben gehoord dat er dingen staan te veranderen in dit land. We hebben gehoord – dat er een nieuwe man aan de macht zal komen, dat er een nieuwe coup zal plaatsvinden. Het is het beste dat je hier een tijdje weggaat. Laat mij je naar die school sturen – ik heb genoeg geld, dat is het punt niet. Alsjeblieft.' Ze raakte zijn hand aan en deze keer slaagde hij er niet in om die weg te trekken. 'Dit is iets wat ik wil doen.'

Hij zei: 'En je krijgt altijd wat je wil, niet?' Hij draaide zich om om weg te gaan, maar ze greep zijn hand met verbazingwekkende kracht. 'Han, alsjeblieft!' smeekte ze. 'De situatie is ernstiger dan je beseft. Wat wil je? Vertel me alsjeblieft wat je wil en ik zal het voor je doen.'

'Wat ik wil?' Hij glimlachte alsof dit een idioot idee was. 'Goed dan, wat ik wil is een antwoord. Vertel me waarom – van alle mannen daar – en alle jongens – je uitgerekend mij dit moest aandoen?'

Ze duwde de sluier weg en maakte haar gezicht vrij. In de schaduw zagen haar ogen er diepzwart uit. Ze tilde een van zijn armen op zodat het maanlicht erover scheen. 'Kijk eens naar jezelf,' zei ze met een ijle stem. Ze hief zijn arm alsof het een kostbaar kunstvoorwerp was, een donkere beweging van huid in haar gebogen witte vingers. 'Kijk toch eens!'

Sirine kijkt naar de beweging van duisternis en straatverlichting in de kamer, en bestudeert dan de buiging van Han's rug terwijl hij met zijn gezicht de andere kant op zit, vingers gevlochten door zijn haar. Hij is stil geworden.

'Wat is er toen gebeurd?' vraagt ze zacht.

'Wat is er toen gebeurd...' Hij draait zich naar haar toe, maar ze kan zijn uitdrukking niet goed zien, alleen het op en neer gaan van zijn schouders. 'Niets. De rest van mijn leven.' Hij pauzeert. 'Uiteindelijk nam mijn vader de beslissing voor mij, terwijl mijn moeder erover zweeg en mijn zuster de hele zomer huilde tot de dag waarop ik vertrok. De dingen waren aan het veranderen, dat wisten we. De Baath-partij was druk bezig om controle uit te oefenen op alle aspecten van ons leven – van de media tot aan de kunst tot aan de scholen – vooral de scholen stonden onder toezicht, en mijn vader maakte zich zorgen over wat er zou gebeuren met een jongen zoals ik, die vloeiend andere talen sprak. Misschien zou ik wel in de gevangenis terecht zijn gekomen, maar waarschijnlijker was dat ik zou zijn gerekruteerd voor de partij. De week na Janets bezoek werd onze wiskundeleraar ontslagen – we hoorden geruchten dat dat was omdat zijn vrouw lid was van de Islamitische Feministische Beweging. Hij werd vervangen door een man die geen wiskunde had gestudeerd, maar een trouw lid van de Baath-partij was.

Dus ik vertrok naar die particuliere school, en dat was mijn eerste ontsnapping uit Irak. Mijn school zat vol met kinderen van rijke ouders. Ik heb nooit het gevoel gehad alsof ik een keuze in die kwestie had,' zegt hij, zijn stem plotseling droog. 'Net zoals tijdens die avond bij het zwembad.'

'Hoe vond je het op die school?' Ze voelt de streling van zijn vingers bij haar slapen, die dan door haar haar gaat.

'Het was het begin van alles voor mij. Het was niet zozeer een kwestie van leuk vinden of niet leuk vinden. Het was meer een soort natuurkracht. Groots en onvermijdelijk. De school had een Britse en een Amerikaanse afdeling; de lessen werden in het Engels gegeven, en de geschiedenislessen gingen over de geschiedenis van het Westen, de literatuur was de literatuur van Amerika en Engeland. Ik zette nergens vraagtekens bij. Ik kwam niet uit een rijke familie, maar ik voelde me veel ouder en wereldwijzer dan wie van die andere kinderen ook – ze leken zo zacht en vormloos. Ik denk dat ik een beetje jaloers was op hun onschuld. En ik schaamde me voor wat er was gebeurd tussen Janet en mij – ik had het gevoel alsof het op de een of andere manier mijn schuld was.'

'Jouw schuld? Je was veertien jaar!'

Hij leek een beetje te glimlachen. 'Ik had geleerd om te geloven dat mannen altijd de verleiders zijn. Eigenlijk was ik geschokt over mezelf – dat ik zoiets had kunnen doen – en nog wel met een getrouwde vrouw – en me daar niet schuldig over voelde. Toen ik daar eenmaal op school zat, studeerde ik hard – ik denk dat het mijn manier van boetedoening was. De leraren zagen dat ik capaciteiten had en moedigden me aan. Ik denk dat ik mijn familie en vaderland ontgroeide. Misschien werd ik een ander mens dan normaal het geval zou zijn geweest. Ik weet het niet. Ik heb me dat wel afgevraagd.'

Sirine probeert hem aan te raken. Ze strekt zich uit naar zijn gezicht maar hij verandert van houding en haar vingers grijpen in de lucht. 'Je lijkt me precies goed zo,' zegt ze.

'Ik heb haar daarna nooit meer gezien,' zegt hij rustig. En hij kijkt weg in een hoek van de kamer en Sirine weet dat hij het nu weer heeft over de Amerikaanse vrouw. 'Soms denk ik zelfs nu nog dat ik weer in mijn kamer ben, thuis in Irak, en dat Janet nog steeds bij het zwembad zit, wachtend op mij. Maar ik zal nooit meer terugkomen.'

21

Camille en Napoleon-was-hier waren min of meer gestrand in de woestijn, samen met de net zo verdwaalde blauwe bedoeïenen. Ze probeerden alle manieren die de bedoeïenen kenden om de weg te vinden – navigeren aan de hand van de zon, maan, sterren, water, wind, schaduwen, zelfs van de schuine stand van de kamelen in de morgen en de richting van de kampvuurvlammen in de avond. Maar op de een of andere manier leidde de weg nooit echt naar waar ze verwachtten dat die heen zou leiden. Ze waren het spoor bijster, te ver weg van hun handelsroutes. Na maanden van vruchteloos zwerven leek het erop dat ze nooit meer de weg terug naar huis zouden kunnen vinden. Net toen ze dachten dat alle hoop verloren was, zuchtte Camille en zei: 'Als die ondeugende zeemeermin Alif uit het Land van Na niet had besloten om mijn zoon te stelen, dan zou dit allemaal niet zijn gebeurd!'

Hierop veerde een van de oudste bedoeïenen, een man die zo oud was dat bijna al het blauw uit zijn huid was verdwenen, met een lang mager gezicht en waterige kleine ogen, op: 'Alif uit het Land van Na? Ik ken ook een zekere Alif uit het Land van Na! Zou het soms dezelfde kunnen zijn?' Nou, en hij had alle reden om dat te vragen. Want je weet hoe dat gaat, als je iemand in Azerbeidzjan vertelt dat je uit Texas komt, dan zegt die: o, kom je uit Texas? Ken je dan soms Joe Smith? Die komt ook uit Texas!

Maar de oude bedoeïen had nu Camilles aandacht en ze zei: 'Als deze Alif die jij kent een sluwe en van gedaante veranderende zeemeermin is, dan moeten we het wel haast over dezelfde hebben.'

'Dat kan haast niet anders,' zei de oude bedoeïen. 'En als ze niet opnieuw is verhuisd, dan weet ik toevallig dat ze hier niet ver vandaan woont.'

Hij verklaarde dat ze het Land van Na had verlaten om zich terug te trekken in de bocht van de Sinaï, en dat ze zich naar binnen had gewerkt in een knusse grottenwoning tussen de woestijn en de zee.

Ze gingen op pad, Camille, de hond en de bedoeïen, op een volgende lange tocht die dagen en nachten en nachten en dagen duurde. Totdat ze kwamen bij een plek die keurig paste in de buiging van de Sinaï, waar hoge muren van zandsteenkliffen verticaal oprezen uit de Rode Zee. En ze wisten dat dit de juiste plek was omdat, als de golven kwamen aangestroomd, je niets kon horen. Maar als ze zich terugtrokken, dan was er een fluwelig geluid dat klonk en echode in de violetkleurige grotten onder de voorkant van de kliffen en over de hele aarde ging.

Hun ogen werden groot, hun botten begonnen te dansen in hun lichamen en hun harten leken regelrecht uit hun borsten te worden getrokken. 'Dat is ze,' zei de oude bedoeïen. 'Dat is Alif uit het Land van Na. En ze roept ons.'

Camille had nog nooit zoiets gehoord! En hoewel haar verstand haar zei dat ze zo snel mogelijk moest wegrennen, begonnen haar handen in plaats daarvan te klimmen en haar benen begonnen haar te volgen. Net als wanneer je ineens bepaalde verwarrende romantische gevoelens krijgt, nietwaar? Je verstand zegt je iets en je lichaam is het daar absoluut niet mee eens.

Zonder het zelfs te beseffen was Camille onder de betovering gekomen van de roep van de sirene: het geluid dat de geur van bessen, chocola en munt bevat, dat smaakt naar zout en olie en bloed, dat klinkt als het geruis van een hart, het voorbij trekken van wolken, de oproep tot gebed, de naam van je geliefde, een vaag gerinkel in je oren. Maar ze lette intussen wel goed op, want Camille – vergeet dat niet – was zelf ook een beetje een sirene, en dus kende ze zelf ook nog wel een paar trucjes.

Terwijl de blauwe bedoeïen achterbleef, blauwachtige zweetdruppels zwetend, gingen Camille en Napoleon op zoek. Ze vonden een smalle richel die rond de voorkant van de klif liep, al bood die nauwelijks houvast, terwijl ze klommen over afbrokkelende kluiten salie en hete rotsen. En op het meest afbrokkelende, steilste, scherpste punt keek ze op en zag ze de opening naar de donkerste, diepste

grot. De geur van rozen trilde in de lucht en Camille moest zich vasthouden aan Napoleons magere kop om in evenwicht te blijven en
nieuwe moed te verzamelen.

De lucht was ijler hier en het geluid was zelfs nog helderder en Camille zou zich misschien hebben omgedraaid en op datzelfde moment zijn weggevlucht, als ze niet net in de opening van de grot had
gekeken, die nu nog maar een paar meter weg was. Tot op dat moment had ze zichzelf gerustgesteld met de gedachte dat zeemeerminnen niet echt bestonden. Natuurlijk, je had de Moeder van Alle
Vissen, omdat iedereen een moeder moet hebben. En er zijn djinns
en nimfen en luchtgeesten, omdat die, nou ja, die zijn overal. Maar
een zeemeermin? Absurd! Totdat, zoals ik al zei, ze toevallig opkeek
en zag hoe zich vanaf de rand van de grot een glinsterende, irise-
rende, zeegroene staart ontrolde.

Het is niet zo dat er nu iets veranderd is, denkt Sirine. Dat is te
scherp gesteld. Ze hoopt dat ze ongelijk heeft – ze hoopt dat er niets
is veranderd. Toen ze hem vroeg om haar te vertellen over de vrouwen in zijn leven, dacht ze dat dat haar gerust zou stellen. En hij
heeft het haar verteld, zo simpel en duidelijk als iemand die niets te
verbergen heeft. Maar die nacht, nadat hij haar heeft verteld over de
Amerikaanse vrouw die Janet heette en het zwembad van het Eastern
Hotel, ligt ze 's nachts wakker nadat Han in slaap is gevallen, klaarwakker, luisterend naar de stilte in de kamer, starend in het donker.
Het is niet per se een slecht of onheilspellend gevoel, en evenmin is
het per se verwachtingsvol of hoopvol, maar het is wél een toestand
van verhoogde waakzaamheid, een soort wachten, waarbij haar concentratie boven het oppervlak van haar lichaam zweeft als een libel.

In de loop van de volgende dag betrapt ze zichzelf er telkens op dat
ze blijft denken aan de vrouw in Han's verhaal, en plotseling realiseert ze zich dat haar hart bonkt en dat haar ademhaling sneller gaat.
Ze loopt naar de gesloten hordeur in het restaurant, en struikelt over
de iets verhoogde drempel tussen de twee keukens. Aan het einde
van de dag zijn haar armen bedekt met kleine rode schroeiplekken
van de grill, en heeft ze sneetjes van haar mes in allebei haar duimen. Ze ontloopt Um-Nadia, uit angst dat die Sirines verwondingen
in ogenschouw zal nemen en ze als een rekensom zal optellen. Maar
die avond terwijl ze aan het afsluiten is, het restaurant verlaten op
Cristobal na, die de achterkeuken dweilt, stoot Sirine haar voorhoofd

tegen een hangende pan – een pan waar ze bijna dagelijks jarenlang omheen is gelopen. Het is geen harde knal, maar het maakt een dof klinkend geluid dat helemaal tot achter in haar hoofd doordreunt. Ze legt één hand op de bar, terwijl de pijn door haar voorhoofd begint te schieten. En plotseling staat daar Aziz, die achter de bar schuift. Hij pakt Sirine bij de hand, leidt haar naar een stoel en vindt een koude doek om tegen haar hoofd te drukken.

'Wat doe jij hier?' vraagt ze, terwijl ze tegen de doek blijft drukken, te gegeneerd om hem recht aan te kijken.

Hij hurkt neer en gaat zo zitten dat ze hem wel aan moet kijken. 'Ik ben gekomen om je een koude doek aan te reiken.'

'Dank je.'

'Gaat het?'

Ze zwaait met een hand naar hem. 'Dat is...' Haar stem sterft weg. 'Gebeurt zo vaak.'

'Eigenlijk kwam ik je vragen of je samen met mij naar dansende derwisjen wil gaan kijken.'

Misschien komt het door de dreun tegen haar hoofd, misschien komt het door Aziz' vriendelijkheid en de zachtheid van zijn hand terwijl hij haar verzorgt, maar Sirine glimlacht naar Aziz en zegt: ja hoor, ik ga met je mee. Waarom niet?

Die avond vraagt ze Han of hij ook mee wil gaan, smeekt hem zelfs een beetje, maar hij glimlacht afwezig en zegt tegen haar dat ze gewoon moet gaan genieten van het dansen zonder hem erbij. Hij moet die week tentamens nakijken, en hij moet onderzoek doen voor zijn nieuwe boek, als hij tenminste ooit een vaste aanstelling wil krijgen. Hij zegt haar dat ze gewoon moet gaan, zich moet amuseren, en uit moet kijken voor die schurk van een Aziz.

Als Sirine en Aziz vrijdag naar het Santa Monica Community College rijden, betreurt ze al snel haar besluit om te gaan. Ze probeert te voorkomen dat haar knie tegen de zijne aanstoot in de kleine auto, en ze houdt haar handen stevig in elkaar geklemd in haar schoot. Ze gaan kijken naar de Mevlevi derwisjen, ook bekend als de dansende derwisjen – iets waarvan Sirine wel heeft gehoord, maar waarvan ze niet dacht dat die nog echt bestonden. Zij en Aziz zitten op de tribune in de sporthal van de universiteit met nog ongeveer twee honderd andere mensen – sommigen dragen klassieke pakken en jurken, terwijl anderen verschijnen in kleurige tunieken met een dreadlockkapsel, sandalen en vlechten, en veel van hen omhelzen elkaar of roepen begroetingen naar elkaar. Ze kan sporen ruiken van een basketbalwedstrijd die de vorige avond is gehouden – de remsporen van basketbalschoenen met rubberen zolen, vlagen oud zweet en zout en vloerlak, evenals vleugjes patchoeli en jasmijnolie. De toegang is vijftien dollar – 'een kleine prijs voor een glimp van de hemel, vind je niet?' vraagt Aziz als hij voor hen allebei betaalt.

Roemi, de dichter die Aziz zijn geestelijke mentor noemt, blijkt duizend jaar geleden te hebben geleefd. Sirine leest in het programma dat *sema* de naam is van de wervelende gebedsceremonie, dat Roemi de oprichter was van de derwisjorde, en dat de sema wordt beschouwd als 'een reis door het universum voor het oog van God, een spirituele bedwelming die je meeneemt naar het ware bestaan door middel van extase'. Ze laat haar blik gaan over het publiek en voelt zich verwachtingsvol en tegelijk sceptisch over deze ophanden zijnde reis. Ze heeft niet meer gedacht aan spirituele zaken sinds haar bezoek aan de groep Vrouwen in de islam – wat trouwens niet veel te maken leek te hebben met spiritualiteit. Het lijkt erop dat telkens als ze bewust probeert om zich doelbewust te verdiepen in zoiets als God, ze wordt afgeleid; haar geest komt terug naar haar lichaam en ze ontdekt dat ze in plaats van aan God, gaat denken aan dingen als gevulde druivenbladeren die stevig om rijst, lamsgehakt, knoflook, uien, krenten worden gewikkeld, geurig door groene olijfolie.

Het publiek gaat zitten, Aziz zucht gelukkig en een groep muzikanten klimt het podium op. Een man stapt naar voren en reciteert een van Roemi's gedichten, waarbij hij de zin 'Ga niet weer slapen' telkens herhaalt.

Dan volgt er nog meer poëzie en muziek en gezang, waarbij de stem van de zanger stijgt en trilt als een watermassa, en Sirine bewegingloos luistert naar het statige, onaardse geluid. Ze hoort fragmenten van zinnen: 'Luister, als je kunt stilstaan bij... de ziel ligt in dat gras... de muzikale lucht in een fluit... een roos verloren in haar geur.'

Uiteindelijk komen ongeveer twintig derwisjen te voorschijn vanuit een kleine deur aan de achterkant van de ruimte. Ze lopen naar hun plaatsen, sluiten zich aaneen in een kring, en beginnen heel langzaam te draaien. De muziek wordt langzaam intenser als de derwisjen sneller gaan ronddraaien: ogen gesloten, hoofden gekanteld, hun armen die langzaam worden geheven – de ene handpalm omhoog, de andere omlaag, hun lange rokken opbollend rond hun enkels, zwevend boven de vloer terwijl ze zich bewegen waardoor het lijkt alsof ze geen voeten hebben.

Sommige van de derwisjen huppelen een beetje, sommige glimlachen, hoofden licht opzij naar één kant, maar allemaal lijken ze in vervoering gebracht, gefixeerd op een onbeweeglijk, innerlijk iets: in al dat wervelen een punt van stilte. Nog steeds ronddraaiend beginnen ze over het podium te bewegen in een cirkel. Dan waaieren ze uit en bedekken ze de vloer.

Vastgepind tussen luisteren en kijken voelt Sirine zich in vervoering gebracht, in de aanwezigheid van iets als een wonder. Ze leunt naar voren, kan nergens anders meer aan denken. Het enige wat ertoe doet is de werveling van de beweging, zo vertrouwd voor Sirine, waarbij gedachten worden doorgegeven aan het lichaam: herhalend, volhardend. Als het roeren in een pan.

Aan het einde van de avond gaan de derwisjen in een rij staan, onbeweeglijk en plechtig – geen van hen vertoont ook maar een teken van duizeligheid. Sirine denkt dat ze de man die de leiding heeft een hand gaan geven (Aziz fluistert dat hij de sjeik is). In plaats daarvan buigt iedere derwisj bij het naderen van de sjeik een arm, elleboog naar voren, zodat zijn hand is geheven, grijpt dan de geheven hand van de sjeik en zacht kussen ze tegelijk de zijkant van elkaars hand.

Na het slotritueel heeft ze het gevoel alsof ze wakker wordt uit een droom. Ze zucht en realiseert zich dan dat een arm en been van haar wat zijn afgedwaald en dat ze Aziz aanraakt.

Ze trekt zich terug. 'Sorry,' zegt ze.

'O, kom terug,' zegt Aziz. 'Het is heerlijk.'

Ze kijkt een andere kant op, haar gezicht en hals warm.

Ze lopen de straat af, Sirine nog in de ban van de nabeelden van de derwisjen, hun schitterende hypnotische beweging. De brede trottoirs die grenzen aan de campus zijn omzoomd met straatlantaarns en Sirine en Aziz lopen langs flikkerende bakken met licht. De lucht is zacht, gevuld met een mystieke rust, en zelfs Aziz lijkt ingetogen. De opvoering heeft Sirine opgewonden en gedesoriënteerd; ze kan niet zeggen of het gedempte lawaai om haar heen nu van auto's is of van de oceaan of de wind. Ze lopen een beetje doelloos, handen in hun zakken, zonder te praten, langs de parkeerterreinen, langs winkels en straatjes. Ze voelt zich blij en op haar gemak zoals ze daar naast Aziz loopt, maar dan vraagt ze zich af of ze niet de behoefte zou moeten hebben om meteen terug te gaan naar Han. Maar die heeft ze eigenlijk niet.

Uiteindelijk houdt het trottoir op. Het eindigt bij een verlaten parkeerterrein omgeven door rijen gloeilampen, opgehangen tussen palen, als een in onbruik geraakt terrein. De lichten zwaaien in de wind en werpen wilde schaduwen over het terrein. 'Nou,' zegt Aziz, terwijl hij de omgeving bekijkt. 'Ik denk dat hier alles ophoudt.'

Maar Sirine voelt zich nog steeds rusteloos, nog niet echt zover dat ze terug wil naar huis. Dus gaan ze een klein café binnen met niet meer dan een kobaltkleurige neon koffiekop boven de deur dat ze al eerder zijn gepasseerd. De gelegenheid is leeg en galmend, met zwartwittegels op de vloer, terwijl een mozaïek van antilopen op een open veld de bar bedekt. De vrouw achter de tap heeft slaperige zwarte ogen en kaarsrecht zwart haar dat boven haar wenkbrauwen recht is afgeknipt en net boven haar schouders hangt. Ze kijkt naar Sirine alsof ze haar kent en buigt dan haar hoofd terwijl ze hun bestelling opneemt, het glanzende haar naar voren zwaaiend in vlakken.

Sirine gaat aan een van de gietijzeren tafeltjes zitten en buigt zich naar voren, ellebogen op de tafel zodat haar heupbeenderen niet te hard in de ijzeren stoel drukken. De zwijgende vrouw brengt hun café latte in blauwe aardewerken koppen, dampend en met een vage lucht van nootmuskaat. Sirine buigt haar handen om haar kop en staart erin als in een lantaarn. Ze herinnert zich de zin: 'Ga niet weer slapen', en glimlacht.

'Wat is er?' Aziz kantelt zijn hoofd om onder de waterval van haar haar te kijken.

Ze duwt haar haar naar achteren en gaat rechtop zitten. 'Wat we net hebben gezien – is dat een soort islam?' vraagt ze.

Hij kijkt geamuseerd. 'Dat hangt ervan af aan wie je dat vraagt. Sommigen vinden van wel.'

'Waren ze echt aan het bidden?'

Hij lijkt na te denken over een antwoord, maar het zou ook gewoon een excuus kunnen zijn om zijn blik over haar te laten glijden. Zijn huid ziet er koperachtig uit in het cafélicht en zijn lippen zijn vol en gevoelig, gebogen tot een eeuwige glimlach – alsof dat zijn natuurlijke gezichtsuitdrukking is. Hij trekt zijn wijsvinger rond de rand van zijn kop en Sirine merkt op dat hij aan die vinger een roodgouden ring met een groene steen draagt. Er is een vaag spoor, als een rand, rondom het begin van zijn vinger en om de een of andere reden krijgt ze er een rilling van.

'Mijn wetenschappelijke mening is dat je er vanavond bijzonder stralend en verleidelijk uitziet.'

Ze lacht en vouwt haar armen over elkaar, maar ze merkt dat ze een beetje wil redetwisten, Aziz tegengas wil geven. Zijn op haar gerichte ogen glanzen en kijken haar plagerig aan.

'Niet ondeugend zijn,' zegt ze glimlachend.

Hij haalt zijn schouders op. 'Zo ben ik nu eenmaal. Ik ben Ondeugende Aziz. Zo ben ik geboren. Je kunt net zo goed aan een kat vragen om niet te miauwen.'

'Nou, bedankt voor de waarschuwing,' zegt ze. 'Ik heb nooit geweten hoe je werkelijk bent.'

'Hoe ik werkelijk ben kan ontdekt worden door wie dat wil weten.' Zijn dij raakt even die van haar aan onder het tafeltje en hij grinnikt. 'Ik ben een open en gesloten boek. Vraag me wat je wil. Wat wil je weten?'

Ze kijkt in haar kop, waar ze nog nauwelijks uit heeft gedronken. Een deel van haar geest is nog gevangen in de herinnering aan de wapperende rokken, uitgestrekte armen. 'Goed. Waar kom je vandaan?'

'Uit de moeder van de Arabische wereld natuurlijk. Uit Damascus. Het chique deel van Damascus, waar de intelligentsia wonen. Bij de stadstuinen.'

'Hoe lang in dit land?'

'Vijf lange jaren.'

'Favoriete muziek?'

Hij tikt ze af, waarbij hij iedere vinger buigt met zijn wijsvinger. 'Cheb Khaled. Oum-Koulthoum natuurlijk. En ABBA.'

'Leeftijd?'

'Errug eind dertig, wat wil zeggen: achtenveertig.'

'Hmm.' Ze denkt even na. 'Slechte gewoontes? Roken, drinken, van de ene vrouw naar de andere hollen?'

Hij grinnikt breed, gebaart naar haar. 'Ja.'

'Ja wat?'

'Alles.'

Ze trekt haar wenkbrauwen op. 'O jee. Je bent echt slecht. Moet ik nu bang zijn?'

'Bang?' zegt hij. 'Voor mij?'

Ze glimlacht en sluit haar ogen, en daar zijn de bleke, serene gezichten van de derwisjen, de witte gewaden die open waaieren en het gewervel dat de ruimte vult als een sneeuwstorm. Maar dan opent ze haar ogen en is Aziz dicht bij haar, houdt zijn handen boven de hare, zijn ogen uitdagend en romantisch met lange, inktzwarte wimpers. Hij zegt: 'Aziz is erg ongevaarlijk.'

En ze wacht niet langer dan een seconde voordat ze haar hand wegtrekt.

Sirine heeft haar sleutel al te voorschijn gehaald nog voordat ze bij haar deur is. Niet naar hem kijken, zegt ze tegen zichzelf. Niet kijken. Een normale vrouw zou dit niet hebben gedaan, denkt ze plotseling. Een normale vrouw zou niet alleen uitgaan met zo'n soort man. Of bedoelt ze soms: een keurig meisje? Ze probeert zich te herinneren hoeveel straten verder Han woont, maar ze kan het niet. En Aziz staat achter haar, legt zijn vingertoppen op haar schouders en daar is het, ze kan zijn aantrekkingskracht weer in haar voelen, groter wordend.

'Hoe was die regel uit dat gedicht ook alweer?' mompelt Aziz, half in zichzelf. 'Waarom kan ik toch nooit op die dingen komen als ik ze nodig heb? Het is zoiets als: "We hebben de smaak van de eeuwigheid in onze mond." Dat is het, nietwaar?' Hij grinnikt en streelt haar arm. 'Kom, prachtige Sirine, mijn sirene, wil je niet weten hoe zoiets smaakt?' Hij trekt haar een beetje naar zich toe, nog een beetje, nog een beetje. '"Oplosser van suiker, los mij op."' Hij houdt zijn hoofd een beetje schuin, zijn ogen zijn alleen een donkere franje van wimpers, en daar is zijn volle, krullende bovenlip, een zachte uitademing. Ze sluit even haar ogen, niet meer dan een snelle seconde, alsof ze slaperig is. Ze houdt haar adem in, trekt zich terug, maar haar adem ontsnapt en Aziz' geur vult haar hoofd, zoete sinaasappelbloesem en amandelen, en zijn adem snelt naar haar gezicht en het is alsof ze zich laat meetrekken door de kracht van een zeestroming, en het volgende wat ze weet is dat haar handen zijn opengevallen, hulpeloos langs haar zijden, en dat ze elkaar kussen.

22

Daar aan de rand van de grot van de zeemeermin Alif uit het Land van Na, is tante Camille net getuige geweest van het uitrollen van een grote groene staart. Ze stond, maar kon de grond onder haar voeten niet voelen; ze snakte naar adem, maar kon de lucht in haar longen niet voelen. De lucht vulde zich met een golvend en zoemend geluid, en het gezoem steeg op en kwam samen, totdat het één stem was, een stem gemaakt van honing en omhulsels en rozen en gebeden en huilen en kermen en oceaangolven en woestijnlicht, en de stem zei: Camille, Camille. Kom dichterbij, dichterbij!

Nu begon die arme tante Camille te trillen in al haar botten en Napoleon-was-hier zat te trillen onder haar hand, en ondanks zichzelf kroop ze dichter langs de rand totdat ze uitriep: 'Goede koningin Alif, heb mededogen met ons!'

En toen hoorde ze een gelach lichter dan libellen, en een smalle witte puntige hand gleed langs de opening van de grot. Toen zag ze een glanzende gouden kroon, met parels op de uiteinden en bezet met zeepokken, te voorschijn komen. Om deze kroon slingerden zich lange rondwaaierende, zeewierachtige lokken van goud, koper en brons. En toen viel het gordijn van haren uiteindelijk naar achteren en daar was een gezicht. En o, wat een gezicht! Wit als marmer in het ene licht, zwart als onyx in het andere, de ogen groot en geloken als die van Cleopatra, en gevuld met de kleur en de beweging van oceaangolven. En haar mond, zuiver en zeldzaam en klein als van een tropische orchidee, geopend in gelach en gevuld met het rollende geluid van het inkomende getij.

'O grote Alif!' riep Camille uit, en ze viel op haar knieën en haar gezicht en de hond deed hetzelfde. 'Heb alstublieft mededogen!' riep ze opnieuw.

De zeemeermin fixeerde haar met een van haar ontzagwekkende, mooie gespikkelde ogen en zuchtte toen. Camille opende haar ogen. En na een dramatische pauze zei Alif: 'De hele dag door komen er mensen om mij om gunsten te vragen! Doe dit, doe dat. Kan het iemand iets schelen hoe dat voor mij moet zijn?'

Camille ging rechtop zitten, gluurde voorzichtig en zei: 'Wat bedoelt u?'

De zeemeermin vlijde zich neer op de rand van de grot en Camille ging op een richel zitten. Alif strekte zich langs de rotsen uit van staart tot kroon, zuchtte opnieuw en zei: 'Probeer je eens de eenzaamheid van een zeemeermin voor te stellen. We openen voor het eerst onze ogen in de baarmoeder van de zee, geboren zonder de zegening van ouders of kindertijd, ogen vol van de groene lijnen van de golven en met zeewier als kleding. Geboren zonder taal, totdat de blauwe walvissen medelijden met ons krijgen en ons leren hoe we moeten zingen en de narwallen ons leren hoe we moeten borduren.

We leven verbannen van zowel mensen als vissen, in het midden van het midden van de zee, waar niemand heen gaat behalve idioten en wilde mannen, die we dan moeten doden door hen in een storm op rotsen te lokken. Dat is onze enige vorm van vermaak en meestal willen we dat niet eens precies zo doen – we zijn gewoon nieuwsgierig van aard.'

'Met hoevelen zijn jullie eigenlijk?' vroeg Camille.

'Achtentwintig. Alif, Ba, Ta, Tha, Djiem, Ha...' en ze ging het hele alfabet af. 'Sommigen zijn natuurlijk aardiger dan anderen.'

'Ja, typisch zusters,' zei Camille. 'De gaven in een familie worden niet altijd gelijk verdeeld.'

'Absoluut!' verwonderde Alif zich. 'Sommigen zijn geestig en ironisch, sommigen zijn literair, sommigen zijn humeurig, en sommigen zijn geweldige gastvrouwen bij wie je heerlijk thee kunt drinken. Overdag zwemmen we hand in hand in hand, alle achtentwintig, door gordijnen van licht en topazen scholen vis. 's Avonds gaan we terug naar de rotsige kusten van het Land van Na.'

'Hoe ziet het er daar uit?' vroeg Camille.

'Het is er zwart en grillig, gemaakt van mahonie, schalie en zilver. De rotsen veranderen in ijs onder het maanlicht en soms dondert het er zo hard dat het hele eiland trilt. Andere keren flitsen er overal enorme groene bliksemschichten en glimt het eiland als een spiegel. En soms als het heel rustig is, kunnen we maar nauwelijks de geluiden horen van de grote verdwenen beschaving die ergens in het verre hart van het midden van het midden verloren is gegaan, en waar niemand ooit heen gaat.'

Een goede plaats om te bezoeken, dacht Camille, maar ze zou daar niet willen wonen.

Sirine wordt de volgende morgen vroeg wakker, en controleert de andere kant van het bed door erop te kloppen in het donker, om zeker te weten dat ze Aziz niet binnen heeft laten komen. Ze had zich gisteravond losgemaakt van hun kus terwijl ze zei: 'Han is je vriend!', en hij had toen breed gegrijnsd en gezegd: 'Ja, en jouw geliefde!' Het is zo vroeg dat het buiten nog donker is, maar de flirt van gisteravond met Aziz is al aan het vervagen, als een ongelukkige fantasie. Haar gezicht voelt vochtig aan, alsof ze net wakker is geworden met koorts. Ze staat op en kleedt zich snel aan; ze mist Han na hun gescheiden doorgebrachte nacht. Ze belt hem, verlangend naar de klank van zijn stem, maar de telefoon wordt niet opgenomen.

Ze probeert zich niet af te vragen waar hij zo vroeg in de morgen kan zijn. Ze gluurt in haar nachtkastje en de lachende vrouw op de foto kijkt haar aan. Ze duwt de la dicht. Ze wil er niet over nadenken. Nee. Ze laat zich weer op haar bed vallen en doet haar ogen dicht. Ze probeert zich een paar dichtregels van gisteravond te herinneren, maar het enige wat ze nog weet is wat Aziz zei over de smaak van de eeuwigheid, net voordat hij haar kuste. Zou hij die zelf bedacht hebben? Babar springt op het bed en ze opent haar ogen. Hij toont haar zijn lichtelijk wijze en lichtelijk domme blik die lijkt te zeggen dat hij haar al kent uit duizend eerdere levens. Ze heeft last van schuldgevoelens, en hoewel ze zichzelf ervan probeert te overtuigen dat het allemaal onschuldig was, dringt er toch een diep gevoel van onbehaaglijkheid door in haar bloedbaan. De herinnering aan de vorige avond bezoedelt de lucht en maakt haar onrustig. Ze stapt uit bed en kleedt zich aan.

Op weg naar haar werk bedenkt ze zich op het laatste moment en fietst ze naar Han's appartement. Net voordat ze klopt houdt ze haar adem in en drukt ze haar oor tegen de deur. Hoort ze stemmen? Ze klopt en het geluid binnen lijkt te verstommen. Ze roept zijn naam. Niemand antwoordt.

De hele dag wacht Sirine tot Han zal verschijnen. Ze belt twee keer in haar pauze, maar er wordt niet opgenomen. Telkens als de telefoon gaat, kijkt ze op, maar het is nooit Han. Het lijkt alsof ze nog steeds Aziz op haar lippen kan proeven. Ze knijpt in de greep van haar braadpan totdat haar knokkels pijn doen, met maar één gedachte in haar hoofd: Han weet het.

Die avond blijft Sirine tot laat op haar werk, in de hoop dat Han toch nog zal komen of haar zal bellen. Morgen begint de ramadan, een maand van dagelijks vasten, alleen onderbroken door *iftar*, een speciale maaltijd na zonsondergang, en verder nog een lichte maaltijd voor zonsopgang. Han heeft haar verteld dat het idee achter het vasten tijdens de ramadan is om iedereen te herinneren aan de armen en minder gelukkigen; het is een tijd van liefdadigheid, medeleven, onthouding en vergeving. Ook al zegt Um-Nadia dat ze geen godsdienst heeft en veel van hun klanten christenen zijn, toch eten ze allemaal graag het traditionele voedsel dat in het Midden-Oosten wordt bereid om de avondlijke onderbreking van de vasten tijdens de ramadan te vieren. Er zijn schotels zoals zoete *ataif* pannenkoekjes en koekjes en romige drankjes en dikke abrikozennectar. Sirine besluit zichzelf afleiding te bezorgen door een paar van de wat minder gebruikelijke gerechten op te zoeken ter ere van de maand. Ze blijft tot laat die avond op, waarbij ze beslag maakt en door oude recepten bladert, totdat ze zich realiseert dat de maan al is opgekomen en het uren later is dan ze van plan was om naar huis te gaan.

Haar fiets heeft ze neergezet op de binnenplaats. De maan ziet er zwaar en weelderig uit, bijna vol, en er is een dichte motregen die een zoutige vislucht door de nacht verspreidt. Ze fietst zo snel als ze durft, bang om te slippen. En soms gaan de randen van de palmen die langs het trottoir zijn geplant, rakelings langs haar gezicht, waardoor haar haar en handen nat worden, terwijl de plassen op straat de modder tot aan haar knieën laten opspatten. Ze rijdt terug naar Han's huis.

Ze gaat de hoek om en merkt een eind vóór haar een paartje op dat samen wandelt onder de straatlantaarns. Hun ruggen zijn naar haar toegekeerd terwijl ze over straat lopen. Maar er is iets aan de manier waarop ze zich bewegen, een bekend schuin houden van het hoofd, de zwaai van een arm, wat maakt dat ze langzamer gaat rijden, in haar handremmen knijpt en door de regen tuurt. Ze komt wat dichterbij en het komt in haar op dat ze naar Han zit te kijken, en dat de persoon naast hem zich heeft gehuld in een hoofddoek en zwarte mantel. Het water maakt de lucht dik, breekt het licht; ze kan het niet scherp zien. Ze houdt haar adem in. Ze lijken hand in hand te lopen.

Het lijkt alsof de lucht zelf vloeibaar is geworden, onmogelijk om in te ademen, onmogelijk om doorheen te kijken. De handen van het paartje lijken elkaar aan te raken, en laten elkaar dan los. Ze buigen zich naar elkaar toe en bewegen zich weer van elkaar af – het ene moment vaag formeel en afstandelijk, het volgende moment speels en vertrouwelijk als geliefden.

Sirine stapt af en loopt dichter naar hen toe met haar fiets aan de hand, en gaat behoedzaam verder. Haar gevoelens zijn roodgloeiend, een zuivere, oeroude hitte, als niets wat ze ooit eerder heeft gevoeld. Ze trilt en zweet. Het paartje draait zich naar elkaar toe en lijkt te stoppen. Sirine stopt ook, knijpt in haar handvatten, drie straten verderop, haar hele lichaam trillend, de nacht rondom haar koud en grijs als lood. Zijn hand lijkt naar het gezicht van de vrouw te gaan. Hij buigt zijn hoofd. Het is moeilijk te zien. Kussen ze elkaar? Is het mogelijk dat er zoiets gebeurt? De straatlantaarns lijken helderder en feller te worden, een blauwe en witte flits, en plotseling voelt Sirine de enorme gevoeligheid van hun lichamen, van haar eigen lichaam, haar knieën trillend, haar huid niet meer dan een membraan van suiker; ze kijkt neer op haar eigen handen, knokkels wit op het stuur, bleek en klein als zeesterren.

Ze denkt: hij hoort bij die vrouw.

Ze wacht alleen in de motregen onder de straatlantaarn lang nadat ze al zijn doorgelopen.

Ze denkt erover om naar het huis van haar oom te gaan, naar haar slaapkamer met het glanzende arrensleebed, met het raam aan het voeteneind, met één nachtkastje, met de linnen gordijnen, met de kleine hond die midden op het bed op haar ligt te wachten. Maar ze wil daar niet naar terug. Ze wacht totdat bijna het enige wat ze nog kan voelen, het vocht en de kou in haar botten is, en dan stapt ze op haar fiets en gaat ze naar Han's appartement.

Het is ruim na middernacht, maar ze klopt niet en luistert ook niet naar stemmen. Ze gaat naar binnen met haar sleutel. Als de vrouw daar nu is, dan zal Sirine in ieder geval haar gezicht zien. Maar als ze de deur opendoet zit Han in kleermakerszit in de hoek, omgeven door boeken en bladzijden vol vertaalaantekeningen. Hij kijkt nergens naar. Sirine is ogenblikkelijk zowel opgelucht als vreemd teleurgesteld. Ze hoort de complexe klankstromen in de hoeken van de kamer: hij luistert naar de mooie Libanese zangeres. Hij kijkt op als Sirine binnenkomt, maar lijkt niet verbaasd. Hij kijkt langzaam en dromerig naar haar, alsof hij haar maar half herkent. Dan glimlacht hij en duwt zichzelf met één hand van de grond. 'Habeebti, ik ging helemaal op in de muziek. Even dacht ik dat je iemand anders was.'

Ze hijgt en rilt. Ze merkt dat zijn haar droog is en dat hij een droge, witte trui draagt: de man die ze zag onder de straatlantaarns had een donker pak aan. Heeft hij zich soms verkleed?

'Han.' Haar haar en spijkerbroek druppelen een kleine halvemaan op de grond. 'Het spijt me dat ik zo laat ben. Ik raakte helemaal verdiept in een oud receptenboek, ik ging zo op in de beschrijvingen dat ik... ik...' Ze maakt haar zin niet af, maar staart naar Han. Dan zegt ze: 'Je hebt me de hele dag niet gebeld.'

'Ik weet het, ik weet het, ik wilde wel, maar...' Hij zwaait met zijn hand naar zijn boeken en papieren. 'Allerlei studenten belaagden me over hun tentamens. Het lukte me uiteindelijk om weg te sluipen uit mijn kantoor, en toen heb ik me de rest van de dag verstopt in de bibliotheek om er te werken.' Hij steekt zijn armen uit om haar te omarmen, en roept dan uit: 'Je bent doorweekt!'

Ze doet een stap naar achteren. 'Ik dacht dat ik je zag.'

'Was je dan vandaag in de bibliotheek?'

Ze kijkt omlaag. 'Ik dacht dat ik je buiten zag, naar huis lopend. Met een andere vrouw.' Ze wacht en hoopt dat hij iets zal zeggen. Ze probeert niets te zeggen, maar uiteindelijk doet ze het toch: 'Jullie kusten elkaar.'

'Kussen! Ik? Met wie dan?' Hij kijkt haar met een open en eerlijke blik aan. Hij beweegt zich naar haar toe en zijn handen glijden rond haar schouders, zacht, alsof ze een glazen vogeltje is. Ze dwingt zichzelf om zich niet te bewegen. Hij trekt haar dicht naar zich toe en laat zijn gezicht zakken in haar haar.

Ze probeert achteruit te gaan. 'Han...'

Hij tilt zijn hoofd op. 'Ik heb de hele dag aan je gedacht. Ik wilde je bellen zodra ik terug zou zijn, maar ik had me niet gerealiseerd hoe laat het al was en het restaurant was al dicht. Toch bleef ik nog op, in de hoop dat je langs zou komen.' Hij laat zijn handen over haar armen gaan. 'Wat ben je koud!' De warmte van zijn handpalmen is droog en zacht.

Maar ze maakt zich los uit zijn greep. 'Ik dacht echt dat jij het was.'

'Sirine, dat kun je niet menen. Hoe zou ik ooit een andere vrouw kunnen kussen?' zegt hij. Hij omarmt haar, zijn adem warm en intiem. 'Hoe zou ik iemand anders dan jou kunnen kussen? Ik ben van jou. Ik ben volkomen verslingerd aan jou.'

Ze fronst, staart naar zijn stapel papieren.

'Kom.' Hij leidt haar naar de keuken. 'Kijk wat ik vandaag voor je heb gekocht.' Er staan zakjes op het aanrecht. Ze opent ze en kijkt eerst voordat ze haar hand erin steekt: met chocolade omhulde amandelen, een flesje wijn met lavendelaroma, een kleine zilveren vis met een blauw oog aan een zilveren ketting. 'Om je te beschermen,' zegt hij, terwijl hij haar het amulet overhandigt. 'Zie je wel? Het blauw helpt om je te beschermen tegen het boze oog. En vissen brengen natuurlijk geluk.'

Ze gaan naar bed, met nog maar een paar uur van de nacht over, en Sirine laat zich door hem koesteren in de buiging van zijn armen. Ze ligt een poosje in een toestand van halfslaap, en overdenkt nog eens wat ze gezien meende te hebben op straat – de manier waarop de man zijn schouders hield, zijn achterhoofd – was het Han of niet? De deur van zijn slaapkamerkast staat halfopen en ze ziet de donkere, rechte vormen van pakken. Als ze ze zou aanraken, zou een ervan dan vochtig zijn? Ze voelt zich idioot en schuldig en draait zich om. Alles wat ze ziet lijkt vervormd te zijn door haar eigen schuldige geweten. Ze overweegt om Han wakker te maken en hem te vertellen over het zoenen met Aziz. Maar ze denkt dat ze daar de moed niet voor heeft. Ze discussieert met zichzelf over wat ze moet doen, en uiteindelijk valt ze in een lichte slaap, half dromend, een jeugdherinnering: het beeld van het Afrikaanse meisje op de tv, de manier waarop Sirine haar arm tegen de arm van het meisje op het scherm hield, om het verschil in huidskleur te vergelijken. Ze probeert iets te zeggen tegen het kleine meisje; ze weet dat er iets belangrijks is wat ze haar moet vertellen.

23

Opgerold op de koele stenen vloer van de grot, met de hond Napoleon-was-hier tegen haar benen gedrukt, luisterde tante Camille naar
de zeemeermin, koningin Alif, die praatte over haar leven in de oceaan en haar thuis op het rotsachtige, wonderlijke Eiland van Na.

'Eigenlijk was het een gewoon, huiselijk leven. We brachten al
onze tijd door met het naaien van kleren die we niet konden dragen
en het misleiden en plagen van zeelieden. Maar toen op een dag veranderde alles voor mij.'

Alif strekte zich uit naar achteren en haalde een dik, door water
kromgetrokken boek van een plank in haar grot. 'Ik vond dit,' zei ze,
'in een van onze scheepswrakken.' Het was een zwaar beschadigd
boek van Herman Melville. 'Ik had kisten vol gouden dubloenen,
gele saffieren en turkooizen robijnen gezien, maar nooit zoiets als
dit. Ik wist niet wat het was, dus bracht ik het naar een bevriende
narwal die, met zijn aanwijsstok op zijn voorhoofd, de meest geleerde en ontwikkelde van alle vissen is. Ik had al de taal van de walvissen geleerd, van de kwallen en van de zeepaardjes, en de narwal gaf
met enige tegenzin toe dat ik beide kanten van mijn wezen – de ocea-
nische en de aardse – diende te begrijpen, dus hij was degene die me
Arabisch leerde spreken en lezen.'

'Ik vroeg me al af hoe u aan dat accent bent gekomen,' zei Camille.

'Ja, iedereen denkt dat ik van Malta kom!' zei ze, terwijl ze op haar
vissendij sloeg, en allebei werden ze daar boos om. Uiteindelijk
zuchtte Alif en controleerde of al haar dikke slierten haar wel alle

juiste lichaamsdelen bedekten. 'Ik verliet mijn zusters en mijn land,' zei ze. 'Want nadat de narwal en ik dat boek hadden gelezen, realiseerde ik me dat ik diep in mijn hart een dichteres was, geen veroorzaakster van schipbreuken. Ik kwam hier omdat ik wilde gaan schrijven, maar de mensen bleven me maar lastigvallen met verzoeken om speciale gunsten. De helft van hen werkt aan een roman, de andere helft aan hun memoires. Niemand wil ooit zien waar ik mee bezig ben, dus als ik ongeduldig word gebeurt het wel dat ik ze uiteindelijk lok naar niet-bestaande richels, waar ze dood neerstorten. Die arme mannen – vooral mannen zijn gemakkelijk te misleiden. Je hoeft ze alleen maar te roepen en dan volgen ze je al.'

'Nou, ik zou dolgraag willen zien waar u aan zit te werken,' verkondigde Camille.

Alifs gezicht lichtte op. 'O nee, dat meen je niet,' sputterde ze tegen. Maar toen Camille aandrong, vulden Alifs wangen zich met bloed en glansden haar oceaangroene ogen. Dus gingen ze de grot in, waar ze een heerlijke dag hadden door het lezen en bespreken van Alifs poëzie. Camille deed wat redactionele suggesties, aangezien de punctuatie en grammatica die Alif van de narwal had geleerd, bijzonder eigenaardig waren. Ze dronken koppen dikke zeewierthee en knabbelden zeekatbeignets met pijlinktvissaus, en aan het einde van de dag zei Alif: 'Weet je dat niemand me ooit zo veel vragen over mezelf heeft gesteld? Ik heb me bijzonder vermaakt en ik heb besloten om je toch maar niet te doden. In plaats daarvan zal ik je precies vertellen hoe je terug moet naar huis en naar je door en door slechte zoon Abdelrahman Salahadin, en dan moet je hem vertellen dat hij iets moet doen aan zijn slechte gedrag.' Want ook al had tante Camille niet één keer de reden van haar tocht naar Alifs grot genoemd, zeemeerminnen en sirenen kennen altijd de onuitgesproken wensen in de harten van mensen.

Alif wees naar een kronkelende, verborgen achterweg, een pad dat slingerde over zanderige dagzomende aardlagen, zich door onkruid heen werkte, zich verborgen hield onder beekjes en over rotsblokken klom. Het zag er wild en verraderlijk uit, en onbegaanbaar door braamstruiken, stenen, scherpe rotsen en verborgen rivieren, maar dit was hun enige kans. Camille en Napoleon-was-hier en de blauwe bedoeïen zetten zich schrap en daar gingen ze, het gouden struikgewas in. Na zeven dagen en nachten vol gemene valpartijen, jeukerige huiduitslag, snijwonden en krassen en gemene insectenbeten, kwamen ze uiteindelijk aan op een afgelegen, door de wind geteisterd station waar de trans-Jordaanse trein stopte, de trein die hen allemaal weer terug naar huis zou brengen.

Um-Nadia laat Victor Hernandez op de gammele ladder staan om overal in het restaurant kerstverlichting op te hangen. Ze staat onder hem, en geeft hem een heleboel instructies. ('Dat ziet er op die manier niet uit als kerstverlichting. Hang het hoger – hóger – laat het in cirkels lopen.') Ze houdt de wiebelende poten daarbij nogal nonchalant vast, zodat de trap telkens als hij zich uitstrekt om een volgend snoer op te hangen, gaat wankelen. Uiteindelijk komt Mireille te voorschijn en duwt haar moeder aan de kant. Victor kijkt omlaag en glimlacht naar Mireille. Mireille doet net alsof ze dat niet ziet, maar in weerwil van zichzelf stuurt ze een kleine, scheve glimlach omhoog naar hem.

Nathan komt binnen. Zijn haar is ongewassen en sliertig, zijn ogen donker als peperkorrels. 'Ik heb non-stop zitten werken,' zegt hij tegen Sirine, Mireille en Um-Nadia. Hij geeft hen zwartwitansichtkaarten. Op de voorkant staat een korrelige foto van een kind, haar wapperend en handen uitgestrekt, dat of komt aanrennen of op het punt staat te vallen. Op de andere kant wordt een fototentoonstelling aangekondigd die *Uit een klein dorp* heet. 'Dit is mijn slotproject. Het officiële. Dat eerste aan het begin van het jaar was alleen om warm te draaien,' zegt hij tegen hen. 'De opening is over een uur. Ik durfde de uitnodigingen niet eerder dan nu uit te delen.'

Um-Nadia bestudeert haar uitnodiging nadat Nathan is vertrokken, waaiert er zich dan koelte mee toe, en kijkt hoe hij weer de straat op loopt. 'Arme knul. Geen kleur, geen scherpstelling, niets. Je kunt nauwelijks zien wat het is. Het is alsof je hoofdpijn hebt. Net zoiets als Aziz met zijn niet-rijmende gedichten. Ik zeg telkens opnieuw tegen Nathan dat hij naar mijn neef Basil, de loodgieter, moet gaan. Die kan het hem wel leren, hem op gang krijgen en zo.' Ze bestudeert de kerstverlichting nog even kritisch, zegt dan: 'Goed, laten we het restaurant sluiten en naar die tentoonstelling gaan. Het is voor een goed doel.'

Nathans tentoonstelling wordt gehouden in een vierkante kerk van oranje baksteen die geen van hen zich herinnert ooit te hebben gezien. De grote luifel aan de voorkant verkondigt aan de ene kant met

plastic letters: DYNAMO KERK! en op de andere kant staat HET PRO-
BLEEM MET HET MAKEN VAN AANTEKENINGEN IN JE HOOFD IS DAT
DE INKT ZO SNEL DROOGT. De kerk staat aan een van de drukste
stukken van Santa Monica Boulevard, zonder iets wat op een parkeer
terrein lijkt in de buurt, dus Han en Sirine en haar oom en Um-
Nadia zoeven er in Han's grote auto diverse keren langs voordat ze
een plek hebben gevonden aan de straat. Ze moeten zeven straten
lopen vanaf de parkeerplek naar de kerk, Um-Nadia op wankele hoge
hakken, waarvan ze zegt dat die echt niet zijn gemaakt om op te
lopen. Als ze er arriveren, zien ze op de kerkdeur een gekopieerd vel
papier hangen die de fototentoonstelling aankondigt. 'Kijk,' zegt Sirines oom, 'Martin Luther is hier ooit geweest.'

Binnen ruikt het naar cement en stapelmuurtjes, alsof het gebouw
pas die morgen is gebouwd. Het interieur is Spartaans: een groen-
blauwe linoleumvloer, diverse houten klapstoelen die her en der
verspreid staan, en een schoolbord achtervolgd door de geesten van
weggewiste woorden: 'Succes! Hoe je de baas over je ziel kunt worden!'

Er hangt een serie matte zwartwitfoto's aan de muren. Een paar
ouderejaarsstudenten hangen voor de wijntafel waar ze plastic glazen pakken. Nathan staat in het midden van de kleine ruimte met
een plastic glas lambrusco in zijn hand, terwijl hij praat met een oudere vrouw in een magenta wollen jas en een mink stola waarvan het
kopje met scharnierende kaakjes in zijn eigen flank bijt. 'Hallo!' zegt
ze vrolijk tegen Sirines oom. 'Ik ben Dewey. Ik ben gewoon even
binnen komen lopen om te zien wat die jonge kerkmensen vandaag
hebben. Iedere dag is het anders. Altijd wel iets. Kijk toch eens naar
die prachtige foto's. Ze zijn echt totaal anders. Heel ongewoon en artistiek. Mijn kleindochter is ook fotograaf, voor de leerlingenkrant
van de LaBrea-school.'

Sirines oom praat nog wat met Dewey, terwijl Sirine en Han en
Um-Nadia naar de foto's gaan kijken. Um-Nadia werpt een vluchtige
blik op een paar foto's voordat ze tegen Sirine fluistert: 'Dit is niet
best. Totaal geen verbetering! Ik weet niet wat daaraan gedaan kan
worden.'

Maar Sirine ontdekt dat ze de foto's erg mooi vindt; ze zijn eigen-
zinnig en onthullend en zelfs een beetje mooi. De eerste foto's lijken
van voedsel te zijn – rijen uien met een knisperend droge schil in
een marktkraam, een paar mensen die een enorme watermeloen

omhooghouden, en het achterhoofd en de schouders van een vrouw, terwijl ze zich vooroverbuigt over een berg walnoten op wat een straatmarkt of een boerenmarkt lijkt te zijn. Sirine probeert scherper te kijken, als ze Han ineens een gedempt geluid naast zich hoort maken. Hij staart naar een foto van kinderen die op straat rennen. De camera lijkt een paar meter boven hen te zweven; hun handen zijn uitgestrekt, hun zijdeachtige haar fladdert en één jongen kijkt recht omhoog, een felle beschuldigende uitdrukking op zijn gezicht.

'Wat vreemd,' mompelt Han, terwijl hij zijn hoofd schuin houdt. 'Kijk eens hoe hij naar je kijkt.' Hij loopt door, maar Sirine blijft nog even bij de foto kijken, en daarna bij nog meer foto's van kinderen – een jongen die een verbaasde haan vasthoudt, twee kleine meisjes die voor twee katten gehurkt zitten. De foto's zijn bepaald niet aantrekkelijk; de dieren zien er dof en vies uit, een kat lijkt een oor te missen. Er zijn ook veel foto's van volwassenen: een vrouw met een gekwetste blik in haar ogen kijkt doordringend in de richting van de camera; een oudere vrouw heft een hand. Er zijn geen hoorns, mysterieuze vissenstaarten of zwevende glimlachen – maar er is iets verontrustends aan de sfeer van de foto's, een diepe somberheid, golven rook aan de horizon, afdalend uit de hemel. De gezichten zien er bleek en uitgehongerd uit, de wangen ingevallen, ogen als zwarte knikkers. Allemaal turen ze voor zich uit alsof ze dwars door de foto naar de wereld kijken. Alsof ze weten dat de kijker, ergens op een heel wat aangenamere plaats, zijn medeplichtigheid zou kunnen voelen als hij terugstaart.

Er komen nog een paar bezoekers de kleine kerk binnen, terwijl ze hun uitnodiging onzeker vastklemmen.

'Hallo, iedereen?' zegt Nathan op luide toon, alsof hij een groot publiek toespreekt, hoewel er slechts tien mensen in de ruimte zijn. Hij staat op een stoel. 'Ja. Ik wil een speech houden. Dit duurt niet lang.' Hij bloost plotseling hevig en kijkt omlaag, alsof hij de beslissing om op de stoel te gaan staan betreurt. 'Hm. Misschien is "speech" niet helemaal het juiste woord hier. Oké, een bekentenis. Meer een bekentenisspeech.'

'Goed, ga je gang en zeg het,' zegt Sirines oom vanaf de zijkant.

'Nou, om te beginnen wil ik graag de Dynamo Kerk bedanken voor hun progressieve visie en steun van mijn project. Hm. Ik wil ook graag Pink Dot bedanken voor hun donatie van vijfendertig plastic glazen...'

Sirines oom maakt een toeter van zijn handen en zegt erin: 'Waar blijft die speech?'

Nathan kijkt even naar hem. 'Ja. Oké dan.' Hij haalt diep adem. 'Goed, toen ik eenentwintig was, wist ik nog niets van de wereld. Ik had van die gedachten over cowboys en indianen en over commandanten van onderzeeërs en Russische spionnen. Ik was nogal ongelukkig omdat ik dacht dat alle boeven al waren gevangen en dat er niet veel opwinding meer was in de wereld. En toen op een dag ging ik naar *Black Sunday*. Je weet wel – die film met Bruce Dern waarin de terroristen de Goodyear-zeppelin overmeesteren. Maar ik kwam thuis met de gedachte: o mooi, er bestaan dus toch nog terroristen!

Dus dat ging ik beschouwen als mijn roeping. Ik bedoel, hebben we niet allemaal een roeping? Ik begon te dromen om naar een land als Libanon of Irak te gaan en daar terroristen op te sporen.' Hij laat zijn hoofd even hangen en lacht schaapachtig. Iedereen blijft stil. Hij tilt zijn hoofd weer op en kijkt om zich heen. 'Je weet wel, als James Bond.' Hij kijkt om zich heen. 'Ik bedoel, wil niet iedereen James Bond zijn?' Hij pauzeert even en Sirines oom zucht. 'Oké, maar goed. Ik had de gedachte om naar het Midden-Oosten te gaan en terroristische spionnen te ontmaskeren. Ik zou foto's van ze nemen en die naar de CIA of zo sturen. Om een lang verhaal kort te maken, ik studeerde af, groeide over dat hele idee heen en besloot in plaats daarvan om gewoon te gaan reizen en foto's te nemen van wat ik zou zien.

En toen ik daar eindelijk was, je weet wel, in het Midden-Oosten, reisde ik door al die verschillende landen, en gebeurde er iets verbazingwekkends – de mensen daar waren heel vriendelijk tegen mij. Ze reden niet rond in grote auto's, terwijl ze met elkaar aan het telefoneren waren. Ze nodigden me gewoon bij hun thuis uit. We dronken thee en praatten de hele dag. Misschien klinkt dat voor jullie saai, maar voor mij was het een gevoel alsof ik eindelijk iets had gevonden wat écht was. Alsof ik mijn gezond verstand terug had gekregen. Ik ging uiteindelijk foto's maken van een echt mooie wereld. Een heerlijke en complete plek. Er waren vreselijke dingen om te zien – verhongerende kinderen en armoede en kapotte gebouwen – maar de tentoonstelling van vandaag is bedoeld als een viering van de schoonheid die ik vond en van mijn eigen ontwikkelingsproces. Maar ik heb nooit mijn terrorist gevonden, behalve...' Hij trekt een wenkbrauw op, laat zijn stem onheilspellend dalen en zegt: '...dan misschien mijzelf.'

'Oké, mooie speech! Mooie speech!' zegt Sirines oom terwijl hij in zijn handen klapt. 'Nu is het klaar.'

Iedereen verspreidt zich snel en gaat naar de foto's kijken. Nathan blijft daar nog even staan, stapt dan omlaag en zegt: 'Ik was nog niet klaar.'

Sirine keert terug naar de foto's, en zoekt naar aanwijzingen in de kleding of de omgeving die haar kunnen vertellen waar die foto's zijn genomen. Het zijn grauwe dromen, vol beschuldigingen en een aanhoudend gevoel van leegte. Sirine merkt op dat de andere mensen in de ruimte zich lijken te buigen om scherp te kijken naar de beelden, om vervolgens snel naar achteren te stappen alsof ze zich hebben gebrand. Het gemompel wordt luider, mensen kijken verward.

Nathan dwaalt rond en komt dan naast Sirine staan. Ze bestudeert een foto van een jonge vrouw in een boomgaard vol zilveren bladeren, schitterend van licht en regenwater. Mist rolt boven de boomtoppen. 'Nou?' vraagt hij.

Haar oom komt aan haar andere kant staan. 'Dit is een viering?' vraagt hij.

Nathans knokkels strijken over de rug van haar hand en hij stopt snel zijn eigen handen weg in zijn oksels. 'Ze zijn heftig,' zegt Sirine. 'Het is moeilijk om ernaar te kijken.'

'Ja,' zegt Nathan heftig, hartstochtelijk. 'Dat is zo, nietwaar? Dit is nu precies waar Amerikanen niet naar willen kijken. Ze willen niet gedwongen worden om te kijken. Ze willen niet weten wat daar gebeurt.' Hij gebaart naar de deur en diverse mensen kijken op. 'Wat anderen wordt aangedaan, uit onze naam, ter wille van ons, zodat wij op deze manier kunnen leven.' Hij strekt zijn armen naar opzij, alsof hij is omringd door pracht en praal.

Han staat voor een andere foto van een jonge vrouw; ze draagt een omslagdoek die van haar schouders omhoogkomt als ravenvleugels, en de lucht boven haar is lijkwit. Hij draait zich af van de foto en zegt rustig: 'Waar heb je deze genomen?'

'Nou, kijk, ik – ik wil dat ze universeel zijn, niet alleen beperkt tot...'

'Geen van deze mensen heeft je toestemming gegeven, niet?' Er is een scherpe klank in zijn stem. 'Net als al je andere foto's – je hebt ze gewoon genomen zonder te vragen, niet?'

Sirine haalt snel adem. 'Han?'

'Deze mensen zouden je nooit toestemming hebben gegeven om dit te doen!'

'Maar... je kunt zien dat...' Nathan steekt een hand naar de foto's. 'Geen van hen wendt zich af of verbergt zich of...'

'Dit is mijn nicht Lamia!' zegt Han, terwijl hij tegen de lijst tikt. 'Deze vrouw, hier. Ze woonde in onze straat. Ze was de dochter van mijn moeders jongste zuster.'

Nathan knikt, legt een hand op zijn borst als een smeekbede. 'Han – ik was van plan het je te vertellen – ik dacht dat je het mooi zou vinden...'

Sirine staart naar de foto, geschrokken door dit onverwachte.

'Dit is een duidelijke schending,' zegt Han, zo luid dat diverse mensen opkijken. Sirine wil zijn schouder aanraken, maar ze is ook bang. 'Het is een inbreuk op haar privacy en het is een inbreuk op de privacy van mijn familie. Ik weet niet wat je hiermee denkt te bereiken. Ik weet niet of je dacht dat dit slim was – zoiets als een practical joke –'

'Nee, Han, alsjeblieft!' pleit Nathan. 'Je begrijpt het niet.'

'Dat wil ik ook helemaal niet. Is het al niet erg genoeg dat jouw land er systematisch op uit is om mijn land te vernietigen? Moet je nu ook nog mijn familie gebruiken voor jouw persoonlijke vermaak? Of gaat dit alleen over het bevorderen van jouw carrière?' En dan stapt Han langs de groep en verlaat de kerk in zes passen, de grote kerkdeur met een dreun achter zich dichtslaand. Nathans gezicht is knalrood, zijn armen slap langs zijn zijden. Alle lucht lijkt te zijn verdwenen uit zijn lichaam. 'Ik was van plan het hem te vertellen,' zegt hij. 'Mijn bedoeling hiermee was een eerbetoon aan hen.' Zijn stem is grauw en toonloos en Sirine heeft geen idee hoe ze hem kan troosten.

'Zo zo,' zegt Dewey, de oude vrouw. 'Die is behoorlijk opvliegend.'

'Arabieren,' zegt Um-Nadia, terwijl ze met haar ogen rolt.

Sirine kijkt nog een keer naar de foto van de vrouw in het veld en bekijkt snel de andere foto's, terwijl ze zich afvraagt wie er nog meer op die foto's zouden kunnen staan. Dan gaat ze naar buiten.

De lucht is inmiddels betrokken en het licht ziet er satijnachtig uit achter de wolken, vlak en fotografisch. Han loopt de straat af, weg van de kerk, weg van hun geparkeerde auto. 'Han!' roept ze. 'Han?'

Hij loopt nog een paar passen door. Uiteindelijk stopt hij en lijkt even te wachten, voordat hij zich omdraait. Een grillige wind blaast stof in de lucht en waait zijn haar in zijn gezicht. Sirine houdt haar haar naar achteren met een hand. Ze loopt dichter naar hem toe en hij staat daar op haar te wachten, met harde ogen en doodstil.

Ze probeert gewoon te doen, niet verontrust te klinken. 'Han? Is alles goed met je?'

Hij blijft haar strak aankijken, zonder te spreken, terwijl het verkeer langs hen heen beweegt, uitlaatgassen en roet die de lucht in waaien. Zijn huid flitst, een metaalachtige glinstering in zijn ogen. 'Waar is ie?' vraagt hij.

Ze heeft moeite hem te verstaan en beweegt zich meer naar hem toe. 'Waar is wat?'

Hij kijkt naar haar, nog steeds wachtend, en zegt dan: 'De omslagdoek. Wat heb je met de doek gedaan die ik je heb gegeven? Waarom draag je die nooit meer?'

Haar mond opent zich, maar ze stamelt, haar stem trillend in haar keel. 'Ik denk... ik heb... ik heb...'

'Ik wil iets weten,' onderbreekt hij haar. 'En ik wil dat je me de waarheid vertelt. Zou je dat misschien voor me op kunnen brengen?'

Ze doet haar mond dicht. Knikt.

'Heb je mijn doek verloren?'

Ze zegt niets.

'Ik heb je dat ene ding toevertrouwd. Dat ene kleine ding, Sirine.' Hij kijkt weg van haar. 'Hoe heb ik zo stom kunnen zijn?' Zijn ogen keren naar haar terug en nu zijn het vlakke, scherpe stenen. 'Hoe heb ik zoiets kostbaars aan iemand zoals jíj kunnen toevertrouwen?'

Perplex doet ze haar mond opnieuw open, terwijl ze probeert te bedenken wat ze moet zeggen – iets, wat dan ook – maar er komt niets. Ze kan het verkeer voelen trillen in het wegdek en in het beton onder haar voeten. Ze staat even stil, en kijkt hem weer aan. En dan loopt hij weg.

Die avond, nadat ze tijd heeft gehad om tien verschillende antwoorden te bedenken, belt Sirine Han's appartement, maar hij neemt niet op. Ze probeert het nog twee keer voordat ze naar bed gaat. Die nacht slaapt ze bijna niet, waarbij ze zich verbeeldt dat Han wordt getroost door Rana in zijn kleine kantoor, met overal langs de wanden boeken. Ze ziet hoe Rana's hand die van Han bedekt, herinnert zich de manier waarop de gezichten van het paartje in elkaars richting leken te bewegen onder het licht van de straatlantaarns. Sirine probeert zich nog eens het gesprek te herinneren dat ze daarna met Han had, en het lijkt nu alsof hij nooit expliciet heeft ontkend dat hij met Rana was. Ze woelt in haar bed en hoort het gelach opstijgen uit de la van haar nachtkastje.

De volgende dag in het restaurant heeft iedereen het erover hoe Han naar buiten stormde bij Nathans opening. Allerlei meningen en geruchten gaan heen en weer tussen de tafeltjes.

'Hij was opgeblazen als een stier,' zegt Um-Nadia. 'Haar recht overeind. Ogen laaiend. Alles.'

'Ik heb gehoord dat hij een tafel met wijnglazen omgooide,' zegt een van de politieagenten. 'Ze zeiden dat er overal gebroken glas lag. En dat hij een paar van de foto's heeft verscheurd.'

'Dat zou kunnen,' overpeinst Um-Nadia.

'Mam!' zegt Mireille. 'Ze hadden daar alleen plastic glazen.'

'En hoe ging het verder met Nathan?' vraagt de politieagent.

Um-Nadia beweegt haar handen, vingers gespreid, alsof ze mist wegwaait. 'Verdwenen. Die arme knul smolt weg van schaamte.'

Sirine is zo moe dat ze in een bijna hallucinatorische staat werkt. De flessen en bakken in de keuken zoemen alsof er insecten in zitten, de lege struiken in de Vogeltuin lijken krampachtig te bewegen, en ze heeft het gevoel alsof de klanten staren, totdat ze terugkijkt, en dan kijken ze een andere kant op. Aan het einde van haar dag, als ze het gevoel heeft alsof er iemand op de binnenplaats naar haar staat te staren door het donkere keukenraam – moet ze twee keer kijken voordat ze zich realiseert dat hij daar echt staat.

Het is Aziz. Hij zwaait met een strooien mandje waarin ronde appels goudgeel liggen te glimmen in het licht van de veranda. Ze trekt het raam boven de spoelbak open en Aziz houdt zijn mandje omhoog. 'Ik kom fruit brengen!'

Sirine kijkt opnieuw ondanks zichzelf: de appels zijn zo glanzend dat ze zo uit een sprookje lijken te komen. Ze gaat buiten in de deuropening zitten, waar de maan twee keer zo groot is als normaal, en Aziz komt naast haar zitten, het mandje met appels op zijn schoot. Ze heeft hem niet meer gezien sinds de avond van de derwisjen. En de kus. Ze houdt een van de appels in beide handen en bestudeert die om niet in zijn ogen te hoeven kijken.

'Hoe gaat het met je, lieverd?' vraagt hij. 'Ik heb het angstige gevoel dat je die arme Aziz probeert te ontlopen – je hoeft geen antwoord te geven. Je mag ja of nee zeggen.'

Ze bijt op haar lippen. 'Ik heb problemen met Han,' gooit ze eruit.

'Wat? O ja? Dat meen je niet! Hoe kan dat nou?'

'Heb je hem vandaag op de campus gezien?'

Hij denkt even na. 'Nee. Wat ongewoon is. Hoe ik me ook verberg in die grote uit zijn krachten gegroeide school, Han vindt me altijd. Ik denk dat hij zou zeggen dat ik hém altijd vind. Zelfs als ik niet eens weet dat ik zoek.'

'Was Rana in de buurt?'

'Ra...' Zijn ogen worden groter. 'Mijn studente? Hoe ken jij Rana?' Hij bekijkt haar nauwkeuriger. 'Wacht eens even. Waarom vraag je me dat? Wat spookt er rond in je hoofd?' Hij strekt zich uit naar Sirines appel, maar ze houdt hem tegen.

'Ik dacht dat die voor mij waren,' zegt ze.

'Ja, maar deze is de zoetste. Kijk.' Hij grijpt hem uit haar hand en bijt erin. 'Ik neem alleen een hapje aan deze kant hier. Het is net de andere kant van een planeet. Op die manier zullen onze lippen elkaar nooit aanraken.' Hij geeft hem aan haar terug.

Ze kijkt even naar de appel en dan weer naar hem. 'Nou, was ze er?'

'In de les?' Hij haalt zijn schouders op. 'Nu ik erover nadenk, niemand heeft vandaag iets naar me gegooid. Dus nee, ik geloof niet dat Rana er vandaag was.'

Sirine bijt in de appel en dan neemt Aziz nog een hap aan de andere kant. Ze staart in de struiken tegenover hen, heen en weer bewegend in de wind.

'Dus – wat denk je wat dat precies betekent... nou, wat? Han is niet in de buurt, Rana is er niet, dus ze hebben een affaire?' vraagt hij.

Zijn ogen reflecteren stukjes maanlicht. Hij ziet er geduldig, zelfs vriendelijk uit. Sirine haalt diep adem en zegt: 'Ik geloof dat Han echt kwaad op me is. Omdat ik iets heb verloren wat hij me heeft gegeven. En... misschien door een paar foto's die hij heeft gezien – en nu weet ik niet waar hij is – en plotseling is alles afschuwelijk en het wordt steeds afschuwelijker!'

Mireille steekt haar hoofd om de hoek van de deur. 'Sirine – is alles goed met je? O.' Ze stopt bij het zien van Aziz.

Aziz wuift haar terug naar binnen. 'We hebben de hele situatie onder controle.'

Mireille kijkt hem dreigend aan. 'Je hebt absoluut niets onder controle, vriend,' zegt ze met een ondeugend lachje, en ze wacht totdat Sirine wuift en knikt naar haar, voordat ze weer naar binnen gaat.

'Goed.' Hij staat resoluut op. 'Je hebt te veel gewerkt en deze plaats laat je hersens koken. Kom mee.' Hij slaat op zijn zakken en vist er autosleutels uit. 'We hebben een andere omgeving nodig.'

Sirine gaat staan en tuurt door het verlichte vierkant van het raam van de achterdeur: Mireille is telefonisch bestellingen aan het doorgeven; Victor en de schoonmaker zijn de vloer aan het dweilen. Het restaurant is inmiddels gesloten; ze moet eigenlijk nog terug om alles klaar te maken voor morgen, de dressings en sauzen mengen en de kebabs marineren. Maar ze heeft ook het gevoel alsof het er allemaal niet echt toedoet, het werk zal allemaal wel gedaan worden – vanavond of morgen of overmorgen. Niemand zal het merken. Ze kan uren werken aan een gerecht dat in een paar minuten wordt opgegeten. Ze heeft het gevoel alsof ze zo weg kan lopen zonder ooit nog terug te komen, zonder dat iemand dat zal merken.

Ze gaat staan.

Ze laten de mand met appels op de veranda achter. Samen met een klokhuis.

De oceaan is zo helder onder de glasheldere maan dat Sirine alles kan zien. Er zijn hier en daar wat jonge Mexicaanse stelletjes die dicht tegen elkaar op het strand liggen, terwijl ze luisteren naar radiomuziek of kijken naar het water; een web van strakke door de maan verlichte vislijnen schittert vanaf de hele pier. Het is jaren geleden dat Sirine voor het laatst 's nachts op het strand is geweest en die transformatie heeft gezien. Het maakt haar sentimenteel, omdat het haar doet denken aan nachtelijke uitstapjes met haar ouders naar het strand, het schuim wit als wrongel tegen de zwarte golven. En het doet haar denken aan die avond bij het zwembad de afgelopen herfst, toen ze ging zwemmen met Han.

Ze lopen bijna een uur langzaam langs het strand net buiten het bereik van de golven, waarbij ze weinig zeggen, alleen luisteren naar de murmelende oceaan, totdat ze bij de houten pier zijn gekomen. Dan lopen ze het hele stuk naar het eind van de pier, totdat ze niet verder kunnen en tegen de reling gaan leunen. Sirine ziet een school kleine vissen in het water, schitterend als gouden munten. Aziz duwt zijn ellebogen op de reling. 'Hier kom ik graag als ik grote dingen moet overdenken. Of als ik in een dichterlijke stemming ben.'

Het maanlicht is dik en melkachtig. Ze kan glinsterende rode draden zien in Aziz' haar, en de zwarte schijfjes van zijn irissen aan het oppervlak van zijn ogen. Er steekt een windje op dat dan wegvalt en dwarrelt door haar haar; ze veegt het uit haar ogen. Uiteindelijk zegt hij: 'Sirine, je weet dat ik niets dan respect voor je heb. Mijn gevoelens voor jou zijn zuiver en verfijnd.' Hij kijkt Sirine verlegen aan. 'En natuurlijk voel ik hetzelfde voor Han, hij is een bijzonder mens. Hij verleidt je met zijn goedheid en zijn rust, en voordat je het weet vertel je hem ieder moment van de dag je diepste geheimen.' Sirine leunt over de reling. Een stille vogel stijgt op boven hun hoofden. 'Je bent simpelweg in de ban van hem geraakt. Dat is begrijpelijk. Je bent nu eenmaal een Amerikaanse en je hebt geen natuurlijke verdediging.'

'Aziz,' zegt ze. 'Ik geloof echt niet dat...'

Hij heft een hand en laat zijn vingertoppen dalen, om ze dan langs de buiging van haar arm te laten lopen. 'Ken je het verhaal van de zebra en de maagd?'

'Je bedoelt van de eenhoorn en de maagd?'

'Ja. Dat is hetzelfde. De zebra met zijn droevige, romantische ogen, die kan niets zeggen. Hij kan alleen constant droevig en romantisch kijken, zodat alle maagden, die dol zijn op dat soort dingen, in zijn ban komen en worden weggevoerd in kooien, en hij houdt ze dan in zijn huis gevangen.'

'Ik geloof niet dat het zo gaat,' zegt ze, maar de lichte aanraking van zijn vingertoppen langs de binnenkant van haar arm is zoet en verleidelijk, terwijl de oceaanlucht om hen heen deint onder de voluptueuze maan. De tentakels van de kwallen spiralen aan het oppervlak van het water, en alles is zo groot en helder, het drukt tegen haar en ontwaakt haar zintuigen, als anemonen in de wervelende zee.

'Waarom ben je hier bij mij?'

'Ik zou willen dat Han hier nu was,' zegt ze terwijl ze omlaag kijkt.

'Ik ook.' Hij houdt haar haar weg van haar gezicht. 'Nu weet ik hoe die arme zebra zich moet voelen, omringd door al die vreselijke schoonheid, niet in staat om te spreken en niet in staat om weg te lopen.'

Een paar Mexicaanse vissers met transistorradio's en emmers met lokaas en gevangen vis lopen langs. Ze houdt haar adem in totdat ze voorbij zijn. Dan kijkt ze op en is Aziz' gezicht dicht bij het hare. Ze ziet de fijne, precieze vorm van zijn ogen, zwart als die van Han en op dat moment net zo kwetsbaar; zijn lippen zijn vol en halvemaanvormig. Ze voelt zich licht in haar hoofd met de luchtigheid van zijn adem op haar gezicht en ze voelt hoe ze wegglijdt, zwak wordt, bedwelmd door het genot van aantrekkingskracht. De wind steekt op en schiet over het water.

Ze legt haar handen op de reling, probeert zich vast te houden aan het gladde, zilverachtige gladde hout. Ze blijft zo stil mogelijk staan, zelfs als hij zijn vingers naar haar gezicht brengt en ze kan voelen hoe een trilling van verlangen aan zijn subtiele tatoeage begint, opstijgend naar het oppervlak van haar huid. Ze haalt nog eens diep adem en laat zich kalmeren door de lange, rustige kracht ervan.

Even kijken ze simpelweg naar de golven die aan komen rollen en breken, de branding die terugloopt. En dan laat ze de reling los. Aziz steekt zijn hand uit en Sirine pakt die vast. De wind wordt harder, vol glinsterende regenpuntjes; ze buigen hun hoofd en rennen. De auto is warm en intiem, met de lucht van vochtige wol en adem, en op de een of andere manier blijft haar hand in de zijne. Ze laat zich door Aziz meenemen naar zijn eenkamerappartement in Culver City. Haar geest is dicht als een rolgordijn. De regen slaat en klettert tegen de ramen en stroomt omlaag in dikke druppels. Ze kussen elkaar, vrijen dan met elkaar op een bank die uitgetrokken een bed wordt, met de maan die door alle ramen kijkt en het geluid van het stadsverkeer dat haar gedachten overstemt. Naderhand trekt de warmte van het dekbed haar in een halfslaap. Ze droomt dat ze verdwaald is in een dicht bos waar dreunende voetstappen snel in haar richting komen, en ze wordt wakker met een bonkend hart, gedesoriënteerd door de gladde kussens met hun kruidige lucht. Ze maakt Aziz wakker en laat zich door hem terugbrengen naar het huis van haar oom, ook al probeert hij haar over te halen om de nacht bij hem door te brengen.

'Misschien moeten we Han nog maar niets vertellen over ons,' zegt Aziz nadenkend, als hij voor het huis stopt. 'Je kent die Arabieren. Ze worden gemakkelijk jaloers en vermoorden mensen met hun blote handen.'

Ze grijpt de klink van het autoportier. 'Dit zal nooit – absoluut nooit – meer gebeuren,' zegt ze, en ze weigert zijn hand. Ze rent het huis in, neemt een hete douche en wrijft haar huid met een handdoek, totdat het overal prikt en haar bleke huid roze is geworden. Dan zit ze met dode ogen urenlang voor het raam van haar slaapkamer, voordat ze uiteindelijk in slaap valt.

Ze beantwoordt de telefoon instinctief; het is halfzeven, ze heeft anderhalf uur geslapen. 'Hm?' zegt ze.

'Sirine? *Rouhi*, ben jij het? Ik wilde je te pakken krijgen voordat je naar je werk zou gaan.'

'Han?' Ze duwt zichzelf rechtop in bed.

'Aziz belde me net op en zei dat je graag zou willen dat ik mijn verontschuldigingen aanbied.'

Ze houdt haar adem in en de hele nacht komt terug bij haar; stormachtig en dan beklemmend; een walgelijk gevoel, alsof ze is wakker geworden door misselijkheid. De fysieke herinnering aan de zachtheid van zijn mond. De verkeerde mond. Ze sluit haar ogen, haalt diep adem door haar neus.

'Sirine?'

'Ik... ik ben er nog.'

'Dus je vond het leuk? Het mandje met appels? Ik zag ze op de markt en vond het eigenlijk leuker dan rozen.'

'Appels?' De goudgele appels. Ze herinnert zich de sappigheid, de frisse hap tussen haar tanden. 'Maar... Aziz...'

'Ik was bang dat als ik ze zelf zou komen brengen – ik weet het niet. Ik dacht dat je nog kwaad was. Dus bood hij aan om het voor mij te doen. Ik durfde je niet op te bellen, ik voelde me zo rot over gisteren. Ik begrijp het zelf niet eens. Misschien was ik een beetje buiten mezelf. Hoe zeggen de Amerikanen dat ook alweer? Ik weet niet wat me bezielde?'

'O, Han.' Ze bedekt haar ogen met haar hand. 'Het is goed.'

'Ik moet er telkens weer aan denken – hoe ik schreeuwde tegen Nathan en jou, en zo naar buiten stormde. Ik dacht – het is idioot – maar ik was er niet klaar voor om die beelden te zien. Het was zo'n schok – om het gezicht van mijn nicht op die manier te zien. Ik verwachtte het gewoon niet. Ik heb haar of wie dan ook van mijn familie in twintig jaar niet gezien. En daar zag ik haar ineens, en het was net alsof ik pas gisteren was weggegaan. Zij en haar moeder en zusters kwamen naar ons huis op de avond waarop ik vertrok, en ze gaven me wat brood en olijven. Dat was de laatste keer dat ik wie dan ook van hen heb gezien, tot Nathans tentoonstelling. Ik schrok er zo van dat ik niet wist hoe ik moest reageren. Maar later, toen ik voldoende was gekalmeerd om erover na te denken... toen realiseerde ik me hoe emotioneel het voor me was – om haar weer te zien, na al die jaren.'

Ze maakt een geluid, maar weerhoudt zichzelf dan; ze wilde alles opbiechten.

'Sirine,' zegt hij. 'Vergeef je het me?'

'Han.' Ze heeft het gevoel alsof haar keel wordt dichtgeknepen. Ze haalt diep adem. 'Er valt niets te vergeven. Niet voor mij in ieder geval,' voegt ze er rustig aan toe, een soort hartslag in de beweging van haar stem. Ze hoort een getik buiten haar vensterbank en kijkt geschrokken op. Een vogeltje met een rood kopje tikt tegen het kozijn, zijn vleugels open en fladderend. Ze zegt: 'Han, over die omslagdoek... ik heb niet... ik...'

'Nee, nee,' zegt hij. 'Zeg maar niets. Sirine, het doet er allemaal niet toe. Die doek was maar een ding. Of je die nu verloren hebt of niet, dingen zijn dingen en dat is het. Een doek is een doek is een doek, goed? Jij, daarentegen, bent de hele wereld.'

24

Heb ik je ooit verteld over de manier waarop tante Camille een snoer van tranen aanbood aan de Koningin van de Kamelen om haar naar de samenvloeiing van de Eufraat en de Tigris te brengen? Omdat iedereen weet dat het verschil tussen mensen en dieren is dat dieren niet kunnen huilen en mensen wel. Maar de Koningin van de Kamelen weigerde, omdat die bepaalde samenvloeiing door sommigen wordt beschouwd als de bakermat van de beschaving, de plaats waar Adam en Eva hun onschuld verloren, en dus de plaats waar de kameel voor het eerst haar last moest dragen.

Om alles nog eens kort samen te vatten: tante Camille schonk het leven aan mijn criminele neef Abdelrahman Salahadin, die zichzelf verkocht aan slavenhandelaren en ontsnapte door zijn verdrinking in de Rode Zee in scène te zetten. Ze wist hem op te sporen door de vreselijke sir Richard Burton te verleiden. Ze liep naar de bron van de Witte Nijl, ging te rade bij de Moeder van Alle Vissen, en sloot overeenkomsten met djinns en zeemeerminnen en een blauwhuidige bedoeïenenstam.

En wist je ook dat toen Camille een oude, oude, óude vrouw was geworden, en eindelijk had leren lezen en schrijven, ze ontdekte dat haar ondeugende zoon Abdelrahman zijn naam had veranderd en naar Californië was verhuisd? Ik zal je vertellen wat er was gebeurd.

Herinner je je het deel waarin de blauwe bedoeïenen allemaal aan het praten zijn over Hal'Awud en Dar'Aktr? Dat was in 1960.

In 1959 kwam een regisseur naar Wadi Rum, in het zuiden van Jordanië, om daar na te denken over hoe hij zijn nieuwe film *Ben*

Hur zou gaan maken. Natuurlijk werd alles uiteindelijk toch in Italië gefilmd, met Amerikaanse acteurs. Maar hij had het idee om allerlei plaatselijke Arabieren te gebruiken om door zijn grote oorlogs- en karavaanscène te rijden. Hij ontdekte daar de knappe Crazyman al-Rashid zonder schoenen – dat was voordat Crazyman werd ontvoerd door de sirenen in Akaba. De grote regisseur nodigde al-Rashid uit om mee te spelen in zijn film, samen met diverse bedoeienenstammen die hij als figuranten daarheen had gehaald. Hun rol eindigde natuurlijk op de vloer van de snijkamer. Maar goed, dit was het begin van de obsessie van Crazyman voor engelen en vlammende strijdwagens, spotlights en camera's en actie – wat hij allemaal beschreef aan Abdelrahman Salahadin toen ze allebei gevangenen waren van de zeemeerminnen.

Dus wat gebeurde er met Abdelrahman?

Abdelrahman Salahadin was misschien wel de echte naam van filmster Omar Sharif, en misschien ook niet. We zullen dat nooit zeker weten. Maar wie weet iets zeker in deze vreemde en roemruchte wereld?

Omar Sharif!

Hmm.

En al dat gepraat, over Dar'Aktr en Hal'Awud, dat was...

Arabengels. Dar'Aktr is Arabengels voor *director* en Hal'Awud is...

Hollywood.

Ja. En toen die blauwe bedoeïen het had over Ar-Rashad Bur'aton, toen hadden ze het niet over de Engelse ontdekkingsreiziger en slaveneigenaar sir Richard Burton, maar over de Welshe, verdronken Arabier van een acteur, die goeie ouwe Richard Burton, die toevallig ook op de set rondhing, aangezien hij op het punt stond te beginnen aan zijn grote rol als Marcus Antonius in een andere film, en een beetje woestijnsfeer wilde opsnuiven. Ze verbasterden die woorden gewoon. Want een bedoeïen kan nooit iets laten voor wat het is. Ze zijn dol op improviseren, improviseren, improviseren!

In het restaurant zijn Sirine en Um-Nadia helemaal in beslag genomen door het speciale iftar – of vasten onderbrekende – menu voor de maand ramadan. Moslims uit de hele stad horen ervan en nog meer klanten komen binnen, of ze blijven buiten rondhangen, wachtend op een tafeltje – Iraniërs, Saudiërs, Palestijnen, Libanezen, zelfs Maleisiërs, Pakistanen en Kroatiërs. Ze komen vroeg in de morgen, voordat de zon opkomt, en dan later nadat de zon is ondergegaan en het vasten van de dag eindigt, en ze bestellen speciale lekkernijen zoals *killaj*-gebak, ataifpannenkoekjes, *zalabiyya*-beignets en mamoolkoekjes. Sirine heeft alleen nog maar tijd voor koken en bakken. Ze denkt, op korte onbewaakte momenten, aan wat er is gebeurd tussen haarzelf en Aziz. Ze heeft het tegen niemand verteld – en bidt dat Aziz dat ook niet heeft gedaan – maar ze draagt de gedachte eraan met zich mee, als gepiep in haar ademhaling. Haar bezorgdheid is een blok beton dat vastzit in het midden van haar lichaam. Um-Nadia en Mireille behandelen haar alsof ze ziek is; ze bewaren een discrete afstand, en houden haar met bezorgde blikken in de gaten.

Ze krijgen het zo druk dat Victor Hernandez begint te helpen als souschef, door kommen met uien, knoflook en paprika te hakken, salades te maken en marinades te mengen. Hij brengt een zak vol met chilipepers binnen, sommige lang, smal en gerimpeld als oude vingers, andere klein en glanzend als jonge vingers. Hij roostert ze onder de grill en in een droge koekenpan, waarna hij de verschroeide buitenste velletjes er afsnijdt. En Sirine gebruikt stukjes van de zachte binnenkanten gepureerd in de baba ghannuj en in marinades voor de kebabs.

'Ze zeggen dat peper goed is voor de liefde,' zegt Victor tegen haar, en hij trekt dan zijn wenkbrauwen op naar Mireille, die een kleur krijgt. 'Het brengt warmte in het bloed.'

Maar Sirine smeert per ongeluk wat van de chiliolie op haar vingers, wat zelfs door haar eelt heen brandt. Ze laat koud water over haar vingers lopen totdat haar botten pijn doen.

Han verontschuldigt zich de hele week tegenover Sirine, en brengt haar prachtig fruit met stekels en punten, eetbare schillen en bloedrode zaden, en mandjes met bessen van de andere kant van de wereld. Maar de cadeautjes vergroten alleen maar haar schuldgevoel en bezorgdheid, dus aan het einde van de week kan ze nog nauwelijks iets eten, doordat haar maag zich verzet tegen voedsel. Hij kan merken dat ze van streek is en hij vraagt of dat komt door de scène bij Nathans tentoonstelling, of het feit dat hij haar toen niet meteen heeft gebeld, of omdat zij dacht dat ze hem had gezien met een andere vrouw, of misschien wel om een heel andere reden. Wat ze allemaal ontkent. Op een dag, nadat ze een enorme *eid*-maaltijd heeft geserveerd om het einde van de ramadan te vieren (waartoe een heel gevuld lam, baklava en knaffeapastei met zoete kaas behoren) komt ze uit het restaurant tijdens een pauze en ontdekt dat er takken geurige jasmijn en bloeiende bougainville om de rand van haar fietsmandje zijn gevlochten. Ze lacht voor het eerst in dagen, en als ze die avond naar Han's appartement fietst, ruikt ze al beneden in de hal allerlei kookluchten. Hij staat op haar te wachten in de deuropening.

Het is net als de eerste avond van hun liefdesrelatie. Er staan borden met eten klaar op een deken op de grond van zijn zitkamer. Zelfs een azuurblauw katoenen tafelkleed en een aarden kruik met gele margrieten, in de lucht een geurig aroma.

Ze staat erbij te kijken. 'Wat is hier gaande? Wat is dit allemaal?'

Han pakt haar handen, draait ze om en kust ze. Hij zegt: 'Een eenvoudig zoenoffer.' Hij laat haar op de grond plaatsnemen en zwaait met een hand over het voedsel. 'Een eid iftar voor de koningin van Sheba.'

'En haar leger,' zegt Sirine. Er is een schaal met Marokkaanse tagine van kip met gekonfijte citroen, couscous met pistachenootjes en krenten, rijst bedekt met in de boter gebakken amandelen. 'Dit is ongelooflijk. Ik wist niet dat je zo kon koken.'

'Nou...' Han gaat tegenover haar zitten. 'Dat kan ik ook niet. Maar Um-Nadia blijkt dat wél te kunnen.'

'Niet te geloven. Ze kookt nooit meer.'

'Ze bracht alle ingrediënten hierheen vandaag en ik heb haar geholpen,' zegt hij. 'Nou ja, ik heb alles gesneden. Ben je onder de indruk?'

'Onder de indruk is mager uitgedrukt...'

'Ik wilde iets proberen te doen.' Hij kijkt haar hulpeloos aan. Ze raakt zijn vingers aan. 'Je hebt te hard gewerkt. Je ziet er mager en moe uit, hayati.'

'O, Um-Nadia maakt zich altijd zorgen. Ze heeft dat zeker tegen jou gezegd.'

Hij buigt zijn hoofd naar achteren. 'Dat kan ik zelf ook wel zien.'

Han schept Sirines bord vol en voert haar een stukje lam met zijn vingers, alsof eten hun eigen taal is. Ze praten over de universiteit en het werk. De woorden vloeien over in eten. En ze eet en eet. De smaak van de gerechten is intens in haar mond, de zoete amandelachtige fruitigheid van de pistachenootjes naast de rokerige zure smaak van de sumak, de subtiele saffraan, en de plantaardige accenten van olijven. Haar maag begint pijn te doen, niet gewend aan zo veel eten. Han zelf eet weinig; in plaats daarvan brengt hij stukjes vlees en lepels rijst naar haar mond.

Als ze uiteindelijk geen hap meer kan eten, leunt ze achterover, lacht en waait zich koelte toe met een hand. Han wil niet dat ze hem helpt met de afwas; hij zegt haar dat ze zich moet ontspannen, en begint alles zelf op te stapelen, waarbij de borden rammelen.

Ze leunt tegen de muur en kijkt een poosje naar de sterren door de balkondeuren: hun schitterende warmte en kleur lijken recht door haar heen te gaan. Sommige sterren glinsteren en sommige vervagen of twinkelen in de duisternis. Ze rekt zich uit en brengt dan wat schalen naar de keuken, waar Han voor een bruisende piramide van zeepsop staat.

'Wil je de rijst nog bewaren?' vraagt ze.

Maar zijn rug is naar haar toegekeerd en het water loopt. Als hij niet reageert zet ze de borden neer en gaat ze naar de badkamer. Daar wast ze haar gezicht en strijkt ze haar ontembare haar glad. Ze gaat voor de spiegel van het medicijnkastje staan en onderzoekt de heldere, groene kleur van haar ogen, controleert haar ooghoeken op rimpels, en merkt dan dat er grijze strepen in haar haar beginnen te verschijnen, nauwelijks zichtbaar tegen het blond. Terwijl ze zichzelf bestudeert, neemt ze een vaag, fruitig parfum waar. Ze fronst en inhaleert, en dan weet ze wat het is: de geur van rijpe bessen. Han's omslagdoek. Met haar ogen wijdopen draait ze zich om, inhalerend, handen voor zich uitgestrekt als een slaapwandelaarster. Ze controleert de handdoeken, kijkt eronder en snuift. Er liggen twee versleten handdoeken opgevouwen op de glazen plaat naast de douche, allebei geborduurd met de initialen E.H. Ze kijkt in alle laden en kasten, en zelfs achter het douchegordijn. Maar geen spoor van de sluier. En dan begint de geur te verdwijnen, alsof ze het zich allemaal maar heeft verbeeld. Ze grijpt de zijkanten van de wastafel met beide handen vast, kijkt in de spiegel en probeert om de verdwijnende geur terug te dwingen. Koud zweet verschijnt op haar voorhoofd en ze wordt overvallen, op een vreselijke manier, door een golf van misselijkheid. Ze laat haar hoofd zakken en probeert langzaam te ademen. Maar haar mond loopt vol speeksel en ze gooit het deksel van de wc omhoog en moet dan hevig overgeven, waarbij haar maag verkrampt. Haar schouders trekken samen en haar ogen tranen en haar neus loopt en ze kan niets anders doen dan zichzelf vasthouden boven de wc. Het neemt haar helemaal in bezit, en laat haar maag nog meer verkrampen.

Als het eindelijk over is, gaat ze eerst zitten en dan languit liggen op de badkamervloer, drukt haar wang tegen de koude tegels. Een paar minuten lang kan ze niet goed denken of zich bewegen, verloren in de holle ruimte van de badkamer.

Uiteindelijk spoelt ze de wc door en poetst ze haar tanden en tong twee keer. Ze moet naar buiten komen en ze voelt zich ellendig, omdat ze denkt aan het prachtige maal, terwijl ze zich afvraagt hoe ze dit aan Han moet uitleggen. Maar eenmaal in de keuken ziet ze dat het water al die tijd is blijven lopen – hij heeft niets gehoord.

'Hayati,' zegt hij, glimlachend en hij neemt haar in zijn armen. Hij duwt zijn neus in haar haar en zegt: 'Waar was je?'

Die avond vrijen ze met elkaar; het gebeurt snel en zwijgend. Ze voelt zich breekbaar, haar botten lijken glasachtig en broos in haar lichaam en ze heeft het gevoel alsof ze een maagverzakking heeft. Ze heeft schuldbewust seks met Han vermeden sinds die avond dat ze met Aziz naar bed is geweest. Als ze beginnen te vrijen, merkt Sirine dat ze fronst, alsof ze zich concentreert op een gevaarlijke, geheime activiteit. Ze wacht totdat hij haar verraad zal bemerken, het aan haar gezicht zal zien. Maar hij sluit zijn ogen, zijn uitdrukking vaag smekend. Ze is verbaasd te merken hoe gemakkelijk het is om dit te doen, hoe simpel verraad is. Naderhand ligt ze op haar rug en Han houdt haar in zijn armen. Ze voelt zich zwak en slap. Hij raakt haar voorhoofd aan en laat zijn vingers langs haar borstbeen gaan, en gaat dan met zijn hand omlaag naar haar buik en de welving van haar bekken en laat die daar liggen.

Later die nacht, ergens verloren tussen de late nacht en de vroege morgen, gaat de telefoon. Han pakt hem en ze hoort hem in het Arabisch praten; hij lijkt met iemand te argumenteren. Ze hoort de woorden 'Irak' en 'Bagdad' en op dat moment, voortkomend uit de logica van dromen, voelt ze met een angstaanjagende helderheid – de helderheid van het voor de hand liggende en het lang ontkende – dat iets hem aan het opeisen is.

De volgende morgen slaapt Sirine door de wekker heen en als Han haar probeert wakker te maken, kan ze nauwelijks haar ogen open krijgen. Hij voelt haar voorhoofd, belt dan het restaurant en praat met Mireille, die hem zegt dat hij Sirine thuis moet houden. Zij en

Um-Nadia zullen haar werk wel overnemen. Sirine luistert naar Han en de gedempte stem aan de andere kant van de lijn, en ze weet dat Mireille zich ongerust maakt. Het is voor het eerst in negen jaar dat Sirine niet op haar werk zal verschijnen. Han moet naar de universiteit, maar hij trekt een paar dekens over haar heen, legt diverse Hemingway-romans naast het bed en kust haar dan drie keer op haar voorhoofd. Ze luistert hoe hij de deur achter zich dichttrekt en denkt dat het vreemd zal zijn om nu alleen in zijn appartement te blijven zonder hem. Maar dan komt de slaperigheid snel opzetten, als een onderstroming vanuit haar achterhoofd en trekt haar weer onder.

Als ze weer wakker wordt, is het na enen. Ze gaat rechtop in bed zitten dat uitkijkt op het balkon, en ziet hoe de wind komt opzetten over daken en bomen. Het lijkt alsof de zijdeachtige palmen heen en weer worden gezwaaid door een soort licht; ze kan zien hoe het glinstert aan de hemel en alles overspoelt. Maar dan realiseert ze zich langzaam dat het regen is. Ze zinkt terug onder de dekens en luistert naar de motregen, zacht en dicht als mos, als bont over het dak; langzaam afnemend om dan weer aan te zwellen tot het klinkt als kolken. In het appartement weerklinkt het gesis van de regen. Ze observeert de vreemde leegheid van de dingen om zich heen, Han's kleren slap op hun hangers, de lakens gekreukeld en half warm op het bed. Ze geniet van het gevoel van dit totale isolement; het is een zoete, doffe pijn, als kiespijn waar ze haar hand tegen zou willen houden.

Dit jaar wordt ze veertig. Ze sluit haar ogen en fantaseert dat het niet haar veertigste maar haar honderdste verjaardag zal zijn, stelt zich de slapheid van haar huid en haar voor, haar lichaam dat van haar wegzweeft. Dan stelt ze zich haar eigen doodsbed voor, hoe ze stervende is, het rustige gemak waarmee haar geest zich losmaakt van haar botten, haar lichaam dat inzakt en wegsmelt. Eerst voelt ze angst en verdriet, het bewustzijn van zuivere vergetelheid. Dan lost ook dat gevoel op, om te veranderen in iets wat bijna aangenaam is. Een soort middelpunt van tederheid stijgt op naar de bovenkant van haar zonnevlecht, alsof ze de vorm en de contouren van haar eigen ziel kan voelen. Ze denkt aan de opbollende rokken van de wervelende derwisjen en begint net weg te zakken in dat gevoel als er op de deur wordt geklopt.

Sirine gaat rechtop zitten en licht flitst achter haar ogen. Ze wikkelt zich in Han's badjas, sluipt naar de hal en staart naar de deur.

Ze loopt er langzaam heen, maar stopt halverwege, omdat het bloed zo luid bonkt in haar oren, dat ze nauwelijks iets kan horen. Even vraagt ze zich af of Rana staat te kloppen. Dan hoort ze het geluid van een hond die staat te janken en te snuffelen en zegt ze: 'Babar?'

Haar oom roept: 'Habeebti? Ben jij dat? Wij zijn het maar!'

Ze doet de deur open en Babar stuitert naar binnen. Ze pakt hem op en hij duwt zijn kleine harde kop tegen haar gezicht, waarna hij haar mond en ogen likt en met zijn staart tegen haar armen slaat. 'We maakten ons erg ongerust toen we hoorden dat je je had ziek gemeld. We besloten dat we bij je langs moesten gaan.'

Ze komen naar binnen en haar oom kijkt om zich heen en zegt: 'Waar is het meubilair? Habeebti, je leeft als een bedoeïen in een geitenharen tent.'

Sirine krijgt een kleur en geneert zich. 'O, ik weet het, het spijt me, u kunt hier eigenlijk nergens zitten.'

'Dat geeft niet,' zegt hij. 'Dit is heel interessant.' Maar als hij probeert op de grond te gaan zitten, maakt hij een kreunend geluid en komt ongeveer halverwege klem te zitten. Hij worstelt zich weer overeind.

'Wacht.' Ze construeert een stoel en tafel uit een stapel van Han's boeken. Voordat hij gaat zitten kijkt haar oom ernaar en zegt: 'Eens kijken, de *Ilias* en de verzamelde werken van Shakespeare. Dat lijkt me prima.'

Ze maakt een pot zwarte thee met munt en vindt een bord met gevulde dadelkoekjes en knaffea met zoete kaas die nog over is van gisteravond. Ze brengt het kopje en de theepot en het lekkers naar haar oom maar die zegt: 'Ho, ho, ik ga niet eten zonder jouw gezelschap.'

Sirine kijkt naar het voedsel; ze weet dat ze eigenlijk honger zou moeten hebben. Ze maakt haar eigen boekenstapel om op te zitten. 'Zoals u kunt zien,' zegt ze, terwijl ze om zich heen gebaart, 'zit ik hier goed.'

Haar oom pakt een boek op, tuurt naar de titel, *Afscheid van de wapenen*, en schudt dan zijn hoofd. Hij zucht boven zijn koekjes en zegt dan: 'Nee, ik ben blij – hier ben je, je maakt iets van je leven zoals je geacht wordt te doen. Natuurlijk missen Babar en ik je. Het is een eenzame aangelegenheid, alleen eten. Ik heb nooit die ene ontmoet met wie ik mijn maaltijden zou willen gebruiken. Niet zoals...' En dan stopt hij. Sirine wacht, denkt dat hij zal zeggen: niet zoals jouw moeder en vader. Maar hij maakt zijn zin niet af. Ze kijkt aandachtig naar hem. Ze dacht altijd dat haar oom en vader op elkaar leken, maar in de loop der jaren lijkt het alsof de gelaatstrekken van haar oom de herinnering aan haar vaders gezicht zijn gaan vervangen. Er zijn dingen die ze liever niet zou zien: de manier waarop zijn haar, ooit gitzwart, grijs is geworden, en het ouwemannerige wegglijden van zijn ovalen bril langs zijn zachte neus, en de manier waarop zijn irissen hun pigment hebben verloren, en nu theekleurig zijn geworden. Er waren momenten, toen ze nog een klein meisje was, nadat haar ouders waren gestorven, dat ze het vergat en hem baba, papa, noemde. Dan hield hij haar vast en zei met zijn zachtste stem: 'Luister, habeebti, vergeet het niet, ik ben je *ummo*. Vergeet je eigen baba niet.'

Sirine voelt dat haar oom meer van liefde weet dan hij laat merken. Zoals het luchtige flirten dat hij met Um-Nadia doet – waarbij hij niet verder gaat dan een bepaald punt en dan terugdeinst. Zijn leven lijkt een oase van meditatie en rust, ook al weet ze dat dat niet eerlijk is, dat hij uiteindelijk net als zijzelf een mens is, en dat er veel dingen moeten zijn die ze nooit over zijn privé-leven heeft geweten. En soms komt de gedachte in haar op dat hij misschien nooit getrouwd is omdat zijn leven onverwacht totaal in beslag werd genomen door het opvoeden van een jong meisje. Net zoals Sirine nooit naar de universiteit is gegaan of erin slaagde om te trouwen, maar zich ging toeleggen op het leren koken van haar ooms favoriete voedsel. Ze zou haar oom graag willen vragen wat hij nu echt vindt van Han. Of dat hij gelooft dat Han een goede man voor haar zou zijn. Maar die vragen zijn te persoonlijk. En het lijkt erop dat ze dan ook te veel van haar oom zou vergen.

In plaats daarvan laat ze Babar op haar schoot springen en streelt ze zijn kop, waardoor de huid om zijn ogen zich spant en dan weer ontspant, telkens opnieuw. 'Hallo, lieverd,' zegt ze.

'Moet je die nou toch eens zien,' zegt haar oom. 'Hij was een pasja in een eerder leven. Hij was een rijke en meedogenloze schele sultan en jouw slaafse toegewijde echtgenoot.'

De hondenkop is warm onder haar hand. Ze kust de knobbel boven op zijn kop en Babar legt zijn kin op haar knie. Ze blijven zo een poosje rustig zitten, terwijl ze thee drinken, en Sirines gedachten in beslag worden genomen door vragen die ze niet kan stellen.

Als Sirine de volgende dag weer aan het werk gaat, volgt Um-Nadia haar naar de keuken, bekijkt haar van top tot teen en vraagt uiteindelijk: 'Wat is er met je aan de hand?'

Sirine lacht nerveus en drinkt haar koffie op. 'Ik weet niet waar je het over hebt,' zegt ze, en ze laat het porseleinen kopje op het aanrecht bij het fornuis achter. Dan frituurt ze de bloemkool en ze is net begonnen om de aubergine en wortels in de pan te leggen, als ze opkijkt en ziet hoe Um-Nadia in haar koffiekopje tuurt, het omkeert en haar ogen samenknijpt alsof ze een studieboek voor zich heeft. Ze kijkt naar het koffiedik. 'Um-Nadia,' zegt Sirine, 'nee, alsjeblieft...' Ze strekt zich naar het kopje uit, maar Um-Nadia heeft al haar ronde, geschrokken ogen opgeslagen. Ze houdt het kopje omhoog en zegt – haar stem hees, bijna eerbiedig: 'Dat zou ik nooit hebben gedacht – er is een andere man!'

Um-Nadia trekt haar in de achterkeuken. Ze wijst naar een stoel en Sirine ploft erop neer bij de tafel. Haar schouders zakken voorover in de richting van de snijplanken, de lucht van uien, gember, citroen en peterselie. Um-Nadia trekt er een stoel bij en Sirine houdt haar kopje schuin om naar het verspreide koffiedik onder aan de rand te kijken, waar de strepen en gebogen lijnen haar doen denken aan de lijnen van het Arabisch. 'Hoe doe je dat toch?' vraagt Sirine.

'Niks bijzonders.' Ze buigt een hand naar achteren, buigt zich dan naar haar toe. Um-Nadia's ogen zijn vandaag met kohl bewerkt met omhooglopende hoeken. Ze knijpt haar ogen samen tot lange zwarte lijnen, slaat haar benen over elkaar en kruist haar onderarmen over haar knieën. 'Vertel, vertel, wie hebben we hier?'

Sirine sluit haar ogen. Ze staat op, brengt het kopje naar de spoelbak, vult het met water, spoelt het om en zet het in de gootsteen, en gaat dan weer zitten. 'Je mag er niet met Mireille of Victor over praten.' Um-Nadia maakt een ritssluitinggebaar over haar lippen. 'Het is Aziz,' zegt Sirine.

Ze slaat met haar hand op haar borst. 'Nee.'

'Ik bedoel, het was Aziz voor een paar seconden. Ik bedoel, eigenlijk niet eens dat. Eigenlijk was het nooit Aziz. Het was gewoon – ik had – er was wat verwarring tussen mij en Han.' Ze sluit haar ogen en zucht. 'Aziz en ik, we hadden één nacht iets met elkaar – het was zo stom en ik was niet eens echt geïnteresseerd in hem en ik – ik weet het niet – hij was gewoon zo áárdig...'

'Ja, ja, het zijn altijd die "aardige" kerels.'

Sirine volgt de rand van een snijplank met haar vingertop. 'Ik heb het Han nog niet verteld. Maar ik ga dat wel doen. Ik kan er niet meer tegen, om dat constant met me mee te dragen in mijn hoofd. Ik moet dat gewoon doen...'

'Nee!' roept Um-Nadia uit, haar stem als een priem. 'Dat moet je helemaal niet doen, absoluut niet. Dat is veel te gevaarlijk. Als je het hem vertelt, dan wordt dat zijn dood, of hij moet iemand anders doden.'

'Iemand doden? Han?' zegt Sirine. 'O nee...'

'Habeebti, je zou niet geloven hoe de mensen na tien miljoen jaar nog zijn. Vraag het mij, ik kan het weten.'

Sirine schudt haar hoofd. 'Niet Han. Nooit.'

'Goed, goed, Han dan niet. Jij denkt dat hij bijzonder zuiver is. Maar toch, ondanks dat.' Um-Nadia haalt haar pakje noodsigaretten uit de zak van haar schort, tikt er een uit, en steekt die onaangestoken tussen haar vingers. 'Herinner je je nog dat verhaal over mijn vriendin met die slechte man? Je weet wel, die man die steeds op en neer vliegt?'

'O, en als hij sterft aan een hartaanval, dan ontdekt ze dat hij ergens in Jemen of zo nog een vrouw met een gezin heeft zitten?'

'Precies, dus mijn vriendin... hoe heb ik ook alweer gezegd dat ze heet?'

'Eh... Munira, geloof ik.'

'Precies. Ja. Ik kan me herinneren dat ze precies zo was als jij. Jij doet me altijd een beetje aan haar denken, weet je dat? Zij kon het ook niet geloven. Zij dacht dat de wereld honderd procent modern was. Ze dacht dat als je eenmaal naar Amerika gaat, er niets slechts meer zou kunnen gebeuren.'

'Maar haar man bleef maar heen en weer vliegen.'

Um-Nadia wijst met de sigaret naar haar. Sirine kan zien waar de zachtroze nagellak is beschadigd aan de randen van haar nagels, sporen van roze lippenstift op de filter. 'En je hebt gezien waar dat op uit is gedraaid.'

Mireille steekt haar hoofd om de hoek van de deur, maar ze doet haar mond dicht en stapt naar binnen als ze de uitdrukking op het gezicht van Sirine en Um-Nadia ziet. Ze gaat naast haar moeder aan de tafel zitten. 'Wat is er aan de hand?'

'Wat gebeurde er met Munira?' vraag Sirine aan Um-Nadia.

Um-Nadia kijkt even naar Mireille. Ze stopt de sigaret terug in het pakje. 'Nou, die is doodgegaan.'

'Ze is doodgegaan?' Sirine voelt zich vreemd bedroefd. 'Dat wist ik niet. Wat is er gebeurd? Was ze oud?'

'Tss. Nee.'

'Nou, wat dan?'

Opnieuw kijkt ze naar Mireille. Mireille stopt haar kin in haar handpalm en zegt: 'Ze heette niet Munira, ze heette Nadia. Dat verhaal gaat over mijn zuster Nadia.'

Sirine leunt naar achteren.

'Ze is gestorven aan een gebroken hart, een maand nadat haar man wegging,' zegt Um-Nadia. 'Ze kon het niet aan om te weten wat ze moest weten.'

'Ze had maagkanker,' zegt Mireille tegen Sirine.

'Waardoor denk je dat ze dat kreeg?' vraagt Um-Nadia boos aan Mireille. 'Denk je dat dat gewoon aan kwam waaien in een rookwolk, net als een geest uit een wonderlamp? Haar man bezorgde het haar met zijn heimelijke en leugenachtige gedrag. Het was alsof je met een slang had geleefd, en iedere nacht dat ze met die slang had geslapen, had hij meer slangengif in haar gespoten.'

'Mam.' Mireille wrijft met haar handen over haar gezicht. 'We weten niet eens of het waar is – over dat geheime gezin. We weten niet eens of hij die mensen wel kende. Hij had helemaal geen foto's of brieven of wat dan ook van hen. Voorzover wij weten was die andere vrouw een bedriegster die het geld van zijn levensverzekering wilde innen.'

'Ik weet wat waar is!' Um-Nadia staat op, en schuift haar stoel krassend naar achteren. Een paar haarplukken vallen uit haar knot, haar ogen rood en wijd, de lippenstift in barstjes rond haar lippen. 'Ik weet precies wat waar is. Vertel me niet dat ik dat niet weet. Ik ben je moeder en geloof me, ik wéét het.'

25

Toen tante Camille een erg, erg oude vrouw was en ik een erg, erg jonge jongen, waren we een korte tijd samen op aarde. Ze greep die gelegenheid aan om mij te vertellen over mijn neef Abdelrahman. Ze vertelde me over zijn verdrinkingscarrière, en haar zoektocht naar haar ondeugende zoon, enzovoort, enzovoort.

Heeft ze u dat zelf verteld? Maar bedoelt u dan dat ze waar gebeurd zijn, die verhalen?

Ga je nu filosofisch tegen me doen? Waar, niet waar, echt, niet echt. Wie weet wat wat is?

Maar de mensen – de mensen in die verhalen, hebben die bestaan?

Bekijk het op deze manier: er is waarheid in alles wat leeft en sterft en meer, je kunt het alleen niet altijd meteen herkennen – zoals het onschuldige zaad dat het begin is van de ongeremde mejnoonaboom.

Maar Abdelrahman? Overleefde hij het? Ging hij echt naar Hollywood?

Weet je, het is een kunst om naar een verhaal te luisteren – het vereist gelijke delen stilte en ontvankelijkheid. Ja. Er was een Abdelrahman; hij was je achterneef. Of hij het overleefde? Nou, misschien is hij niet verdronken, misschien ook wel. Uiteindelijk zit er een spoortje van de verdronken Arabier in ieder van ons. Ik weet dat ik persoonlijk veel ervan in me heb.

Dus hij stierf?

Goed, laten we het hebben over de theoretische kant van het verhaal. Aangezien we het over theorie hebben. En aangezien het niet goed is om een verhaal niet af te maken.

Elk jaar aan het einde van het wintertrimester geeft de afdeling Etnomusicologie haar concert. Het is een groot evenement dat zowel Arabische als Amerikaanse studenten, evenals mensen uit de stad aantrekt. De programmasamensteller, Mazen Mahmoud, is een beroemde Libische *oud*-speler, en het programma heeft altijd muziek uit diverse Arabische landen, waaronder Marokko, Libië, Egypte, Palestina en Syrië. Dit jaar, zo vermeldt het programma, is het concert instrumentaal en vocaal, met zowel klassieke als populaire Arabische muziek, dat wordt afgesloten met een dansfeest.

Han en Sirine lopen Aziz en Nathan tegen het lijf in de aula. Dit is de eerste keer dat Sirine en Han hem zien sinds zijn fototentoonstelling, en even gedraagt iedereen zich stijf en onzeker. Dan steekt Han zijn hand uit en Nathan neemt die aan, terwijl hij licht en met waardigheid buigt, maar Sirine kan goed zien dat hij blij en opgelucht is. Nathans haar is strak naar achteren gekamd – er zijn zichtbare strepen van een kam in zijn haar – en hij draagt een ribfluwelen blazer met suède lappen op de ellebogen. Hij ziet eruit als een kleine jongen die er netjes uit moet zien voor zijn schoolfoto. Han verontschuldigt zich voor het incident op de tentoonstelling, maar Nathan zegt ontzet: 'Nee, alsjeblieft, het was allemaal mijn eigen schuld', en slaat onhandig een arm om Han. Aziz draagt wat lijkt op een fluwelen smokingjasje, met een band met kwastjes en bruine suède schoenen. 'Dit ben ik als Engelse dichter,' zegt hij. Dan neemt hij Sirines hand en kust die plechtig voordat ze die weg kan trekken.

'Je weet dat dit een belangrijke uitvoering is,' zegt Nathan streng.

'En aan het einde ervan is er dansen,' voegt Aziz eraan toe, terwijl hij hen het programma laat zien. 'Natuurlijk betekent dat dat we Sirine zullen moeten delen.'

Ze kijkt kwaad naar hem. 'Ik kan niet dansen,' mompelt ze.

'En ik ook niet,' zegt Han, terwijl hij een arm om haar schouders legt. 'Dus zullen wij bij elkaar moeten blijven.'

In de aula kan iedereen gaan zitten waar hij wil en het is er al vol, maar Nathan ontdekt een lege rij. Er is wat onzekerheid over wie er naast wie zal gaan zitten. Ze beginnen de rij stoelen af te lopen en gaan dan twee keer weer terug, om van plaats te wisselen. Sirine wil aan de buitenkant zitten, naast Han, maar uiteindelijk zit ze tussen

Han en Aziz in, met Nathan aan de andere kant van Aziz. 'Als je je bul hebt,' zegt Aziz tegen Nathan, 'dan mag ook jij naast een mooie vrouw zitten.'

Nathan vouwt zijn armen en kijkt een andere kant op, zijn gezicht donker.

Uiteindelijk doven de lichten en gaat het doek op, en op het podium zit een enorm orkest van studenten en docenten. Mazen Mahmoud keert zich naar het publiek, zwaaiend met zijn dirigeerstokje. Het publiek wordt verwachtingsvol stil.

De dirigent beweegt zijn stokje door de lucht en het orkest begint aan het eerste nummer, violen die zaagbewegingen maken, fluiten die worden gekanteld, drie mannen die hun handen en vingers over hun trommels laten golven; het is een en al drama en intensiteit. Er zijn diverse instrumenten die Sirine nooit eerder heeft gezien – Han fluistert hun namen – de *kanoon, rebab, oud*. Sirine verbaast zich erover dat zulke jonge studenten al zo goed kunnen spelen op deze ongewone instrumenten. Ze drukt haar schouder tegen die van Han, en leunt naar hem toe, om maar zo ver mogelijk uit de buurt van Aziz' arm en knie te blijven. Ze is zich microscopisch bewust van zowel het lichaam van Aziz als dat van Han, de nabijheid van hun huid, het rechtop staan van haar op de ene arm, de onzichtbare aanraking van een knokkel of een stukje dij.

Maar naarmate de avond vordert, verplaatst haar aandacht zich van haarzelf naar de muziek. De liederen zijn gecompliceerd en ritmisch en ze resoneren bij Sirine tot diep in haar bewustzijn. Ze realiseert zich dat sommige van de liederen door haar vader werden gedraaid op zijn platenspeler, de stereoarm op en neer bewegend met de golven in de platen, haar vader die de muziek meezong terwijl de klanken stegen en daalden. En ook al verstond ze de woorden niet, toch begreep ze intuïtief dat de muziek emotioneel en opwindend was. Het enige waar haar oom naar luisterde waren Italiaanse opera's, wat eigenlijk niet eens zo verschillend was, nu ze erover nadenkt. Ze zit naar voren tijdens het luisteren, geboeid door de uitvoering, terwijl de energie van het geluid de lucht vult en de houten vloerplanken en haar botten laat vibreren.

Bij de aanvang van het tweede deel van het programma schiet een jonge man het podium op, en ontvangt een donderend applaus. De dirigent introduceert hem als een beroemde zanger van *maqaams* – een traditionele Iraakse zangstijl. Han leunt naar voren en fluistert:

'Ik ken zijn werk – hij komt uit Bagdad.' De zanger vouwt zijn handen voor zich, tilt zijn kin op, de muzikanten wachten, en dan stijgt zijn lied op uit hem en hangt glinsterend boven het publiek, iriserend en verlangend. De topaaskleurige, halfgesloten ogen van de zanger lijken te zweven door een onuitsprekelijke emotie. Het lied dringt bij Sirine naar binnen, en vervaagt de gevoelens in haarzelf.

Terwijl de liederen elkaar opvolgen, lijken die ook iets met Aziz en Nathan te doen. Aziz' knie verplaatst zich een beetje en stoot tegen die van Sirine; ze verschuift allebei haar knieën in Han's richting. Dan lijkt er wat gemopper te zijn tussen Aziz en Nathan, waarbij hun armen en schouders omhooggaan en ze heen en weer schuiven op hun stoelen. Op een rustig moment tussen de liederen in sist Nathan: 'Sorry!' Iemand in de rij achter hen zegt dat ze stil moeten zijn.

Als het tijd is voor het laatste lied, stapt de zanger naar de voorkant van het podium. Hij heft zijn handen alsof hij ze om een kaars buigt en zijn stem stijgt, sprankelend, trillend, alsof er meer dan één stem in hem is, alsof die afkomstig is uit de aarde of hemel en alleen maar door hem heen beweegt, zijn lichaam een vlam die warmte en licht geeft. Het lied is in het Arabisch, maar Sirine sluit haar ogen en laat zich naar een plaats voeren waar de hemel transparant is, de bomen takken hebben als zwarte beenderen en een gewelf van puntige bladeren. En in de loop van het lied gaat haar verbeelding werken: ze ziet kleuren en vormen, verbeeldt zich donkere gestaltes die te voorschijn komen vanuit een bocht, hun gezichten verduisterd, gouden lantaarns die aan stokken hangen, vuurvliegjes die over de aarde wervelen.

Als het lied is afgelopen klapt ze hard, ontroerd en voldaan. Maar net als ze zich wil omdraaien om haar jasje en tas te pakken, keert de dirigent terug naar de microfoon en zegt: 'En nu kunt u zich naar de dansvloer begeven!'

De drie mannen op *dumbeks* – met de hand bespeelde trommels – beginnen te roffelen, de violisten bewegen tegelijk hun strijkstokken, en de muziek wordt sneller. Nu klinkt de zanger vrolijk, bijna Amerikaans. Meteen zijn er mensen uit het publiek op de dansvloer, hun handen en armen draaiend boven hun hoofden, heupen naar voren en naar achteren kantelend. Een vrouw zwaait een witte zakdoek boven haar hoofd.

'Dit is fantastisch!' zegt Aziz. 'We moeten erheen. Kom op, Han; als jij niet met Sirine danst, dan eis ik haar op voor mezelf.'

'Waarom laat je haar niet met rust?' zegt Nathan.

Een van Han's studenten buigt zich naar voren over hun rij en onderbreekt hen: 'Professor, ziet u wel? Het is rock-'n-*rai*-muziek.' Han lacht en wendt zich naar hem toe.

'Aha,' zegt Aziz tegen Nathan. 'Dus ze heeft jou ook al betoverd, ik had het kunnen weten.'

'Wat mankeer jij,' zegt Nathan. 'Heb je dan nergens respect voor?'

'Waarom heb je het nu ineens over respect? Ga nu niet ineens vroom tegen mij doen, beste vriend. Ik geloof dat jij degene bent die is gespecialiseerd in heimelijke fotografie.'

Nathans gezicht wordt hard. 'Je weet helemaal niets van mij.'

'Hoezo? Welke geheime dossiers heb je over mij geopend?' vraagt Aziz. 'De laatste tijd nog lekkere gore foto's genomen?'

Han mengt zich meteen weer in het gesprek. 'Wat is dit allemaal?' vraagt hij.

Sirine draait zich snel naar hem toe, blokkeert zijn zicht op de twee mannen en grijpt zijn armen. 'Ze gedragen zich idioot. Kom, wil je dansen?'

Maar zodra ze op de vloer staan, betreurt ze het al. De lampen zijn heet en het publiek dringt zich aan alle kanten aan hen op. Ze probeert net als de andere vrouwen om met haar handen boven haar hoofd te wapperen, maar voelt zich opgelaten en houterig. Han glimlacht en klapt met de andere mannen mee; hij draait om haar heen en kijkt niet een andere kant op. Ze probeert hem te volgen, door naar zijn voeten en zijn ogen te kijken. Na een poosje begint ze zich wat losser te voelen, haar lichaam zachter; ze begint te denken dat ze een beetje kan dansen. Het voelt een beetje aan als de bewegingen in haar keuken, de vloeiende bewegingen van het grote fornuis naar de spoelbak naar de bar, waarbij ze Victor ontwijkt en borden doorgeeft aan Mireille. Ze glimlacht en voelt hoe haar angsten minder beginnen te worden. Mannen en vrouwen bewegen zich om hen heen in paren, en ze ziet dat dit de manier is waarop de wereld werkt – in hechte relaties – iets wat ze nooit eerder echt heeft proberen te bereiken, maar nu is het als vanzelf op haar weg gekomen. Een herinnering komt van ver weg in haar op – ze zit aan een verweerde picknicktafel samen met haar oom, en kijkt hoe haar ouders dansen op het gras. Haar moeders haar en wijde rok die opbolt rond haar knieen, en haar vader die een paar stappen naar achteren doet – net zoals Han nu – toekijkend en bewonderend.

Ze sluit haar ogen en weet dat ze Han niets zal vertellen over haar nacht met Aziz, omdat er gewoon niets is gebeurd. Het is over en uit. Het was een dwaasheid, een laatste uitspatting – vóór Han heeft ze niets anders dan alleen korte, losse relaties gehad. Nu, vertelt ze tegen zichzelf, zal ze een nieuwe manier leren om van iemand te houden. Ze denkt: alles komt in orde.

Maar als ze haar ogen weer opent, komt er vlak achter Han's linkerschouder een gesluierde gestalte dichterbij.

'Hallo, Sirine,' roept Rana uit. 'Dag, professor! Ik had nooit gedacht dat jullie hier zouden zijn. Mag ik aftikken?'

Sirine voelt hoe een dun laagje zweet ijskoud wordt aan de binnenkant van haar onderarmen en langs haar ruggengraat. Han glimlacht, houdt zijn hoofd schuin en kijkt naar Sirine alsof hij wil zeggen: nou, veel keus hebben we niet, hè?

Sirine slikt en stapt naar achteren; ze botst tegen een paar dansers op en stopt om zich te verontschuldigen. Als ze omkijkt, zijn Han en Rana verder in de dansende menigte verdwenen, maar ze wil niet teruggaan naar Nathan en Aziz. Ze loopt de dansvloer af en kijkt vanaf de zijkant toe hoe Rana Han's handen grijpt, haar vingers met die van hem vervlecht, haar rug buigt en met haar heupen draait. Haar sluier zwaait rond haar schouders en Sirine merkt op, als Rana haar hoofd draait, dat die een geborduurde rode rand heeft.

Meer dansers verdringen zich op de dansvloer en het wordt moeilijker om hen te zien. Sirine knijpt haar ogen samen en houdt haar hoofd lager, tussen armen en schouders door turend. Een zwartzijden doek, geborduurd met rode bessen. Haar adem gaat sneller. Ze fronst, omdat ze niet zeker weet hoe haar doek er precies uitzag. Ze kijkt van de ene kant naar de andere, en loopt terug op de dansvloer.

Ze glipt tussen dansers door, hoofd omlaag, haastig, alsof ze naar iemand toe moet. Ze vangt glimpen van de hoofddoek op tussen de bewegende lichamen door, verliest hem uit het oog, ziet hem dan weer. Ze draait zich om en denkt dat ze Nathan en Aziz de dansvloer op ziet komen. Ze komt dichterbij, houdt Rana's hoofd tussen haar gezicht en dat van Han, totdat ze bijna recht achter Rana staat, waarbij ze duidelijk ziet dat het haar hoofddoek is, de doek die ze dacht te hebben verloren, gedrapeerd over het hoofd van de jonge vrouw. Rana pronkend met de mooie geborduurde zijde zodat iedereen het kan zien.

En voordat ze zelfs maar kan bedenken wat ze zou moeten doen of wat ze zou kunnen zeggen, strekt Sirine zich uit – op dat moment ziet Han haar, zijn gezicht glimmend van het zweet, een grote lach – en rukt ze de doek van Rana's hoofd.

Rana draait zich snel om en haar onbedekte haar waaiert uit, valt over haar schouders. En Sirine realiseert zich binnen een seconde die eindeloos lijkt te duren, dat dit helemaal haar zijden sjaal niet is, dat deze stijf en stug is, van goedkoop katoen, de sierlijk geborduurde bessen gewoon een lelijke erop gedrukte rand. Ze staart ernaar. En laat dan de doek op de grond vallen.

En ze draait zich om en rent weg.

Ze rent een van de zijdeuren uit, waarbij de zware metalen stang onder haar handen wegglipt, en ze stopt pas als ze buiten in een smalle steeg is, een naargeestige plek met vochtige stenen muren en betonnen plaveisel. Ze kan de muziek en het dansen door de muren van het gebouw horen dreunen, echoënd in de steeg. Ademloos leunt ze tegen de stenen muur, wrijft met haar handpalmen tegen de ruwe baksteen. Iemand die langs zou lopen zou denken dat ze aan het bidden is. Ze voelt haar hart in haar keel bonken. Ze ruikt dieselolie en modder en natte boomschors. De nevelige regen kruipt in haar haar, maakt het kroezig rond haar hoofd. 'O god,' zegt ze telkens opnieuw. 'O god, o god, o god, o mijn god.'

Ze hoort een klik en bevriest dan. Ze hoopt dat degene die daar is, haar niet zal zien. Misschien denken ze dat daar een gestoorde vrouw staat, of een zwerver, en zullen ze gewoon doorlopen. Ze hoort voetstappen dichterbij komen en houdt haar adem in.

'Ik ben weggeglipt bij Han,' zegt Rana. 'Hij weet niet waar we zijn.'

Sirine reageert niet. Ze sluit haar ogen.

'Je hebt het bij het verkeerde eind over mij,' zegt ze. 'Ik ben niet geïnteresseerd in hem. Als het daar soms over gaat.'

Sirine drukt haar hoofd harder tegen de muur, drukt haar handpalmen tegen de stenen, zodat ze de kou helemaal tot in haar polsen kan voelen. 'Ik geloof je niet,' zegt ze. Maar dan kijkt ze naar Rana. 'Ik heb jullie tweeën op een avond zien zoenen.'

'Nee, dat heb je niet,' zegt Rana als vanzelfsprekend. 'Nee, dat heb je niet.'

'Ik ben jullie gevolgd.'

Ze haalt haar schouders op. 'Dat maakt niet uit. Ik ben trouwens getrouwd.'

Sirine laat haar handen vallen. 'Jij bent getrouwd?'

'Ik ben getrouwd op mijn dertiende. Mijn ouders hadden dat gearrangeerd, en mijn moeder is Amerikaanse. Ze hebben me uitgehuwelijkt aan mijn rijke achterneef Fareed. Ze dachten dat hij het wilde in mijn karakter wel zou kunnen intomen.'

Sirine draait zich opzij tegen de muur om haar aan te kijken. 'O ja? Toen je dertien was?'

Rana leunt ook tegen de muur. 'Ja. Hij was industrieel ingenieur, eenentwintig jaar oud. Hij werkte in de olievelden in Saudi-Arabië. Hij was telkens een halfjaar weg, soms langer. Fareed was een complete controlefreak. Hij liet een cameraobservatiesysteem aanleggen in een gesloten circuit, tot in de badkamer aan toe, zodat hij me zelfs als hij weg was nog in de gaten kon houden.'

'Dat meen je niet.'

'O.' Ze zwaait een hand naar Sirine. 'Dat was nog maar het begin. Hij liet ijzeren hekken om het huis plaatsen en ijzeren tralies voor de ramen – zodat niemand naar binnen kon klimmen, zei hij. Maar natuurlijk kon ik ook niet naar buiten. Er was een slot op de telefoon. Bedienden moesten me eten brengen door de borden onder de tralies door naar binnen te schuiven. Hij vertrouwde niemand de sleutel toe; alleen hij had die.'

'Wat afschuwelijk.' Sirine voelt zich een idioot. Ze kijkt naar de sluier in Rana's hand en wenst dat ze gewoon kon verdwijnen.

Rana gebaart naar een betonnen trapje en ze gaan er naast elkaar op zitten. 'Wil je dit allemaal wel horen?' vraagt ze sceptisch. Sirine knikt. 'Ik vertel het liever niet tegen mijn Amerikaanse vriendinnen, dat versterkt alleen maar de gebruikelijke stereotypen – je weet wel, de sjeik met de twintig maagden, al dat soort dingen.'

'Maak je geen zorgen, dat zal ik niet doen,' zegt Sirine.

'Nou, ik zal je de korte versie geven.' Rana vouwt haar armen over haar borst. 'De hele geschiedenis was één grote ellende, van het begin tot het einde. Maar een goede kant van opgesloten zitten was dat het me veel tijd gaf om na te denken. Dus ik maakte een plan. Fareed kwam maar een of twee keer per jaar voor een paar dagen naar huis. Hij nam dan zijn ingenieursvrienden uit de olievelden mee en ontving ze gastvrij. Hij maakte dan de hekken open en haalde de tralies van de ramen, zodat ze niet in de gaten hadden wat hij deed. De bedienden kookten en ze aten en dronken en vielen laveloos neer op de vloer van de zitkamer. Allemaal, behalve Fareed. Die dronk nooit. Hij nam mij dan mee naar de slaapkamer en verlangde dat ik mijn echtelijke plichten zou vervullen, zoals hij dat noemde. Zo grof. Ik haatte het. Maar met de jaren werd ik slimmer. Op een dag wachtte ik tot hij thuiskwam en vertelde hem toen dat ik deze keer zelf voor hem wilde koken. Hij was in de wolken en dacht dat ik eindelijk om hem begon te geven, "als een echte vrouw", zei hij. Ik maakte een lamsschotel voor hem met rijst en deed er veel arak in.'

'De likeur? Die is erg sterk. Proefde hij dat dan niet?'

Ze haalt haar schouders op. 'Ik zei hem gewoon dat ik voor het eerst kookte en ik denk dat hij me zijn goedkeuring wilde tonen. Hij at alles op en werd er dronken van, en toen deed ik het ook in zijn koffie. Het was een speciaal soort arak dat hij bewaarde voor zijn vrienden. Er zou het gif van een bepaalde slang in zitten waardoor het nog sterker werd of zo. En het zou een man ook sterker maken – als je begrijpt wat ik bedoel. Dat soort onzin. Ik schonk het in zijn ijs en in zijn thee – in alles wat ik maar kon bedenken,' zegt ze lachend. 'Toen gaf ik hem een glas met pure arak en vertelde dat het bronwater uit Frankrijk was. Hij had er nog maar nauwelijks van gedronken toen hij al helemaal van de wereld was. Zijn vrienden hadden zitten drinken en lagen uitgevloerd in de voorkamers en in de hal, dus besloot ik om uit het badkamerraam naar buiten te kruipen, het enige raam dat groot genoeg was om erdoorheen te kunnen. Ik was toen vijftieneneenhalf. Ik wist dat als ik nog een jaar zou wachten, ik daar niet meer doorheen zou kunnen.'

'Mijn god.'

'Maar het lukte me.' Haar ogen en haar lijken van email in het donker. 'Ik ontsnapte en hij ging me niet zoeken. Geneerde zich te veel, denk ik. Ik ben nu nog alleen in mannen geïnteresseerd om het spel. Ik slaap met een man gewoon omdat ik daar zin in heb, en daarna zie ik hem nooit meer. Bijvoorbeeld met mijn poëziedocent.'

'Jij en Aziz!'

Ze haalt een beetje haar schouders op. 'Hij valt wel mee. Als je eenmaal aan hem gewend bent.'

Sirine zit met haar ellebogen op haar knieën en staart naar Rana's hoofddoek. Ze schudt haar hoofd. 'Wauw.'

'Hoewel ik niet zeker weet of je hem kunt beschouwen als een goede tegenspeler. Sommige mannen zijn te gemakkelijk. Ik hou van een uitdaging.'

'Natuurlijk,' zegt Sirine. Ze wil lachen, maar in plaats daarvan kijkt ze recht omhoog en laat de motregen op haar gezicht en ogen vallen.

Ze blijven zo nog even zitten, maar de tree wordt koud en nat. 'Nou,' zegt Rana.

Ze staan op, dan denkt Sirine even na en zegt: 'Maar na dat alles – nou, waarom draag je dan nog steeds...' Sirine kijkt naar de omslagdoek die Rana gekreukeld in een hand houdt.

'Dit?' Ze schudt de doek uit en drapeert hem over haar hoofd. 'Dit doet me eraan denken dat ik aan mezelf toebehoor. En aan God. Ik heb nog steeds mijn geloof, zie je.' Ze glimlacht. 'Mijn vader wil dat ik ga scheiden, maar ik heb ontdekt dat het handig is om een ontbrekende echtgenoot te hebben.'

'Het spijt me,' zegt Sirine. 'Ik bedoel – je weet wel – van daarnet.'

Rana houdt haar hoofd schuin; haar lippen zien er vol en donker als bramen uit. Ze raakt Sirines gezicht aan met haar vingertoppen. 'Eigenlijk spijt het mij nogal voor jou,' zegt ze. 'Dat je probeert om met iemand als Han samen te zijn.'

'Wat bedoel je?'

Rana's ogen zijn omlaag gericht, glinsterend. Ze lijkt iets te overwegen. Ze bindt de omslagdoek onder haar kin vast en slierten haar ontsnappen daarbij. Ze begint aan de bovenkant van de haarlijn en laat haar vingers nauwkeurig langs de randen van de omslagdoek gaan, totdat ieder stukje haar is weggestopt. Dan zegt ze tegen Sirine: 'Ik denk dat je dat beter aan hemzelf kunt vragen.'

Rana biedt aan om haar met de auto naar huis te brengen, maar Sirine gaat liever lopen. Ze wil het langzame ritme van haar eigen beweging. Auto's zoeven langs haar heen op de boulevard en een glanzende maanachtige reflectie valt op de straat. Ze passeert onverlichte hoeken en zijstraten en een paar auto's lijken langzamer te gaan rijden, naast haar, maar niemand valt haar lastig. Als ze een uur later thuiskomt, heeft de motregen haar kleren doorweekt en rilt ze.

Die avond belt zowel Nathan, Aziz als Han naar het huis van haar oom om Sirine te spreken. Iedere keer komt haar oom naar haar gesloten slaapkamerdeur waar hij alleen maar staat te zuchten als ze weer zegt: 'Ik ben niet thuis.' Sirine blijft opgerold in bed liggen met het dekbed om haar heen gewikkeld. Ze is helemaal niet het type om een scène te maken. Die ervaring maakt dat ze zich nu vreselijk geneert en zich uitgeput voelt, waardoor ze het gevoel heeft dat ze eerst heel lang moet slapen voordat ze met iemand kan praten.

Diep in de nacht denkt Sirine dat ze regenvlagen tegen de muur hoort. Ze draait zich versuft om. Ze droomt dat ze naar haar raam gaat en dat Han buiten onder de lange, verwarde slierten van de palmbomen staat en haar roept. Ze geeft hem geen antwoord omdat, als ze iets zegt, ze hem over Aziz zal vertellen. Ze opent haar mond, maar er komt geen geluid uit. Haar ruggengraat is stijf en koud, haar nek gespannen. De palmbladeren wapperen in de wind, de slierten bewegen heen en weer. In de droom vraagt ze hem, als Rana het dan niet is, wie dan wel?

Babar kreunt en drukt zich tegen haar aan. De foto in haar nachtkastje fluistert in haar oor.

26

Nadat de oren van Abdelrahman vol zaten met de verhalen van Crazyman al-Rashid en hij de zeemeerminnengevangenis uit was gegooid, nam hij een kameel, een boot, een jeep en een bus, en kwam zo langzaam maar zeker in Hal'Awud. Toen hij eenmaal in Amerika was, hoorde hij hoe er over de stad Hollywood, of Hal'Awud, werd gesproken als een soort Babylon, en hij besefte zodra hij daar aankwam, dat die plaats inderdaad op de een of andere manier oud en vervloekt was. Hij hoorde de stroom talen en stemmen op straat omhoog golven als warme lucht boven een file. Er waren overal monumenten en beeldhouwwerken en symbolen, de naam van de stad in grote en vreselijke letters geschreven op de zijkant van de heuvel als een Soemerische ziggoerat in Mesopotamië. Hij zag de sterren in hun bontjassen, de verslaggevers met hun flitslampen, en Graumans Chinese Theater. Daar zag hij ook zijn allereerste films. En al die kleuren, die torens, die lichtflitsen en geluid brachten hem ertoe te geloven dat hij de verboden Mahram Bilqis – de Maantempel uit de tijd van de koningin van Sheba – had ontdekt. In zekere zin had hij dat ook – al is het moeilijk om daar nu op die manier aan te denken. Dat arme Hollywood met zijn vieze trottoirs, waar je over sterren heen loopt en dat niet eens in de gaten hebt, totdat je per ongeluk je kauwgomverpakking laat vallen en je bukt, om dan te zien dat je op Robert Mitchum staat of, nog erger, op iemand waar je nog nooit van hebt gehoord, iemand met een naam als Martha Gastower... In vervlogen jaren was de buurt mooi en duivels als een vrouw in een gele jurk. Maar ondanks alles wat hij had gezien en gedaan, was Abdelrahman in zijn hart toch nog steeds een bedoeïense pummel.

Toch weten bedoeïense pummels absoluut veel van bepaalde dingen; zo weten ze dat oases iets maanachtigs en eeuwigs hebben – ook al zijn er nog zo veel mensen mee aan het rotzooien. Abdelrahman herkende de manier waarop de wind over de Stille Oceaan speelde, net zoals hij dat deed bij zijn Rode Zee, en hij herkende de helende, scherpe geur van de woestijn terwijl hij door de straten van de stad liep. En na niet meer dan een enkele blik op de maantempel van de sterren – ook bekend als het Chinese Theater – werd hij bijna gek. Want de schoonheid van de koningin van Sheba en haar dienaressen was befaamd genoeg om iemand gek te maken. Hij stond in de hal van het theater, te bang voor de flitslichten om gewoon te gaan zitten in de aanwezigheid van de goden. Hij keek naar de film door een kier in een zijdeur en daar werd hij aangestoken door het acteervirus.

Ermee besmet.

Ja, ermee besmet. Hij wist niet wie die mooie mensen op het glanzende doek waren, wat ze wilden en hoe ze daar waren gekomen. Hij wist alleen dat hij bij hen wilde zijn.

De volgende dag gaat Sirine weer naar haar werk. Ze roert tabouli en laat kardemomzaadjes in kleine kopjes zwarte Arabische koffie vallen, zoals ze al duizend keer eerder heeft gedaan. En ze bidt dat niemand heeft gezien hoe ze gisteravond tijdens het concert Rana's hoofddoek heeft afgerukt. De studenten komen binnen en ook al zegt niemand iets, toch heeft ze het gevoel alsof ze allemaal steelse blikken op haar werpen.

Ze zet haar voeten stevig neer voor de grote gietijzeren branders. De kookplaten zien eruit als kwaadaardige, zwarte tanden. Ze beweegt de koekenpannen over de vlammen, schudt ze met één hand met haar sterke onderarmen, zodat de uienringen sissend worden omgedraaid. Langzaam begint ze helemaal op te gaan in het ritme van het werk, het koken van rijst, het grillen van kebabs, het drinken van koffie, de vlam die onder een geblakerde pan lekt. Ze werkt totdat haar geest rustig en ongestoord is en er alleen nog haar handen en zes grote blauwe ringen van vlammen zijn. En ze begint zich haar droom weer te herinneren, maar het enige wat ze er nog van weet is het geluid van regen tegen het raam – hoewel het vannacht zo te zien niet geregend heeft.

De hoek waarmee het licht door het raam naar binnen valt verandert; de tijd neemt een vreemde, vormloze gestalte aan in de keuken. Sirine is zich niet bewust van de klanten om haar heen, het gezoem van de gesprekken, de tv, de vorken en messen die kletteren op de borden, de zilverkleurige afzuigkap die boven de grill loeit. De drukte van de lunchtijd wordt minder. En Han komt niet. Sirine werkt al een paar uur achter elkaar als een hand haar schouder aanraakt en een mannenstem rustig zegt: 'Chef?'

Ze draait zich om. Victor Hernandez' witte koksjas is dichtgeknoopt tot zijn hals, zijn legerschoenen half dicht geveterd. Hij kijkt aarzelend omlaag. 'Sorry dat ik stoor. Het is alleen dat... het is alleen...'

'Het is goed, Victor.' Ze draait zich half weg van een kom met peterselie, citroen en tomaten. 'Wat is er?'

'Nou, je vriend,' zegt hij. Sirine houdt op met roeren, en draait zich naar hem toe om hem aan te kijken. Zijn lange, smalle aztekenogen. 'Han? Die kwam hier gisteravond,' zegt hij.

'Han? Was die hier?' Ze wijst naar de grond.

'Hij heeft iets voor je achtergelaten – in de keuken. Ik was nog laat aan het werk, het was rond halftwee, twee uur. Zelfs Cristobal was al weg. Ik hoorde geluiden bij de achterdeur. Ik schrok ervan. Ik ging erheen om te kijken wat daar was, en daar zat Han op het trapje.'

Sirine strijkt de voorkant van haar jasje glad, terwijl ze hierover nadenkt. 'Heb je met hem gesproken?'

Victor knikt. 'Ik dacht dat hij gedronken had. Zijn ogen zagen er wat rood uit en zijn huid glom. Hoewel ik daar nu eigenlijk niet meer zeker van ben. Hij zag er echt droevig uit. Ik ging bij hem zitten en hij zei dat hij erover dacht om terug te gaan naar Irak.'

Ze wordt zich ervan bewust dat haar hart tekeergaat. 'Zei hij dat?'

'Ik kan me wel een beetje voorstellen hoe hij zich voelt. Ik bedoel, ik ben hier toch geboren en zo, maar soms zou ik gewoon weg willen naar een land als Mexico.' Hij kijkt even naar Sirine op een vriendelijke, beschouwende manier. 'Maar goed, hij bleef maar praten. Hij zei dat er hier in Amerika niets voor hem was. Hij vroeg me of ik ook wel eens het gevoel had alsof het allemaal één grote waardeloze droom was.'

Sirine drukt haar vingers tegen haar mond. Een zweem van knoflook en Spaanse pepers. 'Wat zei jij toen?'

'Ik zei, welnee, man! Ik zei, Amerika is absoluut geen droom.

Maar toch denk ik dat hij nog steeds dat idee in zijn hoofd heeft. Ik bedoel, over teruggaan. Ik heb dat vaak meegemaakt, weet je – mijn vrienden, die hebben dat ook soms, ze gaan tot, nou ja, een bepaald punt.' Victor kijkt om zich heen, alsof hij controleert of er spionnen zijn. 'Maar, chef? Je moet ervoor zorgen dat hij dat niet doet.'

Ze voelt hoe haar hart bonkt. Ze bestudeert zijn gezicht, de bronzen, vlakke zijkanten van zijn jukbeenderen.

'Weet je, hij vertelde me over hoe het is waar hij vandaan komt, over de *guardia* die ze daar hebben, en hun waanzinnige dictator, en dat deed me ergens aan denken. En toen schoot het me te binnen dat het Cristobal was. Je weet dat Cristobal uit El Salvador komt?'

'Nee, dat wist ik niet.'

'Ze hebben zijn hele familie met brandbommen beschoten. De guardia. Allemaal dood. Het waren gewoon kleine boeren die ergens ver weg op het platteland woonden. Hij wist te ontkomen, ik weet niet eens hoe. Je zou de littekens op zijn benen eens moeten zien.'

Ze sluit haar ogen.

'Chef, luister, ik zeg het je, je kunt Han niet terug laten gaan. Ze vermoorden hem gegarandeerd. Zulke landen, mensen zoals Han zijn de eersten die eraan gaan. Ze vallen te veel op, mensen gaan op hen letten en beginnen te praten. Zo gaat dat altijd.' Hij begint een stapel borden op te pakken, maar zet die dan weer neer. 'Weet je wat hij me nog meer verteld heeft? Hij zei dat ze denken dat het woord "olé" komt van het woord "Allah". Het stamt uit de tijd toen de Arabieren naar Spanje kwamen, wat een eeuwigheid geleden is. Ik zat te denken dat het nog wel eens waar kon zijn ook – bij de stierengevechten roepen ze altijd "olé!" als ze de stier doodsteken, ik heb dat zelf meegemaakt, en weet je, ik denk dat hij nog wel eens gelijk kon hebben ook.'

Als Victor weg is, gaat Sirine naar de achterkeuken. Han's cadeau staat daar in een vaas op de tafel – een boeket fluweelrode rozen.

De vrouw op het secretariaat van Nabije Oosten Studies heeft geen idee waar Han zou kunnen zijn, maar dan komt een slank meisje een kantoor uit met een arm vol papieren. 'Ben je op zoek naar Han? Ik geloof dat hij naar het gastcollege van vanmiddag is.'

Sirine krijgt aanwijzingen waar dat wordt gegeven. Het is maar een verdieping lager en het blijkt in dezelfde ruimte te zijn als waar Aziz zijn voordracht gaf aan het begin van het trimester. Alleen zijn

de openslaande deuren nu gesloten en ziet het tapijt er dof en gra-
nietkleurig uit. Ze kan de stem van de spreker al in de gang horen
als ze dichterbij komt; het geluid is aangenaam, gedempt maar ook
statisch. Alle klapstoelen zijn neergezet, maar er zijn niet veel toe-
hoorders. Han en Nathan zitten naast elkaar op de laatste rij. Han
houdt zijn hoofd een beetje schuin, alsof hij in de kerk zit.

De stem van de spreker verheft zich, en ze stopt in de deuropening
om te luisteren. De man zegt:

'Volgens Unicef sterven er ieder jaar vijftigduizend Iraakse volwassenen als gevolg van de Amerikaanse sancties, en sterven er iedere máánd vijfduizend kinderen in Irak door het Amerikaanse embargo op voedsel en medicijnen. De sancties ontzeggen mensen de
toegang tot primaire gezondheidszorg, schoon water en elektriciteit
– ze vormen een systematische schending van de Conventie van Ge-
nève, die het uithongeren van burgers als een methode van oorlog-
voering verbiedt. In de afgelopen paar jaar zijn tienduizenden mensen Irak ontvlucht – velen van hen zijn vakbekwame mensen, die
probeerden te ontsnappen aan de vreselijke economische en politieke situatie.' De spreker kijkt op van zijn aantekeningen en zucht. Hij
laat zijn blik over het publiek gaan en zegt: 'Als er vijfentwintig mensen omkomen bij een vliegtuigongeluk in de vs, dan komt dat volop
in het nieuws. Maar vijfduizend Iraakse kinderen? Of honderd politieke dissidenten? Zelfs al zou heel Irak zich in ieder opzicht verkeerd en agressief hebben gedragen sinds de dag dat Amerika aan
hen wapens begon te leveren, hoe is het dan mogelijk dat de dood
van vijfduizend kinderen per maand niet in ons geheugen staat ge-
grift?'

Ze hoort een gemompel: Nathan fluistert iets tegen Han; die
draait zijn hoofd om en ziet haar in de deuropening staan.

Han fluistert iets tegen Nathan en glipt dan uit zijn stoel. Achter
Han draait Nathan zich om en zwaait naar haar. Het is een vreemd
gebaar – meer een teken dan een zwaai – zijn vingers uitgespreid
alsof hij haar waarschuwt, zijn uitdrukking smekend. Ze fronst en
houdt haar hoofd schuin, maar dan komt Han naar haar toe. Zijn gezicht ziet er hol en mat uit, met blauwe schaduwen onder zijn ogen.
Als hij bij haar staat, buigt hij zich dicht naar haar toe en mompelt:
'Sirine, ik wilde al – kunnen we ergens heen gaan?' Hij steekt zijn
hand uit en ze pakt die.

De stem van de spreker wordt luider en Han draait zich even om, om nog even naar hem te luisteren. 'Laat ik u allemaal iets vertellen,' zegt de man, zijn stem vol emotie. 'Laat ik u dit vertellen. Amerika kan niet zomaar door blijven gaan met het plunderen van de natuurlijke hulpbronnen en economie van andere landen, met zijn eigen wensen en waarden, zijn minachting en hebzucht op de rug van anderen laden, zonder te verwachten dat dit consequenties zal hebben. Laat ik u dit vertellen: er zullen altijd consequenties zijn. Ik weet niet waar of hoe. Maar als alles zo blijft doorgaan, dan zullen er zeker consequenties zijn. We leven niet in een vacuüm. We zijn niet de enige natie in de wereld. We doen al heel lang vreselijke dingen tegenover landen als Irak. Dingen waarvan Amerikanen denken dat ze daar niets over hoeven te weten. Je mag dan een leven van aangename onverschilligheid willen leiden tegenover de rest van de wereld, maar begrijp dat zolang je hier leeft, er moorddadige dingen worden gedaan uit jouw naam. We hebben een morele verplichting – een verbond – om te leven als medeburgers van de wereld. We hebben dat verbond verbroken door onze onverschilligheid tegenover anderen. En op een dag zal er iets vreselijks met óns gebeuren.'

Het huis van haar oom is stil om vier uur in de middag. Het late zonlicht verbleekt de bakstenen muren en vervaagt de rode pannendaken van de huizen om hen heen tot tonen van perzik en koraal. Vandaag is het de kortste dag van het jaar, de wind is licht en grijs als een zucht, en het lijkt alsof de wereld in een lange slaap aan het vallen is. Sirine laat Han naar binnen via de voordeur en ze voelt zich gedesoriënteerd alsof ze vijf jaar oud is en ze voor de eerste keer met alles wordt geconfronteerd: de geur van de wollen en zijden vloerkleden van haar oom, het muffe meubilair met schroeivlekken van sigaretten, de oude olieverfschilderijen van mooie vrouwen in dunne jurken, van zeekapiteins en van mannen met een monocle; de lucht van ontelbare in leer of linnen gebonden boeken en pockets die de planken bedekken, en de sporen van eindeloze potten koffie met kardemom.

Maar ze gaan niet rechtsaf naar de bibliotheek van haar oom, of linksaf naar de verlaten zitkamer, of naar haar slaapkamer boven. In plaats daarvan neemt ze hem mee naar achteren, naar de keuken, waar ze hem laat zitten aan de ronde gespikkelde witte tafel. Ze gaat tegenover hem zitten, slaat haar handen over elkaar, haalt diep adem en zegt: 'Han, het spijt me. Het spijt me dat ik je hoofddoek heb verloren en het spijt me dat ik een scène heb gemaakt op de dansvloer en het spijt me – o, het spijt me van alles.'

Zijn gezicht ziet er papierachtig en leeg uit, zijn ogen bloeddoorlopen, bijna verbrand. Sirine heeft het gevoel alsof al het bloed ook uit haar gezicht is weggetrokken, en een ijl gezoem vult haar oren. 'Waarom, waar moet jij spijt van hebben?' vraagt hij, terwijl hij naar haar tuurt. Dan verschijnt er een kleur op zijn wangen, een kleur dieprood als bietensap, rode driehoeken die zijn wangen bedekken, en plotseling worden zijn ogen groot, begint hij zacht te lachen en zegt: 'Sirine, mijn enige ware liefde.'

Ze blijven een poosje aan de tafel zitten, zonder iets te zeggen. Sirine voelt een mengeling van bezorgdheid en ontspanning. Ze wil alles weer zoals het was, maar toch is alles niet goed. Het maakt haar bang om zo met hem te zitten, zonder iets te zeggen en zonder elkaar aan te kijken. Dus uiteindelijk gaat ze staan en begint ze keukenkastjes open te trekken, op zoek naar rijst, uien en knoflook. Terwijl Han daar zo zit en in zijn eigen verte staart, verzamelt ze alles voor een maaltijd: stukken lam die ze zo boven de gasvlam grilt, glanzende vleespennen met ui, tomaat, courgette, een vleugje lavendel in de olie. Er staat een zak frekeh in een van de keukenkastjes en ze overweegt dit even, maar sluit dan het deurtje. Het aroma van knoflook, gegrild lamsvlees en open velden vult de keuken. Ze brengt het eten naar de tafel op een grote schaal, samen met rijst, gekookt met saffraan en geroosterde pijnboompitten. Ze probeert er ook zelf wat van te eten, maar het vlees is smakeloos; ze kan het nauwelijks doorslikken. Dus in plaats daarvan gaat ze zitten kijken hoe Han eet, in de hoop dat ze hem met die simpele daad naar zich toe kan trekken.

Als hij klaar is, rommelt ze in de koelkast en vindt ze het blikje met poederkoffie. Ze wrikt het plastic deksel eraf en lepelt de gladde, glanzende gemalen koffie op, voegt het toe aan een kopje water – een theelepel suiker, roerend op het vuur, wachtend op de fluweelachtige opstijging van schuim in de open pot. Ze kan de kardemom niet vinden, dus voegt ze er een stukje citroenschil aan toe. Ze voelt zich licht in haar hoofd en oververmoeid, dus maakt ze thee voor zichzelf en schenkt die in een glas met suiker. Het smaakt vaag naar stenen en ze denkt dat de thee zeker oud is, maar toch drinkt ze hem op.

De zon is inmiddels allang onder en ze kijkt hoe Han's profiel wordt verlicht door de lichtflitsen van koplampen door het keuken-raam – de forenzen uit de buurt die thuiskomen. Hij gaat met een vinger langs de rand van zijn koffiekopje, draait die langzaam rond en maakt een geluid.

'Wat is er?'

Hij glimlacht en zegt dan: 'Je kookt als een engel.'

Ze verbergt zich achter haar theeglas, slaat hem even gade. Hij is niet echt in de keuken; niet echt. Ze moet hem vragen: wat is er? Maar eigenlijk is ze bang om dat te weten, en hij lijkt dat zelf ook te voelen. Ze denkt dat ze hem meer moet geven dan alleen dit. Ze haalt opnieuw diep adem, zet haar glas neer en leidt hem de trap met de gepolijste houten leuning op die vanuit de hal omhooggaat. Vier-kante vlakken straatlicht vallen door de glazen panelen in de voor-deur naar binnen. Sirine neemt Han mee naar haar kamer waarin ze bijna vanaf het begin van haar herinnering al slaapt. Ze laat hem op het bed zitten met het gebogen donkere hoofd- en voeteneinde en het ivoorkleurige dekbed, en ze houdt zijn handen in de hare. Dan draait ze zich naar het laatje van het nachtkastje en trekt het open, en voor het eerst hoort ze niet het muzikale gelach de lucht in wer-velen. De foto is stil als ze hem oppakt, die afbeelding die in haar hoofd zit. Ze weet niet goed waarom ze dit doet; het voelt alsof ze er-gens op drukt, zich door spinnenwebben heen werkt. Ze overhandigt de foto aan Han. Hij glimlacht op een verstrooide manier, zonder er-naar te kijken, en wrijft over zijn ogen. 'Geen foto's meer.'

'Wat bedoel je?'

Hij houdt zijn hand nog even over zijn ogen en zegt: 'Ik heb er te veel gezien.'

Dan laat hij zijn hand zakken. Hij kijkt naar de foto en zijn hoofd beweegt zich naar achteren. 'Hoe kom je hieraan?' De hoek van de foto trilt in zijn vingers. Hij staart ernaar en ze kan horen hoe de adem door zijn lichaam raast; zijn uitdrukking is helder als een licht-flits; het lijkt alsof ze de ingewikkelde werking van zijn gedachten kan zien, vasculair en gedetailleerd, rondschietend als bloedcellen. 'Ik heb de enige foto die ik van haar had verloren. Ik dacht dat ik haar nooit meer zou zien.' Hij kijkt op: zijn ogen zijn te helder. 'Dit is mijn zuster Leila.'

'Vóór de oorlog,' zegt hij. 'Voordat de Amerikanen Irak gingen bom-barderen...'

Sirine rolt langzaam achterover op het bed terwijl ze met haar ogen knippert. Hij leunt naast haar naar achteren. Hij gaat het haar vertellen, of ze het nu wil horen of niet.

'Mijn ouders stuurden me naar die particuliere jongensschool in Caïro,' zegt hij. 'Mijn Amerikaanse vriendin Janet steunde me met het betalen van mijn schoolgeld en alle andere kosten, en ik ging een geesteswereld binnen waarvan ik daarvoor nooit had kunnen dromen dat die bestond. Ik bleef vijf jaar van huis, en bracht mijn vakanties en zomers door op de school, samen met het handjevol andere kinderen die eigenlijk door hun ouders in de steek waren gelaten. Ik hield van mijn familie, maar ze leken te behoren tot een wereld die ik achter me had gelaten. Ik had naar de Universiteit van Bagdad kunnen gaan, maar Saddam nam de macht over in 1979, het jaar waarin ik terugkeerde naar Irak. In 1980 verklaarde hij de oorlog aan Iran over het een of ander omstreden gebied. Plotseling waren er tekorten op het gebied van boeken en papier, evenals voedsel- en waterrantsoenering. Studiebeurzen bestonden niet en mijn Amerikaanse financiering – nou, die was natuurlijk gestopt.

Ik kwam terug uit Caïro, geobsedeerd door ongeveer alles op cultureel gebied – literatuur, kunst, toneel. Ik wilde niets te maken hebben met wat volgens mij het "verraad" van godsdienst en geld was. Ik zei en deed zoveel mogelijk om mijn ouders zo veel mogelijk ellende te bezorgen. Ik was altijd boos op hen – ik had het gevoel alsof ik naar een nieuwe plek in mijn leven was gegaan, terwijl zij koppig achter waren gebleven. Nu zag ik onze armoede overal om ons heen – alles – de lemen vloer in ons huis, het scheefgetrokken glas in onze ramen – ik ergerde me aan alles. 's Nachts flitsten er bommen uit Iran langs de hemel; het was onmogelijk om te slapen. Ik had nachtmerries over dat ik in stukken door de lucht vloog.

Saddam begon jonge mannen te dwingen om in het leger te gaan en mijn ouders wilden dat ik thuis zou blijven, uit het zicht. In plaats daarvan ging ik 's avonds laat uit met Arif en Leila, ging langs bij onze vrienden, waar we theorieën bespraken over de economie en buitenlandse politiek en hoe de wereld in elkaar zat.' Hij stopt en kijkt even naar zijn handen, waarbij hij ze langzaam tegen elkaar wrijft. 'Ik denk dat ik daarom zo houd van Nathans verhalen over Bagdad – hij heeft meer volwassen ervaringen met de stad, het leven dat ik had willen hebben, maar ik was te jong toen ik wegging. Toen ik ouder werd, begonnen sommige van mijn schoolvrienden te zeggen dat Amerika de grote verrader was, door goederen en hulpbronnen te verbruiken – zonder ooit iets terug te geven behalve pruldingen en goedkoop vermaak. Rook en spiegeltjes. De straatborden in Bagdad zijn in het Arabisch en in het Engels, en je ziet overal Disney-figuren en t-shirts in Amerikaanse stijl. Snuisterijen. Rommel.

Maar Amerika had me ook naar mijn nieuwe leven gestuurd en ik kon me niet voorstellen dat ik me daarvan zou afwenden. Ik wilde schrijver en visionair worden – net als Hemingway – de mogelijkheden van talen en wereldreizen maakten me opgewonden. Ik was helemaal niet goed in verhalen of poëzie, dus wierp ik me in plaats daarvan op de politiek, een ruwe taal, en schreef scherpe kritieken op Saddam Hoessein in ondergrondse kranten. Ik schreef onder een pseudoniem – Ma'al – ik vond die naam gevaarlijk en mysterieus klinken.'

Han sluit zijn ogen en wrijft over zijn slapen. Hij heft zijn gezicht weer op, zijn ogen staan grimmig. 'Ik liet Leila en Arif die kranten onder onze vrienden verspreiden. Ik moedigde hen aan om van deur tot deur te gaan om gestencilde exemplaren van mijn artikelen uit te delen. Ze lazen zelfs mijn werk voor op openbare bijeenkomsten terwijl ik me "schuilhield"; het was een spel. Leila was zestien en Arif was elf; allebei vonden ze dat ik briljant was.

Uiteindelijk hoorde de veiligheidspolitie van Saddam natuurlijk over mijn artikelen en ze kwamen erachter waar ik woonde – iemand had hun een tip gegeven. Ze kwamen naar ons huis en bonkten op de deur. Mijn ouders verstopten me in de olijfkelder onder de woonkamer. Ik kon horen hoe Leila hen tegenhield bij de deur. Ze vertelden dat ze iemand die zich Ma'al noemde kwamen arresteren, schrijver van verraderlijke en lasterlijke artikelen waarin de Iraakse president werd aangevallen en vermoedelijk ook de natie Irak. Maar het leek dat dit niet de ware reden was waarom ze achter me aan zaten: ze zeiden dat ze informatie hadden dat ik relaties had met een zekere Amerikaanse zakenman – een bekende cia-informant. Mijn twaalfjarige broertje stapte naar voren en zei dat hij Ma'al was.

De kelder was gevuld met grote glazen olijfpotten, mijn handen gleden eroverheen. Er hing de bittere lucht van pekel, vermengd met de vochtige aarde van de kelder. Het gestamp van laarzen, kille scherpe stemmen boven mijn hoofd, een klein geluid dat mijn moeder in de keuken maakte voordat mijn vader haar tot zwijgen bracht. Ik kon door een kier in de fundering kijken en ik herinner me hoe het onkruid rondom ons huis goudgeel en vertrapt was.

Ik hield me verstopt in de olijfkelder en liet toe dat Arif zichzelf aanbood; ze arresteerden hem. Ik wist niet wat ik moest doen. Ik had niet gedacht dat ze daadwerkelijk een kind zouden arresteren. Ik nam aan dat het werd gedaan om ons bang te maken – dat ze hem een poosje zouden vasthouden en hem dan vrij zouden laten. Ik was degene achter wie ze aan zaten. Dus zodra de politie wegreed, wist ik dat ze terug zouden komen voor mij. Ik vertrok die avond. Maar ze lieten Arif niet vrij. Ik hoorde later dat ze diezelfde week nog terugkwamen en mijn vriend Sami arresteerden. En een paar jaar later kwamen ze ook mijn zuster Leila arresteren. Ze zeiden dat ze banden had met Amerikaanse spionnen. Ze namen ze allemaal mee. De politie dacht misschien dat ik hierdoor terug zou komen naar Irak, maar dat deed ik niet. Ik liet hen weghalen door de politie. Toen ik eenmaal in Engeland was, probeerde ik alles wat ik maar kon bedenken om hen op te sporen – ik belde vrienden en schreef brieven – maar ik had net zo goed kunnen proberen om iemand op de maan te vinden. Ik vroeg me af of Janet wel had beseft hoe gevaarlijk het voor mij en mijn familie was geweest om met haar verbonden te zijn. Het begon erop te lijken alsof mijn tijd op de particuliere school een soort hersenspoeling was geweest, met al die blootstelling aan westerse gedachten en waarden, een verheerlijking van het Westen. Zelfs nadat ze zo veel geld aan mij had gespendeerd, heb ik nooit geweten wat Janets achternaam was of wat zij en haar man nu precies deden in mijn land. Maar ze wist wel dat Saddam Hoessein aan de macht zou komen. Ze wist allerlei dingen die ze niet had mogen weten. En ook al heb ik nooit hun motieven gehoord, toch begreep ik uiteindelijk dat zij in een bepaald opzicht – bewust of niet – degenen zijn geweest die mij hebben verraden.'

'Is Leila...'

'Ja, ze is dood.'

'Maar hoe weet je dat?'

'De hoofddoek die ik je gaf? Die was niet van mijn moeder, die was van Leila. Mijn tante Dima stuurde die naar me toe nadat ze was gedood.'

Sirine slaat haar armen om zich heen. Ze schudt haar hoofd. 'Waarom heb je me dat niet verteld?'

Hij kijkt fronsend naar het raam. 'Ik wilde je niet bang maken. Ik dacht dat je hem niet zou willen dragen als je dat zou weten.'

Sirine leunt naar voren, pakt Han's hand in de hare. Maar iets heeft hem weer weggetrokken van haar, uit haar greep, alsof het verhaal zelfs zijn longen heeft gevuld en hem naar beneden heeft getrokken. Zijn ogen bewegen, maar het licht is eruit verdwenen. Hij rilt alsof hij koorts heeft, zijn huid is grauw en het litteken bij zijn ooghoek is vuurrood. Ze kijkt ernaar en zijn vingers gaan naar de plek. 'Dit is gebeurd toen ik ontsnapte.' Hij gaat met zijn vingers licht langs het litteken. 'Een van de mannen die me hielp ontsnappen keerde zich plotseling tegen me en probeerde mijn vaders gebedssnoer te stelen. Hij zag hoe ik dat altijd dicht bij me droeg en dacht daardoor dat het kostbaar moest zijn. Ik werd op een nacht wakker terwijl hij probeerde het snoer uit mijn hand te trekken, en hij sloeg me toen in mijn gezicht met een kapotte fles. Ik bloedde zo erg dat hij er bang van werd en wegrende. Die nacht moest ik acht kilometer alleen door de woestijn lopen, totdat ik bij een bedoeïenenkamp kwam aan de grens. Een van de mannen daar zei dat hij ooit kok was geweest en hij zei dat hij zo veel verwondingen in de keuken had meegemaakt dat hij alles kon hechten. Hij hechtte mijn gezicht met de naald en draad van zijn vrouw en toen begeleidden ze me zelf over de grens.'

'Een chef-kok?' Sirine probeert te glimlachen.

Maar Han lijkt het niet te horen – zijn gedachten zijn flarden, reflecties die over het oppervlak van zijn geest flitsen. Hij fronst en zegt: 'Heb je wel eens gehoord van het boze oog? In mijn jeugd hoorde ik daar altijd over praten. Het is een boze geest die dingen wegneemt van anderen en maakt dat dingen verkeerd gaan.'

Sirine houdt zijn hand tussen haar handen. Hij ligt daar gebogen en gekalmeerd, palm omhoog tussen haar vingers. 'O ja, ik weet wat het boze oog is.'

'Ik heb er nooit in geloofd, totdat Leila werd weggehaald en Arif werd gearresteerd. Een paar jaar later stierf mijn vader aan een hartaanval. Ik denk dat de angst en droefheid gewoon te veel voor hem zijn geweest.'

'Het spijt me heel erg.'

'Je vraagt je af wat je zelf nog zou kunnen doen. Je staat 's nachts op en probeert iets te bedenken wat hen zou kunnen redden.' Zijn ogen zien er versuft en vloeibaar uit. 'Wat is dat iets? Wat is het? Ik stuurde geld en brieven, maar wist nooit of ze iets ontvingen. Ik wilde terugkomen zodra ik het hoorde van Leila, maar mijn vader wilde dat niet. Hij zei dat het mijn taak was om in leven te blijven.'

Sirine drukt zijn hand.

'En vlak voordat ik hierheen kwam, naar Los Angeles, ontving ik een brief van mijn moeders zuster Dima, die vertelde dat mijn moeder erg ziek was geworden en zelfs een beetje gek begon te worden nu ze helemaal alleen woonde.'

'Wat vreselijk.' Ze denkt: die brief.

Hij laat een vage glimlach zien, vol schuldgevoel. 'Nou, het is allemaal nogal ellendig, niet? Daardoor kwam het dat ik begon te geloven in het boze oog. Omdat ik niet kon geloven dat zo veel slechte dingen konden gebeuren in één gezin. Maar uiteindelijk is het hele land hetzelfde overkomen. Ik vraag me af of een heel land onder de betovering van het boze oog kan zijn.'

Ze kijkt een andere kant op.

'Nee,' mompelt hij. 'Ik weet het niet. Het is niet goed. Het is allemaal niet goed.' Zijn stem sterft weg terwijl hij naar het slaapkamerraam kijkt. Sirine volgt zijn blik en herinnert zich de avond waarop hij uit datzelfde raam klom. Het lijkt nu alsof dat heel lang geleden was. 'De dingen zijn veranderd,' zegt hij. 'Ik moet terug, nu mijn moeder nog leeft. Ik wil haar nog één keer zien, bij haar zijn – dat is iets wat ik al jaren geleden had moeten doen. Ik moet terug.' Zijn ogen openen en sluiten zich langzaam, alsof hij bijna slaapt.

'Kom,' zegt Sirine. 'Niet deze nacht, oké?'

'Deze nacht,' zegt hij, 'is het enige wat we nog hebben.' Dan laat hij zich onder het dekbed glijden.

'Han, we hebben allebei rust nodig. We kunnen morgen verder over alles praten.' Ze streelt het haar weg uit zijn gezicht. Hij kijkt nog een keer teder naar haar en sluit dan zijn ogen. Even later verandert zijn ademhaling ongemerkt in een regelmatige op- en neergaande beweging. Hij ziet er jong uit in zijn slaap, hoewel hij nog steeds fronst, een verticale rimpel tussen zijn ogen, alsof hij werkt aan een onoplosbare puzzel.

De maan komt op als een kale schijf en de kamer is vol schaduwen, maar de lucht is bewegingloos. Sirine loopt snel naar de ramen en opent die een klein stukje. De wind waait door de kamer, en brengt de lucht van straten en stof en van de woestijn naar binnen, de laatste uitademing van de lange winteravonden. De nachtlucht is zilver en spookachtig, licht flitst in de ramen en weerkaatst van de auto's. De bries voelt kil aan en ze stapt weer in bed.

Ze glipt erin naast Han, legt haar arm voorzichtig over zijn borst, omdat ze hem niet wakker wil maken, en fluistert: 'Het komt allemaal goed, habeebti, het komt allemaal goed. Jij blijft hier bij mij en mijn oom. We houden van elkaar, we gaan trouwen en worden gelukkig. Misschien kunnen we je moeder op de een of andere manier hierheen laten komen, haar naar dit land halen. We zullen samen zijn en uiteindelijk zal alles goed komen.' Ze streelt zijn haar terwijl hij slaapt. En uiteindelijk valt ook zij in een diepe, ommuurde slaap, droomloos en dik als rook in haar lichaam.

Ze wordt wakker als de kamer nog grijs is van de dageraad. Ze heeft haar spijkerbroek en trui nog aan; ze heeft vaag het gevoel dat er iets niet goed is. De ramen zijn gesloten. Haar mond brandt alsof ze te veel suiker heeft gegeten.

Ze gaat rechtop in bed zitten. De foto ligt niet meer op het nachtkastje; in plaats daarvan staat er nu een zeilbootje, gevouwen van een stuk papier. Ze raakt de dekens aan en realiseert zich dan pas dat Han weg is.

Op het briefje staat: 'De dingen zijn kapot. De wereld is kapot. Hayali, het is tijd. Ik ben weg. Doe alsof ik hier nooit ben geweest.'

Niemand neemt op als ze naar zijn appartement belt. Sirine grijpt de sleutels van haar ooms auto en rijdt in de vroege morgen door de straten, die zich net beginnen te vullen met forenzen. Ze laat zichzelf met haar eigen sleutel binnen in zijn appartement. De meeste van zijn boeken en kleren zijn weg, zijn koffer, zijn tandenborstel, zijn lazuurstenen gebedssnoer. En haar gele haarklemmetjes.

Zijn stapel aantekeningenboeken en alles wat hij heeft geschreven over Hemingway zijn ook verdwenen: de bladzijden met het Arabische schrift, in blauwe balpen op gelinieerde, witte, omkrullende bladzijden die Han's vertalingen waren. *Over de rivier en onder de bomen. Dag en nacht feest. De oude man en de zee.*

Ze rijdt naar de campus, maar het is kerstvakantie en de universiteit is bijna verlaten. Ze probeert alle deuren naar het talengebouw, totdat ze een niet afgesloten toegang vindt in een trappenhuis aan de buitenkant. Maar het gebouw is leeg, spookachtig door de afwezigheid van studenten, de gangen echoënd als een zwembad. Ze loopt de gang door, terwijl ze luistert naar het geluid van haar voetstappen die zich herhalen over de vloeren. Ze vindt Han's kantoor op de derde verdieping, rammelt aan de klink, kijkt naar zijn naam die is aangebracht op het glas en kijkt naar de rij stoelen die buiten voor de deur op hem staan te wachten. Ze voelt een zwarte golf van wanhoop in haar naar boven komen.

Als Sirine teruggaat naar het huis van haar oom, begint de zon net op te komen. Haar oom komt haar bij de deur tegemoet. 'Habeebti, dat was Lon Hayden aan de telefoon. Hij heeft net ontdekt dat Han gisteravond een boodschap heeft achtergelaten op zijn voicemail op kantoor, om te vertellen dat hij ontslag neemt!'

27

Dus Abdelrahman Salahadin had genoeg van het verdrinken. Hij wilde gaan proberen om filmster te worden. En ook al had hij nooit eerder geacteerd en was hij begonnen met slechts drie woorden Engels – 'Hal'Awud', 'Dar'Aktr' en 'Fil'Imm' – hij was wél verduiveld knap, had een gladde huid, prachtige ogen en een brede zwemmersrug. Dus kreeg hij hier en daar een bijrol om mee te beginnen; hij speelde Mexicanen en Italianen en dat soort dingen. Maar geleidelijk aan werd hij ambitieuzer, wilde grotere rollen, dus hij begon rond te vragen en hoorde over dit en dat. Hij hoorde ook verhalen over een film die vóór zijn tijd was gemaakt en die *El Shaykh* heette. *The Sheik*.

Ja. Die. Een begerenswaardige rol. De vleesgeworden Arabier. Maar ze hadden die rol aan een Italiaan gegeven! Een sukkel die Rudy en-nog-wat heette, omdat niemand in Hollywood iets te maken wilde hebben met een echte Arabier. In die tijd zagen de regisseurs en producers Arabieren niet zozeer als terroristen, maar dachten ze dat Arabieren meer iets uit de bijbel waren. Natuurlijk hadden ze geen tijd voor dat soort onzin. Bovendien dachten ze dat iemand met een donkere huid misschien amok zou kunnen maken, iets onvoorspelbaars zou kunnen doen. Er waren nog andere Arabische films met grote rollen die naar Italianen gingen, naar een paar Ieren, zelfs naar een stuk of wat Spanjaarden, zo heb ik gehoord. Toen volgde *The Ten Commandments*, die werd gefilmd bij het huis van tante Nejla. En *The Greatest Story Ever Told* werd opgenomen bij de boerderij van Abdelrahmans grootvader. En *Barabbas*, waarbij de regisseur de rol van sultan aanbood aan een gestoorde blauwe bedoeïen, Crazyman al-Rashid, die op bezoek was van buiten de stad en cameraspullen achteroverdrukte en het voor iedereen verpestte.

Maar goed. Toevallig begonnen ze aan een nieuwe Arabische film. Met een beroemde Engelse regisseur. Een hoop geld, muziek, zand, alles erop en eraan. Hier was dan eindelijk Abdelrahman Salahadins kans op iets groots. De film zou worden opgenomen in het wervelende gebied van de Wadi Rum-woestijn, vlak bij Akaba waar hij was opgegroeid. Dat was hoog gegrepen, want hij was nog steeds onbekend. Maar ook al had Abdelrahman Salahadin jaren doorgebracht met marineren in de Rode Zee, toch was hij nog steeds jong en knap. Knap. Met een mooie huid zoals jij en zwarte glanzende ogen zoals die van je vader, met een ruggengraat als een dolk en een kop met haar zo donker als middernacht op de Nijl.

Toen hij het toneel opliep voor de auditie, hielden alle Italiaanse acteurs hun mond. De regisseur was ver weg, verborgen tussen een zee van lege stoelen, en toen hij knikte, opende Abdelrahman zijn mond en riep uit: 'Een klein, barbaars volk!' – wat toevallig een van de meer interessante teksten uit de film was – en zijn stem spleet de lucht van het theater doormidden als een speer en iedereen wist dat hij de ster van de film zou worden.

Maar hoe zou hij nu de ster kunnen worden – deze Jordaanse, Syrische, Libanese, Egyptische, Iraakse, Palestijnse verdronken bedoeien van een Arabier?

De hele dag werkt Sirine met een oog gericht op de deur van het restaurant, alsof ze haar adem aan het inhouden is.

Het restaurant vult zich met meer studenten dan Sirine daar ooit tegelijk heeft gezien. Iedere tafel zit vol met jonge mannen uit alle Arabische landen; sommigen van hen gaan zelfs stoelen lenen bij drogisterij Shaharazad aan de overkant van de straat. Ze discussiëren in het Arabisch. Iedereen lijkt te schreeuwen, waarbij hun nekhaar overeind staat. Velen van hen houden ook de deur in de gaten, alsof ze verwachten dat Han elk moment kan verschijnen.

Victor Hernandez blijft in de keuken, waar hij samen met Sirine hard aan het werk is. Hij doet de salades, soepen en dipsauzen, terwijl Sirine bij de grill bezig is; Cristobal en Um-Nadia brengen allebei gerechten naar de tafeltjes. 'Wat is dat?' vraagt Victor aan Mireille, als ze stopt om te wachten op een gerecht. 'Wat is daar allemaal aan de hand?'

Mireille kijkt even naar Sirine; uiteindelijk zegt ze: 'Ze zeggen dat Han weg is bij de universiteit en terug is gegaan naar Irak. Ze hebben het erover waarom hij is weggegaan, of dat hij moest vluchten, of dat Saddam Hoessein ermee te maken had of de CIA, of ik weet niet wat.' Victor draait zich snel om en kijkt naar Sirine. 'Hij heeft het dus tóch gedaan – hij is teruggegaan!'

Sirine buigt haar hoofd onder de loeiende afzuigkap. De hitte van de grill lijkt recht door haar lichaam te gaan en het vet spettert en hapt als tanden.

Ze werkt zonder pauze, bereidt vleespennen met lamsvlees en kip, gesmoorde schenkel en gegrilde vis, totdat haar armen lam aanvoelen en haar rug stijf is. De studenten blijven hangen en de hele dag is het rumoerig. Ze eten en wachten en argumenteren tot een uur na sluitingstijd, totdat Um-Nadia een bezem te voorschijn haalt uit de kast, midden in het restaurant gaat staan, met haar bezem zwaait en roept: '*Imshee!* Iedereen naar huis nu! Zo is het wel mooi geweest, en ik heb hoofdpijn!'

Victor, Cristobal en Cristobals speciaal opgeroepen neef Eliazer beginnen allemaal schoon te maken. Sirine laat zich op een stoel vallen. Ze voelt zich doorzichtig, alsof ze haar huid en beenderen heeft verloren. Haar hoofd zoemt nog na van het gebrul van de afzuigkap en het lawaai van de discussies. Er hangt nog een aardse geur van gehakte peterselie. Ze sluit even haar ogen, luistert naar het lichte gegalm in haar oren.

Mireille gaat tegenover haar zitten. 'Sommige van de studenten zeggen dat hij een spion was.'

'Een spion?' Sirine laat haar armen in haar schoot vallen; haar schouders zakken naar voren. 'Een spion? Voor wie dan?'

Mireille haalt haar schouders op. 'Voor de CIA, de Irakezen, wie dan ook.'

'Dat is belachelijk.'

'Iemand anders dacht dat hij een van de geheime zonen van Saddam Hoessein was.'

Sirine wrijft over haar slapen. 'Waarom praten we over Han in de verleden tijd?'

'Heeft hij jou eigenlijk iets verteld? Komt hij nog terug? Is hij echt terug naar Irak?'

Sirine kijkt omlaag, voelt hoe haar gezicht vertrekt, alsof ze wil gaan huilen, maar het lijkt alsof ze geen tranen meer heeft. Ze probeert te zeggen, ik weet het niet, maar er is geen lucht in haar longen. Mireille schuift haar stoel zo dichtbij dat hun knieën elkaar aanraken; ze grijpt Sirines handen stevig vast. 'Het komt allemaal wel goed. Hij komt terug, dat weet ik zeker. Ik kan het voelen.'

Sirine schudt haar hoofd. 'Ik weet niet wat ik moet denken.'

'Luister dan naar mij – ik weet wat hij voor je voelde. Iedere idioot kon dat zien. Misschien werd hij bang, maar hij komt terug, dat staat buiten kijf.'

Sirine staart naar de vloer. 'Werd bang voor wat?'

Sirine gaat die avond terug naar Han's appartement, sleept de telefoon mee naar bed en gaat luchtvaartmaatschappijen bellen. Als ze met trillende stem zegt: 'Ja, ik wil graag een vliegticket. Naar Bagdad,' volgt er een lange pauze aan de andere kant.

'Het spijt me,' zegt de vrouw uiteindelijk. 'Er zijn geen commerciële vluchten vanuit de vs naar Bagdad.'

Sirine knippert met haar ogen, knijpt in de hoorn. 'U bedoelt – u bedoelt dat ik er niet heen kan?'

'Er is een reisverbod voor Amerikanen. Ik denk ook niet dat ze u het land in zullen laten, zelfs niet als u zelf naar de grens zou rijden,' zegt de vrouw.

Sirine wrijft met haar hand over haar voorhoofd. Probeert na te denken. 'En als ik nu een Irakees was?'

Een nieuwe stilte. 'Nou, ik denk dat u zou kunnen proberen om naar Europa te vliegen of naar een ander land in het Midden-Oosten, om van daaruit door te vliegen met een van de luchtvaartmaatschappijen die wél op Irak vliegen. Maar dat zijn er niet veel. Of misschien zou u naar een naburig land kunnen vliegen en dan met een auto naar Irak gaan. Het is daar erg gevaarlijk, ziet u,' voegt de vrouw eraan toe.

'Waarom?' vraagt Sirine. 'Wat zouden ze met me doen?' Ze kijkt naar zijn balkon en herinnert zich de nacht waarin ze dacht dat ze buiten een waterspuwer zag die haar gadesloeg.

'Sorry?'

'Denkt u dat ze me zouden arresteren?' Ze perst haar lippen op elkaar – realiseert zich dat ze hoopvol en gestoord klinkt.

'Mevrouw – ik – ik – ik zou het echt niet weten...'

Sirine hangt snel op.

De telefoon gaat. Het is zo donker dat ze zich even niet kan herinneren waar ze is. Zelfs de stadslichten lijken vager en verder weg en doemen langzaam op in haar bewustzijn als ze wakker wordt, haar gezicht naar het balkon gekeerd. Maar ze sliep toch niet echt? Ze kon niet slapen. Ze blijft wachten, maar het antwoordapparaat gaat niet aan en Han is nog steeds niet thuis om de telefoon aan te nemen. Ze gaat rechtop zitten en vraagt zich af of hij zijn eigen appartement zou bellen.

Ze gaat uit bed naar de telefoon in de andere kamer, pakt op en mompelt: 'Hallo?' Maar niemand zegt iets.

'Hallo?' vraagt ze, harder deze keer.

Nog steeds stilte en Sirine voelt hoe die overgaat in een stilte van wachten of verwachting. Ze hoort iets kleins, iets moleculairs, tikken over de telefoonlijn, in de winding van haar eigen oor. Ze ademt uit en in die uitademing mompelt ze: 'Han?' Dan realiseert ze zich meteen haar vergissing. Haar ademhaling doet pijn, haar hart lijkt gepeld als een bloembol. Er is daar iets onaards en sinisters, ze voelt het in de hoorn. Het monsterachtige ding dat op haar wacht, vastzit aan haar geest, hangt aan de dunne lijn midden in de nacht. Ze wil het van zich af gooien, wegrennen, maar het bungelt daar, stil ademhalend, haar oor binnenglijdend. Haar mond voelt verbrand en bitter aan, alsof die is gevuld met as.

Sirine sluit haar ogen en dwingt zichzelf, trillend, om de ademende hoorn langzaam terug te leggen. Het wil haar, dat stille ding dat zit te wachten aan de andere kant van de lijn. Ze weet niet waarom. Ze kijkt om zich heen in het halflege appartement, en op dat koude, middernachtelijke uur lijkt het vol spookachtige vormen te zijn.

Ze trekt haar kleren uit, doet een van de overhemden aan die Han in zijn kast heeft laten hangen, en gaat dan terug naar bed. Ze krult zich op in Han's kleren, dekens en geur. Haar slaap is licht, fijn als kant; ze is bang om te dromen. Sirine woelt en diverse keren verbeeldt ze zich dat ze het gekras van zijn sleutel in het slot hoort. Ze staart naar het vage rode licht van de klokradio waarin de minuten veranderen. Uiteindelijk valt ze heel vroeg in de morgen in slaap en wordt dan om negen uur met veel moeite wakker. Ze is te laat voor haar werk, maar niet in staat om op te schieten, is nauwelijks in staat om water tegen haar gezicht te spatten of naar haar gezicht in de spiegel te turen doordat haar ogen pijn doen, gezwollen alsof ze de hele nacht heeft liggen huilen. Ze fietst terug naar het huis van haar oom om te zien of daar misschien een bericht van Han is.

Maar er zijn geen berichten en ook geen boodschappen op het ant-woordapparaat. Ze gaat naar boven naar haar slaapkamer en staart naar het onopgemaakte bed. Dan trekt ze haar werkkleren aan, waar-bij ze zich langzaam en automatisch beweegt, inwendig samen-krimpend, weg van haar gedachten. Gemakkelijker om verdoofd en gedesoriënteerd te zijn. Ze gaat terug naar beneden, pakt haar jasje en sleutels en heeft haar hand al op de deurklink om te gaan, als iets ervoor zorgt dat ze zich omdraait. Ze kijkt in de keuken en ziet het, nog steeds op de tafel: Han's koffiekopje van zijn laatste avond daar. Maar om de een of andere reden ligt het schoteltje omgekeerd over het kopje, op de manier zoals waarzeggers dat doen, zodat de hel-derziende het kopje kan schudden en het patroon van het koffiedik kan lezen nadat de koffie is opgedronken.

Ze staart er even naar. Ze heeft niet gezien dat hij het kopje be-dekte, maar daar staat het als een teken of een geheime boodschap aan haar. Ze pakt het kopje en schoteltje heel voorzichtig op, in beide handen, en realiseert zich dat ze niet op deze manier zal kunnen fiet-sen. Haar oom is al weg naar de universiteit, dus er is geen auto. De stadsbus is te riskant door alle andere passagiers om zich heen en de gaten in het wegdek, dus uiteindelijk besluit ze een taxi te bellen. De naam op het kaartje van de taxichauffeur dat in het raam zit geklemd is V.S. Ramoud. Hij helpt Sirine in haar stoel en stelt geen vragen, rijdt heel voorzichtig, en kijkt af en toe naar de reflectie van de kop en schotel in Sirines hand in zijn achteruitkijkspiegel.

Als ze het restaurant binnenloopt, ziet Um-Nadia het koffiekopje in Sirines handen en ze reageert onmiddellijk, resoluut en aan-dachtig. 'Goed,' zegt ze snel. 'Goed, kom mee naar de keuken. Nu meteen.'

Ze gaan aan de keukentafel zitten met Victor en Cristobal die toe-kijken. Um-Nadia staart naar het kopje en dan naar Sirine. 'Is dat jouw kopje?' vraagt ze. Sirine schudt haar hoofd. Um-Nadia draait het schoteltje langzaam om, en bekijkt het nauwkeurig. 'Was er een wens?' vraagt ze.

Sirine zegt: 'Dat weet ik niet.'

Um-Nadia tilt het schoteltje op en het kopje blijft er even aan vast-plakken voordat het met een zacht *pok* loslaat. Ze knikt. 'De wens zal uitkomen,' zegt ze. Ze draait het kopje om, en leest het patroon van de opgedroogde koffie aan de binnenkant van het porselein. Haar voorhoofd trekt samen van concentratie en haar lippen bewegen stil, terwijl Sirine, Victor en Cristobal staan te wachten. Uiteindelijk kijkt ze op van het kopje, haar ogen bezorgd en ontwijkend. Dan zegt ze snel: 'Het is goed. Alles is goed.'

Sirine blijft haar afwachtend aanstaren. Uiteindelijk zegt ze: 'Dat is het? "Alles is goed"? En hoe staat het met de liefde of reizen of problemen? Kun je verder niets zien?'

Um-Nadia kijkt nog even naar het kopje, alsof ze liever niet zou willen kijken. 'Nee,' zegt ze, en ze zet het kopje rechtop op het schoteltje. 'Verder is er niets te zien wat interessant is. Bovendien is het allemaal dwaas bijgeloof. Dat zou jij toch moeten weten. Arabieren geloven niet meer in die dingen van vroeger. Wij zijn een moderne beschaving. Daar passen de Donkere Eeuwen niet bij!' Dan staat ze op, neemt het kopje en schoteltje mee naar de afvalbak onder de gootsteen en kiept het erin. 'De lunchdrukte komt eraan!' zegt ze, en ze loopt weg.

De achtergebleven drie mensen staren even in de richting van de afvalbak, en gaan dan aan hun werk. Later, als de achterkeuken leeg is, komt Sirine terug en ontdekt dat iemand het kopje uit de afvalbak heeft gevist, het in een theedoek heeft gewikkeld en in haar rugzak heeft gestopt.

De dag gaat voorbij in een waas; ze beweegt zich als een slaapwandelaarster, terwijl ze hakt en roert en de lepel naar haar mond brengt, maar alles smaakt naar nat katoen. Het is onmogelijk om niet op Han te wachten; niet te letten op het geluid van de deur, ook al begint ze de mogelijkheid te overwegen dat hij niet terugkomt. Overal om haar heen zijn de mensen aan het praten, lachen en eten; hun lawaai en warmte warrelen op, omgeven haar, maar toch staat ze er los van. Het lijkt erop dat de studenten er al niet meer zo in geïnteresseerd zijn om over Han te praten. Dan komt er een gezin binnen: een Arabische man en een blonde vrouw en twee bleke donkerogige kinderen. Ze laat zichzelf fantaseren dat zij dat is met Han en hun kinderen, dat haar leven zich afspeelt in de intieme wereld van haarzelf en haar man en kinderen. Ze sluit haar ogen en roert.

Tijdens haar pauze glipt ze de achterkeuken in en belt de politie. Haar ademhaling gaat met korte, gespannen stoten. Ze zegt dat ze iemand als vermist wil opgeven.

'Hoe lang is die persoon al vermist?' vraagt de agent.

Sirine aarzelt, niet helemaal zeker, haar gevoel voor tijd in de war. 'Ik denkt dat het ongeveer achtenveertig uur is.' Ze geeft wat achtergrondinformatie over Han – zijn identiteit, uiterlijk, adres, beroep. Ze vertelt de agent dat Han haar vriend is. Maar ze schrikt als de agent vraagt of ze enig idee heeft waar hij zou kunnen zijn. Ze denkt even na en zegt dan: 'Ik denk dat hij terug is naar Irak.'

'Waarom denkt u dat?'

'Nou, hij heeft een briefje achtergelaten. Daarin stond het. En hij heeft zijn spullen meegenomen. Maar het was allemaal zo vreemd en plotseling...'

'Waarom zou hij naar Irak gaan?'

'Nou, daar komt hij vandaan. Oorspronkelijk. Maar het is daar niet veilig voor hem. Ik denk...' Haar stem trilt. '...ik denk dat ze hem kwaad zouden kunnen doen.'

'Wie zouden dat kunnen doen?'

'U weet wel... Saddam Hoessein...'

Er volgt een stilte, dan: 'U denkt dat Saddam Hoessein uw vriend kwaad zou willen doen?'

Dit klinkt haar vreemd in de oren. Even is ze verward. Dan zegt ze: 'Niet dan?'

Er volgt opnieuw een stilte. 'Mevrouw,' zegt de agent. 'Ik weet niet zeker of dit eigenlijk wel een politiezaak is.'

'Kunt u niet gewoon – is er geen manier om toch naar hem te gaan zoeken?' *Hij zei dat ze hem zouden doden.* Maar ze beseft dat het net is als gisteren met de medewerkster van de luchtvaartmaatschappij, dat ze al lichtelijk gestoord begint te klinken.

'Mevrouw...'

Mireille en Victor komen de keuken in met borden.

Sirine hangt op.

Die avond blijft Sirine tot laat op haar werk, gedeeltelijk omdat ze nog niet naar huis wil, maar ook omdat ze hoopt en wacht op Han. Uiteindelijk gaat ze Victor en Cristobal helpen met dweilen en schoonmaken. Terwijl ze werken, merkt ze Cristobals mooie, gladde handen op, hun nauwkeurige greep op de dweil, de manier waarop zijn haar in glinsterende zwarte lokken in zijn ogen valt. Net als bij Han. Er was voorheen een aanhoudende stroom van nieuwe conciërges – Arabisch, Aziatisch of Mexicaans. Maar Cristobal is er nu al bijna twee jaar en hij verschijnt regelmatig met neven of vrienden die hem helpen met schoonmaken. Hij geeft ze eten dat is overgebleven in de keuken en geeft ze soms wat van zijn fooiengeld. Ze kijkt even naar hem en voelt zich met hem verbonden, wil haar hand op zijn warme huid leggen. Ze herinnert zich dat Victor heeft gezegd dat Cristobal uit El Salvador komt en ze wil hem vragen: wat zal er nu met Han gebeuren? Wat zullen ze met hem doen? Het lijkt alsof Cristobal op de een of andere manier het antwoord daarop weet. Maar natuurlijk weet hij dat niet; ze komen uit verschillende landen, hoe zou hij dat soort dingen nou kunnen weten? Toch merkt ze dat ze dichter naar hem toe beweegt, bijna onbewust, terwijl ze de grill schoon schraapt, de bar afneemt, totdat hij geschrokken opkijkt naar haar en wegloopt. Ze wacht totdat hij naar een andere ruimte is gegaan en dan legt ze haar handen tegen de voorkant van de satijnachtige metalen kap en probeert zichzelf ervan te weerhouden om te gaan huilen. Als ze nu begint, denkt ze, zal ze niet meer kunnen ophouden.

Uiteindelijk valt er niets meer te doen. De stoelen staan allemaal ondersteboven op de tafeltjes, de vloeren glimmen, rustig en leeg, en Sirine moet ergens heen. Ze fietst terug naar Han's flatgebouw, maar is bang om de lege, levenloze kamers binnen te gaan. Ze rijdt om naar de achterkant van het gebouw, waar zijn balkon te zien is, maar er zijn geen lichten aan. Han is niet binnen. Ze stopt niet eens, zwenkt gewoon weg, banden ronddraaiend in de gravel, en fietst naar het huis van haar oom.

Hij komt haar tegemoet bij de deur terwijl hij een geopend boek vasthoudt, een geschiedenis van Constantinopel. 'Iemand bij Turkse Studies vertelde me dat dit een goed boek was,' zegt hij. Dan tuurt hij naar haar gezicht. Hij zucht, legt het boek neer en opent zijn armen. 'Kom,' zegt hij. Ze drukt zich tegen hem aan, en ruikt de aangename lucht van tabaksgruis, gemalen koffie en oude boeken van haar oom. 'Ach, habeebti toch,' zegt hij. 'Habeebti, habeebti.'

'Hij is weg,' zegt ze hardop, voor de eerste keer.

'Ik weet het. Ik weet het. Zijn idiote beslissing.'

'Wat zal er met hem gebeuren?' huilt ze in zijn hals.

'Ik weet het niet, habeebti,' mompelt hij. 'Dat is geen land om naar terug te gaan. Niet nu. Niet in deze wereld.'

'Zal hij terugkomen?'

Haar oom geeft geen antwoord.

Ze volgt haar oom naar de bibliotheek en gaat naast hem zitten op de paardenharen bank. Ze raakt het ruwe materiaal aan, inhaleert de mufheid, het zwakke licht en de eucalyptusgeur. Ze probeert het te bevatten. Ze zegt tegen zichzelf: ik ben weer thuis.

Haar oom wrijft zijn handen over zijn gezicht. Ze kijkt op vanuit haar tranen en zegt: 'U bent moe.'

Haar oom maakt een afwezige en beschouwende indruk, iets droeviger dan hij normaal is. Hij buigt zijn vingers, laat ze dan kraken en zucht. 'Ik word oud.' Zijn broek is te wijd en is opgerold boven zijn blote enkels; daaroverheen draagt hij een geruite flanellen badjas met ceintuur.

'Nee.'

'O, absoluut.' Hij glimlacht naar haar en als ze op het punt lijkt te staan om weer te gaan huilen, trekt hij haar opnieuw in zijn armen. Hij strijkt haar haar glad, bromt en zegt: 'Je moeder was ook een echte huilebalk.'

Hij wiegt haar een beetje en laat haar de hoek van zijn overhemd nat huilen, en uiteindelijk biedt hij haar een oud gehaakt kleedje van een bijzettafeltje aan om er haar neus aan af te vegen. 'Dank u,' mompelt ze. Hij strijkt haar haar naar achteren en ze denkt aan de manier waarop hij soms probeerde om haar krulhaar te borstelen op de middelbare school; hoe meer hij het borstelde, hoe volumineuzer en kroeziger het werd, zo vol statische elektriciteit dat het knetterde.

Hij zucht opnieuw, zegt dan: 'Je weet nooit wat er allemaal gebeurt in de wereld. We moeten geduld leren hebben, habeebti.'

Ze sloot haar ogen. 'Hoe? Hoe leer je dat?' Hij trekt een Afghaans tapijt over haar schouders en ze laat zich meevoeren door de warme, kalmerende stroming van de kamer, de herinnering aan verhalen die hij haar vertelde toen ze een klein meisje was.

'Geduld is van vreemde plaatsen afkomstig,' zegt haar oom. 'Van de maan en de sterren, van zuchten en ademhalen, en van werken en slapen, om er maar eens een paar te noemen.'

Sirine slaapt bijna als hij een verhaal vertelt.

'Niet iedereen weet dit, maar behalve de echte bergen zijn er ook paarsachtige spookachtige bergen die erachter slapen. En je moet nooit te scherp en te lang naar iets kijken, behalve als je bereid bent om jezelf die andere wereld waar te laten nemen, de wereld achter de zintuigen, niet de wereld van dingen maar van een onveranderlijk, onkenbaar wezen.

Zo voelde ik me op de dag dat jouw vader jouw moeder leerde kennen. We woonden samen in dit land, samen met een groep eveneens geïmmigreerde vrienden – allemaal een beetje gek doordat we ons land, onze ouders, onze taal en ons voedsel misten. Dus op een dag komt mijn jongere broer thuis en hij zegt tegen me: vandaag liep ik buiten te wandelen en kwam mijn bestemming me tegemoet gelopen op straat. Nou, wat vind je daarvan? Ook al waren we duizenden kilometers van de plaats waar hij was geboren – daar was ze, zijn bestemming, wachtend! Ik voelde het opnieuw op de dag dat ze gingen trouwen. Je kon het voelen als iets in de lucht. Dat was de vreselijke Dag van de Vreselijk Warme Pakken toen ik dwars door mijn jasje heen zweette, tot in mijn sokken aan toe. Ik was zo droevig dat ik dacht dat ik me zo voorgoed zou blijven voelen. Ik dacht dat ik droevig was omdat ikzelf nooit zo'n liefde in mijn eigen leven zou hebben.

Uiteindelijk, toen je moeder zwanger was van jou, begreep ik wat dat iets in de lucht was. Ik raakte haar buik aan en ik kon jou daar voelen, zwemmend in je purperen vissenlicht. Je was zo'n mysterie; ik stelde me jou daar voor met vurige veren, een gezicht als een gouden mozaïek. En ook al wilde je moeder je tot dat moment Maybelle noemen terwijl je vader dacht aan Samar – en ik in het geheim graag Disdasha de Grote wilde – toch wist ik toen ik haar buik aanraakte, misschien tien centimeter boven je hoofd, dat je Sirine genoemd zou worden. En dat na jou alles mogelijk was.'

Later die avond, na de verhalen, nadat ze de hond eten heeft gegeven en alle lichten heeft uitgedraaid, gaat Sirine de trap op naar boven. Ze slaat het dekbed open van haar smalle bed, zoals ze in het verleden al zo vaak heeft gedaan. Maar nu voelt het anders aan. Ze voelt zich huidloos, nauwelijks bijeengehouden. Alles doet pijn. Ze ligt in haar bed en voelt Han's afwezigheid in haar als een wond. Ze rilt, haar tranen zijn enorm, zwellen op in haar. Ze heeft zich nooit eerder zo gevoeld over wat dan ook. Ze trekt het dekbed op tot aan haar oren. Trekt haar knieën tegen zich op. En net als ze zeker weet dat ze het niet kan verdragen, niets van dit alles meer kan verdragen, springt Babar op het bed, drukt zijn wollige kop tegen haar gezicht en strekt zijn lijf uit langs haar borst. En uiteindelijk valt ze in slaap.

Ze droomt dat ze weer een kind is. Haar armen zijn mollig en zacht, haar haar is een wilde bos. Zij en haar oom zijn net thuisgekomen van het strand en er is zand, zoals gewoonlijk, in haar kleren en schoenen. Het is de dag waarop haar ouders opnieuw naar Afrika vertrekken. De bijna vierkante grijze koffers moeten de hele nacht open blijven staan om ze te laten luchten. Ze staan naast elkaar, ingepakt en keurig als soldaten in een rij in de hal. Haar moeders koffer is klein en die van haar vader is zelfs nog kleiner, en allebei bevatten ze foto's van Sirine. Ze laten haar altijd de foto's zien voordat ze die inpakken. 'Zie je?' zegt haar moeder. 'We nemen jou met ons mee.' In de droom zijn ze samen, haar moeder die hurkt om Sirine op te tillen. Haar moeder geurt naar seringen en haar glanzende haar valt over Sirine heen. Ze kijken naar Sirines vader die aan het einde van de gang naar hen staat te grinniken en zijn haar met zijn hand naar achteren kamt. 'Het geheim van een goed huwelijk,' fluistert haar moeder, haar handen om Sirines oor gebogen, 'is om je man nooit echt te kennen. Niet helemaal.' Haar moeders armen zijn lang en wit als die van Sirine, haar haar is een glanzend kastanjebruin vaandel. Haar vader komt naar hen toe en hij pakt haar op met één arm en laat haar zien hoe ze zich moet beschermen voor het geval er ooit een bom mocht vallen, door haar duimen in haar oren te stoppen en haar ogen met haar vingers te bedekken. Ze verwondert zich erover hoe slim haar vader is. Zijn armen zijn sterk en donker als bomen en zijn haar heeft een wollige stevigheid. Zijn borst is bedekt met krullend zwart haar.

Dan gaat de droom verder op een plek waar ze niet wil zijn. Ze kijkt naar de twee mannen – nu weet ze dat het nieuwslezers zijn, Huntley en Brinkley – en hun herkenningsmelodie doet haar denken aan regenvlagen. Ze is net zo kalm als op die dag, toen ze naast haar oom op de harde, paardenharen bank zat; ze luisteren naar de palmbladeren die klinken als regen door de open deur. De open nacht door de hor glinstert van de krekels en is warm en mild, ook al is het maar een paar dagen voor Kerstmis – kerstavond-avond-avond, zegt haar oom. Ze hebben de foto's van de sneeuwstormen op een andere plek gezien, auto's die slippen als speelgoedautootjes op witte straten. Dan komt er een reclame voor een schoonmaakmiddel en Sirine denkt dat hierna haar favoriete tv-programma komt, *Lost in Space*. Maar dan is het nieuws er weer – als ze een ander kanaal hadden gekozen, denkt ze, dan zou dit misschien allemaal niet zijn gebeurd. De pratende mannen laten vandaag opnieuw Afrika zien. Er wordt daar gevochten – maar er wordt altijd gevochten op de plaatsen waar haar ouders heen gaan, of er zijn aardbevingen, of verhongerende kinderen, of iets vreselijks. Er is nergens een veilige plaats, behalve naast haar oom op de paardenharen bank. Haar vader zegt dat het allemaal te maken heeft met olie en hebzucht. Aardbevingen worden niet veroorzaakt door olie en hebzucht, zegt haar moeder. Dat weet ik nog niet zo zeker, zegt haar vader. Maar nu hebben Huntley en Brinkley het over wapens en gevechten in de straten en over Amerikaanse hulpverleners. En Sirine weet dat dit deel niet precies zo gebeurde, maar in de vreemde, vreselijke droom gebeurde dat wel; ze zien het op het nieuws: haar ouders zijn daar op een weg in een dorp. De soldaten van een stam in vreemde uniformen staan aan de overkant, tegenover hen, de wapens glimmend in hun handen. Haar ouders zijn met hun vrienden: Mohana de ingenieur, Ruthie de onderwijzeres en Laura de verpleegster: het zijn jonge mensen die lachen en een glas in hun hand hebben in ligstoelen op het gazon. Nu zijn ze op de tv en ze staan oog in oog met de dood, vijf Amerikaanse hulpverleners, zegt de verslaggever. Een oorlog, zeiden ze – was dat zo? Een opstand. Waren het moslims? Nee. Haar oom zegt nee. Ze hoorde het de verslaggever zeggen, maar ze zag het niet, niet echt. Maar in deze droom waar ze zich niet van los kan maken, die ze niet kan stoppen of herschrijven, gebeurt het op het scherm voor haar ogen: eerst Mohana, dan Laura dan Ruthie. Ze ziet hoe haar vader wordt getroffen door een enkele kogel in zijn hoofd, een klein gaatje. Onmiddellijk dood. En haar moeder getroffen door kogels in haar benen en pols; ze sterft de volgende dag in een dorpsziekenhuisje door bloedverlies en *septikemie*, bloedvergiftiging. Zij en haar oom hoorden het op de tv en in haar droom zagen ze hoe het gebeurde. Haar ouders gingen weg en kwamen nooit meer thuis. Hun lichamen werden teruggebracht in simpele houten kisten, ongeopend. Maar voor Sirine werden ze ergens in het midden van Afrika begraven; ze heeft ze nooit meer gezien.

Er was een klein testament – bijna geen bezittingen of spaargeld. In het geval dat ze zouden komen te overlijden, zou haar oom Sirines wettelijke voogd worden. Dat hadden ze geregeld – hoorde Sirine – in dezelfde maand waarin zij was geboren. Alsof ze het hadden geweten.

Na hun dood nam haar oom haar mee omhoog naar het platte dak van zijn huis – twee straten van het appartement waar Sirine met haar ouders had gewoond. Hij zei: 'Dit huis is van jou en je zult altijd mijn enige dochter en mijn enige kind blijven.' Hij hield haar zo stevig vast dat ze zijn ribben kon voelen, zijn slanke, kwetsbare gestalte tegen haar schouders. Ze voelde zich die dag – ze weet dat terwijl ze dit droomt – zoals ze zich deze nacht voelt, dertig jaar later: dodelijk gewond, oud en stil. En alle tranen verlieten haar lichaam, bijna voorgoed.

Totdat ze de volgende morgen wakker wordt en de vochtigheid koel als lucht over haar gezicht voelt. En ze weet, in haar half ontwaakte toestand, dat ze de verboden droom heeft gehad, de droomherinnering die ze altijd wegstopt. Ze realiseert zich met een lichte schok, als de herinnering aan een oud verlies – iets wat niet langer iets zou moeten betekenen maar dat op de een of andere manier nog steeds doet – dat ze inmiddels al tien jaar ouder is dan haar ouders waren toen die stierven.

28

Weer in haar eigen stad Akaba was tante Camille blij om alle vertrouwde beelden weer te zien die ze jaren daarvoor had verlaten, toen ze op zoek ging naar haar ondeugende zoon. Haar vele andere zonen bereidden een welkomstmaaltijd voor haar van mensaf, bestaande uit zuiglam, gestoofd in uienyoghurtsaus, op een bed van rijst en brood. Ze onthaalden hun moeder hierop, evenals de hele verhuisde stam van de blauwe bedoeïenen, en ze probeerden hen over te halen om voorgoed in Akaba te blijven. Maar je bent pas een echte blauwe bedoeïen als je jezelf omhult met zoete wierook en rondzwerft in de Dhofarbergen. Dus na drie dagen van feesten en herinneringen ophalen, nam Camille met tranen in haar ogen afscheid van hen bij de trein die hen eindelijk naar huis zou brengen.

Ze draaide zich om en zag haar negentien zonen en realiseerde zich dat een zoon met zijn wasgoed was gekomen, een ander met wat verstelwerk, en dat een paar andere zonen hun haar niet meer hadden geknipt sinds zij de stad had verlaten. Ze zuchtte en besefte dat iets in haar was veranderd in de tijd dat ze op pad was: Akaba zag er nog kleiner en slaperiger uit dan ze zich herinnerde. Het had niets van de levendige rijkheid en warmte waar haar herinnering zich aan gekoesterd had; dit was gewoon een plaats zoals alle andere. Iets in haar was groter geworden, realiseerde ze zich; ze dacht dat ze het had opgegeven om haar zoon te vinden, maar iets riep haar terug om weer te gaan zoeken.

Een week na Han's vertrek arriveert er een blauwe luchtpostenvelop bij het huis van Sirines oom, met Londen als poststempel. Sirine herkent onmiddellijk Han's nette blokletters in blauwe inkt. Haar handen beginnen te trillen, zodat het even duurt voordat ze een kartelmes door de rand kan halen. Haar adem stokt en haar hart bonst zo hard dat het aanvoelt als een vuist in haar ribbenkast. Ze gaat zitten en houdt de brief in allebei haar handen, en het duurt even voordat ze zich kan concentreren op de woorden:

Tussen vliegtuigen in – Heathrow Airport, 10 januari 2001

Lieve Sirine,

Ik moet voortdurend aan je denken. Maar het lijkt alsof ik mijn lichaam heb verlaten; mijn lichaam reist zonder ziel of bewustzijn, omdat dat in Amerika is gebleven, bij jou. Alleen door deze verdeling kon ik die morgen uit ons bed stappen en jou daar achterlaten, terwijl je sliep. Nu heb ik het gevoel alsof ik naar mezelf aan het kijken ben hoe ik wegging. Ik kan mezelf niet tegenhouden.

Er zijn veel redenen waarom ik terug moet keren naar Irak, hoewel ik bang ben om die hier op te schrijven, bang om de redenen op papier te zien staan. Net zoals ik die dag bang was om te praten terwijl jij voor mij kookte en het had over vergeving. Ik kon er toen nog niet over praten; het was te snel.

Is het voldoende om te zeggen dat ik niet weg wilde gaan, dat ik nooit had gedacht dat ik dit kon doen, dat de gedachte om jou achter te laten zelfs nog erger was dan de gedachte aan wat mij te wachten staat in Irak?

Niets is genoeg, ik weet dat nu, maar het is te laat voor mij. Ik word voortgedreven door het vooruitzicht van mijn terugkeer: mijn land heeft me nooit losgelaten – het is in me blijven zitten. Jij weet dat. En een zekere angst – een emotionele angst – is plotseling verdwenen en heeft me bevrijd.

Sirine, ik weet niet wat er zal gebeuren. Ik zou graag willen zeggen, ik kom bij je terug, als ik zou denken dat ik dat zou kunnen. Ik zal contact met je opnemen als er een manier is waarop dat zou kunnen, maar dat lijkt onwaarschijnlijk. Het enige waar ik nu op hoop is op wat tijd – om mijn familie en ons huis te zien. Behalve dit hoef ik verder niets te verwachten.

Ik zal je niet om vergeving vragen, alleen dat jij jezelf mij zult laten herinneren en niet zult vergeten dat ik zoveel van je hield. Meer dan ik wist dat ik zou kunnen.

Voor altijd,
Hanif

Ze ligt op bed, de brief in haar hand, dicht tegen haar gezicht. Het transparante papier lijkt blauw als een bloedader. Als ze uitademt trilt het papier. Ze leest de brief telkens opnieuw, starend naar de plaats waar hij schrijft: 'Ik kom bij je terug.' Hij zegt dat hij van haar houdt, dat hij het niet kon verdragen om haar te verlaten, maar toch is hij weggegaan. Ze herleest alles totdat ze de woorden niet meer kan zien.

Ze probeert zich volledig op haar werk te storten. De dagen drukken zich samen, hard en vierkant als een blok, alsof de tijd randen heeft, en ze gunt zichzelf nauwelijks voldoende tijd om van haar slaap – die verraderlijk en onbetrouwbaar is geworden – over te gaan naar de keuken. Ze fietst wild door het verkeer, duikt tussen auto's door, draait daarbij zo scherp dat ze de warmte kan voelen opstijgen van bumpers en metalen motorkappen. Op haar werk gaat ze helemaal op in hakken, fijnsnijden, ontvellen, malen. Ze roert zonder te zien of te ruiken, en ze kookt mechanisch, nooit meer door te proeven. Ze weet dat het voedsel niet smaakt zoals dat zou moeten, maar voedsel interesseert haar niet veel meer. Tijdens haar pauzes bladert ze door de kranten die de studenten op de tafels hebben achtergelaten, op zoek naar nieuws over Irak, of ze kijkt alleen naar de foto's in de Arabische kranten.

Een paar van Han's collega's komen langs in het restaurant om te kijken hoe het met Sirine gaat, en een keer denkt ze dat ze Aziz buiten met Um-Nadia ziet overleggen, maar hij komt niet naar de keuken. Um-Nadia vertelt Sirine later dat ze Aziz heeft laten weten dat hij op dit moment 'te veel' is voor Sirine. En Nathan komt helemaal niet meer. Sirine wil niemand anders dan Han zien. Op de een of andere manier raakt het zien van zijn vrienden een pijnlijke, gevoelige plek in haar, haar schuldige vermoeden dat ze zijn liefde eigenlijk niet verdiende. Dus probeert ze om helemaal niet op te kijken van haar werk. Ze gaat maar door, totdat er geen plaats meer in haar is voor gedachten. Na een paar weken realiseert ze zich dat ze niet echt meer op Han aan het wachten is. Niet op de manier zoals ze dat eerst deed – zo bewust en verwachtingsvol. En dat maakt haar droeviger. Toen Han pas weg was, had ze zichzelf niet in de hand. In die eerste dagen had ze het gevoel alsof haar hart zo weg zou kunnen glippen door het midden van haar borst. Maar nu kan ze zich wegtrekken van dat zeurende verdriet en overeind blijven.

Op een nacht vermengen haar dromen zich met een verre, vreemde lucht. Ze heeft de koffie te lang op het fornuis laten staan en nu staat die te verbranden. Han zit in de kamer te wachten, maar ze kan geen kop en schotel vinden die bij elkaar horen. Als ze niet snel met de koffie komt, gaat hij weg. In de kast staan honderden schotels; ze zoekt en zoekt, maar geen ervan hoort erbij en ze kan ruiken hoe de koffie staat te verbranden.

Ze wordt pas echt wakker om drie uur in de morgen en staat op. Als ze haar rugzak openmaakt, ontdekt ze het koffiekopje dat iemand daar weken geleden in heeft gestopt, gewikkeld in een theedoek. Het koffiedik is helemaal opgedroogd en is inmiddels losgeraakt van het complexe patroon; het kopje ruikt bijna niet meer naar koffie – zelfs niet als ze haar neus erin steekt. Ze gaat naar de keuken met Babar achter zich aan, zijn nagels tikkend op de vloer, en ze brengt wat water aan de kook. Dan vult ze het kopje door kokend water over het oude koffiedik te schenken en roert totdat er een dun, grijzig brouwsel ontstaat. Het aroma is verdwenen; het vocht is zanderig en smaakt licht bitter, maar toch drinkt ze het op, starend in de nacht in het raam boven de keukengootsteen. Welk lot er ook stond geschreven in zijn kopje, denkt ze, ze wil dat delen.

Op de dag van haar veertigste verjaardag is Han inmiddels twee maanden weg.

In het restaurant geven ze haar cadeaus, verpakt in glanzend papier; een haarversiering met veertjes van Mireille, een paar goede zware messen van Um-Nadia, een doos Mexicaanse pindakoekjes van Victor, en van haar oom een receptenboek uit Syrië, uitgegeven in 1892: *Over de verrukkingen en metamorfoses van voedsel*, vergezeld van zijn eigen handgeschreven, erin geplakte vertalingen. 'Gefeliciteerd, habeebti,' zegt hij. 'Je zult altijd mijn kleine kuiken blijven.'

Ze neemt een plak kaneel-peper-chocoladecake, gebakken door de moeder van Victor Hernandez. Er zijn geen verjaardagskaarsjes en dus ook geen wensen, waarvoor ze dankbaar is. Um-Nadia vertelt haar dat ze de rest van de dag vrij mag nemen, maar ze weigert, zegt dat ze liever werkt. Dus gaat het restaurant open. Sirine maakt het ontbijt en zachtjes zingt ze telkens opnieuw het verjaardagslied, 'Senna helwa ya jameela', prachtig jaar, o, schoonheid.

Die avond, nadat ze klaar is met haar werk en alleen in haar slaapkamer is, gaat ze op haar bed zitten naast de doezelende, dromende Babar, en staart ze naar haar oude Syrische kookboek. De recepten zijn beperkt tot essentiële dingen: simpele benodigdheden, de ideale verhouding tussen zout en groente, olie, vlees en vuur. Het zijn weinig meer dan lijsten, geen kookinstructies of temperaturen, en verspreid tussen de bladzijden staan korte bespiegelingen over het wezen van dieren, bossen, bloemen, mensen en God. Sirine bladert door het boek, blijft net zo lang stilstaan bij de bespiegelingen als bij de lijsten met ingrediënten, die voor haar gevoel het ritme en de balans van poëzie hebben. Er is een recept voor geroosterde kip dat ze wel eens zou willen proberen als een speciaal gerecht voor het dagmenu: kip, saffraan, knoflook, citroen, olie, azijn en rozemarijn. Na de ingrediënten heeft de anonieme auteur nog iets geschreven wat haar oom heeft vertaald: 'Allah zij geprezen omdat hij ons het licht van de dag heeft gegeven. Omdat hij ons deze dieren heeft gegeven met de hemel in hun gedachten, zo niet in hun lijf.' Is dit een gebed of een recept? Ze leest het nog een paar keer, maar weet het nog steeds niet.

Ze legt het boek op de grond naast haar bed en doet het licht uit, maar ze kan niet slapen. Ze heeft het gevoel alsof haar lichaam een gespannen snaar is, resonerend door duistere muziek. Ze ligt op haar rug met haar ogen open. Ze laat een arm over de zijkant van haar bed hangen en laat haar vingers over de oude omslag van het kookboek strijken. Morgen zal ze met een nieuw gerecht komen maar, denkt ze, Han zal dat nooit proeven. Ze herinnert zich dat ze de datum van haar verjaardag omcirkeld heeft gezien in Han's agenda – haar naam omgeven door een rood hartje. Ze denkt dat als hij nog in leven zou zijn, hij een manier zou hebben gevonden om haar die avond te bellen.

29

Daar in Hal'Awud had de Britse regisseur, die niet voor niets rijk en beroemd was, de hoofdrol voor zijn film toebedeeld; die is voor een lange, idiote verdronken Arabier van een Ier met een doorzichtige huid en doorzichtige ogen en een stem als water in een bron. Hij zou de ster worden. De film zou toch eerst *Sherif Ali ibn el Kharish of Arabia* gaan heten? Dat werd nu *Lawrence*.

Of Arabia.

Inderdaad! Het *of Arabia*-deel komt op de tweede plaats, zie je. Niemand is bijzonder geïnteresseerd in het Arabische van *of Arabia*, ze waren geïnteresseerd in de Ier die in Arabierenkleding rondliep, en in woestijnmuziek zoals die volgens de grote Engelse regisseur klonk, wat ongeveer zo ging: ah-ahhh-da-dahh dada dahh-dahh.

En zo stál hij de film, gewoon op die manier. Net zoals de echte Lawrence het vertrouwen van de Arabische stammen stal, en net zoals de gringo's Californië stalen van de Mexicanen, zo stal Peter O'Toole de film van Omar Sharif, aan wie de film rechtmatig toebehoorde. Die in feite de ware schittering en schoonheid en intelligentie van het verhaal was.

Weet u zeker dat Omar Sharif ooit Abdelrahman Salahadin heette?

Iedereen in Hollywood verandert zijn naam, nietwaar? Kijk naar Woody Allen. Die heette in werkelijkheid Allen Konigsberg wat, naar mijn mening, een veel melodieuzere naam is.

Maar weet u dat zeker?

Nou, je weet nooit iets zeker. Waar het om gaat is dat Sharif ook een verdronken Arabier was, waardoor hij zo mooi en tragisch was. En dat als je ze eenmaal de verdronken Arabier in jezelf laat zien, je verloren bent.

Een moraal!

Alleen omdat je daarnaar op zoek bent, wat betekent dat je precies in de verkeerde richting kijkt.

Nou, dit is wel een heel vreemd einde.

O nee, er is altijd een vervolg op het verhaal van Abdelrahman Salahadin. Maak je geen zorgen.

Ik kende niet die geschiedenis van de koningin van Sheba. Dat ze zo mooi was. Dat je er gek van kon worden.

Het was een van haar meest opvallende kenmerken.

De dagen zijn een droom van hakken, roeren en bakken, de avonden een korte tijd van schoonmaken en praten. Iedere avond nadat iedereen weg is, wordt er thee gedronken en worden de borden gespoeld, en iedere nacht huilt Sirine een beetje minder, steeds minder, met Babars strakke en liefhebbende blik op haar gefixeerd vanaf het voeteneind van het bed. Soms droomt ze over een blaffende hond.

Ze beginnen het restaurant vroeger te sluiten, en iedere avond komen Mireille, Um-Nadia en Victor Hernandez naar het huis van haar oom, waar ze praten totdat hun woorden de kamer vullen als wierook. Ze praten, denkt Sirine, alsof het heel belangrijk is dat ze helemaal niet meer denkt aan het afgelopen jaar. Alsof ze Han uit haar herinnering willen verdrijven, alsof het er niet toe doet dat hij niet langer op de wereld is. Um-Nadia begint te praten over mooie mannen die in het restaurant komen. Daarbij trekt ze haar wenkbrauwen op naar Sirine. Op een dag neemt Victor zijn knappe neef Alejandro mee, maar Sirine bekijkt hem nauwelijks terwijl hij lichtelijk gegeneerd en stil aan de bar zit.

Sirine brengt veel tijd alleen in haar gedachten door. Ze is zich van alles gaan afvragen: of Han wel echt van haar hield, of dat ze alleen maar wat afleiding voor hem was totdat hij kon terugkeren naar zijn echte leven; of hij ervoor koos om haar te verlaten of dat iets hem dwong om dat te doen. En ze piekert over wat er met hem gebeurd zal zijn. En dan vraagt ze zich af of het op de een of andere manier erger is om die dingen niet te weten dan om zeker te weten dat Han nooit echt van haar heeft gehouden. Op een avond is ze plotseling zo boos op Han omdat hij is weggegaan, dat ze denkt dat niets van dit alles werkelijk zo belangrijk is als zij dacht dat het was. Misschien is dood gewoon dood. Zij heeft hem niet verraden – hij heeft haar verraden! Hij heeft hun liefde verraden, hij heeft haar vertrouwen en geloof verraden. Hij liet haar denken dat hij altijd bij haar zou blijven. Ze plant haar ellebogen op de vensterbank van haar slaapkamerraam en kijkt naar de halvemaan. Er zijn zo veel kleine dingen die ze van elkaar kan onderscheiden met haar zintuigen – ze kan het verschil ruiken tussen lavendel- en klaverhoning; ze kan de progressie van rijpheid in een peer voelen, en ze kan voelen hoeveel hitte er opstijgt in een pan met vleessaus, linzen, knoflook. Ze weet al die subtiele dingen door middel van haar huid, maar één simpel ding weet ze niet – heeft hij haar verraden?

Natuurlijk, zij heeft hem bedrogen.

Sirine kan het niet goed begrijpen; kan het niet helemaal bevatten.

Dat hij weg is, compleet weg, zonder dat ze hem ooit nog terug kan roepen naar haar. Ze kan zich geen voorstelling maken van de heilige, vreemde taal die hen heeft gescheiden; ze weet niet langer wat Han is. Ze gelooft dat op een dag de elementen diep in Han en in haarzelf naar elkaar hebben geroepen, zoals ingrediënten in een gerecht tegen elkaar spreken, een vleugje gember vibreert met iets als verlangen naast een stukje knoflook, of de manier waarop een scheutje wijn kan roepen naar de olijfolie in een schotel. Nu heeft ze het gevoel dat er niemand is die resoneert op iets in haar; die persoon is niet langer op deze aarde, en de aarde is daardoor veel kouder en moeilijker te bevatten geworden.

Op een dag fietst ze naar haar werk nadat de zon is opgekomen, en de lucht wit en wollig door mist. Alles is zo wit dat het haar doet denken aan sneeuw. Ze gelooft dat ze het één keer heeft zien sneeuwen – papierlichte vlokken die bewogen in de lucht als as en verdwenen waren nog voordat ze de aarde hadden bereikt; een vreemde bijtende kou, waarbij haar adem met stoten naar buiten kwam, als stoomwolken. Nu is de mist zo dicht dat ze langzaam moet fietsen, waarbij de palmbomen en auto's voor haar opdoemen als geesten.

De mist probeert het restaurant binnen te dringen, het hangt als filigrein om de deur en rolt over de drempel. 'Het is net een andere wereld,' zegt Mireille met grote ogen.

Alles voelt zachter aan, alle scherpe randen afgerond, alsof er toverkracht door de straat heeft gewaard. Klanten lopen naar binnen en draaien zich dan om, om door het wit geworden raam weer naar buiten te kijken, starend alsof ze het niet goed kunnen geloven.

Sirine bindt haar haar samen, trekt haar zware witte koksjas aan en doet haar schort voor. Ze voelt zich kalm en competent – in haar element. Maar haar gevoelens zijn allemaal ingehouden en weggestopt, omdat er altijd ook dat gevoel is, ontstaan door Han's afwezigheid, dat niets meer echt goed is.

Ze snijdt een ui doormidden, pelt de amberkleurige huid eraf, de stevige witte vorm vochtig tussen haar vingers. Ze legt hem met de vlakke kant omlaag. Ze weet hoe ze een ui moet snijden. Of een tomaat. Of een teentje knoflook. Ze weet hoe ze moet snijden om de geur en het sap te behouden. Ze hakt snel, vingers naar binnen gebogen, weg van het mes, waarbij ze snel te werk gaat. De deurbel rinkelt en de deur gaat ratelend open. En ze ziet Han binnenkomen.

Ze snijdt het topje van haar wijsvinger eraf. Niet veel. Een stukje huid, je snijdt zo gemakkelijk, als een stukje ui; ze beseft niet dat ze dat gedaan heeft totdat ze omlaag kijkt. Haar ademhaling gaat stotend. Dan kijkt ze weer op en ziet dat het Han helemaal niet is. Het is Aziz.

Aziz roept uit: '*Ya Allah*, je hand.' Een karmozijnrode lijn van bloed loopt in haar handpalm.

Um-Nadia grijpt haar vast en zegt: 'Mee naar achteren!' en leidt Sirine door de zwaaideur. Ze laten koud water over het vingertopje lopen totdat het water rood kleurt en het bloed erin wervelt. Um-Nadia bet de wond met een desinfecterend middel en laat Sirine haar gewonde hand boven haar hoofd houden, terwijl Mireille het verband zoekt. 'Misschien moet ze worden gehecht,' zegt Mireille terwijl ze haar verbinden.

'Tss,' zegt Um-Nadia. 'Hechtingen. Hechtingen, waarvoor?'

'Sirine?' zegt Aziz. Hij steekt zijn hoofd door de keukendeur.

'Kijk wat jij hebt veroorzaakt!' zegt Um-Nadia tegen Aziz. Aziz kijkt verbijsterd en heeft tranen in zijn ogen. Hij opent zijn mond maar zegt niets. 'Ik heb je toch gezegd dat je hier niet moest komen.'

Mireille kijkt naar Sirine. 'Moet ik hem slaan?'

Sirine schudt haar hoofd. Um-Nadia en Mireille zetten Sirine neer op een keukenstoel, leggen haar voeten op een kruk en zeggen dan tegen haar dat ze haar vinger omhoog moet blijven houden. 'Het gaat nu echt wel,' protesteert Sirine. 'Echt hoor, het was niet meer dan een snee.'

'Je hebt een shock,' zegt Um-Nadia. 'Jij weet helemaal niet of het goed met je gaat of niet. Ik zal het je wel zeggen als ik denk dat het goed met je gaat. En het gaat niet goed met je.' Ze houdt haar hand voor Aziz' gezicht. 'Drie minuten,' zegt ze. 'En dan khullus.' En ze loopt weg. Mireille volgt en grijnst intussen naar hem.

'Het spijt me,' zegt Aziz stil, terwijl hij voor de koelkast staat.

'O...' Ze zwaait met haar verbonden hand. 'Echt hoor, dit stelt niets voor.'

Hij knikt en staart naar haar hand alsof hij haar niet gelooft. Dan zegt hij, wat rustiger: 'Het spijt me ook van mijn eigen gedrag. Ik heb het gevoel alsof ik je in de steek heb gelaten. Ik wilde naar je toe komen na Han, zie je... maar ik kon...' Hij schudt zijn hoofd, zijn schouderbladen samengetrokken op zijn rug. 'In ieder geval was ik er tamelijk zeker van dat je mij niet wilde zien. Ik ben zelfs een week lang mijn appartement niet uit geweest, in de hoop dat hij zou bellen. Ik voelde me verlamd.' Sirine bestudeert zijn hand met de te strakke gouden ring. Ze zegt niets. Ze weet wat hij bedoelt, weet eigenlijk precies hoe hij zich voelt. Maar ze heeft niet de energie om hem zelfs deze troost te bieden. Uiteindelijk tilt hij zijn hoofd op. 'Je ziet er moe uit. Slaap je wel?'

'Soms. Niet veel,' zegt ze, en ze glimlacht dan.

Aziz zit tegenover haar aan de tafel en legt zijn kin in zijn hand. 'Ja, ik weet het. Voor mij ook geen slechte gewoontes meer – zoals slapen. Ik blijf maar denken dat Han – mijn god – echt daarheen terug is gegaan... en dan weet ik gewoon niet wat ik moet doen, begrijp je wel? Ik blijf er maar over nadenken. Ik kan nog steeds niet geloven dat hij dat heeft gedaan.'

'Ja.' Ze kijkt een andere kant op. 'Ik probeer helemaal nergens aan te denken.'

'Ja.' Hij schraapt zijn keel, verplaatst zijn gewicht. 'Nou, ik wilde je graag zien, natuurlijk, maar er is nog een andere reden waarom ik ben gekomen – ik wilde het je gewoon even laten weten – mijn kleine boek en ik zijn uitgenodigd voor een kunstenaarsopleiding in Italië. Het schijnt een soort eer te zijn. Ik ga hier voorgoed weg aan het einde van het trimester.'

Sirine kijkt wel terug, maar ze beantwoordt zijn blik niet echt. Ze vat dit nieuws op zoals ze tegenwoordig de meeste informatie in zich opneemt – als door een laag verbandgaas, een omfloerste stilte – ze ziet het belang ervan niet in of het zegt haar niets. Haar verdriet zit in de buitenste laag van haar huid, drukt op haar gezicht en maakt haar huid te gevoelig voor aanraking. Dan kijkt ze echt naar hem en nu ze weet dat het Han niet is, herkent ze hem eigenlijk nauwelijks. Ze moet zichzelf eraan herinneren dat ze op een avond met elkaar naar bed zijn geweest; dat ze zichzelf ooit gekweld heeft met dit feit.

'En ik dacht... je vindt dit vast belachelijk, maar ik dacht dat je misschien wel met me mee zou willen gaan?'

Ze houdt haar hoofd schuin, nieuwsgierig, alsof hij een andere taal spreekt. 'Waarheen?'

'Nou, naar Italië. Je zou bij mij kunnen wonen. Ik bedoel, we hoeven – niets te doen – wat je niet wil doen. We zouden gewoon samen erheen kunnen gaan als goede vrienden. Misschien zou een verandering in je leven wel goed voor je zijn. Iets nieuws om naar uit te kijken. Je gedachten richten op een leuke, nieuwe omgeving. Je kunt zo lang blijven als je wil.'

'Jij en ik... in Italië?' Ze voelt een trilling als iets van een lach omhoogkomen onder haar borstbeen. Ze wil vragen: en wie ben je ook alweer? Maar hij kijkt haar zo ernstig en droevig aan dat ze het inslikt. 'Dat is... erg aardig van je.'

'Denk erover na. Je hoeft niet meteen te antwoorden.'

Ze schudt haar hoofd. 'Ik kan hier niet weggaan. Dit is mijn leven.'

'Maar misschien zou je nog meer met je leven willen doen?'

Ze glimlacht half. 'Niet met jou.'

Zijn gezicht betrekt een beetje en dan veegt hij met zijn hand over de tafel. 'Natuurlijk dacht ik al dat je dat zou zeggen.' Hij kijkt peinzend om zich heen in de ruimte en Sirine doet dat ook, probeert te zien wat hij ziet, maar er is niet veel meer te zien dan grote plastic bakken en planken vol dozen. Uiteindelijk heft hij zijn kin op, staart naar haar en zegt: 'Er zijn een paar dingen die ik heb gedaan... waar ik niet trots op ben. Ik heb misschien nog wel meer minder fraaie dingen in mijn leven gedaan. De hemel mag het weten, ik ben Han niet...' Hij pauzeert, maar Sirine kijkt hem niet aan; ze drukt haar gewonde vinger tegen haar duim. 'Ik moet je nog één ding vragen,' zegt hij plotseling. 'Han heeft geen enkele boodschap voor me achtergelaten of afscheid van me genomen. Ik had er geen idee van – geen flauw idee. Ik dacht dat hij en ik goede vrienden waren, maar...' Hij staart haar aan. 'Ik moet er constant aan denken – ik moet het weten: komt het door wat er tussen jou en mij is gebeurd – is dat de reden waarom Han is weggegaan?'

'Gebeurd...' mompelt ze, terwijl ze zich afvraagt waar hij het over heeft – ze is het opnieuw vergeten – maar dan herinnert ze het zich weer. 'O. Nee,' zegt ze. 'Nee, ik heb het hem nooit verteld. Niets.' Ze heeft het gevoel alsof ze watten in haar mond heeft.

'Gelukkig,' zegt hij snel. 'Goddank, goddank. Omdat ik het mezelf dan niet zou kunnen vergeven.'

'Hé, chef...' Victor komt de ruimte binnen, kijkt naar Sirine, stopt dan als hij Aziz ziet. Zijn gezicht betrekt en Sirine gaat rechtop zitten, waarbij haar nekhaar overeind gaat staan.

'Het is in orde,' zegt ze tegen Victor. 'Niets aan de hand. Ik kom zo.'

Victor blijft nog even in de deuropening staan, ogen samengeknepen. Hij knalt de zwaaideur open als hij wegloopt.

Ze wendt zich snel tot Aziz. 'Nou. Ik kan maar beter weer aan het werk gaan. Het loopt hier altijd zo snel uit de hand...' Ze werkt zich overeind.

'Nou.' Hij gaat ook staan, galant en hersteld. Hij kust haar gewonde hand. 'Laat ik alleen zeggen dat ik constant aan je heb moeten denken,' zegt hij. 'Over alles wat we samen hebben gehad. Je kunt me altijd bellen. Beschouw Aziz als permanent oproepbaar.'

'Dat is lief,' zegt Sirine, terwijl ze staat. 'Stuur me een ansichtkaart als je in Italië bent.'

Hij probeert haar hand te kussen, maar ze draait die zo dat het een handdruk wordt. Dan zwaait ze ten afscheid.

Han is negen maanden geleden vertrokken. Het is vroeg in de morgen en Sirine roert citroensap in een tahinisaus. Het is ongewoon rustig in het restaurant voor september, het begin van het schooljaar, het nieuwe herfsttrimester. Ze is aan het roeren en een student komt binnen en gaat alleen aan de bar zitten. Hij bestelt koffie, slaat zijn krant open – die met de bleekgele pagina's – de *World* – en begint te lezen.

Sirine merkt het nauwelijks op, kijkt nauwelijks op – ze zou misschien helemaal niet hebben opgekeken, maar de tahinisaus heeft meer citroen nodig en de citroen ligt op de richel bij de bar. Als ze opkijkt, trekt de foto in de krant – vlekkerig, korrelig, vol schaduwen –

van drie mannen met een kap op hun hoofd en met blote voeten, haar aandacht. Ze kijkt beter: het hoofd van een man is gedeeltelijk zichtbaar, en ze kan de droevige blik in zijn ogen zien, de manier waarop zijn zwarte haar over zijn voorhoofd valt; en ze weet het.

'Alsjeblieft,' zegt ze tegen de student die opkijkt, terwijl hij tegen de zilverkleurige rand van zijn bril duwt. 'Sorry dat ik je stoor, maar zou je dat onderschrift voor me kunnen vertalen?'

Hij buigt de pagina en leest even. 'Het gaat over Saddam Hoessein,' zegt hij. 'Er staat dat hij deze mannen heeft laten executeren op beschuldiging van misdaden van laster en verraad. Er staat dat het spionnen voor het Westen waren en collaborateurs.' Dan lijkt de student even te pauzeren, en kijkt hij nog eens naar de foto. Hij vouwt de krant netjes op en overhandigt die aan Sirine zonder echt naar haar te kijken, zijn stem zachter, als hij zegt: 'Wil je... wil je die hebben?'

Maar ze loopt al de achterkeuken in, langs Mireille en Um-Nadia, Victor Hernandez en Cristobal, de deur uit, door de achtertuin, door het scherm van bladeren, de bougainvillestruiken in. Ze duwt zich langs de dichte, schurende takken zo ver ze maar kan, zodat haar haar vast komt te zitten en haar kleren scheuren, en ze laat haar gezicht in haar handen vallen en snikt.

Een week later wordt er een klein doosje bezorgd bij het huis van haar oom. Het is half in elkaar gedrukt en bedekt met poststempels uit Tunesië, Jemen en Frankrijk. Sirines naam en adres zijn gevlekt, en geschreven in het Engels en het Arabisch, in een primitief, onbekend handschrift. Ze gaat meteen op de onderste tree van de trap zitten om het doosje te openen; haar mond papierdroog en haar bloed bonzend in haar oren. Het effen tissueachtige inpakpapier valt weg en ze peutert het kleine kartonnen doosje met trillende handen open.

Er zit een blauw stuk papier in. En Han's blauwe gebedssnoer.

Het zijden koord was kennelijk gebroken en is opnieuw geknoopt, en het lijkt alsof er een paar kralen ontbreken. Ze ruikt eraan; de kralen zijn koud en hebben kleine deukjes. Ze drukt ze tegen de zijkant van haar gezicht en haar oom vindt haar zo, op dezelfde plaats, op dezelfde tree, als hij een uur later thuiskomt.

'Habeebti,' zegt hij, en hij buigt zich over haar heen, terwijl haar naar het pakje kijkt. 'O, habeebti, wat is dit nu?'

Ze houdt het blauwe papier omhoog. Het is geschreven in het Arabisch, er zitten grote gaten in het schrift, doordat er veel is doorgestreept met een dikke zwarte markeerstift. 'Alstublieft,' zegt ze.

Hij zucht en gaat naast haar zitten, verwisselt zijn gewone bril voor zijn leesbril, legt een arm om haar schouders en begint de weinige overgebleven sporen van de brief voor te lezen: 'Ik wist dat je... hier, op deze plaats... wij... hij vroeg me om jou... te sturen... hij had het vaak over... je moet weten dat... en hij... heel, heel erg veel.' Hij neemt zijn leesbril af, stopt die in het zakje van zijn overhemd en zet zijn gewone bril weer op. 'Dat is het.'

'Dat is alles wat er staat?'

'Ik ben bang dat het nogal zwaar gecensureerd is.'

Sirine vouwt het papier zorgvuldig op, sluit haar vingers om het gebedssnoer. 'Dan is het genoeg,' zegt ze.

30

Het verschil tussen een gestoord iemand en een profeet is dat de een volgelingen heeft. Dus het verschil tussen een kelner en een filmster is fans. En allerlei soorten fans kwamen naar de bioscoop om de spookachtige Ier te zien.

Peter O'Toole.

Ja. Maar toen ze eenmaal naar de film gingen kijken viel een andere acteur, een onbekende, hen op, de acteur die zichzelf als een handvol water droeg, wiens huid zo helder als water was, maar wiens oog puntig en zwart als een pijl was. Toen hij nog Abdelrahman Salahadin was, was hij weinig meer dan helemaal niemand, maar toen hij eenmaal dat andere werd, filmster...

Omar Sharif.

...Toen was hij ineens alles en iedereen. In zijn linkeroor was de zachte inademing en uitademing van de woestijn en de fluistering van de oceaanwind. In zijn rechteroor was het scherpe metaalachtige lawaai van Amerika. Hij werd wat ze in dit land een stér noemen. In zijn rechteroog waren feesten en vrouwen, regisseurs en scripts, geld en snelle auto's. Maar in zijn linkeroog was een soort afwezigheid, een niets, dat hij niet helemaal kon thuisbrengen. En als hij er recht naar probeerde te kijken, dan zweefde het gewoon weg op de gekmakende manier die zulke dingen eigen zijn.

Intussen, eindelijk thuis in het slaperige Akaba waar nooit iets verandert, legde tante Camille zich erop toe om een oude dame worden. Vele jaren waren verstreken sinds ze voor het eerst op zoek ging naar haar verloren zoon, en ze had eindelijk besloten om te proberen met pensioen te gaan. Haar ontelbare zonen gingen met haar wandelen, brachten haar post en vierden moederdag met haar. Maar elke avond als ze naar buiten ging en naar de bewegingen van de oceaan keek, dacht ze aan haar vermiste zoon, Abdelrahman Salahadin.

Op een dag ontving ze een brief met als adres van de afzender: 'Ten oosten van de zon en ten westen van de maan.' Ze dacht dat het weer een reclame was van het creditcardbedrijf en gooide hem bijna weg. Maar toen kreeg ze in de gaten dat het handschrift op de envelop met zijn vreemde schuine lijnen, bochten en hoeken er bekend uitzag. Ze realiseerde zich dat het van haar oude vriendin, de zeemeermin Alif was. Ze opende de brief en kwam er zo achter dat een van Alifs vele sympathisanten en aanhangers het op zich had genomen om voor haar zo'n moderne gemotoriseerde rolstoel te kopen en te importeren. Hij had die naar haar toe gebracht in haar grot, zodat ze er nu eindelijk een beetje uit kon.

Ze was weg van het ding! Eindelijk hoefde ze die grote lompe vissenstaart niet meer achter zich aan te slepen op het droge. Maar zoals je je kunt voorstellen waren die scherpe rotspunten en steile rotswanden rampzalig voor een elektrische rolstoel. Dus besloot Alif om haar chador aan te trekken als camouflage en reed ze in haar prachtige rolstoel de schimmelige grot uit, naar het centrum van Caïro.

Geweldig nieuws, maar er was meer. Nog geen paar avonden geleden ging koningin Alif nog even wat boodschappen doen – er zouden een paar mensen bij haar op de borrel komen op haar Caïrose loft – en wat ziet ze overal op straat hangen? Aanplakbiljetten met daarop het gezicht, drie meter hoog of misschien nog wel meer, van Camilles slechte zoon Abdelrahman Salahadin!

Omar Sharif.

Bij haar brief had Alif ook een paar van haar laatste gedichten gedaan die geplaatst zouden worden in een trendy literair tijdschrift. Maar Camille had geen tijd meer om haar mening daarover te vormen. Ze floot Napoleon-was-hier, begon haar tassen te pakken en vroeg zich af: wat zouden ze in deze tijd van het jaar dragen in Caïro?

De avond nadat ze Han's gebedssnoer heeft ontvangen, laat Sirine op haar werk een hele pan met geroosterde vis in tahinisaus vallen. De keukenvloer is bedekt met saus en vis en Sirine staat er midden in, handen uitgestrekt, niet ademend. Um-Nadia kijkt door de zwaaideur en zegt: 'Habeebti.' Ze komt eraan met een dweil en bekijkt Sirine van top tot teen, en zegt dan: 'Habeebti, ga naar huis voordat er slachtoffers vallen.'

Sirine sputtert niet tegen. Ze gaat naar de achterkeuken en trekt haar regenjack aan over haar koksjas. Mireille biedt aan om haar een lift te geven, maar Sirine schudt haar hoofd. Ze loopt de koele, glasachtige lucht in en stapt op haar fiets. Alle bloemblaadjes zijn inmiddels afgevallen en de bladeren zijn lelijk, maar toch zijn er nog wat verdroogde restanten van de bloemen die Han door haar fietsmandje heeft gevlochten. Ze dwarrelen in de wind als ze fietst en ze realiseert zich dat ze dit liever ziet – de verschrompelde, fascinerende aanblik van de oude bladeren – dan nieuwe bloemen. Ze fantaseert hoe ze haar hele fiets bedekt met klimop en door de straten rijdt met al haar twijgen en hechtranken achter zich aan wapperend.

De laatste tijd is ze weer aan het nadenken over haar laatste avond met Han, waarbij ze zich de dingen herinnert die hij heeft gezegd en gedaan. De manier waarop hij zijn ogen bedekte toen ze hem de foto van zijn zuster liet zien en hij zei: *geen foto's meer, ik heb er te veel gezien.* Ze vraagt zich af: waarom zei hij dat?

Ze dacht dat ze gewoon naar huis zou gaan, maar in plaats daarvan merkt ze dat ze in de richting van Westwood Village rijdt. Ook al is het maanden geleden, toch weet ze de weg nog langs de lantaarns, de neonverlichting en de winkelende mensenmenigte. Dan wordt de straatverlichting minder en beginnen de buitenwijken langs de bochtige trottoirs, onder de grote, buigende palmen. Ze rijdt nog een straat door, dan een volgende. Even denkt ze dat ze verdwaald is, maar dan herinnert ze zich een bepaalde bocht in de weg, een paar bamboe windgongs, een groep bananenbomen. De nachthemel is een hoog gewelf boven haar hoofd.

Ze vindt het huis met zijn kapotte dakpannen, donkere ramen en kromme deur. Langzaam rijdt ze haar fiets over het gras tot aan het betonnen trapje. Sirine klopt hard en roept: 'Nathan!' Hij is niet meer in het restaurant geweest sinds Han weg is, en ze vraagt zich af of hij daar nog wel woont.

Ze is gekomen in de hoop op een foto. Het doet er niet toe hoe die eruitziet. Ze denkt dat ergens in die donkere kamer er zeker nog een foto van Han moet zijn. Ze moet zichzelf ervan verzekeren dat hij echt heeft bestaan, dat ze van hem heeft gehouden. Bijna negen maanden zijn er verstreken; gisteravond nadat ze zijn gebedssnoer had ontvangen, lag ze wakker in bed en realiseerde zich dat ze zijn gezicht niet meer voor de geest kon halen. Kon ze hem nog maar een keer zien, zijn voorhoofd bestuderen, de lijn van zijn mond, de uitdrukking in zijn ogen, dan zou ze misschien kunnen ontdekken wat ze niet wist over Han – wat ze had moeten weten.

Ze klopt telkens opnieuw, en als er niemand opendoet, probeert ze de deur en ontdekt dat die open is. 'Nathan?' zegt ze. Ze kijkt om zich heen, loopt dan de donkere, rommelige kamer in. 'Nathan, ben je thuis?' Ze zoekt naar een lichtschakelaar en ze doet een zwak licht boven haar hoofd aan dat de kamer schaduwachtig maakt en ruikt naar verbrand stof. 'Nathan?' Ze loopt langzaam door de kamer, rond stapels kleren en boeken, verkreukelde papieren, lege flessen. 'Ik ben het, Sirine!' Maar ze heeft moeite haar stem te verheffen. De stilte maakt dat ze op haar tenen wil gaan lopen. Ze nadert de deur van de donkere kamer. Het rode lampje is aan en de deur staat op een kier; ze duwt zacht en gluurt naar binnen. Hij is leeg, op de baden na, en wat foto's die hangen te drogen aan een lijn.

Ze kijkt nog een keer om, en gaat dan naar binnen. Vastgeklemd aan de lijn hangt een foto van Aziz in zijn smokingjasje, zijn gezicht vol, sensueel en zelfvoldaan, zijn haar naar achteren. Er is er een van Sirine die fronsend tuurt naar een groep mensen bij het concert van de afdeling Etnomusicologie. Ze bestudeert die even – ze was er zich niet van bewust dat Nathan die foto had genomen. Dan ontdekt ze een afdruk van haar en Han terwijl ze thee zitten te drinken in de keuken van haar oom. Ze trekt die van de drooglijn, opgewonden, en bestudeert Han's gezicht van dichtbij. De bekende lijnen van zijn gezicht golven over haar huid – het litteken bij zijn ooghoek maakt dat haar adem stokt. Hán. Ze richt zich op de andere foto's en ontdekt dat er nog meer verrassingen zijn; zij en Han samen voor de Perzische kruidenierswinkel; voor Han's kantoor; er is er zelfs een waarop zij en Mireille naar Han staan te kijken vanaf de gang terwijl hij college geeft. Er is een foto van Han die Sirine op de binnenplaats achter het restaurant zoent, en dan is er een foto van hen beiden terwijl ze baklava staan te maken in de achterkeuken. Ze ontdekt nog meer foto's van hen tweeën en ze bladert er snel doorheen. Het is alsof hun hele relatie op de een of andere manier in het geheim op papier is gezet en gecatalogiseerd. Han is de held en Sirine het liefdesobject. Er zijn momenten die ze zich herinnert of half herinnert, en andere die ze zich helemaal niet meer kan herinneren – haar hoofd op Han's borst; een blik die hij over zijn schouder op haar werpt; een vork met voedsel die hij in haar mond stopt. Hun gezichten zijn zo open, hun gebaren zo teder, waardoor ze haar rauwe verdriet terug voelt komen, het weggestopte gevoel van de afgelopen maanden – trekkend aan haar vanaf een verborgen plaats in haar lichaam, en de tranen die tegenwoordig zo gemakkelijk opwellen, zodra er maar iets is waardoor ze los kunnen komen. Het is een soort zoetheid, gesmolten en overweldigend, vol flitsen van pijn. En door dit verdriet heen staat ze perplex over het niveau van de concentratie, de mate van heimelijkheid, discipline en vastberaden doelgerichtheid die voor deze foto's nodig moeten zijn geweest. Op de een of andere manier is ze minder geschokt door deze beelden dan ze denkt dat ze eigenlijk had moeten zijn. Er hangt een gloed omheen, het licht gevangen op zo'n manier dat een toeschouwer zou kunnen zeggen dat de fotograaf discreet en respectvol was, zelfs eerbiedig. Ze heeft zich nooit gerealiseerd hoe belangrijk Han voor Nathan was, of hoe geobsedeerd hij was door hun relatie. En nu Han er niet meer is, heeft zijn aandacht iets prettigs, zelfs ontroerends.

Ze wrijft over haar ogen en slapen en ervaart een opkomend gevoel van medelijden voor zowel zichzelf als Nathan, een besef van zijn eenzaamheid en geïsoleerdheid, zoals hij hier verloren tussen zijn foto's leeft. Allebei opgesloten in hun eigen verdriet. Ze grijpt steels een paar foto's en begint de kamer uit te lopen. Haar geschokte verdriet begint uiteindelijk plaats te maken voor een gevoel van angst en onwezenlijkheid, alsof hoe meer ze naar zichzelf kijkt, hoe minder het lijkt dat zij het werkelijk is op die foto's, of dat alles in de wereld echt is zoals ze dacht dat het was. De manier waarop mensen die bijna dood zijn, beschrijven hoe ze neerkijken op hun eigen lichaam alsof hun geest wegvliegt.

Ze aarzelt even in de deuropening, bevroren tussen angst en een dringend, aanhoudend verlangen om alle foto's bij elkaar te graaien om Han en zichzelf te beschermen tegen deze inbreuk. Ze ziet nog een foto – Han die haar vasthoudt, zijn hoofd over het hare gebogen en zijn ogen gesloten. Dat is de foto die ze wil hebben. Ze glipt terug in de kamer om die te pakken en op dat moment dringt er iets tot haar door, verscholen onder de bittere lucht van ontwikkelvloeistoffen en chemische baden – zo zwak dat het er bijna niet zou kunnen zijn, maar zo bekend dat ze automatisch haar hoofd omdraait om de lucht in te ademen – een geur van bessen.

Als ze eenmaal de donkere kamer uit is gelopen, is de lucht gemakkelijker waar te nemen. Ze gaat naar de donkere achterkant van het huis, de foto's in haar ene hand, de andere hand uitgestrekt. Ze luistert, ademt langzaam en aandachtig in, proeft de lucht. Ze komt bij het kozijn van een volgende deur en duwt nauwelijks. Het duurt even voordat haar ogen gewend zijn aan het donker. Er is een groot onbedekt raam in de kamer; het maanlicht valt over de vloer en verlicht een bed met een bewegingloze vorm in het midden, van top tot teen bedekt met een grote vierkante zwarte sjaal. Ze komt dichterbij, onderzoekt de rand van de doek op de afwerking, het fijne werk van de steekjes. Haar hart voelt aan alsof het opzwelt met bloed; een soepele hartslag door haar hele bovenlichaam, polsen, gezicht. Ze haalt diep adem en de lucht is overal, een ingewikkeld samengaan van velden en vruchten. En nu is het de geur van Han zelf.

Heel voorzichtig begint ze de doek naar zich toe te trekken; de gestalte eronder zo stil dat het lijkt alsof ze een standbeeld aan het onthullen is.

Het gaasachtige zijden materiaal geeft vlagen van zijn specifieke geur van aarde en zeldzame regen af en vervult Sirines zintuigen, waarbij haar herinneringen omhoog dwarrelen als theeblaadjes in een kopje. Uiteindelijk zweeft het laatste stuk stof ruisend weg van de gestalte eronder, en Sirine kijkt neer op Nathan, slapend en naakt opgerold op het bed. Zijn huid ziet er blauwachtig en glad als paarlemoer uit in het donker, zijn penis opgekruld tussen zijn benen als een zeeschelp. Trillend brengt ze de wolk van zijde naar haar gezicht en ademt het in.

Even later realiseert ze zich dat ze weg wil. Ze draait zich om en doet een paar voorzichtige stappen in de richting van de deur, als ze ineens een geluid achter zich hoort. Ze draait zich om en ziet hoe Nathan rechtop op de rand van het bed zit. Hij kijkt naar haar alsof hij zich afvraagt of hij droomt. 'Sirine,' zegt hij zacht. 'Ik wilde hem aan je teruggeven. Echt waar. Ik wil hem al maanden teruggeven. Maar ik wist niet hoe ik dat doen moest.' Hij trekt een beddenlaken rond zijn lichaam, draait zijn gezicht naar het raam.

Ze draait zich om en wil weggaan, wacht, en draait zich dan weer om. Hij is er nog steeds. Nu ziet hij eruit als een monnik – ingevallen wangen, hunkerende maanschaduwogen, een lichaam bewoond door een oude geest.

Ze houdt de sluier tegen haar borst.

'Ik herkende hem meteen,' zegt hij. 'Zodra ik hem zag.'

Sirine staat doodstil. 'Jij hebt hem weggenomen,' zegt ze. 'Waarom heb jij mijn sjaal weggenomen?'

'Dat wil ik graag uitleggen. Mag ik dat ten minste doen?'

'Wat weet jij van die doek?'

'Ik hield van Han's zuster. Van Leila.'

'Leila...' Ze stopt, haalt diep adem.

Nathan laat zijn handen over het laken gaat, vingers rimpelend over de golven. Het maanlicht dat door het raam filtert, raakt de toppen van de plooien aan zodat ze lijken te veranderen in schuimkoppen. 'Ik las over Bagdad in *De vertellingen van 1001 nacht*,' zegt hij. 'Het was een en al magie en avonturiers. Ik dacht dat het daar ook echt zo was. En toen ik ouder werd, veranderde Bagdad in een plaats van oorlog en bommen – zoals we dat op de tv zien. Ik had nooit gedacht dat er daar nog een normaal soort leven zou zijn.'

Sirine leunt tegen het deurkozijn. Ze sluit haar ogen en vouwt de zijde tussen haar handen. Ze probeert kalm te blijven, te luisteren hoe zijn versie van Bagdad zich ontrolt in de kamer: een stad met drukke straten en bars en ontwikkelde jonge mensen, met experimentele kunstenaars en regisseurs, en stijlvolle toeristen uit de hele wereld. En Nathan die op straat staat en dat alles in zich probeert op te nemen. Als ze haar ogen opent ziet ze oude beschadigde bibliotheekboeken die geopend met de bladzijden naar beneden op zijn bed liggen, opgerolde hemden en sokken op de grond. Door de bessengeur heen ruikt ze een lucht van oude kleren, fotorolletjes, iets bitters en chemisch in de kamer.

Dus houdt ze haar ogen gesloten terwijl Nathan praat over oosterse koepels naast westerse hoge gebouwen, over oude ruïnes en hedendaagse ruïnes uit de oorlog met Iran en daarna de bommen uit Amerika, over raketaanvallen die enorme rokende gaten in de grond achterlieten; ze hoort over openluchtmarkten vol bengelende gevilde konijnen, lammeren vastgebonden aan palen, fruitkramen hoog opgestapeld met kleine wrange sinaasappels of glimmende uien of knoflookbollen zo groot als vuisten, de rokerige geur van sesamzaad, of versgebakken brood in een open stalletje. En een verre horizon van slapende paarse bergen.

Dan hoort Sirine over de jonge vrouw. Ze stond op de markt met haar moeder toen Nathan aan kwam lopen. Nathan beschrijft haar nauwkeurig: de valling van haar zwarte haar, haar volle rode lippen, de hoek van haar hand als ze ruikt aan een citroen. Hij weet dat hij haar opnieuw moet zien, weet dat hij verloren is.

Dan, na dagen van zoeken, vindt hij haar opnieuw. Ze is wasgoed aan het ophangen in een veld als hij langs komt lopen. Hij blijft stokstijf staan. Ze weet dat hij naar haar op zoek is, want iedereen heeft het over die Amerikaan die door de hele stad loopt, foto's maakt, op zoek naar het meisje dat hij op de markt zag. Ze denken dat hij een spion is.

Hij benadert haar vader en jongere broer Arif – haar oudste broer zit in Oxford – en haalt hen over om hem in hun boomgaarden te laten werken. Haar vader is gaan geloven dat de Amerikaanse rijkdom en politieke invloed de enige hoop van de Irakezen is voor het bestrijden van de dictator die aan de macht is. Hij en Arif zijn geïnteresseerd in deze emotionele jonge man met de bleekgrijze ogen en porseleinen huid. Om de een of andere reden mogen ze hem wel, ondanks zijn slechte Arabisch, het fotograferen, vragen en rondhangen. Ze zien zijn duidelijke, hulpeloze liefde voor het meisje. Ze weten dat hij verdoemd is en halfgek en te erg verliefd; hij mag daar blijven en in de boomgaarden werken, ook al weten ze dat dat ongeluk kan brengen en dat het gevaarlijk is. Amerikanen trekken de aandacht. Hij heeft een tent opgezet in het veld bij de bedoeïenen die ook in de boomgaarden werken, maar 's nachts verbergt hij zich onder een richel onder het raam van het meisje en soms komt ze naar buiten en praat met hem.

Er klinkt een geluid en Sirine doet haar ogen open. Ze is weer in de benauwde kamer in Amerika. Ze denkt dat ze een beweging in de lucht rondom hem ziet, een soort kringel. Of gewoon een optische illusie. Hij staat daar, met zijn laken achter zich aan, krijtwit met vlekjes blauwe schaduw. Hij loopt naar een hoek en ze hoort een la sissend opengaan, dan keert hij terug met een envelop. Hij klopt op een plek op het bed naast hem om te gaan zitten; ze denkt erover na en doet het dan aarzelend. Hij haalt er een handvol kleurenfoto's uit. Hij overhandigt die een voor een aan haar; ze reflecteren het maanlicht, sobere foto's van de kale stengels van wild gras; de stenen hoek van een raam, de rand van een simpel witgekalkt huis. 'Daar woonde ik,' zegt hij. 'Maandenlang. Dit was de hele wereld. De ruimte onder haar raam.' Zijn ogen zijn gesloten. 'Het rook er naar olijven. En een beetje naar de zee.'

'Het huis van Han,' zegt ze zacht.

Een volgende foto: de achterkant van een mannenhoofd bedekt met een witte hoofdtooi – een *kaffiyeh* – de hand die reikt naar een kopje op een ronde, koperen tafel. 'Ik wilde met haar trouwen. Maar ik was niet meer dan een gast in haar wereld – haar ouders, haar broers. Ik kon haar niet weghalen daar.'

Nog meer foto's: bomen met glanzende takken tegen een bleke hemel. 'De boomgaard.' Puntige bladeren glinsterend als munten. Zwarte olijven. 'Mijn wereld.' Haar hand: rond, glad, bruin als een blad. 'Leila.'

Het is een andere pose maar hetzelfde lachende meisje, dezelfde krullende haarlokken en fluwelen ogen. 'O ja,' zegt Sirine rustig, terwijl ze de foto ophoudt naar het maanlicht. 'Ik ken haar. Ik vond haar foto onder mijn bed.'

Hij kijkt geschrokken. 'Heb jij die foto gevonden? Ik had hem meegenomen op Thanksgiving om hem aan jou te laten zien. Ik was van plan om je over Leila en mij te vertellen. Jou en Han. Maar toen zag ik dat je die doek droeg...' Zijn ogen verwijden zich. 'Toen schrok ik en ging ervandoor. Ik had haar foto in mijn jaszak zitten en realiseerde me pas de volgende dag dat ik die kwijt was.'

Sirine denkt even na, glimlacht dan vaag en zegt: 'De hond – Babar – dat is een vreselijke dief.'

'Zou ik hem misschien terug mogen hebben?' vraagt Nathan. 'Ik kan het negatief nergens vinden.'

Ze kijkt naar beneden. 'Ik heb Han de foto laten zien net voordat hij vertrok. Hij heeft hem meegenomen.'

Nathan staart naar haar en ze ziet hoe er emoties door hem heen gaan. In het ongelijkmatige licht ziet hij eruit als een man onder een rivierstroming. Hij fronst en laat zijn hoofd zakken. 'Han had niet het recht om de sluier weg te geven!' zegt hij heftig. 'Hij had het recht niet. Niet op die manier. Jij wist niet wat die betekende. Je liet hem vallen. Ik vond hem op de keukenvloer... Hij hoorde bij mij.' Hij raakt de sluier kort aan en trekt dan zijn hand terug. 'Nee. Hij was van Leila. Ze droeg hem op de laatste dag dat ik haar heb gezien.'

De foto – het ernstige gezicht van een jonge man, zwarte ogen, een vlakke gelijkmatigheid in zijn blik, een vleugje van Han's gelaatstrekken. 'Arif wist van mijn relatie met Leila, net als zijn vader. Hij was beleefd maar stil bij mij in de buurt, altijd een beetje gereserveerd. Hij had al eens in de gevangenis gezeten en was weer vrijgelaten voordat ik hem leerde kennen, en hij leek ouder dan hij in werkelijkheid was. Ik werkte een paar maanden in de boomgaard toen de mannen verschenen. Arif kwam vanaf het huis aan gerend tussen de bomen door, in de richting waar ik bezig was. Hij greep me beet en bracht me naar een schuilplaats die ze hadden uitgegraven onder het huis voor het opslaan van bieten en olijven.

Ik besefte dat ik alles kon horen wat er gebeurde in het huis: ik zat vlak onder het leem en de houten vloerplanken. Leila was aan het praten en zij waren aan het praten, en ze vroegen naar de Amerikaan die al die foto's nam. Ik kon nauwelijks ademhalen of slikken; ik was doodsbang, terwijl ik dacht aan alle verhalen die ik had gehoord over Saddams politie. Maar Leila hield voet bij stuk en zei dat er geen Amerikaan was, dat het idioot was. Ze begonnen het huis te doorzoeken. Ik kon horen hoe ze dingen omgooiden terwijl zij hen volgde. Ze beledigde hen en vervloekte de regering. Ik drukte mijn handen tegen het leem van het plafond in de duisternis, en bad dat ze zou stoppen. Toen ze haar meenamen, gaf ze geen kik. Maar later, toen we allemaal naar boven kwamen, vond ik een van mijn foto's van Leila op de grond bij de deur – dat was een van de foto's die ik aan die Amerikaan had gegeven.'

De foto's in Sirines hand zijn donker glas. Ze schuift ze terug in de envelop en steekt die uit naar Nathan, maar hij trekt zich terug. 'Ze zijn allemaal gif,' zegt hij. 'Die hebben ervoor gezorgd dat de politie kwam.'

'Han dacht dat de politie Leila had gearresteerd om hem te pakken te krijgen. Hij voelde zich daar verantwoordelijk voor.'

'Nee... hij was toen allang weg. De politie kwam omdat de familie een Amerikaan onderdak had verleend.'

'Dus die Amerikaan aan wie jij de foto's gaf – was die van de cia, of...'

Nathan glimlacht en schudt zijn hoofd. 'Ik weet het niet.'

Sirine bestudeert hem even. 'Is het mogelijk dat Leila nog in leven is?'

Eerst reageert hij niet. Langzaam glijdt hij terug op het bed, laat zijn hoofd rusten op een elleboog. 'De manier waarop het daar werkt is dat een paar dagen nadat Saddams veiligheidspolitie iemand heeft meegenomen, de familie soms een cadeautje ontvangt. Een kleine verzegelde doos. Ze zeggen dan dat het de overblijfselen zijn van de persoon die ze hebben meegenomen.'

'Kun je erin kijken?'

'Als je moedig genoeg bent. Maar als je niet kijkt, dan bestaat de mogelijkheid dat die persoon niet per se dood is.'

Sirine laat haar vingertoppen over de hoofddoek gaan.

'Dit kwam met de doos mee,' zegt hij, terwijl hij een hoek van de hoofddoek aanraakt. 'Een kunstproduct. De ouders moeten het naar Han hebben gestuurd toen hij in Engeland woonde.'

Sirine kijkt naar de omslagdoek; hij voelt aan als huid, als smeltende boter, een plasje in haar schoot. 'Eerst zei hij tegen me dat de doek van zijn moeder was geweest,' zegt ze. 'En later dat hij bang was dat ik hem niet zou dragen als ik de waarheid zou weten.'

'Zou je dat hebben gedaan?' Nathan glimlacht naar haar. Dan draait hij zich op zijn rug en kijkt omhoog naar het plafond. 'Soms denk ik dat het een droom was, maar ik ben zelf ook in die droom. Nog dagen nadat de politie was geweest, bleef ik zo bang dat ik me verborgen hield in de kelder, terwijl de rest van het gezin boven mijn hoofd aan het praten en lopen was. Maar op de morgen dat ze haar omslagdoek terugbrachten, kwam ik te voorschijn, pakte mijn camera en liep de hoofdstraat van het dorp door. Ik wilde dat iemand me zou komen arresteren en me mee zou nemen. Maar er kwam niemand. Het leek alsof niemand me zag. Dat maakte dat ik me iets beter voelde. Het was alsof ik al een geest was geworden, net als Leila. Ik liftte terug naar de stad en een paar dagen later wist ik me in een vliegtuig te praten. Ik kwam terug in de States. Ik was een geest – ik had het gevoel alsof ik door muren kon lopen, alsof ik helemaal geen lichaam meer had.

Jaren daarna kon ik alleen nog maar werken, naar dingen kijken, ze fotograferen. Ik kon nergens meer aan denken. Maar toen ik hoorde dat Han hier zou komen doceren, toen begon ik te vermoeden dat ik nog steeds leefde.'

'Je had hem nog nooit ontmoet?'

'Nee, maar al die tijd waarin ik bij Leila was, had ze het altijd maar over haar oudere broer in Engeland, hoe slim en moedig hij was, hoe hij beurzen had gewonnen voor belangrijke scholen. Ik werkte in die tijd voor een fotostudio in Glendale en een Arabische klant had het er toen over dat Hanif – de beroemde vertaler – naar de campus zou komen. Ik kon het niet geloven. Ik reed naar Westwood om te zien of het waar was. Hij zou een lezing geven – dat maakte deel uit van de sollicitatieprocedure voor de baan. Eerst kon ik bijna niet naar hem kijken, hij deed me zo erg aan Leila denken. Het was een bijzonder vreemd gevoel, als bloed dat terugkomt in je lichaam nadat je bevroren bent geweest – een vreselijk brandend gevoel over je hele lijf, dat begon in mijn buik, en alle kanten opging naar mijn huid. Ik had het gevoel alsof ik na jaren wakker was geworden, en ik wilde iedere seconde bij hem zijn.'

'Je zult me wel gehaat hebben,' zegt Sirine. 'Dat ik hem van je wegnam.'

'Nee, dat deed ik niet!' protesteert Nathan. 'Eerst was het – vreemd, maar toen kreeg ik het gevoel alsof je een soort cadeautje was. Ik was bezig mijn oude liefde weer tot leven te brengen door jou en hem samen gade te slaan. Dat is de reden waarom...' Zijn stem wordt zachter en hij sluit zijn ogen.

'Je al die foto's hebt genomen,' zegt Sirine. Ze houdt haar handvol afdrukken omhoog. 'Als een fotoalbum.'

'Dat is nog niet alles,' zegt hij. Nathan rolt zich om zodat hij Sirine niet meer aankijkt. Een auto gaat langs het raam, zo dichtbij dat de koplampen de kamer verlichten en de foto's in Sirines handen opflitsen. 'Ik heb hem namelijk alles verteld, zie je.' Hij slikt; ze kan zien hoe zijn keel beweegt. 'De avond voor hij vertrok.'

Ze denkt na. Ze herinnert zich hoe ze Han en Nathan op de campus vond, de lezing: *Iedere maand sterven er vijfduizend kinderen in Irak.* Ze herinnert zich Han's uitdrukking toen hij naar haar toe kwam; zijn zwijgen. Een gevoel van angst overvalt haar. 'Nathan, wat heb je hem verteld?'

Hij geeft niet meteen antwoord. Ze kan zien hoe zijn keel beweegt. 'Het was zo kwellend om met die geheimen te moeten leven,' zegt hij. 'Dat moet je kunnen begrijpen. Ik heb nooit beseft dat Han zich verantwoordelijk hield voor Leila's dood. Ik had het wel kunnen vermoeden, denk ik. Ze zeggen wel eens dat voor sommige mensen het schuldgevoel van het overleven van de mensen van wie ze hielden erger is dan de dood zelf. Al die tijd had ik mijn mond gehouden over wat er echt was gebeurd – ik beschouwde dat als mijn straf. Om zo te moeten leven – afgesloten van alles, zonder dat ik iemand ooit vertelde wat er was gebeurd. Ik kon de schaamte daarover niet aan. Ik vond mezelf walgelijk. Ik dacht erover om zelfmoord te plegen, maar leven leek een betere straf. Ik ben verantwoordelijk voor

Leila's dood. Mijn zorgeloosheid bracht de politie bij haar huis. Toen ik Han leerde kennen, zag ik weer kleine dingen van Leila. Ik wilde zo graag dicht bij hem in de buurt zijn, ik zou alles hebben gedaan om hem niet te laten weten wat ik had gedaan.'

'Maar toen... toch heb je dat uiteindelijk bekend.'

Nathan sluit zijn ogen. 'Hij kwam naar mijn huis – het was erg laat, een paar uur na het Arabische concert. Hij was overstuur nadat jij was weggegaan. Hij gaf zichzelf de schuld omdat hij met die studente had gedanst. Hij zei dat je had geweigerd om met hem te praten toen hij je later thuis belde, en toen negeerde je hem nog eens toen hij naar je huis kwam.'

'Toen hij naar mijn huis kwam?' Ze fronst, herinnert het zich dan: dat ze droomde over regen – de steentjes die hij tegen haar raam moest hebben gegooid.

'Hij begon zichzelf de schuld te geven van alle mogelijke dingen. Hij bracht Leila ter sprake. Hij vertelde me dat hij verantwoordelijk was voor haar dood. En toen heb ik hem de waarheid verteld. Toen ik hem dat vertelde, had ik het gevoel, bijna een fysiek gevoel alsof de lucht zelf uiteenspatte. Ik hoefde niet langer alleen rond te lopen met die wetenschap. Han geloofde me eerst niet. Hij bleef maar zeggen: "Hebben ze haar meegenomen vanwege jou?" Ik dacht dat hij me zou vermoorden – ik dacht dat hij me zou haten. Maar hij keek alleen verward. Hij zei dat hij terug naar huis zou gaan, hij zei dat hij moest nadenken over wat ik hem had verteld. Hij bedankte me zelfs. Ik denk dat hij zich in zekere zin zelf ook bevrijd voelde.'

'Vrij om terug te gaan naar Irak.' Sirine kijkt even door het raam, de natte trottoirs en lange schaduwen die de maan werpt. Ze kan voelen hoe haar gevoelens veranderen. Nathan draait zich om en kijkt haar recht aan, en ze heeft een voorgevoel. 'Er is nog meer,' zegt ze.

Hij kijkt een andere kant op en schudt zijn hoofd. 'Ik wilde niet... ik zweer het je, Sirine. Ik zou je nooit opzettelijk pijn hebben willen doen. Nooit. Ik heb nooit gewild dat dit zou gebeuren.'

Ze probeert te slikken, maar haar keel voelt gespannen en gezwollen aan, een rilling schiet van haar hoofd naar de onderkant van haar ruggengraat. 'Vertel het me.'

Hij schudt opnieuw zijn hoofd. 'Het was na – na dat alles – nadat ik Han had verteld wat er was gebeurd tussen mij en zijn zuster. Hij zei dat hij er mij niet de schuld van gaf. Hij zei zelfs dat hij aan me dacht als een broer. Ik weet het niet. Ik neem aan dat ik nonchalant was omdat ik eindelijk mijn geheimen had verteld. Ik voelde me stukken lichter. Ik vertelde Han dat ik hem afdrukken wilde geven van de foto's die ik in Irak had genomen. Ik nodigde hem uit in mijn donkere kamer. Er lagen foto's in een bak. Ik was vergeten waar ik aan gewerkt had. Je weet dat ik er geen enkel systeem op na houd voor mijn foto's. En hij stond daar terwijl ik in wat mappen zocht, en toen ik omkeek, staarde hij naar een foto in het spoelbad. Die was ik helemaal vergeten...' Zijn stem zakt weg.

'Welke foto?' vraagt Sirine zacht.

'Van jou.' Hij knikt. 'Met Aziz.'

Sirine wordt heel stil, zo stil dat ze het bloed voelt kloppen in haar hals en bij haar slapen. Ze kan het bloed in haar hoofd horen. Ze kijkt hoe Nathan opstaat en een volgende afdruk uit een stapel op zijn kast trekt. Hij loopt erheen en overhandigt die zwijgend aan haar, en gaat dan zitten. 'Ik volgde jullie naar het strand. Ik had dat niet moeten doen, maar ik maakte me zorgen. Ik vertrouwde Aziz niet. Maar dat was alles wat ik deed. Nadat jullie tweeën weggingen van het strand, volgde ik jullie – niet verder.' Zijn stem klinkt preuts en discreet.

Sirine draait de afdruk om zodat het licht vanaf het raam erop valt. Ze ziet zichzelf en Aziz op de pier, ze leunen naar elkaar toe, hun gezichten zo dicht bij elkaar, op het punt om elkaar te kussen, zijn hand op haar achterhoofd. Haar gezicht is open, dromerig; ze ziet er kwetsbaar als een kind uit. 'O god,' fluistert ze. 'Die heeft hij gezien?'

Nathan wrijft over zijn gezicht met zijn handen. 'Ik had die niet mogen nemen, ik had die nooit mogen nemen. Ik wist dat toen. Maar toch deed ik het – ik nam de foto. Het is een soort instinct voor mij, als ik iets... bijzonders zie. Het was de enige foto die ik nam. Ik betreurde het meteen. Ik was van plan hem te vernietigen.'

'Maar daar ligt hij.'

'Ik vergat het... eerlijk waar.'

Sirine kijkt naar het raam. Vanaf de straat vult het licht van de koplampen van een tweede auto haar ogen; ze knippert niet; ze laat het licht helemaal doorbranden tot in haar hoofd. Ze voelt het door haar heen gaan naar de muur ertegenover, door haar huid gaan als een gedachte. *Han heeft dit gezien.*

'Ik wist dat hij uiteindelijk terug zou gaan naar Irak,' zegt Nathan. 'Wat iemand ook gezegd of gedaan zou hebben.'

'Zei hij... zei hij nog iets? Ik bedoel, toen hij deze foto zag?' Haar stem klinkt zwak.

Hij aarzelt even en zegt dan: 'Hij zei dat hij een raar gevoel had...'

'Een gevoel.'

'Hij zei dat hij op de een of andere manier het gevoel had dat het niets voorstelde...' Hij buigt zich voorover. Ze wacht totdat hij zijn hoofd weer optilt. 'Maar dat hij nog niet wist of hij je kon vergeven.'

Geen van beiden zegt iets. Sirine herinnert zichzelf eraan dat ze moet ademhalen. Ze kijkt om zich heen in de kamer. Ze overweegt of ze zal proberen het uit te leggen aan Nathan, waarom ze wegging met Aziz, maar dat heeft nu geen zin meer. Ze laat zichzelf uiteindelijk weer naar Nathans gezicht kijken; het is als crêpepapier, naar binnen toe verkreukelend, alsof er geen materie achter het oppervlak zit. 'Dat is de reden waarom hij terugging naar Irak,' zegt ze vlak. 'Deze foto.'

Hij strekt zich uit; zijn vingers strijken over de rug van haar hand. Zijn huid voelt koud en hard als hout aan. Dan raakt hij haar haar aan, laat zijn vingertoppen langs een krullende lok glijden. 'Het was Han's eigen keuze om te gaan.'

Ze kijkt naar de ramen; er zijn zilveren strengen regen onder de straatlantaarns; de maan maakt de hemel wit. Ze staat op en beweegt zich naar de deur, stopt dan en legt de doek op het bed. 'Je mag hem hebben,' zegt ze.

Hij pakt hem langzaam op, alsof hij er bang voor is, en kijkt dan naar haar.

'Hij behoort jou toe,' zegt ze.

Hij houdt de doek tegen zijn borst gedrukt; ze wendt zich af.

31

Daar in de Verboden Tempel van de koningin van Sheba – ook bekend als Hollywood, Californië – kreeg Abdelrahman Salahadin er genoeg van om te doen alsof hij een filmster was. Veertig jaar lang had hij in films gespeeld en hij was moe van vrouwen die 's avonds sprankelden, maar er in het morgenlicht grauw en verkreukeld uitzagen. Hij was moe van het spelen van Russen en Fransen, moe van Italianen die Arabieren speelden, moe van lange, blanke acteurs die kleine, bruine Mexicanen speelden. Hij was moe van elektrisch licht dat nooit uitging, van lawaai dat nooit plaatsmaakte voor stilte, en moe van geld. Ja, kun je het je voorstellen; de man die zichzelf honderd keer en meer verkocht voor een zak gouden munten, had uiteindelijk zelf genoeg van geld.

Hij werd ouder en hij hunkerde naar het genoegen van een thuis en familie. Hij kon niemand vinden om een kop thee mee te drinken of een paar spelletjes backgammon of bridge mee te spelen. Het enige wat die Hollywoodmensen deden was krankzinnige feesten geven en in hun glanzende auto's rondjes rijden. Op een avond bezocht Abdelrahman weer eens zo'n feest – iedereen was er – Frankie, Sammy, Jerry, Dino. Abdelrahman vond Dino wel aardig – hij had diep in zijn bloeddoorlopen ogen gekeken en had daarin een verdronken Arabier gezien. Zoals gewoonlijk had Abdelrahman al snel genoeg van het feest en hij stapte naar buiten voor wat frisse lucht. Hij stond bij het niervormige zwembad waar blonde meisjes naakt rondzwommen in champagne, maar hij keek omhoog naar de nacht. Zijn linkeroog was wazig en zijn linkeroor hoorde een fluisterend geluid. Plotseling was er een stomp op zijn rug en een wit gezicht met glimmend zwart haar doemde boven hem op. Dino. Abdelrahman Salahadin kon ruiken hoe dodelijke golven alcohol uit de huid van de man naar buiten kwamen. Zijn ogen keken nergens naar en ze draaiden op een manier die Abdelrahman deden denken aan de ogen van Crazyman al-Rashid.

'Hé, wat is er aan de hand, makker?' zei Dino.

Abdelrahman glimlachte alleen maar. Hij liet zijn blik weer naar de nacht gaan en langzaam, geleidelijk, verscheen de eerste zucht van een stukje van de halvemaan uit het donker.

De halvemaan is een belangrijk symbool in het islamitische geloof. Veel moskeeën zijn bekroond met een halvemaan, op ongeveer dezelfde manier als kerken zijn versierd met een kruis. De profeet Mohammed, vrede zij met hem, vertelde zijn volgelingen dat ze bepaalde rituelen en activiteiten moesten laten plaatsvinden op basis van de nieuwe maan. Het eerste teken van de nieuwe maan markeert het begin van iedere islamitische maand en het markeert het einde van de ramadan – de grote en vrome maand van het vasten – die eindigt met het Suikerfeest, het feest van het verbreken van de vasten, waarbij iedereen nieuwe kleren aantrekt, op bezoek gaat en gaat eten!

Dus Abdelrahman was erg opgewonden. Hij kende de betekenis van de halvemaan – de beloning voor de geduldigen, de oplettenden, diegenen die bereid zijn om te wachten. Zijn ogen vulden zich met tranen en zijn handen trilden. Hij strekte zich uit om hem aan te wijzen. Dino staarde en tuurde en zwaaide en zei uiteindelijk: 'Vriend, ik zie niets.'

Abdelrahman Salahadin was de eerste persoon in de wereld die deze bepaalde halvemaan zag. Hij hing boven hun hoofden, smal als een ooghaartje, helder als kwik, en zond zwakke muziek vanuit de kosmos. Hij glimlachte gelukkig en Dino, die door zijn dronken waas deze tedere, verlangende glimlach zag – de eerste oprechte glimlach die hij in jaren had gezien –, boog zich voorover en fluisterde tegen zijn vriend: 'Weet je, soms moet een kerel weten wanneer hij naar huis moet gaan.'

Die nacht stuurde Abdelrahman een telegram naar zijn vriend, de Egyptische regisseur Jaipur al-Rashid – ook bekend als Crazyman al-Rashid – die was begonnen aan audities voor zijn productie van een toneelstuk dat *Othello* heette, geschreven door een gestoorde Engelsman. Al-Rashid was van plan om dat hele stuk te gaan vertalen in het Arabisch met een volledig Egyptische bezetting, en hij was van plan om het gezicht van de acteur die Othello zou gaan spelen, wit te laten poederen. Abdelrahman schreef zijn oude vriend, vroeg hem een rol voor hem te bewaren in zijn revolutionaire productie; hij had altijd al eens echt toneel willen spelen. Hoe kon hij weten dat al-Rashid al aanplakbiljetten had laten ophangen waarop hij als publiciteitsstunt zijn beroemde vriend aanprees in de hoofdrol. Hij was van plan om het Caïrose publiek elke avond te vertellen dat Abdelrahman Salahadin helaas ziek was geworden en dat zijn rol zou worden gespeeld door zijn doublure. Dus dit ging allemaal prima.

En Abdelrahman noch al-Rashid had enig idee dat, nadat ze de aanplakbiljetten hadden gezien, er twee bijzondere vrouwen in het publiek zouden zitten tijdens de première: een dichtende zeemeermin en een trotse moeder. En, nou ja, wat kan ik zeggen? De rest was geschiedenis.

Dus wat gebeurde er?

O, er gebeurde van alles!

Maar ik wil horen over hun grote hereniging, hoe ging dat? Hoe voelden ze zich?

Habeebti, dit moet je begrijpen over verhalen: ze kunnen je de goede richting aangeven, maar ze kunnen je er niet helemaal naartoe brengen. Verhalen zijn als de halvemaan; ze glinsteren aan de avondhemel, maar ze zijn prachtig in hun onvoltooide toestand. Omdat mensen hunkeren naar de schoonheid van het niet-weten, de opwinding van de suggestie, en de zoete tragedie van het mysterie.

Met andere woorden, habeebti, je moet nooit alles vertellen.

Een jaar later begint Sirine het gevoel te krijgen dat ze weer kan ademhalen zonder dat ze wil gaan huilen. Het meest voelt ze de neutraliteit van de afwezigheid – niet gelukkig en evenmin droevig, afgezien van plotselinge gevoelsopwellingen die door haar heen schieten, snel en elektrisch als synapsen. Alleen als ze kookt, op die momenten van roeren en proeven, voelt ze zich weer helemaal de oude.

Ze is weer begonnen om haar eigen gerechten op een professionele manier te proeven. Afstandelijk, kritisch en overdreven nauwgezet. Het smaakt iets anders dan wat ze zich herinnert. Haar aroma's zijn wat vreemder, donkerder en groter geworden; ze doet geroosterde pepertjes in de hummus en abrikozen en kappertjes bij de kip.

En op een dag loopt ze de opslagruimte in het souterrain binnen en ontdekt daar Victor Hernandez die Mireille aan het zoenen is op het hakblok, midden tussen de uienschillen. Mireille barst in lachen uit, en even later doet Sirine hetzelfde. Later realiseert Sirine zich dat dit de eerste keer is sinds een jaar dat ze echt heeft gelachen.

Een maand later is Mireille verloofd met Victor Hernandez en trekt Victor bij haar en Um-Nadia in. Hij maakt drie verschillende soorten Mexicaanse sauzen voor hun bruiloftsdiner, en een cake met chocolade, kaneel en zwarte peper. Mireille geeft Sirine, als bruidsmeisjesgeschenk, een boek over een vrouw die huilde in de gerechten die ze aan het koken was en haar gasten besmette met haar emoties, en dit verhaal geeft Sirine op de een of andere manier troost. Ze denkt er weken later nog aan en vraagt zich af of datzelfde effect mogelijk is door gewoon in de buurt van het eten te staan. Haar klanten – de jonge Arabische studenten, docenten en de gezinnen – lijken ernstiger dan voorheen, meer geneigd tot piekeren, omhelzen en nadenken. En bij diverse gelegenheden is er iemand – meestal een student – in tranen uitgebarsten terwijl hij de soep at of het brood scheurde.

Um-Nadia wil Sirine naar de grote school sturen, het culinaire instituut in San Francisco, om een topkok van haar te maken, om 'Franse dingen' te leren koken, zegt ze. Sirine is er niet zo zeker van dat ze dat wel wil. Ze vermoedt dat Um-Nadia dat alleen maar wil zodat ze er even uit is en de gelegenheid krijgt om nieuwe mannen te ontmoeten. Maar het enige wat haar plezier geeft is roeren en proeven, en heen en weer lopen tussen de achterkeuken en het restaurant.

Voor haar eenenveertigste verjaardag krijgt ze van haar oom en Um-Nadia – die, zo heeft Sirine gemerkt, tegenwoordig dicht tegen elkaar aan staan als ze afwassen – een nieuw gebedssnoer. De helblauwe gebedskralen zijn onregelmatig van vorm en hebben gouden vlekjes, en er hangt een goudkleurig zijden kastje aan. Ze gaat er met haar vingers langs. 'Bedankt,' zegt ze, terwijl ze de kralen tegen elkaar laat tikken. 'Het is prachtig.' Haar oom en Um-Nadia lijken emotioneel, de gevoelens verborgen en samengepakt in de ruimte aanwezig. 'Het is een herinnering,' zegt haar oom. 'Zodat je niet vergeet om je gebeden op te zeggen.'

'De kralen zijn van lazuur,' zegt Um-Nadia. 'Net als de hemel.'

'Een prachtig snoer,' mompelt ze.

Die avond neemt ze Han's gebedssnoer uit haar zak, kust het en legt het in de la van haar nachtkastje, samen met haar nieuwe snoer, en doet dan de lade dicht.

Vroeg in de morgen na haar verjaardag, terwijl Um-Nadia en haar oom thee zitten te drinken en beneden aan het praten zijn, ligt Sirine lekker op haar bed, waar ze zich verdiept in de *Kitab al-Wusla Ila'L-Habib*, of *Het boek van de band met de geliefde* – nog een verjaardagscadeau dat haar oom in glanzend papier verpakt die nacht voor haar slaapkamerdeur had neergelegd. Een vertaling van een middeleeuws kookboek, het boek zelf schijnt vijfhonderd jaar oud te zijn – elke broze bruine pagina verkruimelt een beetje als ze die omslaat, waarbij een stoflucht vrijkomt. De recepten, waaronder allerlei soorten uitgestorven wild, organen, schimmels en gistingen, intrigeren haar. Ze is een hazenstoofpot aan het bestuderen als ze beneden bij de voordeur lawaai hoort en dan het geluid van Um-Nadia's gelach, dat op een dusdanige manier wordt verzacht dat Sirines haren in haar nek om de een of andere reden overeind gaan staan. Het gelach kringelt omhoog door de vloer, en vult de lucht rond haar.

Sirine loopt zacht naar de deur en legt haar oor ertegenaan, drukt haar gezicht tegen het verzonken houten paneel. Ze weet niet waarom ze zo stiekem doet. Dan opent ze de deur en kijkt de trap af. Um-Nadia en haar oom staan bij de half geopende deur, hun gezichten als een silhouet tegen het grijze vroege morgenlicht. Um-Nadia lacht haar muzikale, drietonige lach en Sirine ziet hoe haar hand naar voren beweegt om het gezicht van haar oom aan te raken. Haar oom pakt daarop haar hand en kust haar vingertoppen. Sirine, die op het punt stond hen te roepen, weerhoudt zichzelf. Ze voelt hoe golven van hitte en dan kou door haar heen gaan.

Ze glipt zachtjes terug in haar slaapkamer, naar haar kookboek, en gaat op haar buik liggen, en een zwaar, onvermijdelijk gevoel rolt over haar heen. Ze opent het boek niet meer, maar laat in plaats daarvan haar vingers gaan over de omslag waar de titel op gedrukt staat, het goud helemaal van de letters gesleten. Er is een klop op de deur en ze legt haar gezicht op het boek en zegt: 'Ja.'

Haar oom staat alleen in de deuropening; hij knippert en kijkt even om zich heen in de slaapkamer, en dan naar Sirine. 'Wat was dat net? Op de trap?'

'Het spijt me.' Ze wrijft over haar neus. 'Het was niet mijn bedoeling om te spioneren.'

Haar oom gebaart naar de leunstoel alsof hij toestemming vraagt om te mogen zitten, en laat zich dan simpelweg boven op Sirines neergegooide kleren op de stoel zakken. 'Sorry... mijn rug.' Hij vouwt zijn handen. 'Dus je hebt het gezien.' Hij kijkt naar haar vanuit zijn ooghoek. 'Ben je geschokt?'

Eerst denkt ze van wel, maar als ze zijn zachte gezicht bestudeert, weet ze dat ze helemaal niet geschokt is, dat ze juist blij is voor hen. Net zoals ze blij is voor Mireille en Victor. En dat al dat geluk een heel gevoelig plekje bij haar raakt. Ze leunt achterover tegen haar aflopende hoofdeinde, en probeert te bedenken hoe ze zich moet verklaren. Uiteindelijk zucht ze alleen en zegt: 'Het komt door... Han.'

Haar oom knikt. 'Vertel het me alsjeblieft.'

'Er is iets... ergs... iets heel ergs... wat ik heb gedaan.' Ze staart naar haar knieën. 'Ik wilde niet dat hij het zou weten. Ik probeerde het voor hem verborgen te houden, maar hij ontdekte het zelf en dat is de reden waarom hij is vertrokken.' Ze drukt haar lippen stijf op elkaar, drukt haar handen plat tussen haar knieën. Uiteindelijk kijkt ze even omhoog zonder haar hoofd op te tillen.

Haar oom leunt achterover, tikt met een vinger tegen de brug van zijn bril. Dan zegt hij: 'Weet je, heel lang heb ik gedacht dat ik je vader heb verraden.'

'U... hoezo?'

'Het was mijn idee om naar Amerika te gaan. Niet het zijne. Ik wilde avonturen en wat van de wereld zien en dat soort dingen. Jouw vader wilde bouwkunde studeren in Bagdad en uit de problemen blijven en voor de stad werken. Leuk en gewoon en simpel. Hij wilde helemaal niet weg uit Irak. Hij was heel gelukkig waar hij was. Maar o nee, ik kon het niet loslaten. Ik praatte en praatte maar over Amerika, totdat hij het opgaf en uiteindelijk zei, best, genoeg, oké, laten we gaan. Het bleek uiteindelijk toen we hier waren dat ik degene was die thuis bleef en dat hij degene was die de avonturen beleefde. Het had een soort grote ommezwaai in hem teweeg gebracht. Hij en je moeder reisden altijd wel ergens heen. En weet je, dat is uiteindelijk zijn dood geworden,' zegt hij zacht. 'Door ergens te zijn waar hij niet geacht werd te zijn. Ik heb vaak gedacht dat, als ik hem niet had overgehaald om hierheen te gaan – hij misschien nu nog zou leven.'

Sirine drukt haar kin naar beneden. 'Maar dat weet u niet. Er had van alles kunnen gebeuren. Als hij niet hierheen was gegaan – dan zou ik waarschijnlijk nu niet hier zitten.'

'Ja. Begrijp je? Zo gaan die dingen. Ik moest uiteindelijk voor mezelf concluderen dat het zo had moeten zijn.' Haar oom haalt zijn schouders op. 'Zoals ik het zie – moet je misschien blij zijn dat Han het ontdekte van dat erge. Het is de enige manier waarop je kunt weten of iemand van je kan houden – als hij van je blijft houden, zelfs nadat hij het weet van dat erge. Of van die achtentwintig erge dingen. Allemaal.'

'Maar Han is...' Ze struikelt erover, dat woord. In plaats daarvan zegt ze ellendig: 'Han is niet hier.'

'Dus doe jij het. Ik zal je helpen. Jij weet het van dat erge en ik zal het je vergeven.'

'Moet ik vertellen wat het is?'

Hij wrijft over zijn kin. 'Ik weet het niet. Vind jij van wel?'

'Ik weet het niet,' zegt ze. Ze rolt zich op een zij, duwt haar hoofd op haar hand en probeert erover te denken, maar haar hoofd zit vol, haar gedachten zijn verward. Ze probeert zich voor te stellen dat Han haar zou vergeven en wordt overspoeld door een gevoel van verlies. 'Ik kan het niet,' zegt ze rustig.

'Laat ik dan een suggestie doen – laten we gaan ontbijten.'

Ze knikt opgelucht, en glijdt van het bed, en met zijn tweeën gaan ze de onverlichte hal in. Het is zo vroeg dat het huis nog donker is, en als ze in de richting van het raam boven de voordeur kijkt, lijkt het alsof de stadslichten gedoofd zijn.

Ze gaan naar beneden, waarbij de verlichte deuropening van Sirines slaapkamer over haar schouders glijdt. De nacht vult de kamers van het huis als het getij van de oceaan. Aan de andere kant van de kamer ziet ze hoe de 's nachts bloeiende bloemen van haar oom helemaal geopend zijn.

Sirine doet het keukenlicht aan. Er is een recept uit het middeleeuwse kookboek dat ze wil proberen – een omelet gebakken in olie met knoflook, een vulling van gemalen walnoten, hete groene chilipepers en granaatappelpitten. Ze gaat naar de kasten en de koelkast en begint te werken, terwijl haar oom aan de tafel gaat zitten en zijn geschiedenis van Constantinopel opent. Ze staat aan de tafel, waar ze uien pelt en fijnhakt. Dan bakt ze de omelet licht, draait hem een keer om, en het aroma ervan is vol en gecompliceerd. Dan gaan Sirine en haar oom samen in de bibliotheek zitten eten.

Het gerecht is zoet, zacht en zo heerlijk dat het eigenlijk te kort duurt, de eieren smeltend in hun monden. Sirine is hongerig; ze eet meer dan ze in het afgelopen jaar ooit heeft gegeten tijdens een maaltijd. Het is goed – dat kan ze proeven. Voor het eerst in een jaar kan ze haar invloed op het voedsel proeven. Ze likt haar vingers af als ze klaar is. Haar oom legt zijn servet neer en zegt: '*Alhamdulilah,* dank aan God.' Dan knikt hij, wijst naar het lege bord en zegt: 'De eieren hebben je vergeven.'

32

Dus Abdelrahman trad op in de grootste rol van zijn leven op een gammel onbekend toneel in Caïro met een gezicht vol wit poeder, onder leiding van een halfgekke regisseur. Hij was een groot succes – niemand verwachtte echt dat de beroemde Amerikaanse filmster in Caïro zou verschijnen voor een toneelstuk. Maar zijn gezicht was dan ook wit gepoederd, zodat het merendeel van het publiek hem niet herkende. Maar zijn moeder wél. Abdelrahman viel flauw bij het feest voor de cast, toen hij zijn moeder voor het eerst in eenenveertig jaar ontmoette. Tante Camille kwam op hem af, groot als een deur, iedere vinger glinsterend van zeekleurige edelstenen die haar andere zonen voor haar hadden gekocht. En daar was de Bedekte Man – nu de zeemeermin koningin Alif – in een elektrische rolstoel achter haar. Camille was zo trots op haar zoon. Ze realiseerde zich dat hij zijn hele leven had gewijd aan acteren: eerst als verdronken Arabier, toen als verdronken Moor.

Ze omhelsden elkaar en kusten en lachten, en Abdelrahman vergaf de zeemeermin Alif dat ze hem had betoverd, en zij vergaf hem dat hij zo'n slechte gevangene was geweest. En uiteindelijk is dit ook een verhaal over hoe goed het is om te vergeven – een opluchting voor diegene die iets ergs heeft gedaan, en een grote opluchting voor diegene die kan vergeven! En ze trokken allemaal in een mooie flat in Caïro, waar ze backgammon speelden en zoete muntthee dronken en poëzie lazen. Tante Camille en de hond met de jakhalsoren werden samen oud – de een wat miraculeuzer dan de ander – en ze stierven, de een bij zonsopgang, de ander bij zonsondergang, op precies dezelfde dag. Maar in dit verhaal zijn ze nog niet dood. In dit verhaal leven de honden en de zeemeerminnen en de moeders en de zonen voor altijd bij elkaar. Tot er zich weer iets bijzonders voordeed.

Zo. Ben je nu gelukkig?

Het is een frisse morgen voor de late lente. Sirine staat bij de grill terwijl die heet wordt. Een voor een komen de eenzame studenten het restaurant binnen. Er zijn vogels die tegen elkaar kwetteren in de bomen boven het raam, boven de spoelbak. Victor, nu officieel souschef, hakt uien en knoflook; Cristobal is nu leerling-kok en een nieuwe jongen uit Senegal die Percy heet, is de nieuwe schoonmaker.

Het is bijna twee jaar geleden dat Han is weggegaan en hij begint zich terug te trekken uit Sirines dromen. Zo lang waren ze nog niet eens samen, zegt ze tegen zichzelf; het was een kwestie van maanden. Maar toch zoekt ze hem af en toe nog; onbewust speurt ze mensenmenigten af.

Op deze morgen echter herinnert ze zich een droom die ze had waarin ze onder water kon ademhalen. Ze herinnert zich het ritme van oceaanstromingen in haar hoofd, haar armen wijd voor zich uit, een duizelig geluksgevoel in haar borst. De dageraad is nu saffraankleurig in de ramen en er ligt een gloed over het restaurant. Ze roert in een pan leben-yoghurt, die ze langzaam verwarmt; voorzichtig, zacht en hoopvol, met boter en uien erbij, bedwelmend en aangenaam als een nacht midden in de zomer. Ze moet blijven roeren omdat het een gevoelige, temperamentvolle saus is, geneigd tot breken en schiften als je niet goed oplet. Dus moet ze wachten en daar blijven staan en roeren en roeren en kijken en kijken. En ze staat daar te roeren en uit het raam te kijken en dan in de richting van het restaurant.

Een student zit aan de bar en slaat zijn krant open. Sirine leest de Amerikaanse kranten niet, maar naar de Arabische kranten draait ze nog steeds instinctief haar hoofd – vooral de kranten die zijn gedrukt op het zachtgroene en crèmekleurige papier. Deze morgen gaat haar blik over de voorkant van de krant van de student, en als ze de foto ziet, dringt het nauwelijks tot haar door. Maar dan maakt iets dat ze opnieuw kijkt. En dan, voor de derde keer, knippert ze met haar ogen en kijkt scherper, en het is een foto van een man die op Han lijkt, maar het kan Han niet zijn.

'Neem me niet kwalijk,' zegt ze tegen de student.

Hij krult de hoek van het papier naar binnen om naar haar te kijken, en ziet dan dat ze kijkt naar de foto op de pagina ernaast.

'Kun je me vertellen wat dit is?' Ze wijst.

Hij draait geduldig de krant om en leest het korte artikel, waarbij hij in zichzelf fluistert in het Arabisch. Hij schudt zijn hoofd, lacht en zegt: 'Het is een waanzinnig verhaal. Er staat dat die man een politieke gevangene was die is uitgebroken en toen ontsnapte vanuit Irak door de trek van deze dieren te volgen over de grens naar Jordanië. Hij zegt dat hij op weg naar huis is – ik weet niet waar dat is.'

Sirine kijkt weer naar de foto en ziet nu een vaag hertachtig dier op de achtergrond – het ziet er woest en wild uit, met een paar grote gekrulde horens.

De student brengt de krant dicht bij zijn gezicht en kijkt even scherp naar de foto. Een andere student staat op van zijn tafeltje om over de schouder van de eerste mee te turen. Hij wijst naar de foto: 'Kijk, dat is... dat is een gazelle.'

'Dat is geen gazelle,' zegt de student op de barkruk. 'Dat is een... hoe noem je die in het Engels? Een wapiti?'

'Het zou een berggeit kunnen zijn.'

'Dat is geen berggeit, idioot,' zegt een derde student.

'Het is een oryx.' Iedereen zwijgt even en draait zich dan om naar de spreker – het is Khoorosh, die kijkt naar een exemplaar van dezelfde krant, terwijl hij een bord linzen met eieren zit te eten. 'Een óryx.' Hij gaat verder met zijn eieren.

Ze kijkt naar de student. Hij is stevig gebouwd en pezig, met pretlichtjes in zijn ogen. Ze kijkt aandachtig naar de krant. 'Hoe heet die man?' vraagt ze terwijl ze ernaar wijst. 'Staat dat erbij?'

De student keert zich weer naar de krant, en zoekt even. 'Hier staat het.' Dan kijkt hij terug. 'Abdelrahman Salahadin.'

Ze voelt een vlaag koude wind als een lachsalvo. Een wilde wind als de wind van diep uit de oceaan. Haar knieën worden slap en haar mond wordt droog. Ze steekt haar handen omhoog, maar er is niets om zich aan vast te grijpen.

'Chef?' zegt de student die zit. 'Is alles goed met je?'

De jonge mannen schieten toe om een stoel voor haar te halen, maar Sirine schudt haar hoofd, doet een moeizame stap naar achteren. 'Ik... er is niets aan de hand. Mag ik alleen...' Ze strekt zich slap uit naar de krant. De student overhandigt die aan haar. 'Ik heb even wat frisse lucht nodig.'

Ze loopt naar buiten, naar de binnenplaats. Daar blijft ze trillend staan, en ze haalt diep adem voordat ze naar de krant kijkt. Sirine brengt die naar haar gezicht en bestudeert de foto aandachtig; eerst de details van het dier, zijn schitterende horens en amandelvormige ogen, waarmee ze een nieuwe blik op de man nog even uitstelt. En dan staat ze zichzelf uiteindelijk toe om te kijken – langzaam, geleidelijk aan – naar de man. Zijn kleren zijn vodden, zijn gezicht is bedekt met stoppels van een week; hij staat op een open veld alsof hij daar net is aangespoeld. Ze probeert zich te concentreren op zijn gezicht. De foto is samengesteld uit kleine inktpuntjes en Sirines ogen branden als ze naar de krantenfoto staart. Ze sluit haar ogen opnieuw en zegt tegen zichzelf, ontspan. Dan opent ze haar ogen weer.

Han.

Het kan niet, maar natuurlijk is hij het wel, onmiskenbaar, absoluut.

Ze staart en staart en staart, de foto vervult haar helemaal – de zachte vorm van zijn ogen, de valling van zijn haar, en het halvemaanvormig litteken bij zijn ooghoek.

En dan beginnen er dingen binnen in haar los te trillen, grote platen ijs die gaan schuiven en breken. Ze laat de krant vallen op de trap en loopt dwars over de binnenplaats naar de mejnoona-boom en grijpt zijn vlammende, bloeiende takken vast; ze zwaaien overal om haar heen, een vuurzee, ze houdt zich eraan vast alsof het het enige is wat haar aan de grond verankerd kan houden. Han leeft. Han leeft op deze wereld.

'Mijn god.' Ze kijkt op en ziet Mireille bij de achterdeur staan, starend naar de krant die Sirine heeft laten vallen. Ze houdt die omhoog. Haar stem trilt. 'Is hij het?'

Sirine blijft op de binnenplaats nadat Mireille is weggegaan om het tegen haar moeder te vertellen. Ze kan het lawaai in de keuken en in het restaurant horen door de muren. Ze ziet weerspiegelingen in het achterraam.

Ze voelt het opnieuw. Snel en scherp als fysieke pijn, als bloed dat terugkeert na bevriezing: de gedachte – *Han leeft nog.* Na al die maanden van wachten en rouwen. Ze is bijna kalm te midden van de papierachtige bougainville – de gekke-vrouwenboom met al zijn pracht, opnieuw, op de binnenplaats, dit mozaïek van licht en planten en wind.

Ze denkt aan het verhaal van Abdelrahman Salahadin. Soms, in de maanden na Han's vertrek, als ze in slaap aan het vallen was, raakte ze verward en kon ze zich niet helemaal meer herinneren of het nu Han of Abdelrahman was die van haar hield; of het nu Han of Abdelrahman was die in de zwarte bladzijde van de open zee was gedoken. Was het Abdelrahman die haar moest verlaten, om terug te keren naar zijn oude land, of was het Han die was gedwongen om zichzelf te verdrinken, telkens opnieuw.

Ze stelt zich hem voor, verward in het lange wier met zijn zwarte tongen dat kilometers lang vanaf de bodem van de zee omhoog groeit. Was hij bang op dat moment of had hij zich lang geleden al overgegeven aan het zeewier en de vissen? Had hij al zo vaak gedroomd over een dergelijke dood dat het uiteindelijk net zo natuurlijk was als naar huis gaan? Hij keerde terug naar Irak in de wetenschap dat ze hem zeker zouden doden. Op de een of andere manier is dat niet gebeurd. Om de een of andere reden – denkt ze – hebben ze gratie gekregen.

In een enkel moment is het alsof al die maanden van scheiding die voorbij zijn gegaan, plotseling zijn verdwenen; jaren storten in.

Um-Nadia verschijnt in de deuropening en kijkt om zich heen alsof ze verlegen is. Ze houdt de krant vast. Ze glimlacht, strijkt het haar uit haar gezicht en sluit haar ogen.

De wind steekt op en de twee lange palmen maken het trillende geluid van regen. Helemaal vanaf het einde van de straat kan Sirine het hartstochtelijke geblaf van een kleine hond aan het einde van een korte lijn horen. De bomen en de struiken beginnen allemaal te zwaaien en Sirine merkt op dat de granaatboom eindelijk het begin laat zien van een paar vruchten.

In de keuken begint de telefoon te rinkelen.

Sirine wacht, knoopt haar jasje wat hoger dicht en dan roept iemand haar naam. Ze rent naar binnen. Victor Hernandez is aan de telefoon, zegt Han's naam en kijkt naar haar. Hij staat naast het fornuis en roert in de zilverkleurige pan met leben, de grote lepel schuin in zijn hand, de blauwe vlammen van de branders flikkerend. Ze drukt haar hand tegen haar mond en neemt de hoorn over.

WOORD VAN DANK

Voor hun literaire wijsheid en emotionele zorg, mijn vrienden Lorraine Gallicchio Mercer, Michelle Huneven, Whitney Otto, Joy Harris, Stephanie Abou, Alexia Paul, Alane Salierno Mason, Alessandra Bastagli, Stefanie Diaz, Bette Sinclair, Steven Fidel en Chelsea Cain.

Voor hun geduld, edelmoedigheid en research, mijn vrienden Bassam Frangieh, David Hirsch en Elie Chalala.